중학교

기술·가정② 자습서

최유현 교과서편

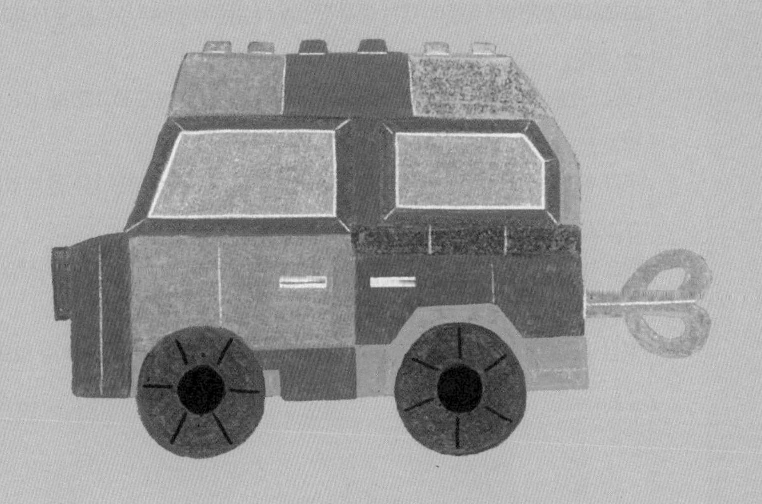

이 책의 구성과 특징

교과서 꽉꽉 다지기

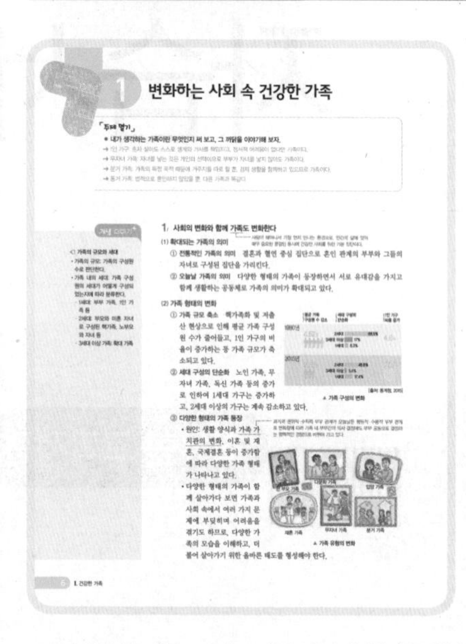

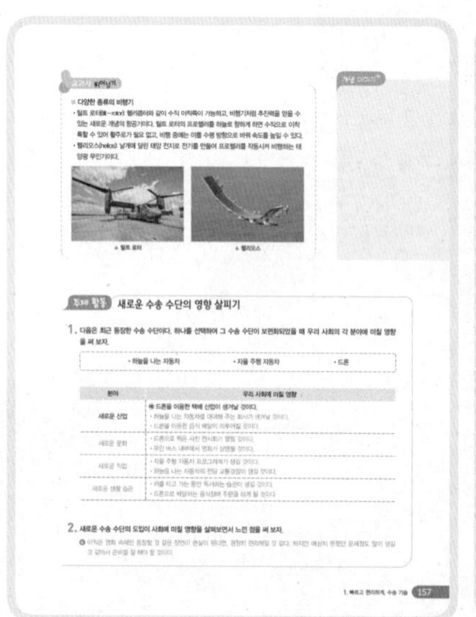

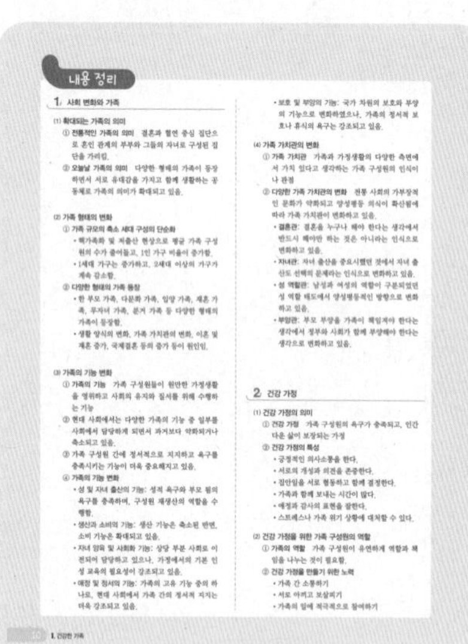

교과서에서 다루고 있는 기본 개념과 원리를 학습자의 눈높이에 맞추어 일목요연하게 정리하였습니다.

| 교과서 속 탐구 |

교과서의 활동이나 질문에 대한 예시 답안과 해설을 제공하여 수업을 문제없이 준비할 수 있게 하였습니다.

| 개념 더하기 |

해당 단원에서 중요한 단어를 제시하여 내용을 확인할 수 있도록 하였습니다.

| 빨간펜과 보충 설명 |

추가 설명이 필요한 경우에는 보충 설명을 하였고, 중요한 부분은 첨삭을 하였습니다.

| 교과서 뛰어넘기 |

학습 내용과 관련된 참고 자료를 제시하여 학습에 도움이 될 수 있도록 하였습니다.

| 내용 정리 |

핵심 내용을 일목요연하게 정리하여 한눈에 학습을 정리하고 마무리할 수 있도록 하였습니다.

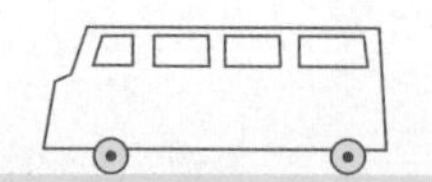

실력 쑥쑥 올리기

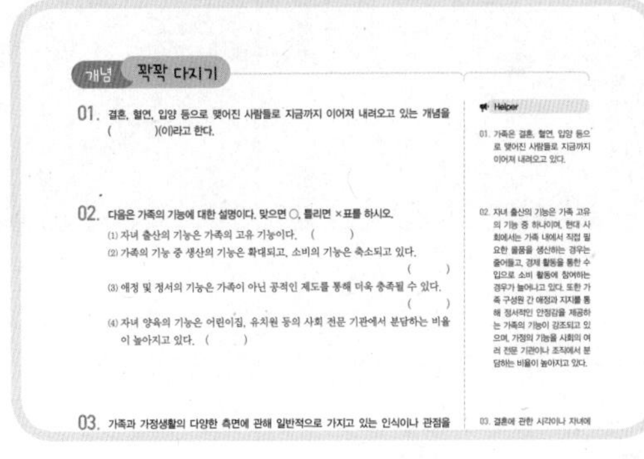

교과서의 주요 개념을 다양한 형태의 문제를 통해 완벽하게 이해할 수 있도록 하였습니다.

| 개념 꽉꽉 다지기 |

- 중단원에서 배운 내용을 확인해 볼 수 있는 기본 문제들로 구성하여 스스로 정리할 수 있도록 하였습니다.
- Helper를 통해 질문에 대한 해설을 상세하게 하여 문제의 내용을 쉽게 정리할 수 있도록 하였습니다.

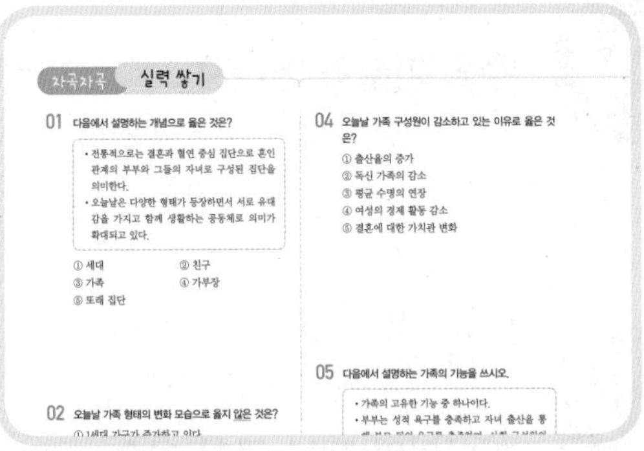

| 차곡차곡 실력 쌓기 |

중단원별 평가를 통해 스스로 정리 학습을 하면서 피드백할 수 있도록 하였습니다.

대단원 마무리하기

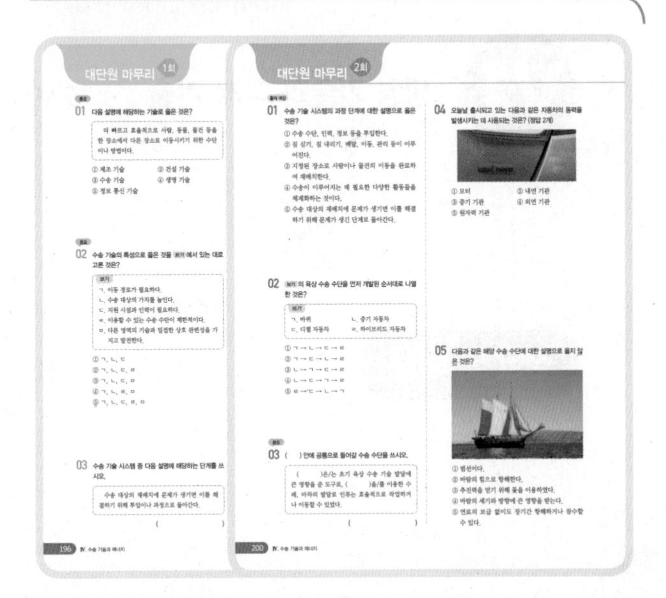

'객관식 문제'와 '주관식', '서술형 주관식' 등 유형을 달리하였고, 문제의 중요도에 따라 중요/출제 예감을 표시하여 효율적으로 학교 시험에 대비할 수 있도록 하였습니다.

정답 및 해설

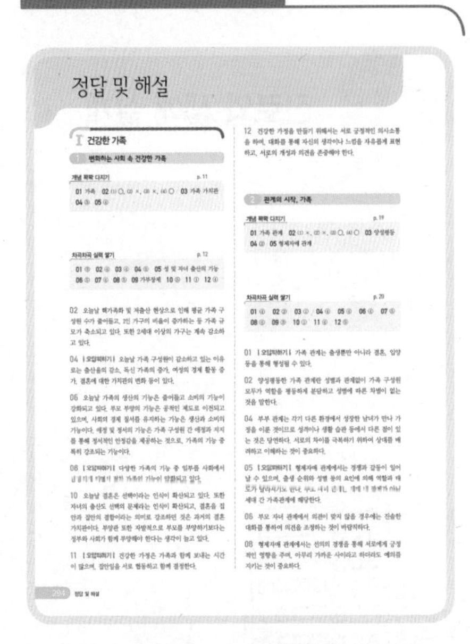

정확한 정답과 풍부한 해설을 수록하였고, '오답 피하기'를 통해 학생들이 실수하기 쉬운 부분에 상세한 해설을 제시하였습니다.

이 책의 **차례**

I/ 건강한 가족

1 변화하는 사회 속 건강한 가족

「주제 열기」

● 내가 생각하는 가족이란 무엇인지 써 보고, 그 까닭을 이야기해 보자.

→ 1인 가구: 혼자 살아도 스스로 생계와 가사를 책임지고, 정서적 어려움이 없다면 가족이다.

→ 무자녀 가족: 자녀를 낳는 것은 개인의 선택이므로 부부가 자녀를 낳지 않아도 가족이다.

→ 분거 가족: 가족의 특정 목적 때문에 거주지를 따로 할 뿐, 경제 생활을 함께하고 있으므로 가족이다.

→ 동거 가족: 법적으로 혼인하지 않았을 뿐, 다른 가족과 똑같다.

개념 더하기+

⊕ 가족의 규모와 세대

- 가족의 규모: 가족의 구성원 수로 판단한다.
- 가족 내의 세대: 가족 구성원의 세대가 어떻게 구성되었는지에 따라 분류한다.
  - 1세대: 부부 가족, 1인 가족 등
  - 2세대: 부모와 미혼 자녀로 구성된 핵가족, 노부모와 자녀 등
  - 3세대 이상 가족: 확대 가족

1/ 사회의 변화와 함께 가족도 변화한다

가족: 사람이 태어나서 가장 먼저 만나는 환경으로, 인간의 삶에 있어 매우 중요한 환경인 동시에 건강한 사회를 위한 기본 집단이다.

(1) 확대되는 가족의 의미

① **전통적인 가족의 의미** 결혼과 혈연 중심 집단으로 혼인 관계의 부부와 그들의 자녀로 구성된 집단을 가리킨다.

② **오늘날 가족의 의미** 다양한 형태의 가족이 등장하면서 서로 유대감을 가지고 함께 생활하는 공동체로 가족의 의미가 확대되고 있다.

(2) 가족 형태의 변화

① **가족 규모 축소** 핵가족화 및 저출산 현상으로 인해 평균 가족 구성원 수가 줄어들고, 1인 가구의 비율이 증가하는 등 가족 규모가 축소되고 있다.

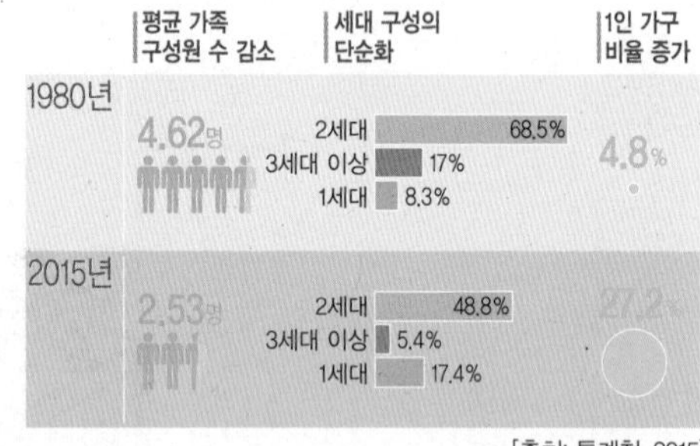

▲ 가족 구성의 변화

② **세대 구성의 단순화** 노인 가족, 무자녀 가족, 독신 가족 등의 증가로 인하여 1세대 가구는 증가하고, 2세대 이상의 가구는 계속 감소하고 있다.

③ **다양한 형태의 가족 등장**

- 원인: 생활 양식과 가족 가치관의 변화, 이혼 및 재혼, 국제결혼 등이 증가함에 따라 다양한 가족 형태가 나타나고 있다.

가족 가치관의 변화: 과거의 권위적·수직적 부부 관계가 오늘날은 평등적·수평적 부부 관계로 변화함에 따라 가족 내 부부간의 의사 결정에도 부부 공동으로 결정하는 협력적인 경향으로 바뀌어 가고 있다.

- 다양한 형태의 가족이 함께 살아가다 보면 가족과 사회 속에서 여러 가지 문제에 부딪히며 어려움을 겪기도 하므로, 다양한 가족의 모습을 이해하고, 더불어 살아가기 위한 올바른 태도를 형성해야 한다.

▲ 가족 유형의 변화

(3) 가족의 기능 변화

① **가족의 기능** 가족 구성원들이 원만한 가정생활을 영위하고 사회의 유지와 질서를 위해 수행하는 기능으로, 가족의 기능은 사회와 시대에 따라 다양하게 나타나며, 끊임없이 변화하고 있다.

② **가족의 기능 약화 및 축소** 현대 사회에서는 다양한 가족의 기능 중 일부를 사회에서 담당하게 되면서 가족의 기능이 과거보다 약화되거나 축소되고 있다.

③ **애정 및 정서의 기능 강조** 가족 구성원 간에 정서적으로 지지하고 욕구를 충족시키는 기능은 더욱 중요해지고 있다.

④ **가족의 기능 변화**

- 성 및 자녀 출산의 기능
  - 가족의 고유한 기능 중 하나이다.
  - 부부는 성적 욕구를 충족하고, 자녀 출산을 통해 부모 됨의 욕구를 충족하며 사회 구성원의 재생산 역할을 수행하고 있다.
- 생산과 소비의 기능 (현대는 생산 활동의 대부분이 공장에서 이루어지고 있는 만큼 가족은 생산 단위의 성격을 상실해 가고 있으며, 소비 단위로서의 성향이 강하게 나타나고 있다.)
  - 사회의 경제 질서를 유지하는 기능이다.
  - 현대 사회에서는, 가족 내에서 직접 필요한 물품을 생산하는 경우는 줄어들고, 경제 활동을 통한 수입으로 소비 활동에 참여하는 경우가 늘어났다. 따라서 소비의 기능이 강화되고 있다.
- 자녀 양육 및 사회화 기능
  - 가족은 자녀에게 가족 문화를 전달하고 건전한 가치관을 심어 주는 역할을 한다.
  - 현대 사회에서는 유치원, 학교 등으로 그 기능이 많이 이전되었다.
  - 가족은 자녀 양육과 사회화를 담당하여 자녀를 건강한 사회 구성원으로 성장하게 하는 가장 기본적이고 중요한 집단이다.
- 애정 및 정서의 기능: 가정생활의 중요한 자산으로, 경쟁적이고 불안감이 높은 현대 사회에서는 가족 구성원 간 애정과 지지를 통해 정서적인 안정감을 제공하는 가족의 기능이 특히 강조되고 있다.
- 보호 및 부양의 기능: 과거처럼 외부의 물리적인 위협으로부터 가족을 보호하는 기능은 현대 사회에서 축소되고, 부모 부양의 기능 또한 공적인 제도로 이전하고 있다.

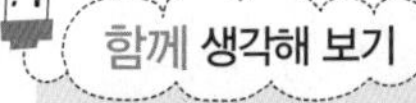

우리 가족이 나에게 해 주고 있는 가족의 기능에는 어떤 것들이 있는지 찾아 써 보고, 가족이 그 기능을 해 주지 않는다면 어떤 일이 생길지 이야기해 보자.

예 우리 가족은 성 및 자녀 출산의 기능을 수행하여 부모님이 나와 내 동생을 낳으셨다. 만약 가족이 성 및 자녀 출산의 기능을 해 주지 않는다면 사회 구성원의 재생산 역할을 수행할 수 없어 사회적인 혼란이 올 것이다.

개념 더하기+

⊕ 사회화
인간이 살아가는 데 필요한 사회의 중요한 여러 가지 행위 양식이나 가치관, 윤리적 규범 등을 획득해 가는 것을 말한다.

⊕ 가정 기능의 사회화
가정의 기능을 사회의 여러 전문 기관이나 조직에서 분담하는 비율이 높아지고 있다.
- 생산의 기능: 공장, 기업체 등
- 교육의 기능: 학교, 학원 등
- 오락의 기능: 극장, 체육관 등
- 자녀 양육의 기능: 어린이집, 유치원 등
- 보호의 기능: 요양 보호소, 노인정, 병원 등

개념 더하기+

가부장
전통 사회에서 가족의 중심이 되는 사람으로, 아버지 또는 가족 내 연장자인 남성이 그 역할을 담당한다.

가부장제(家父長制)
가부장제는 '부권제'라고도 하며 권력의 핵심이 남성인 남성 중심주의 사회로, 남성이 정치적 우위, 도덕적 권위, 사회적 특혜, 재산의 통제권 등의 독점적 역할을 수행한다. 가족 단위에서는 아버지 또는 아버지에 해당하는 인물이 여성과 자녀에 대한 권위를 가진다. 또한 가부장제 사회에서는 재산과 가문의 명의가 남성 혈통으로 계승된다.

(4) **가족 가치관의 변화**

① **가족 가치관** 가족과 가정생활의 다양한 측면에 관해 일반적으로 가지고 있는 인식이나 관점을 의미한다(예 결혼에 관한 시각이나 자녀에 관한 가치관, 부부의 역할에 관한 가치관, 부모 부양에 관한 생각 등).

② **오늘날의 가족 가치관** 오늘날에는 전통 사회의 가부장적인 문화가 약화되고 양성평등 의식이 확산됨에 따라 가족 가치관이 변화하고 있다. 이에 따라 가족의 생활 방식이나 가족 구성원의 역할 등에 많은 영향을 미치고 있다.

③ **다양한 가족 가치관의 변화**

가치관	과거	오늘날
결혼관	• 결혼은 누구나 해야 하는 것으로 생각함. • 집안과 집안의 결합이라는 의미가 강조됨.	• 결혼은 선택이라는 인식이 확산됨. • 이혼이나 재혼도 허용적으로 생각함.
자녀관	• 가계 계승, 노후 부양 기대 등의 의미에서 자녀 출산을 중요시함. • 자녀를 많이 낳는 것을 미덕으로 여김.	• 자녀의 성별에 크게 구애받지 않음. • 자녀의 출산도 선택의 문제라는 인식이 확산됨.
성 역할관	• 남성은 일, 여성은 가정이라는 성 역할이 구분되었음. • 아들과 딸에게 기대하는 역할이 다름.	• 자녀 양육과 가사 노동을 남녀가 상호 분담해야 한다는 양성평등한 성 역할 의식이 높아지고 있음.
부양관	'효' 규범에 기초하여 부모 세대를 자녀가 부양해야 한다는 의식이 확고했음.	자발적으로 자녀가 부모를 부양하기보다는 정부와 사회가 함께 부양해야 한다는 생각이 늘고 있음.

함께 생각해 보기

그림 Ⅰ-4에 나타난 각 가족 가치관에 관한 자기 생각을 친구들과 함께 이야기해 보자.

예 결혼은 꼭 하고 싶지만, 자녀를 낳고 싶지는 않다. 왜냐하면, 아이를 낳는 것이 무섭기 때문이다. / 나는 결혼해서 맞벌이를 할 것이기 때문에 반드시 가사 분담은 남녀가 공평하게 나누어서 해야 한다고 생각한다.

2 건강 가정은 가족 구성원 모두의 행복을 추구한다

(1) **건강 가정의 의미**

가족 구성원 서로가 애정과 존중을 바탕으로 서로의 개성을 존중하고 차이를 인정하여 모두가 행복을 느끼는 가정을 의미한다.

① **건강 가정** 가족 구성원의 욕구가 충족되고, 인간다운 삶이 보장되는 가정을 말한다.

② **건강 가정의 특성**

- 긍정적인 의사소통을 한다.
- 서로의 개성과 의견을 존중한다.
- 집안일을 서로 협동하고 함께 결정한다.
- 가족과 함께 보내는 시간이 많다.
- 애정과 감사의 표현을 잘한다.
- 스트레스나 가족 위기 상황에 대처할 수 있다.

(2) 건강 가정을 만들기 위한 가족 구성원의 역할

① 가족의 역할

- 가족 내의 성별과 세대로 지위가 정해지고, 그 지위에 요구되는 태도나 행동을 말한다.
- 가족의 역할은 시간의 흐름에 따라 끊임없이 변화한다. 건강한 가족생활을 위해 모든 가족 구성원이 유연하고 합리적으로 역할과 책임을 나누고 협력해야 한다.

② 건강 가정을 만들기 위한 노력

- 소통하기: 나의 생각이나 느낌을 적극적으로 표현한다.
- 서로 아끼고 보살피기: 서로 사랑하고 아끼는 마음을 표현한다.
- 참여하기: 가족의 일에 적극적으로 참여하고 나누려고 노력한다.

개념 더하기+

⊕ 건강 가정 기본법

건강한 가정생활 영위와 가족의 유지 및 발전을 위한 국민의 권리, 의무와 국가 및 지방자치 단체 등의 책임을 명백히 하고, 가정 문제의 적절한 해결 방안을 마련함으로써 건강가정 구현에 기여하기 위해 제정한 법이다.

함께 생각해 보기

우리 가족의 건강한 가정생활을 위해 내가 할 수 있는 일이 무엇인지 써 보고, 친구들과 함께 이야기해 보자.

예
- 가족과 식사할 때 휴대 전화를 하거나 텔레비전을 보지 않고, 이야기를 나눈다.
- 힘들고 어려운 일이 있을 때 가족들에게 도움을 요청한다.
- 내 방 청소는 스스로 한다.

주제 활동 건강 가정을 만들기 위해 노력하기

1. 빈칸에 가족 구성원의 이름을 적고, 질문에 대답해 보자.

- 요즘 내가 가 보고 싶은 곳은? 제주도
- ___엄마___(이)가 가 보고 싶어 하는 곳은? 스페인
- ___언니___(이)가 가 보고 싶어 하는 곳은? 미국
- 요즘 내가 관심 있는 것은? 이성 친구
- ___엄마___(이)가 관심 있어 하는 것은? 내 성적
- ___언니___(이)가 관심 있어 하는 것은? 취업

2. 가족 구성원의 생각과 원하는 것을 잘 알기 위해서 내가 실천할 수 있는 방안을 써 보자.

- 주말에 가족과 함께 산책을 한다.
- 하루에 하나씩 부모님과 관련된 질문을 한다.
- 일주일에 한 번은 가족과 함께 식사를 한다.

3. 가족을 이해하기 위한 노력을 실천해 보고, 느낀 점을 써 보자.

- 그동안 몰랐던 엄마의 새로운 면을 알게 되니, 엄마를 더 잘 이해할 수 있게 되었다.
- 전에는 동생과 대화가 잘 안 되었는데, 동생이 무엇을 좋아하는지 알고 난 뒤 동생과 대화가 잘 통하게 되었다.

내용 정리

1 사회 변화와 가족

(1) 확대되는 가족의 의미

① **전통적인 가족의 의미** 결혼과 혈연 중심 집단으로 혼인 관계의 부부와 그들의 자녀로 구성된 집단을 가리킴.

② **오늘날 가족의 의미** 다양한 형태의 가족이 등장하면서 서로 유대감을 가지고 함께 생활하는 공동체로 가족의 의미가 확대되고 있음.

(2) 가족 형태의 변화

① **가족 규모의 축소 세대 구성의 단순화**

- 핵가족화 및 저출산 현상으로 평균 가족 구성원의 수가 줄어들고, 1인 가구 비율이 증가함.
- 1세대 가구는 증가하고, 2세대 이상의 가구가 계속 감소함.

② **다양한 형태의 가족 등장**

- 한 부모 가족, 다문화 가족, 입양 가족, 재혼 가족, 무자녀 가족, 분거 가족 등 다양한 형태의 가족이 등장함.
- 생활 양식의 변화, 가족 가치관의 변화, 이혼 및 재혼 증가, 국제결혼 등의 증가 등이 원인임.

(3) 가족의 기능 변화

① **가족의 기능** 가족 구성원들이 원만한 가정생활을 영위하고 사회의 유지와 질서를 위해 수행하는 기능

② 현대 사회에서는 다양한 가족의 기능 중 일부를 사회에서 담당하게 되면서 과거보다 약화되거나 축소되고 있음.

③ 가족 구성원 간에 정서적으로 지지하고 욕구를 충족시키는 기능이 더욱 중요해지고 있음.

④ **가족의 기능 변화**

- 성 및 자녀 출산의 기능: 성적 욕구와 부모 됨의 욕구를 충족하며, 구성원 재생산의 역할을 수행함.
- 생산과 소비의 기능: 생산 기능은 축소된 반면, 소비 기능은 확대되고 있음.
- 자녀 양육 및 사회화 기능: 상당 부분 사회로 이전되어 담당하고 있으나, 가정에서의 기본 인성 교육의 필요성이 강조되고 있음.
- 애정 및 정서의 기능: 가족의 고유 기능 중의 하나로, 현대 사회에서 가족 간의 정서적 지지는 더욱 강조되고 있음.
- 보호 및 부양의 기능: 국가 차원의 보호와 부양의 기능으로 변화하였으나, 가족의 정서적 보호나 휴식의 욕구는 강조되고 있음.

(4) 가족 가치관의 변화

① **가족 가치관** 가족과 가정생활의 다양한 측면에서 가치 있다고 생각하는 가족 구성원의 인식이나 관점

② **다양한 가족 가치관의 변화** 전통 사회의 가부장적인 문화가 약화되고 양성평등 의식이 확산됨에 따라 가족 가치관이 변화하고 있음.

- **결혼관**: 결혼을 누구나 해야 한다는 생각에서 반드시 해야만 하는 것은 아니라는 인식으로 변화하고 있음.
- **자녀관**: 자녀 출산을 중요시했던 것에서 자녀 출산도 선택의 문제라는 인식으로 변화하고 있음.
- **성 역할관**: 남성과 여성의 역할이 구분되었던 성 역할 태도에서 양성평등적인 방향으로 변화하고 있음.
- **부양관**: 부모 부양을 가족이 책임져야 한다는 생각에서 정부와 사회가 함께 부양해야 한다는 생각으로 변화하고 있음.

2 건강 가정

(1) 건강 가정의 의미

① **건강 가정** 가족 구성원의 욕구가 충족되고, 인간다운 삶이 보장되는 가정

② **건강 가정의 특성**

- 긍정적인 의사소통을 한다.
- 서로의 개성과 의견을 존중한다.
- 집안일을 서로 협동하고 함께 결정한다.
- 가족과 함께 보내는 시간이 많다.
- 애정과 감사의 표현을 잘한다.
- 스트레스나 가족 위기 상황에 대처할 수 있다.

(2) 건강 가정을 위한 가족 구성원의 역할

① **가족의 역할** 가족 구성원이 유연하게 역할과 책임을 나누는 것이 필요함.

② **건강 가정을 만들기 위한 노력**

- 가족 간 소통하기
- 서로 아끼고 보살피기
- 가족의 일에 적극적으로 참여하기

개념 꽉꽉 다지기

01. 결혼, 혈연, 입양 등으로 맺어진 사람들로 지금까지 이어져 내려오고 있는 개념을 (   )(이)라고 한다.

02. 다음은 가족의 기능에 대한 설명이다. 맞으면 ○, 틀리면 ×표를 하시오.

(1) 자녀 출산의 기능은 가족의 고유 기능이다. (   )

(2) 가족의 기능 중 생산의 기능은 확대되고, 소비의 기능은 축소되고 있다. (   )

(3) 애정 및 정서의 기능은 가족이 아닌 공적인 제도를 통해 더욱 충족될 수 있다. (   )

(4) 자녀 양육의 기능은 어린이집, 유치원 등의 사회 전문 기관에서 분담하는 비율이 높아지고 있다. (   )

03. 가족과 가정생활의 다양한 측면에 관해 일반적으로 가지고 있는 인식이나 관점을 (   )(이)라고 한다.

04. 다양한 가족 가치관의 변화에 대한 설명으로 옳지 않은 것은?

① 이혼이나 재혼도 허용적으로 생각한다.
② 결혼은 선택이라는 인식이 확산되었다.
③ 자녀의 출산은 필수적이며 아들을 선호한다.
④ 성 역할에 있어서 양성평등 의식이 높아지고 있다.
⑤ 정부와 사회가 함께 부모를 부양해야 한다는 생각이 늘고 있다.

05. 건강한 가정의 특성으로 옳지 않은 것은?

① 긍정적인 의사소통을 한다.
② 애정과 감사의 표현을 잘한다.
③ 서로의 개성과 인격을 존중한다.
④ 가족이 개인적으로 보내는 시간이 많다.
⑤ 스트레스나 가족 위기 상황에 대처할 수 있다.

Helper

01. 가족은 결혼, 혈연, 입양 등으로 맺어진 사람들로 지금까지 이어져 내려오고 있다.

02. 자녀 출산의 기능은 가족 고유의 기능 중 하나이며, 현대 사회에서는 가족 내에서 직접 필요한 물품을 생산하는 경우는 줄어들고, 경제 활동을 통한 수입으로 소비 활동에 참여하는 경우가 늘어나고 있다. 또한 가족 구성원 간 애정과 지지를 통해 정서적인 안정감을 제공하는 가족의 기능이 강조되고 있으며, 가정의 기능을 사회의 여러 전문 기관이나 조직에서 분담하는 비율이 높아지고 있다.

03. 결혼에 관한 시각이나 자녀에 관한 가치관, 부부의 역할에 관한 가치관 등이 그 예이다.

04. 현대 사회에서는 자녀의 성별에 크게 구애받지 않으며, 자녀의 출산도 선택의 문제라는 인식이 확산되고 있다.

05. 건강한 가족은 가족과 함께 보내는 시간이 많다.

차곡차곡 실력 쌓기

01 다음에서 설명하는 개념으로 옳은 것은?

- 전통적으로는 결혼과 혈연 중심 집단으로 혼인 관계의 부부와 그들의 자녀로 구성된 집단을 의미한다.
- 오늘날은 다양한 형태가 등장하면서 서로 유대감을 가지고 함께 생활하는 공동체로 의미가 확대되고 있다.

① 세대 ② 친구
③ 가족 ④ 가부장
⑤ 또래 집단

02 오늘날 가족 형태의 변화 모습으로 옳지 않은 것은?

① 1세대 가구가 증가하고 있다.
② 무자녀 가족이 증가하고 있다.
③ 평균 가족 구성원 수가 줄어들고 있다.
④ 핵가족 및 저출산 현상이 감소하고 있다.
⑤ 2세대 이상의 가구가 계속 감소하고 있다.

03 오늘날 다양한 형태의 가족이 등장하게 된 원인을 보기 에서 있는 대로 고른 것은?

보기
ㄱ. 국제결혼의 증가
ㄴ. 생활 양식의 변화
ㄷ. 가족 가치관의 변화
ㄹ. 이혼 및 재혼의 감소

① ㄱ, ㄴ ② ㄱ, ㄷ
③ ㄴ, ㄹ ④ ㄱ, ㄴ, ㄷ
⑤ ㄴ, ㄷ, ㄹ

04 오늘날 가족 구성원이 감소하고 있는 이유로 옳은 것은?

① 출산율의 증가
② 독신 가족의 감소
③ 평균 수명의 연장
④ 여성의 경제 활동 감소
⑤ 결혼에 대한 가치관 변화

05 다음에서 설명하는 가족의 기능을 쓰시오.

- 가족의 고유한 기능 중 하나이다.
- 부부는 성적 욕구를 충족하고 자녀 출산을 통해 부모 됨의 욕구를 충족하며, 사회 구성원의 재생산 역할을 수행하고 있다.

(   )

06 가족의 기능에 대한 설명으로 옳은 것은?

① 오늘날은 생산의 기능이 강화되고 있다.
② 부모 부양의 기능은 공적인 제도로 이전되지 않고 있다.
③ 자녀 양육의 기능은 사회의 경제 질서를 유지하는 기능이다.
④ 애정 및 정서의 기능은 사회의 전문 기관으로 대부분 이전되었다.
⑤ 사회화의 기능은 유치원, 학교 등으로 그 기능이 많이 이전되었다.

07 다음은 가정 기능의 사회화 현상을 설명한 것이다. 가장 관련이 깊은 가족의 기능으로 옳은 것은?

> 과거처럼 외부의 물리적인 위협으로부터 가족을 보호하는 기능은 현대 사회에서 축소되고, 요양 보호소, 노인정, 병원 등으로 그 기능이 이전되고 있다.

① 자녀 출산의 기능
② 생산과 소비의 기능
③ 애정 및 정서의 기능
④ 보호 및 부양의 기능
⑤ 자녀 양육 및 사회화 기능

08 다음은 가족의 기능에 관한 설명이다. 옳지 않은 것은?

① 애정 및 정서의 기능이 더욱 중요해지고 있다.
② 가족의 기능은 사회와 시대에 따라 다양하게 나타난다.
③ 가족은 사회의 유지와 질서를 위해 다양한 기능을 수행한다.
④ 자녀 양육의 기능은 어린이집, 유치원 등의 사회 기관이 분담하는 비율이 높아지고 있다.
⑤ 다양한 가족의 기능 중 일부를 사회에서 담당하게 되면서 가족의 기능이 과거보다 강화되고 있다.

09 (　　) 안에 들어갈 알맞은 말을 쓰시오.

> (　　　　)은/는 '부권제'라고도 하며, 권력의 핵심이 남성인 남성 중심주의 사회를 의미한다. 가족 단위에서는 아버지 또는 아버지에 해당하는 인물이 여성과 자녀에 대한 권위를 가진다. 또한 재산과 가문의 명의가 남성 혈통으로 계승된다.

(　　　　　　　　　　)

10 오늘날 가족 가치관의 변화에 대한 설명으로 옳은 것은?

① 결혼은 필수라는 인식이 확산되었다.
② 자녀를 많이 낳는 것을 미덕으로 여긴다.
③ 결혼은 집안과 집안의 결합이라는 의미가 강조된다.
④ '효' 규범에 기초하여 부모 세대를 자녀가 부양해야 한다는 의식이 확고하다.
⑤ 자녀 양육과 가사 노동을 남녀가 상호 분담해야 한다는 의식이 높아지고 있다.

11 건강 가정의 특성을 보기 에서 있는 대로 고른 것은?

> 보기
> ㄱ. 긍정적인 의사소통을 한다.
> ㄴ. 애정이나 감사의 표현을 잘한다.
> ㄷ. 서로의 개성과 의견을 존중한다.
> ㄹ. 가족이 개인적으로 보내는 시간이 많다.
> ㅁ. 중대한 결정은 가장에게 전적으로 맡긴다.

① ㄱ, ㄴ, ㄷ　② ㄱ, ㄴ, ㄹ
③ ㄱ, ㅁ, ㄹ　④ ㄴ, ㄷ, ㅁ
⑤ ㄷ, ㄹ, ㅁ

12 건강 가정을 만들기 위한 가족 구성원의 역할로 옳지 않은 것은?

① 가족의 일에 적극적으로 참여한다.
② 가족과 이야기 나누는 시간을 갖는다.
③ 서로 사랑하고 아끼는 마음을 표현한다.
④ 자신의 생각이나 느낌을 되도록 표현하지 않는다.
⑤ 가족 구성원이 유연하고 합리적으로 역할을 분담한다.

2 관계의 시작, 가족

「주제 열기」

● 시를 읽고 느낀 점을 써 보자.

→ • 옛날에는 할머니, 할아버지와 함께 살고, 이웃들과도 많은 교류가 있었던 것 같다.
• 밥상에 늘 함께하던 가족이 없어졌다니 참 허전할 것 같다.
• 얼굴 반찬이라는 제목이 흥미롭게 느껴졌다. 가족의 얼굴이 서로에게 의미가 있는 것 같다.

1/ 가족은 여러 관계로 얽혀 있다

(1) 가족 관계

① 가족 구성원 사이에서 맺어지는 관계를 말한다.

② 가족 관계는 가족 구성원 간의 심리적·정서적 관계를 포함한다.

③ **가족 관계의 유형** 부부 관계, 부모 자녀 관계, 형제자매 관계, 조부모 손자녀 관계 등이 있다.

(2) 가족 관계의 형성

① 가족 관계는 출생뿐만 아니라 결혼, 입양 등을 통해 형성될 수 있다.

② 각각의 가족 관계는 나름의 고유한 관계를 형성한다.

③ 가족 관계는 모든 인간관계의 기초를 이루고, 건강한 가족 관계는 개인의 삶을 행복하게 하고 건강한 사회를 유지하는 원동력이 된다.

④ 가족 내에서 나의 역할과 관계를 이해하고, 서로를 존중하고 지지하는 바람직한 가족 관계를 유지하기 위해 노력해야 한다.

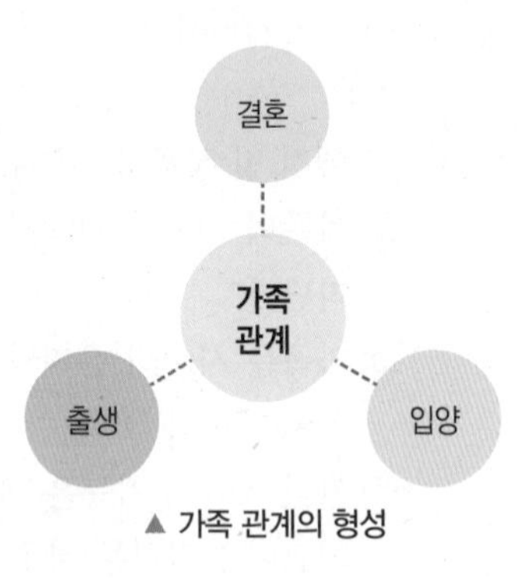

▲ 가족 관계의 형성

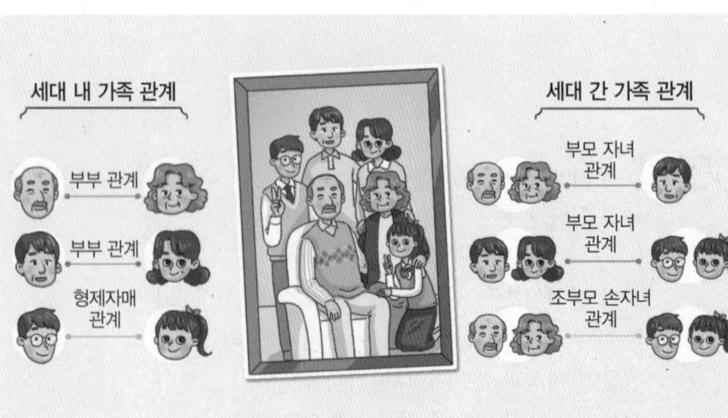

▲ 얽혀 있는 가족 관계

개념 더하기+

⊕ 가족 관계도

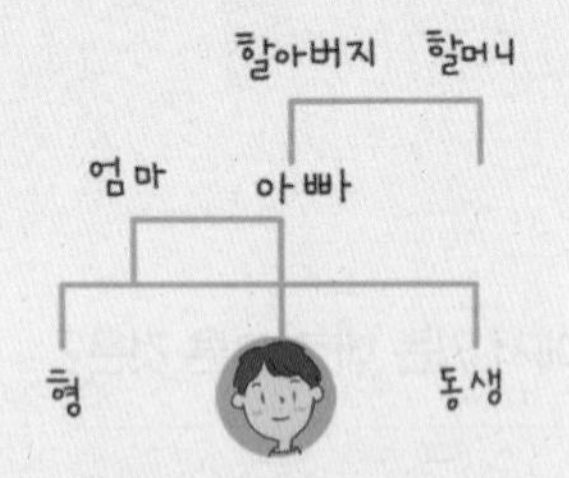

• 가족 관계는 기본적으로 성별과 세대를 잇는 선으로 이어져 있다.
• 나를 중심으로 나와 같은 세대이면서 성별에 따라 형제자매, 남매 관계라는 수평선이 연결된다.
• 나아가 직계가 아니라 4촌이나 6촌과 같은 방계 가족으로 수평선은 이어진다.
• 나의 윗세대와 연결된 수직선은 성별에 따라 부자, 부녀, 모자, 모녀 관계를 만든다. 부모 간의 수평선은 남녀 부부 관계로 연결된다.

2 평등하고 민주적인 가족 관계는 배려와 소통을 통해 형성된다

건강하고 바람직한 가족 관계를 형성하려면 가족 구성원 모두가 양성평등하고 세대 간 민주적인 관계를 형성하는 것이 중요하다.

(1) 양성평등한 가족 관계

① 성별과 관계없이 가족 구성원 모두가 역할을 평등하게 분담하고, 성별에 따른 차별이 없는 것을 말한다.

② 양성평등한 가족 관계를 위해서는 가족 문화 전반에 걸쳐서 양성평등한 가치관을 형성하는 것이 중요하다.

(2) 세대 간 민주적인 가족 관계

① 세대 간 살아온 환경이나 생활 방식 등에서 오는 차이를 이해하고, 수직적이고 권위적인 관계가 아닌 수평적이고 조화로운 관계를 유지하는 것을 의미한다.

② 건강하고 바람직한 가족 관계는 저절로 만들어지는 것이 아니라 가족 구성원 모두 서로 배려하고 소통해야 하며, 다양한 노력을 기울여야 한다.

(3) 다양한 가족 관계의 특징

각 가족 관계의 특징과 건강한 가족 관계를 형성하는 방안을 알아보자.

① 부부 관계

- 성인 남녀가 결혼을 통해 이루어지는 관계로, 하나의 가족을 탄생시키는 출발점이 된다. 따라서 원만한 부부 관계는 행복한 가족생활의 시작이다.
- 각기 다른 환경에서 성장한 남녀가 만나 가정을 이룬 것이기 때문에 성격이나 생활 습관 등에서 다른 점이 있는 것은 당연한 일이다.
- 서로의 차이를 극복하기 위해서는 상대를 배려하고 이해하며, 적극적으로 소통하려고 노력해야 한다.
- 특히 부부 관계에서는 양성평등한 가치관을 바탕으로 가정 내 역할을 공유하고 분담하며 협력하는 것이 중요하다.

② 부모 자녀 관계 (가장 기본적이고 영구적인 인간관계이다.)

- 부부로 출발했던 가족에서 자녀라는 구성원이 추가되면서 새롭게 형성되는 관계이다.
- 부모는 자녀의 성장과 인격 성숙에 영향을 미치고, 자녀는 부모의 양육과 보호, 사랑과 관심 속에서 성장하고 성숙해 나간다.
- 청소년기 자녀는 부모에게서 독립하고자 하는 욕구와 부모에게 의지하고 싶은 마음이 동시에 존재하기 때문에 부모와 갈등을 겪을 수 있다.

⊕ 양성평등한 부부 관계

양성평등한 부부 관계는 남성은 부양자, 여성은 가사 노동 수행자라는 이분법적인 성 역할의 경계를 완화하고, 가족의 일을 서로 공유하고 함께해 나가는 부부 관계를 말한다. 양성평등한 부부 관계는 각자 자신의 잠재 능력을 발휘하게 하며, 진정한 의미의 자아실현을 할 수 있도록 돕는다. 또한, 자녀들에게도 건전한 역할 모델이 되어 양성평등한 가치관을 가진 자녀로 성장하는 데 도움이 된다.

⊕ 부모 역할의 특징

- 부모 자녀 관계는 양방향적인 상호 작용이 이루어진다. 부모는 자녀가 성숙한 사람으로 성장하도록 양육하는 기능을 하며, 자녀의 행동과 발달은 부모의 규칙, 양육 목표 등을 변화시킨다.
- 부모 역할은 발달적 특성을 띤다. 부모의 양육 행동과 부모 자녀 간 상호 작용은 자녀가 발달해 감에 따라 적합하게 변화해야 하며, 부모 스스로 경험하는 발달적 변화 역시 부모 역할에 영향을 미친다.

- 부모는 자녀를 독립된 인격체로 인정하고, 진솔한 대화를 통해 안정적이고 친밀한 관계를 형성하는 것이 중요하다.
- 청소년 또한 부모를 이해하고 자녀의 역할을 수행하며, 부모의 의견을 존중해야 한다.

③ **형제자매 관계**

형제자매: 같은 부모를 가진 동기를 말하며, 부모 양쪽 모두가 같거나 부모 한 쪽이 같은 경우 모두를 포함한다. 또한 생물학적으로 서로 관계가 없지만 부모의 재혼이나 입양 등으로 인하여 형제자매가 되는 경우도 있다.

- 같은 가정 환경 안에서 공통적인 경험을 나누면서 지속하는 세대 내 관계이다.
- 형제자매는 어릴 때는 놀이와 게임의 상대가 되어 주다가 성장하면서 점차 위안과 격려를 주고받는 관계로 발전한다.
- 선의의 경쟁자가 되기도 하고, 서로 보고 배울 수 있는 교육적 역할을 하기도 한다.

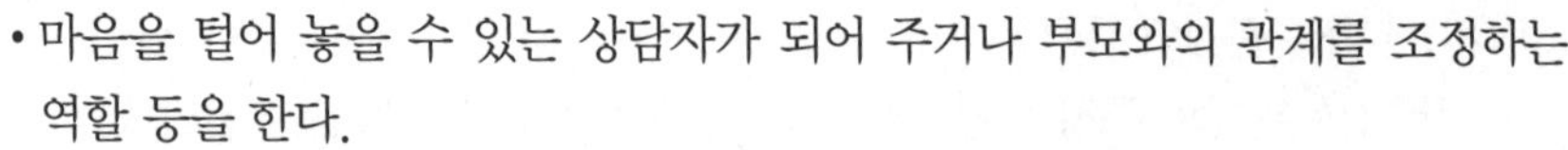

- 마음을 털어 놓을 수 있는 상담자가 되어 주거나 부모와의 관계를 조정하는 역할 등을 한다.
- 가장 가까이에서 오래 지속할 수 있는 관계이므로 서로의 본보기가 될 수 있도록 서로 협력하고 양보하면서 원만한 관계를 유지해야 한다.

④ **조부모 손자녀 관계**

조부모: 우리 가족이 이 세상에 존재할 수 있게 해 주신 뿌리와 같은 존재이다.

- 부모 자녀 관계가 확장된 것으로, 부모 세대라는 연결 고리를 통해 맺어진 세대 간 관계이다.
- 조부모는 가족 구성원에게 삶의 지혜를 전달하고 정서적 지지와 격려를 보내므로 항상 존경하고 감사하는 마음을 가지고 조부모님을 보살펴 드려야 한다.
- 조부모 세대와 부모 세대, 자녀 세대는 각기 다른 시대적 환경에서 성장하였고 경험도 다르므로, 생활 방식이나 태도 등에 차이가 있어 갈등을 겪기 쉽다.
- 서로의 세대가 겪고 있는 어려움을 공감하려는 노력이 필요하다.
- 조부모님을 자주 찾아뵙고, 안부 전화를 통하여 조부모님이 가족들로부터 소외감을 느끼지 않도록 해야 한다.

함께 생각해 보기

형제자매가 없는 외둥이의 경우 형제자매의 역할을 대신해 줄 수 있는 것은 무엇일지 이야기해 보자.

예 형제자매가 없다고 해서 외톨이가 되는 것은 아니다. 친구들과 두터운 관계를 유지하거나 마을 커뮤니티 등에서 친한 관계를 형성하여 형제자매와 비슷한 관계를 만들어 갈 수 있다.

개념 더하기+

형제자매의 역할

- 놀이·공부 친구 역할: 놀이를 함께하며 각자의 경험을 나누는 의미 있는 관계를 형성한다.
- 교육·학습자 역할: 성장기에는 운동, 기술, 학업, 학교생활, 진로 선택 등에 모범이 되며, 성인기에는 이성 교제, 직업 선택, 결혼 과정, 자녀 양육, 결혼 생활 등에 영향을 미친다.
- 보호자·의존자 역할: 손위 형제가 가족 상황에 따라 부모의 역할을 대신해 동생을 양육하기도 하고, 외부의 공격이나 위협으로부터 보호하기도 한다.
- 중재자 역할: 부모 세대와 자녀 세대 간 또는 부모와 또래 간에 중재하는 역할을 한다.
- 경쟁자 역할: 형제자매 간 경쟁 의식이나 시기, 질투를 느끼는 것은 출생 순위에 따른 자연스러운 현상이지만, 특정 자녀를 편애하거나 차별하는 경우 나타나기도 한다.

교과서 뛰어넘기

조부모 역할의 필요성

조부모 역할이란, 조부모가 부모의 역할을 대행하거나 보조하는 것을 말한다. 즉, 조부모가 손자녀의 양육 및 사회화 과정에 참여하고 훈육을 담당하면서 정서적 안정감이나 애정 등을 제공하는 것을 의미한다.

오늘날 맞벌이 가족이 증가하면서 가족 내에서 아이들을 돌보는 일은 적지 않은 문제를 일으킨다. 과거에는 부모가 모두 일을 하더라도 같이 사는 친·인척이나 조부모가 부모의 빈자리를 자연스럽게 대신했으나, 요즈음은 그런 주위의 손길이 절대적으로 부족한 형편이다. 그런가 하면 사회적으로 양육을 담당하는 만족스러운 제도적 장치가 부족하다.

이런 현실에서 맞벌이 부부는 전적으로 어린 자녀를 돌보아 줄 사람이 필요하다. 이때 다른 경우보다 조부모가 손자녀를 돌볼 수 있는 조건이 된다면 맡기겠다는 젊은 부부가 많다고 한다. 또한, 이혼이나 재혼으로 새롭게 구성되는 가족이나 한 부모 가족에서 자녀를 돌보는 일이 조부모에게 넘어가는 경우를 흔히 찾아볼 수 있다.

부모의 역할 대행자로 조부모가 거론되는 이유는 다음과 같다.

- 자녀를 키워 본 경험이 있다.
- 조부모와 손자녀 관계가 가장 우호적이고 밀접하다.
- 인간의 평균 수명은 연장되고 있으며, 저출산으로 인해 손자녀의 수가 많지 않으므로, 손자녀 돌봄이 필요한 시기에 조부모가 도움을 줄 수 있다.

[출처: 김종숙, 「한국 사회의 조부모 역할」]

개념 더하기+

주제 활동 건강한 가족 관계를 위한 실천 방안 찾기

1. 건강한 가족 관계를 형성하기 위해 내가 가족에게 원하는 것이 무엇인지 써 보자.

가족 구성원	나와의 관계	나에게 해 주었으면 하는 일
예 아버지	부모 자녀 관계	내가 한 약속 믿어 주기
예 어머니	부모 자녀 관계	공부하라는 잔소리 줄여 주기
예 언니	형제자매 관계	내 물건 함부로 쓰지 않기

2. 건강한 가족 관계를 형성하기 위해 내가 가족에게 할 수 있는 일이 무엇인지 써 보자.

가족 구성원	나와의 관계	내가 할 수 있는 일
예 아버지	부모 자녀 관계	하루에 한 번 문자 보내기
예 어머니	부모 자녀 관계	엄마에게 짜증내지 않고 공손하게 말하기
예 언니	형제자매 관계	언니와 고민 나누기

3. 이 활동을 한 후 느낀 점을 써 보고, 친구들과 이야기해 보자.

건강한 가족 관계를 형성하기 위해서는 내가 원하는 것만 바라지 말고, 나도 가족 구성원을 위해 노력해야겠다고 생각했다.

내용 정리

1 가족 관계의 의미

(1) 가족 관계

① 가족 구성원 사이에서 맺어지는 관계로, 심리적·정서적 관계를 포함함.

② 가족 관계의 유형으로는 부부 관계, 부모 자녀 관계, 형제자매 관계, 조부모 손자녀 관계 등이 있음.

(2) 가족 관계의 형성

① 가족 관계는 출생뿐만 아니라 결혼, 입양 등을 통해 형성될 수 있음.

② 가족 관계는 모든 인간관계의 기초를 이루고, 건강한 가족 관계는 개인의 삶을 행복하게 하고, 건강한 사회를 유지하는 원동력이 됨.

③ 가족 내에서 나의 역할과 관계를 이해하고, 서로를 존중하고 지지하는 바람직한 가족 관계를 유지하기 위해 노력해야 함.

2 양성평등하고 세대 간 민주적인 가족 관계

(1) 양성평등한 가족 관계

① 성별에 관계없이 모두가 평등하게 역할을 분담하고 성별에 따른 차별이 없는 관계

② 가족 문화 전반에 걸쳐 양성평등한 가치관을 형성하는 것이 중요함.

(2) 세대 간 민주적인 가족 관계

① 세대 간 가족 관계가 수직적이고 권위적이지 않고 수평적이고 조화로운 관계

② 건강하고 바람직한 가족 관계는 가족 구성원 모두 서로 배려하고 소통하며 노력해야 이룰 수 있음.

(3) 다양한 가족 관계의 특징

① **부부 관계**

- 성인 남녀가 결혼을 통해 이루어지는 관계로, 하나의 가족을 탄생시키는 출발점이 됨.
- 건강한 부부 관계를 형성하기 위해서는 양성평등한 가치관을 바탕으로 가정 내 역할을 분담·공유하고 협력하는 것이 중요함.

② **부모 자녀 관계**

- 부모 자녀 관계는 부부 관계에 자녀가 추가되면서 새롭게 형성되는 관계
- 부모는 자녀의 성장과 인격 성숙에 영향을 미침.
- 자녀는 부모의 양육과 보호, 사랑과 관심 속에서 성장하고 성숙해 나감.
- 청소년기 건강한 부모 자녀 관계를 위해서는 부모는 자녀를 독립적인 인격체로 인정하고, 자녀는 부모를 이해하고 의견을 존중하는 상호 노력이 필요함.

③ **형제자매 관계**

- 같은 가정 환경에서 공통적인 경험을 나누면서 지속되는 세대 내 관계
- 놀이의 상대, 선의의 경쟁자가 되기도 하고, 교육자, 상담자, 부모와의 관계를 조정하는 조정자의 역할을 할 수 있음.
- 가장 오래 지속될 수 있는 관계이므로 협력과 양보를 통해 원만한 관계 유지가 필요함.

④ **조부모 손자녀 관계**

- 부모 세대라는 연결 고리를 통해 확장된 세대 간 관계
- 조부모는 후손에게 삶의 지혜를 전달하고 사랑을 표현하고, 손자녀 세대는 조부모에게 감사와 존경의 마음을 표현해야 함.
- 조부모 세대, 부모 세대, 자녀 세대의 갈등이 좁혀질 수 있도록 서로의 세대가 겪은 어려움을 이해하고 공감하려는 노력이 필요함.

교과서 뛰어넘기

가족 관계의 특징

- 성별, 나이 등에 따라 각 가족 구성원들의 지위와 역할이 배분된다.
- 가족 구성원 간에는 심리적·정서적으로 복잡하고 밀접하게 얽혀 있다.
- 소속감과 결속감이 어느 다른 사회 집단보다 강하다.
- 가족 관계는 다른 어떤 인간관계보다도 오랫동안 지속되지만, 지나치게 밀접하고 요구적일 수도 있다.
- 가족 관계는 선택하는 것이 어려우며, 별거, 이혼, 사망 등에 의한 가족 해체를 경험한다 해도 인연을 완전히 끊기 어렵다.
- 가족 구성원 간에는 지켜야 할 권리와 의무가 있다.
- 사회적·문화적·시간적·지역적·경제적 조건에 따라 가족 관계가 다양하게 표현될 수 있으며, 가족의 성장과 발전 단계에 따라 변화한다.

개념 꽉꽉 다지기

01. (   )(이)란 가족 구성원 사이에서 맺어지는 관계를 말하며, 가족 구성원 간의 심리적·정서적 관계를 포함한다.

02. 다음은 가족 관계에 대한 설명이다. 맞으면 ○, 틀리면 ×표를 하시오.

(1) 가족 관계는 출생을 통해서만 형성된다. (   )
(2) 입양을 통해 형성된 관계는 가족 관계가 아니다. (   )
(3) 가족 관계에 있어서, 서로 존중하고 지지하는 자세가 필요하다. (   )
(4) 가족 관계는 모든 관계의 기초를 이루고, 건강한 가족 관계는 개인의 삶을 행복하게 한다. (   )

03. (   ) 안에 공통으로 들어갈 알맞은 말을 쓰시오.

> (   )한 가족 관계란, 성별과 관계없이 가족 구성원 모두가 역할을 평등하게 분담하고, 성별에 따른 차별이 없는 것을 말한다. 이를 위해서는 가족 문화 전반에 걸쳐서 (   )한 가치관을 형성하는 것이 중요하다.

(   )

04. 다음 중 가족 관계가 아닌 것은?

① 부부 관계
② 선후배 관계
③ 형제자매 관계
④ 부모 자녀 관계
⑤ 조부모 손자녀 관계

05. 다음에서 설명하고 있는 가족 관계를 쓰시오.

> 같은 가정 환경 안에서 공통적인 경험을 나누면서 지속하는 세대 내 관계로, 어릴 때는 놀이와 게임의 상대가 되어 주다가 성장하면서 점차 위안과 격려를 주고받는 관계로 발전한다. 선의의 경쟁자가 되기도 하고, 서로 보고 배울 수 있는 교육적 역할을 하기도 한다.

(   )

Helper

01. 가족 관계란 가족 구성원 사이에서 맺어지는 관계를 말한다.

02. 가족 관계는 출생뿐만 아니라 결혼, 입양 등을 통해 형성될 수 있으며, 가족 내에서 서로를 존중하고 지지하는 바람직한 가족 관계를 유지하기 위해 노력해야 한다.

03. 사람이 살아가는 모든 영역에서 남자와 여자를 서로 차별하지 않고 동등하게 대우하여 똑같은 참여 기회를 주고, 똑같은 권리와 이익을 누릴 수 있는 것을 말한다.

04. 가족 관계는 출생 및 결혼, 입양 등을 통해 형성되는 가족 구성원 사이에서 맺어지는 관계를 의미한다.

05. 형제자매 관계는 가장 가까이에서 오래 지속될 수 있는 관계로, 놀이 친구 역할, 교육자, 학습자 역할 등 여러 가지 역할을 한다.

차곡차곡 실력 쌓기

01 가족 관계에 대한 설명으로 옳은 것을 보기 에서 있는 대로 고른 것은?

> 보기
> ㄱ. 반드시 출생을 통해 형성되는 관계이다.
> ㄴ. 가족 구성원 간의 심리적·정서적 관계를 포함한다.
> ㄷ. 각각의 가족 관계는 나름의 고유한 관계를 형성한다.
> ㄹ. 부부 관계, 부모 자녀 관계, 형제자매 관계, 조부모 손자녀 관계 등이 있다.

① ㄱ, ㄴ ② ㄱ, ㄷ
③ ㄴ, ㄷ ④ ㄴ, ㄷ, ㄹ
⑤ ㄱ, ㄴ, ㄷ, ㄹ

02 다음 중 양성평등한 가족 관계를 형성하고 있는 사람을 모두 고른 것은?

> 재희: 우리 부모님은 맞벌이를 하시지만 집안일은 주로 엄마가 담당하고 계셔.
> 승희: 오빠와 나는 성별에 관계없이 시간이 나는 사람이 저녁 설거지를 해.
> 정민: 나는 아직 학생이기 때문에 집안일은 신경 쓰고 싶지 않아.

① 재희 ② 승희
③ 정민 ④ 재희, 정민
⑤ 승희, 정민

03 성인 남녀가 결혼을 통해 이루어지는 관계로, 하나의 가족을 탄생시키는 출발점이 되는 가족 관계는?

① 부부 관계
② 친척 관계
③ 형제자매 관계
④ 부모 자녀 관계
⑤ 조부모 손자녀 관계

04 부부 관계에 대한 설명으로 옳은 것을 보기 에서 있는 대로 고른 것은?

> 보기
> ㄱ. 인간이 만나는 최초의 사회적 관계이다.
> ㄴ. 각기 다른 환경에서 성장한 남녀가 만나 가정을 이룬 것이다.
> ㄷ. 성격이나 생활 습관 등에서 다른 점은 특별한 경우에만 나타난다.
> ㄹ. 가정 내에서 양성평등한 가치관을 가지고 역할을 분담하는 것이 바람직하다.

① ㄱ, ㄴ ② ㄱ, ㄹ
③ ㄴ, ㄷ ④ ㄴ, ㄹ
⑤ ㄷ, ㄹ

05 부모 자녀 관계에 대한 설명으로 옳은 것은?

① 선의의 경쟁자가 되기도 한다.
② 경쟁과 갈등이 일어날 수 있는 관계이다.
③ 공통적인 경험을 나누면서 지속되는 세대 내 관계이다.
④ 혈연으로 맺어져, 조건 없는 애정을 주고받는 관계이다.
⑤ 출생 순위와 성별 등의 요인에 의해 역할과 태도가 달라진다.

06 원만한 부모 자녀 관계를 위해 갖추어야 할 태도로 옳지 않은 것은?

① 부모는 자녀를 독립된 개체로 인정한다.
② 서로의 입장에서 상황을 보려고 노력한다.
③ 자녀는 부모도 감정을 지닌 인간임을 이해한다.
④ 의견이 맞지 않으면 부모의 의견을 따르는 것이 좋다.
⑤ 진솔한 대화를 통해 친밀한 관계를 형성하는 것이 중요하다.

07 바람직한 부모 자녀 관계를 유지하기 위한 자녀의 노력으로 옳지 않은 것은?

① 외출 전 행선지를 정확하게 알린다.
② 부모님과의 약속을 지켜 신뢰감을 쌓는다.
③ 갈등이 있을 경우 진솔한 대화를 통해 자신의 의견을 말씀드린다.
④ 스스로 할 수 있는 일은 부모님께 의존하지 않고 독립적으로 실천한다.
⑤ 극심한 간섭과 통제가 있을 경우에는 반항을 통해 거부 의사를 밝힌다.

08 바람직한 형제자매 관계를 보기 에서 있는 대로 고른 것은?

보기
ㄱ. 부모님의 관심을 얻기 위해 서로 경쟁하고 배척한다.
ㄴ. 서로의 본보기가 될 수 있도록 서로 협력하고 양보한다.
ㄷ. 가장 가까운 가족이므로 서로의 물건은 동의 없이 사용한다.
ㄹ. 부모님과의 의견 충돌이 생기면 원만하게 해결되도록 도와준다.

① ㄱ, ㄴ
② ㄱ, ㄹ
③ ㄴ, ㄷ
④ ㄴ, ㄹ
⑤ ㄷ, ㄹ

09 형제자매 관계의 역할로 옳지 않은 것은?

① 경쟁자 역할
② 교육자 역할
③ 통제자 역할
④ 중재자 역할
⑤ 놀이 친구 역할

10 형제자매 관계에 대한 설명으로 옳은 것을 보기 에서 있는 대로 고른 것은?

보기
ㄱ. 우정의 관계를 형성한다.
ㄴ. 경제적인 보살핌을 제공한다.
ㄷ. 삶의 지혜와 경험을 전승한다.
ㄹ. 선의의 경쟁을 통해 성장한다.

① ㄱ, ㄹ
② ㄴ, ㄷ
③ ㄱ, ㄴ, ㄷ
④ ㄱ, ㄴ, ㄹ
⑤ ㄴ, ㄷ, ㄹ

11 조부모 손자녀 관계에 대한 설명으로 옳지 않은 것은?

① 부모 자녀 관계가 확장된 것이다.
② 조부모는 삶의 지혜를 전달해 줄 수 있다.
③ 부모 세대라는 연결 고리를 통해 맺어진 관계이다.
④ 의무와 책임이 수반되는 관계로 상호 작용에 한계가 있다.
⑤ 조부모는 정서적 안정을 제공하고 생활 지도의 좋은 안내자가 될 수 있다.

12 바람직한 조부모 손자녀 관계로 옳은 것을 보기 에서 있는 대로 고른 것은?

보기
ㄱ. 때로는 경쟁적인 관계로 자극이 되어 준다.
ㄴ. 자주 찾아 뵙거나 전화나 편지 등으로 안부를 전한다.
ㄷ. 조부모로부터 집안의 역사 및 전통문화를 전수받는다.
ㄹ. 손자녀와 친밀한 관계 형성을 통해 정서적인 안정을 제공해 준다.

① ㄱ, ㄹ
② ㄴ, ㄷ
③ ㄱ, ㄴ, ㄷ
④ ㄱ, ㄴ, ㄹ
⑤ ㄴ, ㄷ, ㄹ

3 소통하는 가족, 해소되는 갈등

「주제 열기」

● 그림의 상황에서 가족 구성원에게 어떤 말을 해 주는 것이 좋을지 써 보자.

→ 친구랑 싸웠을 때: 네가 많이 속상하겠구나. 어떤 일이 있었는지 이야기해 볼래?

→ 아빠가 힘이 없어 보일 때: 안색이 어두워 보이세요. 제가 이야기를 들어드릴까요?

● 가족 사이의 갈등을 해소할 수 있는 의사소통 방식이 무엇이라고 생각하는지 써 보자.

→ 가족 구성원을 비난하거나 평가하지 않고, 속상하거나 힘든 상황을 이해하고 받아 주려는 태도로 대화에 임한다.

개념 더하기+

⊕ 가족 간의 갈등이 부정적인 방향으로 나아가는 경우

- 사랑하는 가족 사이라면 갈등이 절대 발생하지 않을 것이라고 기대할 때
- 갈등 상황을 회피할 때
- 갈등 상황의 문제보다 사람을 공격할 때
- 문제가 해결되지 않고 반복해서 같은 문제가 발생할 때

1/ 가족 간의 갈등은 어느 가족에나 발생할 수 있다

(1) 가족 간의 갈등의 이해

① **갈등** 서로 목표나 이해관계가 달라 부정적인 감정을 가지고 대립하는 상태를 말한다.

② **가족 간의 갈등** 가족 구성원 간에 발생하는 다양한 불화로 가족 관계에 문제가 발생한 상태를 말한다.

(가족 간의 갈등: 가족 구성원은 나이나 성별, 성격과 가치관 등이 서로 다르므로 갈등을 겪는 것은 피할 수 없다.)

③ 가족 간의 갈등은 가족 전체에서 나타날 수 있고, 일부 가족 구성원들 사이에서 나타날 수도 있다.

④ **가족 간의 갈등의 원인**

- **내부적인 요인**: 가족 구성원의 성장 및 발달, 심리적 변화 등
- **외부적인 요인**: 실직, 은퇴, 자연재해 등 (자연재해: 태풍, 가뭄, 홍수, 지진, 화산 폭발, 해일 따위의 피할 수 없는 자연 현상으로 인하여 일어나는 재해이다.)
- 내·외부적인 요인이 복합적으로 작용하여 가족 간의 갈등이 발생하기도 한다.

(2) 가족 간의 갈등의 영향

가족 간의 갈등을 어떻게 해결하고 관리하느냐에 따라 긍정적인 효과를 끌어낼 수도 있다.

원인

- 가족 구성원의 건강
- 가치관, 성격, 습관
- 경제적 어려움
- 이혼 등 가족 관계 해체
- 취업 및 실업
- 세대 차이
- 역할 기대의 차이
- 가족 내 폭력

영향

긍정적 영향
- 갈등을 드러내어 오해와 불만 등의 부정적인 감정을 감소시킬 수 있다.
- 갈등을 해결하는 과정에서 서로의 생각과 감정을 이해할 수 있다.
- 다양한 갈등 상황에 대처할 수 있는 능력을 키울 수 있다.

부정적 영향
- 갈등을 회피·무시하는 경우 불만과 분노를 증가시킬 수 있다.
- 갈등이 원만하게 해결되지 않았을 때 가족 간의 관계가 멀어질 수 있다.
- 갈등을 해결하는 과정에서 서로 비난하면, 서로의 감정이 상할 수 있다.

▲ 가족 간의 갈등의 원인 및 영향

스스로 생각해 보기

우리 가족에서 가장 자주 발생하는 갈등은 무엇이고, 그 갈등의 원인이 가족 내적 요인인지 외적 요인인지 써 보자.

예 • 가족 내적 요인: 우리 형은 중학교 3학년이다. 곧 중학교를 졸업하는데, 고등학교 진학 문제로 부모님과 갈등을 겪고 있다.
• 가족 외적 요인 : 최근 어머니께서 실직하셔서 전체적인 가계 경제에 고민이 많다.

(3) **가족 간의 갈등 대처 방안**

① 행복한 가족의 기준은 갈등이 있느냐 없느냐가 아니라, 갈등을 어떻게 받아들이고 어떻게 해결해 나가느냐에 있다.

② 갈등에 잘 대처하면 가족이 한층 더 성장하게 되고 가족 간의 결속력이 더욱 강화될 수 있다.

③ 갈등에 잘 대처하지 못할 경우 가족 불화, 나아가 가족 해체를 겪기도 한다.

④ **가족 간의 갈등의 바람직한 대처 방안**

- 사람이 아닌 문제에 집중한다.
- 긍정적인 감정도 표현한다.
- 서로의 차이점을 인정한다.
- 열린 태도를 보인다.
- 현재의 문제에 초점을 맞춘다.
- 무승부법을 활용하여 해결책을 찾는다.

무승부법: 가족 간의 의견 충돌이 있을 때 어느 누구도 지는 사람이 없이 문제를 해결하는 방법을 말한다.

스스로 해 보기

늦은 저녁, 친구들이 모여 있다는 연락을 받은 혜준이는 부모님께 친구들과 놀고 싶다고 하였으나 너무 늦어 안 된다고 하신다. 어떻게 하면 좋을지 무승부법을 활용해 해결해 보자.

예 무승부법의 6단계에 따라 이 시간에 나가서 노는 것이 왜 문제인지 정의를 내리고, 가능한 해결 방안을 나누어 평가한 뒤 선택한다. 모두가 이기는 방향으로 잠깐 나갔다 오되, 한 시간만 나갔다 오는 것이 그 예가 될 수 있다.

2 효과적인 의사소통은 가족 간의 갈등 해결에 유용하다

(1) **의사소통의 이해**

① **의사소통** 말이나 행동을 통해 정보나 생각, 감정 등을 주고받는 상호 작용 과정을 말한다.

② **의사소통의 구성 요소** 보내는 사람(송신자), 받는 사람(수신자), 정보, 반응 등이 있다.

③ 보내는 사람의 정보가 받는 사람에게 정확하게 전달되고, 이를 이해했다는 반응을 보이면 의사소통이 잘 이루어졌다고 할 수 있다.

④ **의사소통 방법**

- 언어적 의사소통: 말, 편지, 문자 메시지 등
- 비언어적 의사소통: 표정, 몸짓, 자세, 말투 등

개념 더하기+

가족 간의 갈등에 대처하는 바람직하지 못한 자세

- 무슨 수를 써서라도 이기겠다는 자세: 신속하게 결과는 얻을 수 있겠지만, 잔인하고 파괴적이다.
- 그냥 아무 일도 없는 것처럼 지내는 자세: 잘못된 것을 듣거나 보고도 말하지 않으면 그칠 줄 모른다.
- 투털대고 불평하는 자세: 승자는 투덜거리지 않고, 투덜대는 사람은 결코 승리할 수 없다.
- 점수 매기는 자세: 상대방이 몇 번 잘못하고 자기가 몇 번 잘못했는지 하나하나 마음속에 새기고 점수를 매기는 사람은 갈등을 해결할 수 없다.
- 직위를 이용하여 해결하는 자세: 자신의 직위를 이용하는 것으로는 갈등의 본질을 해결할 수 없다. 단지 갈등을 연기시킬 뿐이다.
- 항복하는 자세: 포기하는 것은 영원한 문제의 임시적 해결책이다.

무승부법 단계

문제 정의 내리기 → 가능한 해결 방안 나눠 보기 → 해결 방안 평가하기 → 가장 좋은 해결 방안 결정하기 → 결정한 해결 방안 실행하기 → 실행한 것을 평가하기

개념 더하기+

의사소통 구성 요소

- 송신자: 메시지를 보내는 사람으로, 송신자의 적절한 단어 선택, 언어와 일치하는 비언어적인 태도, 상대방에 대한 배려 등이 중요하게 작용한다.
- 수신자: 송신자의 언어를 듣고 받아들이는 사람이다. 메시지를 올바르게 전달받기 위해서는 경청하는 태도가 필요하다.
- 정보: 송신자가 수신자에게 전달하고자 하는 내용으로, 메시지라고도 한다.
- 반응: 수신자가 메시지를 받고 이해한 것의 반응을 송신자에게 전달하는 것이다. 송신자는 되먹임을 통해 수신자가 메시지를 잘 이해했는지 알 수 있다. 또한, 자신의 의사소통 내용과 방법을 확인할 수 있고, 잘못 이해된 부분은 수정하여 다시 전달할 수 있다.
- 전달 매체: 송신자의 의사와 감정을 언어적 형태와 비언어적 형태로 전달하는 수단이다. 효과적인 의사소통을 위해서는 수신자가 받아들이는 의미가 송신자가 의도하는 의미와 같아야 한다.

(2) 효과적인 의사소통 방법

① 나 - 전달법

- '나'를 주어로 하여 자신의 솔직한 느낌이나 생각을 표현하는 방법이다.
- 상대방의 행동에 관해 자기 생각과 감정을 솔직하고 분명하게, 그리고 구체적으로 이야기하는 것이 중요하다. 이때 내가 기분 나쁘거나 화가 난다는 표현은 주의해야 한다.
- 비난이나 질책 대신 문제가 되는 행동만을 알려 상대방이 스스로 문제를 해결할 수 있도록 돕는다.

② 나 - 전달법으로 표현하기

스스로 해 보기

다음의 상황에서 '나 - 전달법'을 활용하여 이야기해 보자.

예 스마트폰으로 학급 공지 사항을 확인하는데, 게임을 하는 줄 알고 부모님이 혼을 내신다.

예 "제가 스마트폰으로 학급 공지를 보고 있었는데, 아버지께서 저를 오해하고 꾸중하셔서(행동) 아버지가 저를 믿지 못하는 것 같아(영향) 좌절감도 들고 속상했어요(감정)."

② 적극적 경청

- **경청**(상대방에 대한 이해의 첫 단계이다.): 상대방이 자발적으로 이야기할 수 있도록 주의 깊게 듣는 것이다.
- **적극적 경청**: 말의 내용뿐만 아니라 말하는 사람의 느낌, 감정까지 알아차리고 수용함으로써 자신을 이해한다고 느끼게 하는 것을 말한다.
- 적극적 경청을 위한 방법
  - 이야기를 듣기 전에 상대를 이해하고 받아들이겠다는 열린 마음을 갖는다.
  - 들은 이야기를 요약하여 다시 이야기함으로써 내가 이해한 바와 상대의 의도가 일치하는지 확인한다.
  - 눈을 맞추거나 고개를 끄덕이는 등 비언어적 메시지를 통해 경청하고 있음을 표현한다.

함께 해 보기

친구와 짝을 이루어 적극적 경청을 활용한 의사소통을 해 보고, 느낀 점을 써 보자.

예 친구가 내 말과 감정을 진심으로 경청하고 공감하는 것처럼 느껴져서 나의 생각이나 감정을 솔직하게 다 말할 수 있었다.

③ **언어적 표현과 비언어적 표현 일치시키기**

- 언어적 의사소통과 비언어적 의사소통이 일치하지 않으면 말하는 사람은 솔직한 감정을 전달할 수 없으며, 듣는 사람은 정확한 의미를 받아들이지 못하여 의사소통에 혼란을 겪을 수 있다.
- 오랫동안 지속하는 관계인 가족 간에는 서로의 생각을 잘 알 것이라고 짐작하고 반응하여 오해와 갈등을 겪기도 한다.
- 자신의 감정과 의도를 정확하게 전달하고 상대방의 반응을 끌어내는 효과적인 의사소통을 위해서는 언어적 의사소통과 비언어적 의사소통을 일치시켜 표현해야 한다.

비언어적 의사소통: 얼굴 표정, 앉은 자세, 머리를 끄덕이는 정도, 상대방과의 거리 등으로 자신의 생각이나 감정을 전달하는 방법이다.

함께 해 보기

친구와 짝을 이루어 언어적 표현과 비언어적 표현을 활용하여 의사소통해 보고, 느낀 점을 써 보자.

예 언어적 표현으로 의사소통했을 때는 정확한 의미를 알 수 있었고, 비언어적 표현으로 의사소통했을 때는 솔직한 감정을 느끼기가 힘들었다.

개념 더하기+

메라비언의 법칙(The Law of Mehrabian)

미국의 심리학자 메라비언이 발표한 이론으로, 사람들 간의 대화는 언어적 표현과 비언어적 표현으로 구성되는데, 한 사람이 상대로부터 받는 이미지는 시각(몸짓)이 55%, 청각(목소리, 음색, 억양 등)이 38%, 언어(내용)가 7%에 이른다는 법칙이다. 즉 효과적인 의사소통에 있어서 '비언어적' 요소인 시각과 청각에 의해 더 큰 영향을 받는다는 것이다.

주제 활동 효과적인 의사소통하기

1. 가족에게 들었던 말 중에서 기분이 좋았던 말을 그대로 써 보자.

누구로부터	들었을 때 기분 좋았던 말
예 엄마	의젓하게 스스로 잘해냈네!
예 아빠	나는 네가 자랑스럽다!
예 동생	걱정하지 마. 우리가 있잖아.

2. 짝을 지어 '가족에게 들은 기분 좋았던 말'을 차례로 읽어 보자.

예 '우리는 너를 사랑한단다.', '너의 행복이 곧 나의 행복이야.', '너는 행복 바이러스야.'

3. 짝이 읽어 준 말을 다시 들었을 때 기분이 어땠는지 표정을 그려 보자.

4. 내가 적은 기분 좋았던 말을 짝이 다시 읽어 주었을 때 느낌이 어땠는지 써 보고, 친구들과 함께 이야기해 보자.

예 나를 진심으로 생각해 주는 것 같아 마음이 따뜻해졌다. 아무리 힘든 일이 있어도 이겨낼 수 있을 것 같은 느낌이 들었다.

내용 정리

1 가족 간의 갈등

(1) 가족 간의 갈등의 이해

① **가족 간의 갈등** 가족 구성원 간에 발생하는 다양한 불화로 가족 관계에 문제가 발생하는 것

② **가족 간의 갈등의 원인** 내부적 요인과 외부적 요인이 복합적으로 작용하여 나타남.

- 내부적 요인: 가족 내의 성장 및 발달, 심리적 변화 등
- 외부적 요인: 실직, 은퇴 등의 경제적 위기, 자연재해 등

(2) 가족 간의 갈등의 영향

① **긍정적 영향**

- 갈등을 드러내어 오해와 불만 등의 부정적인 감정을 감소시킬 수 있음.
- 갈등을 해결하는 과정에서 서로의 생각과 감정을 이해할 수 있음.
- 다양한 갈등 상황에 대처할 수 있는 능력을 키울 수 있음.

② **부정적 영향**

- 갈등을 회피하거나 무시하는 경우 불만과 분노를 증가시킬 수 있음.
- 갈등이 원만하게 해결되지 않았을 때 가족 간의 관계가 멀어질 수 있음.
- 갈등을 해결하는 과정에서 서로 비난하면, 서로의 감정이 상할 수 있음.

(3) 가족 간의 갈등 대처 방안

① 가족마다 갈등을 해결하는 각자의 방식을 찾는 것이 필요함.

② **가족 간의 갈등의 바람직한 대처 방법**

- 사람이 아닌 문제에 집중함.
- 서로의 차이점을 인정함.
- 긍정적인 감정도 표현함.
- 열린 태도를 보임.
- 현재의 문제에 초점을 맞춤.
- 무승부법을 활용하여 해결책을 찾음.

2 효과적인 의사소통

(1) 의사소통의 이해

① **의사소통** 말이나 행동을 통해 정보나 생각, 감정 등을 주고받는 상호 작용 과정

② **의사소통 구성 요소** 송신자, 수신자, 정보, 반응

③ **의사소통 방법**

- 언어적 의사소통: 말, 편지, 문자 메시지 등
- 비언어적 의사소통: 표정, 몸짓, 자세, 말투 등

(2) 효과적인 의사소통 방법

① **나-전달법**

- '나'를 주어로 하여 자신의 솔직한 느낌이나 생각을 표현하는 방법
- '나-전달법'을 효과적으로 하기 위해서는 상대방의 행동에 대한 자기 생각과 감정을 분명하게, 그리고 구체적으로 이야기하는 것이 중요함.
- '나-전달법'으로 표현하는 방법: 내가 받아들이기 어려운 상대방의 행동이 무엇인지 간결하게 설명함. → 그러한 행동이 나에게 직접 미친 영향을 말함. → 그 과정에서 내가 느낀 감정을 모두 포함해야 함.

② **적극적 경청**

- 경청: 상대방이 자발적으로 이야기할 수 있도록 주의 깊게 듣는 것
- 적극적 경청: 말의 내용뿐만 아니라 말하는 사람의 느낌, 감정까지 알아차리고 수용함으로써 자신을 이해한다고 느끼게 하는 것
- 적극적 경청을 위한 방법
  - 이야기를 듣기 전에 상대를 이해하고 받아들이겠다는 열린 마음을 가짐.
  - 들은 이야기를 요약하여 다시 이야기함으로써 내가 이해한 바와 상대의 의도가 일치하는지 확인함.
  - 눈을 맞추거나 고개를 끄덕이는 등 비언어적 메시지를 통해 경청하고 있음을 표현함.

③ **언어적 표현과 비언어적 표현 일치시키기**

- 언어적 표현과 비언어적 표현이 일치하지 않은 경우에는 상대방이 이중의 메시지를 전달받아 의사소통이 제대로 이루어지지 않을 수 있음.
- 자신의 감정과 의도를 정확하게 전달하고 상대방의 반응을 끌어내기 위해서는 언어적 의사소통과 비언어적 의사소통을 일치시켜 표현해야 함.

개념 꽉꽉 다지기

01. **다음은 가족 갈등에 대한 설명이다. 맞으면 ○, 틀리면 ×표를 하시오.**

(1) 가족 갈등은 부정적인 영향만 미친다. (　　　)

(2) 실직이나 은퇴 등은 가족 갈등의 외부적인 요인이다. (　　　)

(3) 갈등을 드러내어 오해와 불만 등의 부정적인 감정을 감소시킬 수 있다. (　　　)

(4) 갈등을 회피·무시해야 가족 갈등을 원만하게 해결할 수 있다. (　　　)

02. **가족 간의 갈등 대처 방안으로 옳지 않은 것은?**

① 열린 태도를 보인다.
② 서로의 차이를 인정한다.
③ 현재의 문제에 집중한다.
④ 긍정적인 감정도 표현한다.
⑤ 문제가 아닌 사람에 집중한다.

03. **의사소통의 구성 요소와 그에 대한 내용을 바르게 연결하시오.**

(1) 송신자 •	• ㄱ. 정보를 받는 사람
(2) 수신자 •	• ㄴ. 말하는 사람이 듣는 사람에게 전달하고자 하는 메시지
(3) 정　보 •	• ㄷ. 정보를 받은 사람이 자신이 이해한 정보에 대해 반응을 보이는 것
(4) 반　응 •	• ㄹ. 정보를 보내는 사람

04. **언어가 아닌 다른 표현으로 자신의 생각이나 감정을 전달하는 방법을 (　　　　　　) (이)라고 한다.**

05. **다음에서 설명하는 의사소통의 방법을 쓰시오.**

> '나'를 주어로 하여 자신의 솔직한 느낌이나 생각을 표현하는 방법이다. 비난이나 질책 대신 문제가 되는 행동만을 알려 상대방이 스스로 문제를 해결할 수 있도록 돕는다.

(　　　　　　　　　　)

Helper

01. 가족 갈등은 긍정적인 영향과 부정적인 영향을 동시에 미친다.

02. 가족 간의 갈등에 있어서 사람이 아닌 문제에 집중하는 태도가 필요하다.

03. 의사소통의 구성 요소에는 송신자, 수신자, 정보, 반응이 있다.

04. 의사소통의 종류에는 언어적 의사소통과 비언어적 의사소통이 있다.

05. '나'를 주어로 자신의 감정이나 상대방을 기분 나쁘지 않게 말함으로써 상대방이 스스로 변할 수 있게 유도하는 방법이다.

차곡차곡 실력 쌓기

01 다음은 무엇에 대한 설명인지 쓰시오.

> • 가족 구성원 간에 발생하는 다양한 불화로 가족 관계에 문제가 발생한 상태를 말한다.
> • 가족 간에 얼마든지 일어날 수 있으므로 가족이 함께 대처하는 것이 중요하다.

( )

02 가족 갈등에 대한 설명으로 옳지 않은 것은?

① 갈등 상황의 해결을 위해 서로 비난하는 것이 좋다.
② 실직이나 은퇴와 같은 사건은 가족 갈등의 외부적인 요인이다.
③ 가족 갈등은 내 · 외부적인 요인이 복합적으로 작용하여 발생할 수 있다.
④ 가족 갈등을 통해 다양한 갈등 상황에 대처할 수 있는 능력을 키울 수 있다.
⑤ 갈등이 원만하게 해결되지 않으면 가족 관계가 멀어지는 부정적인 영향을 미친다.

03 가족 갈등을 해결하는 방법으로 옳은 것을 보기 에서 있는 대로 고른 것은?

> 보기
> ㄱ. 갈등의 상황을 객관적으로 바라본다.
> ㄴ. 갈등 상황의 문제보다 사람에 집중한다.
> ㄷ. 솔직한 대화를 통해 갈등의 해결 방안을 찾는다.
> ㄹ. 현재뿐만 아니라 과거에 일어났던 갈등 상황까지 한번에 해결하도록 한다.

① ㄱ, ㄴ　② ㄱ, ㄷ
③ ㄴ, ㄷ　④ ㄴ, ㄹ
⑤ ㄷ, ㄹ

04 가족 갈등의 긍정적인 영향에 대한 설명으로 옳은 것을 보기 에서 있는 대로 고른 것은?

> 보기
> ㄱ. 갈등으로 인해 가족 관계가 멀어질 수 있다.
> ㄴ. 갈등 해결 과정에서 서로의 생각과 감정을 이해할 수 있다.
> ㄷ. 갈등을 드러내어 가족 간의 불만과 분노를 증가시킬 수 있다.
> ㄹ. 새로운 갈등이 일어났을 때 갈등에 대한 대처 능력이 커진다.

① ㄱ, ㄴ　② ㄱ, ㄷ
③ ㄴ, ㄷ　④ ㄴ, ㄹ
⑤ ㄷ, ㄹ

05 보기 의 무승부법을 순서대로 배열하시오.

> 보기
> ㄱ. 문제 정의 내리기
> ㄴ. 해결 방안 평가하기
> ㄷ. 실행한 것을 평가하기
> ㄹ. 결정한 해결 방안 실행하기
> ㅁ. 가능한 해결 방안 나눠 보기
> ㅂ. 가장 좋은 해결 방안 결정하기

( )

06 언어적 의사소통이 아닌 것은?

① 수화　② 점자책
③ 이모티콘　④ 전화 통화
⑤ 문자 메시지

07 비언어적 의사소통을 사용한 경우를 보기 에서 있는 대로 고른 것은?

보기
ㄱ. 기분이 좋아 환하게 웃었다.
ㄴ. 친구와 휴대 전화로 채팅을 하였다.
ㄷ. 결혼식장에 정장을 입고 참석하였다.
ㄹ. 멀리 있는 친구와 이메일을 주고 받았다.

① ㄱ, ㄴ ② ㄱ, ㄷ
③ ㄴ, ㄷ ④ ㄴ, ㄹ
⑤ ㄷ, ㄹ

08 다음 대화와 관련된 설명으로 옳은 것은?

• 엄마: 왜 넌 학교에서 항상 제일 늦게 나오니? 미영이는 집에 일찍 들어오던데.
• 딸: 죄송해요. 하지만 다음부터는 친구들과 비교하지 말아 주세요.

① 송신자는 딸이다.
② 수신자는 엄마이다.
③ 엄마는 '나' 전달법을 사용하고 있다.
④ 딸은 비언어적 의사소통을 하고 있다.
⑤ 수신자는 송신자의 정보에 반응하고 있다.

09 다음은 효과적인 의사소통 방법에 대한 설명이다. ( ) 안에 들어갈 알맞은 말을 쓰시오.

상대방이 자발적으로 이야기할 수 있도록 주의 깊게 듣는 것을 경청이라고 한다. ( ) (이)란, 말의 내용뿐만 아니라 말하는 사람의 느낌, 감정까지 알아차리고 수용함으로써 자신을 이해한다고 느끼게 하는 것을 말한다.

( )

10 나-전달법에 대한 설명으로 옳은 것을 보기 에서 있는 대로 고른 것은?

보기
ㄱ. '나'를 주어로 한다.
ㄴ. 상대방의 행동이 나에게 미친 영향을 말한다.
ㄷ. 그 과정에서 내가 느낀 감정은 배제하여야 한다.
ㄹ. 상대 행동의 옳고 그름을 나름대로 판단하여 말한다.

① ㄱ, ㄴ ② ㄱ, ㄷ
③ ㄴ, ㄷ ④ ㄴ, ㄹ
⑤ ㄷ, ㄹ

11 경청하는 태도로 옳지 않은 것은?

① 상대방의 마음을 이해하며 듣는다.
② 상대의 말이 맞는지 평가하지 않는다.
③ 상대의 눈을 편하게 바라보며 듣는다.
④ 궁금증이 생기면 말하는 도중에 물어본다.
⑤ 상대방의 말에 호응하며 적절한 반응을 보인다.

12 효과적인 의사소통 방법으로 옳지 않은 것은?

① 나-전달법을 사용한다.
② 상대의 말을 경청하며 듣는다.
③ 언어적 의사소통과 비언어적 의사소통을 일치시킨다.
④ 상대방의 말에 적절히 대응함으로써 공감대를 형성한다.
⑤ 상대방의 말이 명확하지 않을 때는 내가 결론을 내어 알려 준다.

4 성폭력 없는 세상 만들기

「주제 열기」

● 나의 성적 의사 결정 능력은 몇 점인가? 왜 이런 점수가 나왔을지 생각해 보자.

→ 나는 청신호가 나왔다. 평소 성교육을 열심히 받았고, 성을 부끄러워하지 않고 당당하게 말할 수 있기 때문인 것 같다.

개념 더하기+

⊕ 성폭력

- 성폭력의 발생 원인
  - 잘못된 성 인식: 성 차별과 성별 고정 관념, 성별에 따른 이중적인 성 윤리 등
  - 성 인지 감수성의 차이: 친밀감의 표현, 성적인 말과 행동의 인식 차이, 존중과 배려의 부족 등
  - 권위주의적인 조직 문화: 성별, 연령, 사회·경제적 지위, 인종 등 차이, 비대칭적인 권력 관계 등
- 아동·청소년 성폭력의 지속 요인
  - 음란 사이트, SNS, 조건 만남 등 아동·청소년을 성폭력에 노출시키는 유해 환경
  - '합의에 따른 성관계'의 잘못된 생각
  - 성폭력 문제를 호소할 곳이 부족
  - 신·변조 업소 등의 위기 청소년 유인 등
  - 성폭력에 관용적인 태도

1/ 성폭력이 무엇인지 정확히 아는 것이 성폭력 예방의 기본이다

(1) 성폭력

① **성폭력이란** 상대방의 의사 및 동의 없이 강제로 이루어지는 신체적·언어적인 모든 성적 행동을 포함하는 말이다.

② 개인의 성적 의사 결정권을 침해하는 모든 행위를 말하는 것으로, 신체적으로 가하는 성폭력뿐만 아니라, 음란 전화, 성희롱 등 언어적·정신적 폭력도 모두 성폭력에 포함된다.

성희롱: 상대편의 의사에 관계없이 성적으로 수치심을 주는 말이나 행동을 하는 것이다.

③ 상대방이 성폭력에 대한 불안감이나 공포감을 느끼거나 행동의 제약을 받는다면 그것 또한 간접적인 성폭력이라 할 수 있다.

④ 성폭력은 피해자에게 신체적·심리적인 상처를 줄 뿐만 아니라 심각한 후유증을 남길 수 있다.

⑤ 우리 모두 성폭력의 가해자도, 피해자도 되지 않기 위해서 성폭력이 무엇인지 정확히 알고, 올바른 성 지식을 갖추어야 한다.

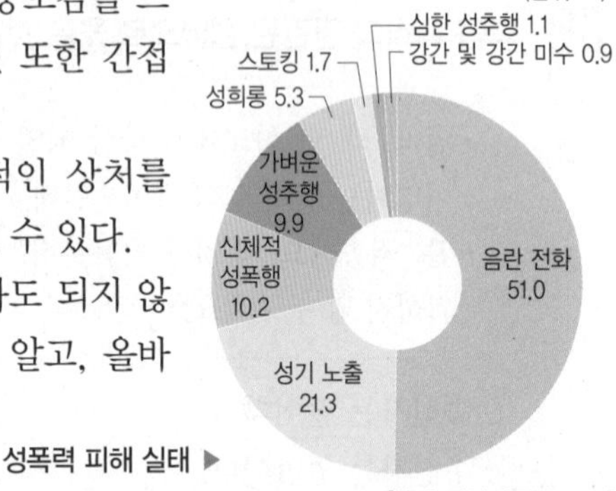

성폭력 피해 실태 ▶

[출처: 여성 가족부, 2013]

(2) 성폭력에 관한 편견

NO! 대부분 정상적으로 사회생활을 하는 사람인 경우가 많다.

NO! 상대의 옷차림이나 행동이 성폭력의 원인이 될 수 없다.

NO! 성폭력은 공포의 상황에서 이루어지기 때문에 제대로 저항하기 어렵다.

NO! 인간의 성욕은 충분히 자제할 수 있고 반드시 해소하지 않아도 되며, 다른 방식으로 해소할 수도 있다.

(3) 성폭력 후유증

① 두통, 소화기 증상, 수면 장애 등 신체적 불안 반응

② 위축감, 무력감, 자존감 저하, 자해 등 우울 증상
③ 사건 당시 기억 손상, 정체성 상실
④ 불안정한 기분 상태 및 공격적 성향 증가
⑤ 성적 친밀감 거부, 문란한 성적 태도 등 성 행동의 변화

2/ 청소년기의 성적 의사 결정권 확립은 매우 중요하다

(1) 성적 의사 결정권

① 성적인 행동을 자신의 의지나 판단에 따라 스스로 선택하고, 그 선택에 책임을 지는 것을 말한다.
② 청소년들은 각종 대중 매체나 인터넷 등을 통해 성에 관한 광범위하고 무분별한 정보에 노출되어 있으므로 성적 의사 결정권을 통한 건전한 성 가치관을 확립하는 것이 매우 중요한 과제이다.
③ 성적 의사 결정권을 확립하면 청소년기에 발생할 수 있는 성 문제를 예방하고, 합리적인 의사 결정과 자기주장을 할 수 있다. 또한, 원하지 않는 성적인 행동이나 표현으로부터 자신을 보호할 수 있다.

(2) 성적 의사 결정권 확립을 위한 노력

① **성 인지적 관점 확립** 성 인지적 관점을 확립하면 성에 관련된 왜곡된 지식과 태도를 수정하고, 건강하고 균형 잡힌 성 인식을 가질 수 있다.
② **성폭력에 대한 명확한 이해** 성폭력이 무엇인지 정확하게 이해하고, 이를 예방하려고 노력한다.
③ **성적 의사소통 능력 증진** 자신이 원하지 않는 성적 행동을 분명하게 전달한다. 또한 상대방의 의사 표현도 존중한다.
④ **서로의 사생활 보호·존중** 사람들 사이에는 관계상의 거리가 있고 사람마다 그 거리는 다를 수 있음을 이해하여, 서로의 사생활을 보호하고 보호받을 수 있어야 한다.
⑤ 성 상품화가 확산되고 있는 사회적 분위기에 대한 비판적인 시각을 가져야 하며, 이를 위해서는 성 역할 고정 관념에서 벗어나, 바람직한 성 가치관을 갖추기 위해 노력해야 한다.

함께 해 보기

성적 의사 결정권을 형성하기 위한 구체적 방안을 써 보고, 친구들과 이야기해 보자.

예 • 남자 친구와 스킨십을 할 때마다 거부감이 들어도 이를 말하지 못했는데, 이제부터는 솔직하게 말해야겠어.
• 친한 이성 친구가 숨기려고 하는 개인적인 일을 추궁하지 않고 이해해 주어야겠어.

3/ 모두 함께 성폭력을 예방하고 대처할 수 있다

(1) 성폭력 예방하기

① 성폭력은 어떤 특정한 장소에서 발생하는 것이 아니라 학교, 집, 거리 등 우리 주변에서 일상적으로 발생할 수 있다.

개념 더하기+

성 인지적 관점
성 역할 고정 관념이나 성차별적인 인식에서 벗어나 남녀 간의 성적 차이가 사회·문화적인 차별로 이어지지 않도록 성별을 인식하는 관점이다.

성 역할
성별에 따라 적합하다고 여기는 행동이나 태도, 성격, 특성 등

성 상품화
성 상품화란 말 그대로 '인간의 성을 직접 혹은 간접적으로 이용하여 이윤 추구를 도모하는 것'을 의미한다. 즉 재화 획득을 목적으로 성적 욕망, 상상, 행위, 이미지 등 성적 기호를 상품화하여 시장에 제공하고, 수요를 창출하는 행위라고 할 수 있다.

② 우리 모두 성폭력의 잠재적인 가해자나 피해자가 될 수 있다.
③ 성적 의사 결정권을 확립하고, 성폭력 예방 방법을 바르게 알고 있어야 한다.

▲ 성폭력 예방 방법

(2) 성폭력 대처하기

① 성폭력은 피해자의 잘못으로 발생한 것이 아니므로, 본인의 의지와 주변의 도움을 통해 상처와 후유증을 극복할 수 있다는 믿음을 가져야 한다.
② 성폭력을 성의 문제가 아닌 폭력의 문제로 인식하는 것이 중요하다.
③ 성폭력 피해를 당했을 때에는 반드시 부모님, 선생님 등에게 피해 사실을 알리고, 전문가나 전문 상담 기관의 도움을 요청해야 한다.
④ 성폭력 가해자에게 성폭력이 심각한 범죄이며, 법으로 처벌받는다는 사실을 알려 또 다른 피해를 예방해야 한다.

(3) 성폭력 대처의 구체적인 방법

① **나를 돌보기** 성폭력이 일어났을 때 무엇보다도 '나'를 가장 중요하게 생각하고 돌봐야 한다.
- 나에게 잘못이 있을 수도 있다는 생각을 버린다.
- 분노의 감정이 생길 수 있음을 이해한다.
- 내가 느꼈던 공포와 무력감을 인정한다.
- 내가 좋아하는 사람이나 나를 도와줄 수 있는 사람과 함께 시간을 보낸다.
- 나에게 필요한 것이 무엇인지 찾는다.

② **가해자에 대응하기**
- 가해자의 증거를 수집하고, 원한다면 가해자를 처벌하는 법적 절차를 밟을 수 있다. 이때 성폭력 상담소에 도움을 요청하면 전문적이고 정확한 상담을 받을 수 있다.
- 성폭력 상담소에서는 심리 상담뿐만 아니라 법률 상담, 소송 지원, 의료비 지원 등을 제공한다.

개념 더하기+

성폭력 대처 관련 법률
19세 미만의 아동·청소년의 성폭력 범죄는 친고죄(피해자 및 그 밖의 법률이 정한 사람의 고소를 필요로 하는 범죄)를 적용하지 않는다. 원래 성범죄는 피해자의 고소가 있어야 처벌이 가능했지만 아동·청소년이 피해자인 경우 본인 또는 보호자뿐 아니라 제3자도 아동·청소년 대상 성범죄자의 처벌을 요청할 수 있다.

성폭력 전문 상담 기관
- 직장 내 성희롱: 1644-3119
- 청소년 긴급 지원 센터: 1388
- 여성 긴급 전화: 1366
- 학교 폭력·성폭력 신고 전화: 117

해바라기 센터
해바라기 센터는 성폭력 및 가정폭력 피해자의 상담과 지원을 위해 만들어진 기구이다. 전국 중소 도시 이상의 지역 거점 병원에 보통 병설되어 있다. 보통 심리 지원(심리 평가, 심리 치료)과 함께 법적, 행정적, 의료적 지원을 한다. 임상 심리 전문가, 사회 복지사, 경찰, 행정 직원이 함께 근무하며 24시간 지원을 받을 수 있다.

교과서 뛰어넘기

성희롱 대처 방안

성희롱 피해를 당했을 경우

- 명확한 거부 의사를 표시한다.
- 성희롱 행위자에게 사과를 요청한다.
- 신뢰할 수 있는 사람에게 상담을 요청한다.
- 피해에 관해 법적으로소송을 제기할 수 있다.

타인이 성희롱 피해를 당했을 경우

- 성희롱의 피해자를 문제 일으키는 사람으로 본다든가, 성희롱을 개인적인 문제로 축소시키지 않는다.
- 주위에서 성희롱의 사례를 본 경우에는 성희롱 행위자에게 다시 성희롱하지 않도록 요청한다.
- 피해자가 상담을 요청할 때에는 상담에 응하도록 한다.
- 성희롱에 관한 증거 자료를 모은다.

개념 더하기+

주제 활동 성폭력에 관한 잘못된 생각 바꿔 보기

1. 다음은 성폭력에 관한 잘못된 생각들이다. 맞는 표현으로 바꾸어 보자.

잘못된 생각		맞는 표현
성폭력은 나와 무관한 일이고, 나에게는 일어날 수 없는 일이다.	➡	성폭력은 누구에게나 일어날 수 있으며, 나에게도 일어날 수 있는 일이다.
대부분의 성폭력은 컴컴한 골목에서 낯선 사람에 의해 발생한다.	➡	성폭력은 대낮에 하굣길, 놀이터 등 어디에서나 발생할 수 있다.
성폭력의 피해는 피해자에게도 책임이 있다.	➡	성폭력 피해자는 피해자일 뿐이다.
성폭력은 강간만을 의미하는 것이다.	➡	성폭력은 상대방의 의사에 반하는 모든 성적 행동을 의미한다.
남자는 성폭력을 당하지 않는다.	➡	남자도 성폭력의 피해자가 될 수 있다.

2. 성폭력에 관한 생각을 바꾸어 보고 나서 느낀 점을 써 보자.

성폭력에 관해 잘못 알고 있던 것들을 바로잡을 수 있는 기회가 되었다.

내용 정리

1/ 성폭력의 이해

(1) 성폭력

① 상대방의 의사 및 동의 없이 강제로 이루어지는 신체적·언어적 모든 성적 행동을 포함함.

② 개인의 성적 의사 결정권을 침해하는 모든 행위를 말하는 것으로, 신체적으로 가하는 성폭력뿐만 아니라, 음란 전화, 성희롱 등 언어적·정신적 폭력도 모두 성폭력에 포함됨.

③ 상대방이 성폭력에 대한 불안감이나 공포감을 느끼거나 행동의 제약을 받으면 간접적인 성폭력이 될 수 있음.

④ 성폭력은 피해자에게 신체적·심리적 상처를 줄 뿐만 아니라 심각한 후유증을 남길 수 있음.

(2) 성폭력에 관한 편견

① 성폭력 가해자는 정신 이상자이다. → 대부분 정상적인 생활을 하는 정상인임.

② 야하게 입고 다니면 성폭력을 당할 수 있다. → 상대의 옷차림이나 행동이 성폭력의 원인이 될 수 없음.

③ 끝까지 저항하면 성폭력은 당하지 않는다. → 성폭력은 공포의 상황에서 이루어지는 경우가 많아 제대로 저항하기 어려움.

④ 인간의 성욕은 자제할 수 없다. → 충분히 자제할 수 있으며, 반드시 해소해야 하는 것은 아님.

2/ 성적 의사 결정권 확립

(1) 성적 의사 결정권

① 성적인 행동을 자신의 의지나 판단으로 스스로 선택하고, 그 선택에 책임을 지는 것

② 성적 의사 결정권을 확립하면 청소년기에 발생할 수 있는 성 문제를 예방하고 합리적인 의사 결정과 자기주장을 할 수 있게 됨.

③ 원하지 않는 성적인 행동이나 표현으로부터 자신을 보호할 수 있음.

(2) 성적 의사 결정권 확립을 위한 노력

① **성 인지적 관점 확립하기** 왜곡된 성에 관한 지식과 태도를 수정하고, 건강하고 균형 잡힌 성 인식을 가질 수 있음.

② **성폭력이 무엇인지 정확히 알기** 성폭력이 무엇인지 정확한 이해를 바탕으로 이를 예방하기 위한 노력을 해야 함.

③ **성적 의사소통 능력 기르기** 성적 행동에 관해 자신이 원하지 않는 것을 분명하게 전달하고, 상대방의 의사 표현도 존중해야 함.

④ **서로의 사생활 보호·존중하기** 사람들 사이에는 관계상의 거리가 있고, 사람마다 그 거리가 다를 수 있음을 이해해야 함.

3/ 성폭력 예방 및 대처 방안

(1) 성폭력 예방하기

① 우리 모두 성폭력의 잠재적인 가해자나 피해자가 될 수 있으므로 성적 의사 결정권을 확립하고, 성폭력 예방 방법의 인지가 필요함.

② **성폭력 피해자가 되지 않으려면**
- 자신의 성 행동에 지침을 정하고, 행동하기
- 원하지 않는 성적 접근이나 요구에 명확하게 거부 의사 표현하기
- 명확한 의사 표현에도 상대방이 받아들이지 않는 경우에는 항의하고 그 자리를 떠나거나 도움 요청하기

③ **성폭력 가해자가 되지 않으려면**
- 상대방을 자신과 같은 인격을 가진 존재로 인정하기
- 평소 여러 이성과 이야기를 나누며 우정 관계를 유지하기
- 상대방의 거부 의사 받아들이기
- 상대방의 침묵이나 불쾌한 표정을 동의로 오해하지 않기

(2) 성폭력 대처하기

① 성폭력은 피해자의 잘못으로 발생한 것이 아니므로, 본인의 의지와 주변의 도움으로 상처와 후유증을 극복할 수 있다는 믿음을 가져야 함.

② 부모님, 선생님 등에 피해 사실을 알리고, 전문가, 전문 상담 기관에 도움을 요청해야 함.

③ 성폭력 가해자에게 성폭력이 심각한 범죄이며, 법으로 처벌받는다는 사실을 알려 또 다른 피해를 예방해야 함.

개념 꽉꽉 다지기

01. (   )(이)란, 상대방의 의사 및 동의 없이 강제로 이루어지는 신체적·언어적인 모든 성적 행동을 말한다.

02. 다음은 성폭력에 대한 설명이다. 맞으면 ○, 틀리면 ×표를 하시오.

(1) 성폭력의 가해자는 정상적으로 사회생활을 하는 사람인 경우가 많다. (   )
(2) 인간의 성욕은 자제할 수 없다. (   )
(3) 상대의 옷차림이나 행동이 성폭력의 원인이 될 수 있다. (   )
(4) 끝까지 저항하면 성폭력을 피할 수 있다. (   )

03. 다음에서 설명하는 알맞은 말을 쓰시오.

> 성적인 행동을 자신의 의지나 판단에 따라 스스로 선택하고, 그 선택에 책임을 지는 것을 말한다. 이것이 확립되면 청소년기에 발생할 수 있는 성 문제를 예방하고, 합리적인 의사 결정과 자기주장을 할 수 있다.

(   )

04. 성폭력을 예방할 수 있는 방법으로 옳지 않은 것은?

① 주변에 적극적으로 도움을 요청한다.
② 자신의 성 행동에 관해 지침을 정하고 이에 따라 행동한다.
③ 원하지 않는 성적 접근이 있을 때에는 명확한 의사 표현을 한다.
④ 이성 친구와 거부감이 드는 스킨십이 있을 경우 표현하기 곤란하므로 참는다.
⑤ 명확한 의사 표현에도 상대의 태도가 바뀌지 않으면 항의하거나 그 자리를 떠난다.

05. 성폭력 대처 방안으로 옳지 않은 것은?

① 피해 사실을 최대한 숨긴다.
② 성폭력을 폭력의 문제로 인식한다.
③ 전문가나 전문 상담 기관에 도움을 요청한다.
④ 상처와 후유증을 극복할 수 있다는 믿음을 갖는다.
⑤ 또 다른 피해 예방을 위해 성폭력이 법으로 처벌받는다는 사실을 널리 알린다.

Helper

02. 성폭력에 대한 편견에 대하여 바르게 인지할 필요성이 있다. 인간의 성욕은 자제할 수 있으며, 옷차림이나 행동이 성폭력의 원인이 될 수 없다. 또한 공포의 상황에서 이루어지는 성폭력에 제대로 저항하기 어렵다.

03. 성적 의사 결정권을 확립하면 무분별하게 노출되어 있는 성 정보에 대하여 건전한 가치관을 바탕으로 판단할 수 있다.

04. 원하지 않는 성적 접근이 있다면 솔직하게 말하고, 명확한 의사 표현을 해야 한다.

05. 성폭행 피해를 당했을 경우 반드시 부모님, 선생님 등에게 피해 사실을 알리고 도움을 요청해야 한다.

01 성폭력에 대한 설명으로 옳지 않은 것은?

① 성폭력은 피해자에게 신체적인 상처만을 남긴다.
② 음란 전화, 성희롱, 정신적 폭력도 성폭력에 해당한다.
③ 신체적·언어적인 모든 성적 행동을 포함하는 개념이다.
④ 상대방의 동의 없이 강제로 이루어지는 성적 행동을 말한다.
⑤ 성폭력에 대한 불안감이나 공포감을 느낀다면 이것 또한 간접적인 성폭력이다.

02 성폭력이 발생되는 원인을 보기 에서 있는 대로 고른 것은?

보기
ㄱ. 존중과 배려하는 태도
ㄴ. 양성평등한 조직 문화
ㄷ. 권위주의적인 조직 문화
ㄹ. 성별에 따른 이중적인 성 윤리

① ㄱ, ㄴ　② ㄱ, ㄷ
③ ㄴ, ㄷ　④ ㄴ, ㄹ
⑤ ㄷ, ㄹ

03 성폭력의 후유증에 해당하지 않는 것은?

① 성적 친밀감 거부
② 사건 당시의 기억 손상
③ 안정적인 정서 상태 및 침착함
④ 자존감 저하, 자해 등 우울 증상
⑤ 두통, 수면 장애 등 신체적 불안 반응

04 성폭력에 대하여 바르게 인지하고 있는 사람을 고른 것은?

정현: 남자는 성폭력의 피해자가 될 수 없어.
민재: 성폭력은 언제 어디에서든 일어날 수 있어. 꼭 으슥한 장소가 아니라도 말이야.
지민: 성폭력이 사회적 문제라고는 하지만 나에게는 일어날 수 없는 일이라고 생각해.
희주: 인간의 성욕은 충분히 자제할 수 있고, 성이 아닌 다른 방식으로 해소할 수도 있어.

① 정현, 민재　② 정현, 지민
③ 민재, 지민　④ 민재, 희주
⑤ 지민, 희주

05 (　　) 안에 알맞은 말을 쓰시오.

(　　　)은/는 성 역할 고정 관념이나 성차별적인 인식에서 벗어나 남녀 간의 성적 차이가 사회·문화적인 차별로 이어지지 않도록 성별을 인식하는 관점이다.

(　　　　　　　　)

06 성적 의사 결정권 확립의 중요성에 대하여 바르게 설명한 것을 보기 에서 있는 대로 고른 것은?

보기
ㄱ. 건전한 성 가치관 확립에 중요한 역할을 한다.
ㄴ. 성 문제 예방적 차원에서는 효과를 기대하기 힘들다.
ㄷ. 원하지 않는 성적인 행동이나 표현으로부터 자신을 보호할 수 있다.
ㄹ. 성에 관해 무분별하게 노출된 인터넷 정보에 대해서는 옳고 그름을 판단하기 어렵다.

① ㄱ, ㄴ　② ㄱ, ㄷ
③ ㄴ, ㄷ　④ ㄴ, ㄹ
⑤ ㄷ, ㄹ

07 성적 의사 결정권 확립을 위한 노력으로 옳지 않은 것은?

① 성 인지적 관점을 확립한다.
② 성폭력에 대해 명확하게 이해한다.
③ 성적 의사소통 능력을 증진시킨다.
④ 서로의 사생활을 보호하고 존중한다.
⑤ 성 상품화가 확산되고 있는 사회적 분위기에 적응한다.

08 성폭력 피해자가 되지 않기 위한 노력을 보기 에서 있는 대로 고른 것은?

보기
ㄱ. 자신의 성 행동에 관해 지침을 정하고 지침에 따라 행동한다.
ㄴ. 원하지 않는 성적 접근에는 침묵으로 나의 의사를 표현한다.
ㄷ. 명확하게 의사를 밝혀도 상대의 태도가 바뀌지 않을 때에는 체념한다.

① ㄱ　② ㄷ
③ ㄱ, ㄴ　④ ㄴ, ㄷ
⑤ ㄱ, ㄴ, ㄷ

09 성폭력 가해자가 되지 않기 위해 할 수 있는 노력으로 옳지 않은 것은?

① 상대방의 침묵은 긍정으로 이해한다.
② 성적인 말과 행동에 대한 감수성을 높인다.
③ 상대방을 인격적인 존재로 인정하고 존중한다.
④ 상대방의 '아니오'는 분명한 거부 의사로 받아들인다.
⑤ 이성과의 진솔한 대화를 통하여 서로를 이해하려고 노력한다.

10 다음은 성폭력의 대처 방안에 대한 대화이다. 잘못된 대처 방안을 말한 사람을 모두 고른 것은?

승호: 성폭력은 피해자의 잘못이 아니기 때문에 숨기지 말고 적극적으로 주변에 알려 도움을 요청해야 해.
슬기: 성폭력 가해자는 성폭력이 심각한 범죄임을 알 수 있도록 단호하게 처벌해야 해.
재원: 폭력과 성폭력은 명확하게 구분될 필요가 있어. 성폭력은 성의 문제에 해당되니까.

① 승호　② 재원
③ 승호, 슬기　④ 슬기, 재원
⑤ 승호, 슬기, 재원

11 다음 설명에 해당하는 기관으로 옳은 것은?

성폭력 및 가정폭력 피해자의 상담과 지원을 위해 만들어진 기구이다. 전국 중소 도시 이상의 지역 거점 병원에 보통 병설되어 있다.

① 쉼터　② 희망의 전화
③ 해바라기 센터　④ 여성 긴급 전화
⑤ 청소년 긴급 지원 센터

12 성폭력에 대한 설명으로 옳지 않은 것은?

① 대부분의 성폭력은 낯선 사람에 의해 일어난다.
② 성폭력은 공포의 상황에서 이루어지므로 제대로 서항하기 어렵다.
③ 성폭력은 누구에게나 일어날 수 있는 일이므로 나에게도 일어날 수 있다.
④ 성폭력의 가해자는 정신 이상자가 아닌 정상적으로 사회생활을 하는 경우가 많다.
⑤ 성폭력은 강간만을 의미하는 것이 아니라 상대방의 의사에 반하는 모든 성적 행동을 의미한다.

5 가정폭력 없는 세상 만들기

「주제 열기」

● 위의 질문에서 '예'라고 답하거나 고민한 항목이 있다면 까닭이 무엇인지 써 보자.

→ 위의 8개 항목 중에 하나라도 '예'라고 응답하면 안 된다. 위의 상황을 포함한 어떤 경우라도 폭력이 정당화될 수 없다.

● 가정폭력이 무엇이라고 생각하는지 써 보자.

→ 내가 생각하는 가정폭력은 가족 내에서 가족 구성원을 아프게 하는 것이다. 이는 신체적 아픔뿐만 아니라 상처를 주거나 자존심을 상하게 하는 등 마음을 다치게 하는 것도 포함한다.

개념 더하기+

⊕ 가정폭력의 유형

- 신체적 폭력: 물리적인 힘이나 도구를 이용하여 신체를 직접적으로 때리는 것 외에 물건을 집어던지거나 어깨나 목 등을 꽉 움켜잡는 것이 포함된다.
- 정신적 학대: 폭언, 무시, 모욕과 같은 언어폭력으로 기분을 상하게 하는 것으로, 직접적으로 때리지 않더라도 때리려고 위협을 하거나 물건을 던지거나 부수는 것도 포함된다.
- 성적 폭력: 성적인 폭력으로 성적 수치심을 유발하는 행위나 원하지 않는 성관계를 요구하는 것 등이 포함된다.
- 경제적 위협: 생활비를 주지 않는 것뿐만 아니라 동의 없이 임의로 재산을 처분하거나 생활비 지출을 일일이 보고하게 하는 것이 포함된다.
- 방임: 무관심과 냉담으로 대한다거나 위험 상황에 내버려 두는 것 등이 있다.

1/ 가정폭력이 무엇인지 정확히 아는 것이 필요하다

(1) 가정폭력

① **가족폭력이란** 가족 구성원 사이에서 일어난 폭력으로, 상대방을 억압하고 통제하는 상황을 의미한다.

② 부부 싸움이나 가족 간의 갈등과는 엄연히 다른 것이며, 신체적·정신적 또는 재산상의 피해를 가져오는 모든 행위를 의미한다.

③ 가정폭력은 가족이라는 관계 내에서 일어나는 폭력이므로 피해자뿐만 아니라 가족 전체에 부정적인 영향을 줄 수 있다.

④ 가정폭력을 예방하기 위해서는 가정폭력이 무엇인지 정확히 알아야 한다.

(2) 가정폭력에 관한 편견

NO! '사랑의 매'라는 이름으로 체벌해도 자녀가 이를 폭력으로 인식할 수 있다. 어린 시절에 경험한 폭력은 성인이 되어도 깊은 상처로 남을 수 있다.

NO! 폭력은 어떤 상황에서도 정당화될 수 없으며, 맞고 사는 것은 부끄러운 일이 아니다. 오히려 이를 숨긴다면 가정폭력의 악순환이 이루어질 수 있다.

모든 관계는 갈등이 발생하기 마련이지만, 부부 갈등이 폭력의 형태로 나타난다면 명백한 가정폭력에 해당한다.

친구, 이웃, 아는 사람의 가정폭력 사실을 알게 되었을 때, 신고하거나 상담받을 수 있게 도와야 한다.

2/ 가정폭력의 원인과 특징을 이해하자

(1) 가정폭력의 원인

① 가정폭력은 단순히 개인의 정신적 이상이나 성격 이상, 음주 등의 개인적 요인으로 일어나기도 하고, 가정 내 소통 문제나 경제적 요인, 가부장적인 태도가 원인이 되기도 한다.

② 무엇보다 사회적으로 가정폭력을 묵인하고 용인해 주는 태도가 가정폭력을 쉽게 뿌리 뽑지 못하는 원인이 되고 있다.

③ 가정폭력은 개인, 가정, 사회·문화적 요인 등이 복합적으로 작용하여 가해자가 가족 구성원을 힘으로 제압하려고 할 때 발생한다.

(2) 가정폭력의 특징

① 가정폭력은 가족 내에서 일어나기 때문에 일회성이 아니라 반복적으로 발생하기 쉽다.

② 다른 사람들이 관여해서는 안 되는 가정 내의 일이라고 생각하여, 가정폭력 사실이 축소되거나 은폐되기 쉽다.

③ 가정폭력은 단순히 가정 내에서의 폭력으로 그치는 것이 아니라, 각종 성폭력, 성매매, 학교 폭력, 청소년 문제, 자살 문제, 노인 문제 등 여러 사회 문제의 원인이 되기도 한다.

성매매: 일정한 대가를 주고받기로 하고 성행위나 이에 준하는 행위를 하는 것이다.

개념 더하기+

가정폭력의 반복성
가정 내에서 발생하는 가정폭력은 숨기고 싶어 하기 때문에 폭력을 행사하고 반성하고, 용서하고, 다시 폭력을 행사하는 식의 반복이 일어나기 쉽다.

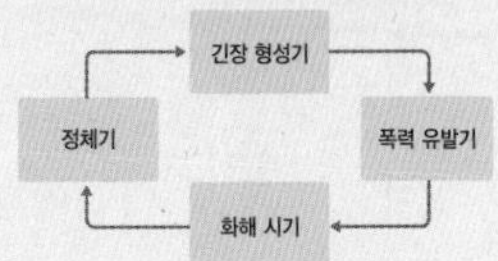

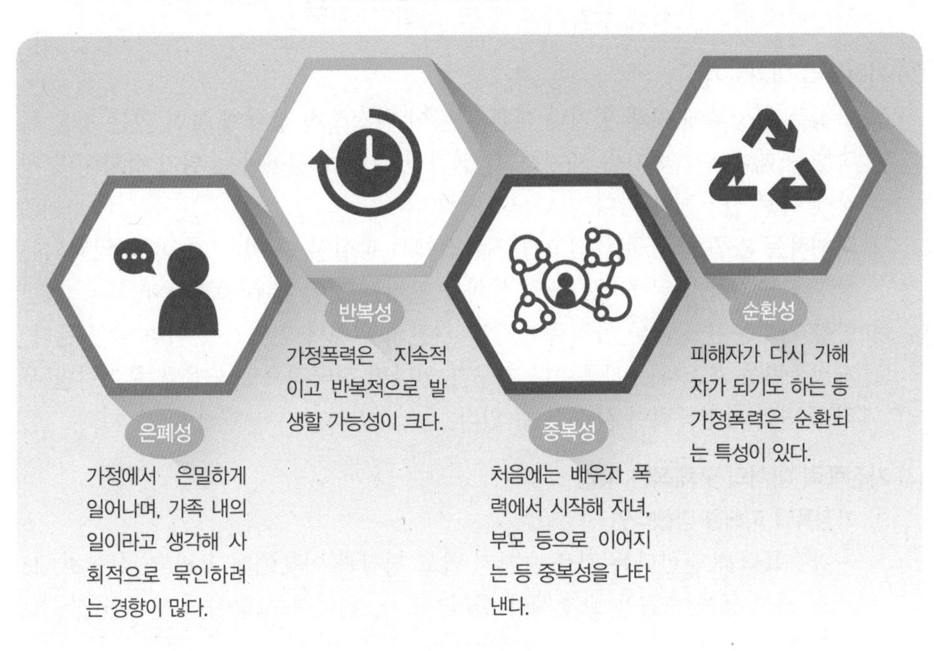

▲ 가족폭력의 특징

스스로 해 보기

가정폭력의 원인을 요인별로 분석해 보자.

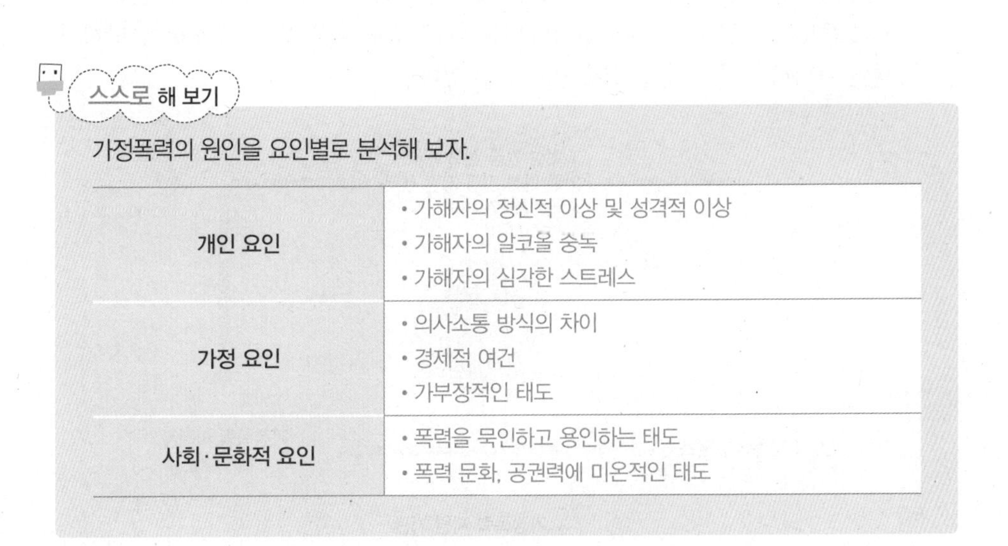

개인 요인	• 가해자의 정신적 이상 및 성격적 이상 • 가해자의 알코올 중독 • 가해자의 심각한 스트레스
가정 요인	• 의사소통 방식의 차이 • 경제적 여건 • 가부장적인 태도
사회·문화적 요인	• 폭력을 묵인하고 용인하는 태도 • 폭력 문화, 공권력에 미온적인 태도

3/ 가정폭력을 예방하고 대처하는 방안을 알아보자

(1) 가정폭력 예방하기

가정폭력은 가정 내의 문제만이 아니라 심각한 범죄이므로, 개인과 가족, 나아가 사회적 차원에서 폭력을 근절시키려는 노력이 필요하다.

① 평소 폭력적인 말과 행동을 하지 않는다.

② 폭력에 민감하게 반응한다. 폭력적인 상황을 무시하거나 눈감아 주어서는 안 된다.

③ 가족 간 충분한 대화를 통해 서로를 이해하고, 발생할 수 있는 문제를 함께 해결하려고 노력한다.

④ 가부장적인 사고방식을 버리고 양성평등한 가치관을 확립한다.

⑤ 가정폭력을 개인 또는 한 가족만의 문제라고 생각하는 것이 아니라, 우리 사회 문제로 인식한다.

⑥ 가정폭력 신고 문화를 정착시켜 제2의 폭력을 예방한다.

(2) 가정폭력 대처하기

① 가정폭력 상황에 처해 있거나 다른 사람이 가정폭력 상황에 놓여 있는 것을 목격했을 때에는 가해자를 제지하고, 심각한 폭력이 일어나는 위기 상황이면 경찰에 바로 신고해야 한다.

② 피해자는 가족 구성원을 신고한다는 점에서 망설일 수 있지만, 반복·악화되는 상황을 방지하기 위해서는 폭력 상황을 알리는 것이 매우 중요하다.

③ 항상 가까운 경찰서나 가정폭력 상담 기관의 위치나 연락처를 미리 알아 둔다.

④ 가정폭력을 호소하는 가족이나 친구가 있다면 적극적으로 도움을 주어야만 우리 주변의 가정폭력이 사라질 수 있다.

(3) 가정폭력 대처의 구체적인 방법

① **가정폭력 피해를 당했다면**

- 가정폭력을 당한다는 것을 숨기지 말고 경찰과 이웃에게 알리고, 상담소, 보호 시설 등에 도움을 요청해야 한다. 또한, 위급한 상황이면 안전한 장소로 일단 대피한다.
- 경찰이 출동했을 때는 폭력을 당한 정황을 정확하고 구체적으로 알린다.

② **가정폭력을 목격했다면** 우리나라에서는 「가정폭력 처벌법」을 제정하여 당사자뿐만 아니라 누구든지 경찰에 신고할 수 있다.

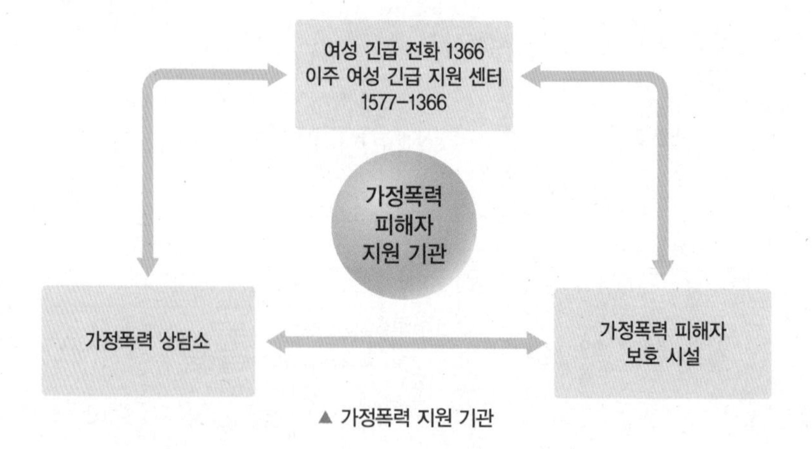

▲ 가정폭력 지원 기관

개념 더하기+

가정폭력 예방하기
- 화, 분노, 스트레스 조절하기
- 효과적으로 대화하기
- 갈등 상황을 잘 해결하기
- 타임아웃해 보기
- 신고 기관 메모하고 적어 두기
- 비폭력 원칙 지키기
- 주변에 관심 갖기

가정폭력 상담·지원 기관
- 경찰 지원 센터: 국번없이 117
- 한국 가정 법률 상담소: 1644-7077
- 대한 법률 구조 공단: 국번 없이 132

스스로 해 보기

폭력적인 말과 행동을 하지 않기 위해 내가 실천할 수 있는 일을 구체적으로 써 보자.

예
- 욕을 하지 않는다.
- 문을 쾅 닫지 않는다.
- 소리를 지르는 대신 종이에 화나는 내용을 써서 휴지통에 던진다.

개념 더하기+

주제 활동 가정폭력 대처 방안 탐색하기

1. 모둠별로 한 가지 상황을 선택하여 상황을 분석해 보자.

A의 이웃 주민

"아이가 착하고 너무 예뻐요. 예의도 바르고요. 그런데 그 아이는 집에 있는 냉장고도 엄마에게 물어보고 열어야 한대요. 냉장고는 아이 것이 아니라 자기 것이라고 엄마가 말했대요."

B의 엄마

"아들이 중학교 2학년에 올라가면서 종종 학교에서 친구들과 싸우고 들어왔어요. 학교도 잘 가지 않고요. 그래서 야단을 쳤더니, 불같이 화를 내며 아들이 저를 때렸어요. 제가 아들을 어떻게 신고할 수 있겠어요……."

C의 아들

"엄마는 아빠랑 같이 있을 때와 저랑 단둘이 있을 때 다른 사람 같아요. 단둘이 있을 때에는 무슨 말만 해도 '어디서 말대답이냐!'며 소리를 지르세요. 한번은 대들었다며 뺨도 맞았어요."

D의 아내

"어제는 남편이 좋아하는 고등어를 구웠어요. 그런데 퇴근하고 들어온 남편이 고등어 냄새가 비리다며 애써 차려 놓은 밥상을 뒤집어엎지 뭐예요. 그래도 분이 안 풀렸는지 다른 물건들도 다 집어 던졌어요. 너무 무서웠어요."

피해 당사자가 할 수 있는 일	주변에서 할 수 있는 일	사회에서 도와줄 수 있는 일
가장 믿을 만한 사람에게 자신의 상황을 말한다.	피해자라 의심이 되는 경우가 있으면 경찰이나 상담 기관에 신고하고, 전문가에게 도움을 받을 수 있게 한다.	폭력적인 문화가 점차 사라지도록 인권 감수성을 높이는 문화를 만든다.

2. 가정폭력에서 벗어날 방안을 찾아본 후 느낀 점을 써 보고, 친구들과 함께 이야기해 보자.

가정폭력 상황에 처하면 이를 숨기기보다는 용기를 내어 가장 믿을 만한 사람에게라도 이야기해야 한다고 생각한다.

내용 정리

1/ 가정폭력의 이해

(1) 가정폭력

① 가족 구성원 사이에서 일어난 폭력으로, 상대방을 억압하고 통제하는 상황

② 부부 싸움이나 가족 간의 갈등과는 엄연히 다른 것이며, 신체적·정신적 또는 재산상의 피해를 가져오는 모든 행위

③ 가정폭력은 가족이라는 관계 내에서 일어나는 폭력이므로 피해자뿐만 아니라 가족 전체에 부정적인 영향을 줄 수 있음.

(2) 가정폭력에 관한 편견

① 내 아이니까 잘되라고 때릴 수 있다. → 자녀가 폭력으로 인식한다면 '사랑의 매'도 폭력이 됨.

② 맞을 만하니까 맞는 것이다. → 폭력은 어떤 상황에서도 정당화될 수 없음.

③ 부부 싸움은 칼로 물 베기이다. → 부부간의 관계에서도 갈등이 폭력의 형태로 나타나면 명백한 가정폭력임.

④ 남의 가정사에 간섭해서는 안 된다. → 가정폭력을 목격하거나 알게 되면, 도움을 주어야 함.

2/ 가정폭력의 원인과 특징

(1) 가정폭력의 원인

① **개인적 요인** 가정폭력 가해자의 정신적 이상이나 성격 이상, 알코올 중독 등

② **가정적 요인** 가족 구성원 간의 갈등적 의사소통, 열악한 경제적 상황, 가족 구성원의 가부장적 태도 등

③ **사회·문화적 요인** 폭력을 묵인하는 태도나 사회 전반에 걸친 폭력 문화, 공권력의 미온적인 태도 등

(2) 가정폭력의 특징

① **은폐성** 가정에서 은밀하게 일어나며, 가족 내의 일이라고 생각해 사회적으로 묵인하려는 경향이 많음.

② **반복성** 가정폭력은 지속적이고 반복적으로 발생할 가능성이 큼.

③ **중복성** 처음에는 배우자 폭력에서 시작해 자녀, 부모 등으로 이어지는 등 중복성을 나타냄.

④ **순환성** 피해자가 다시 가해자가 되기도 하는 등 가정폭력은 순환됨.

3/ 가정폭력 예방 및 대처 방안

(1) 가정폭력 예방하기

① 평소 폭력적인 말과 행동을 하지 않음.

② 가족 간 충분한 대화를 통해 서로를 이해하고, 가족 간 발생할 수 있는 문제를 해결하려고 노력함.

③ 가정폭력을 한 가족 또는 개인의 문제라고 생각하는 것이 아니라, 우리 사회 문제로 인식함.

④ 폭력에 민감하게 반응하고, 폭력적인 상황을 눈감아 주어서는 안 됨.

⑤ 가부장적인 사고방식을 버리고 양성평등한 가치관을 확립함.

⑥ 가정폭력 신고 문화를 정착시켜 제2의 폭력을 예방함.

(2) 가정폭력 대처하기

① 가정폭력 상황에 처해 있거나 다른 사람이 가정폭력 상황에 놓여 있는 것을 목격하면 가해자를 제지하고, 심각한 폭력이 일어나는 위기 상황이면 경찰에 바로 신고함.

② 가정폭력이 반복되고 악화되는 것을 방지하기 위해서는 폭력 상황을 알리는 것이 중요함.

③ 가까운 경찰서나 가정폭력 상담 기관을 미리 알아 둠.

④ 가정폭력을 호소하는 가족이나 친구가 있을 경우, 적극적으로 도와 줌.

교과서 뛰어넘기

※ 가정폭력 범죄 처벌 등에 관한 특례법 주요 내용

- **응급조치(제5조)**: 진행 중인 가정폭력 범죄에 대하여 신고를 받은 경찰은 즉시 현장에 임하여 폭력 행위 제지, 범죄 수사, 보호 시설이나 의료 기관으로 피해자 인도 등의 조치를 하여야 한다.
- **임시 조치(제8조)**: 피해자를 보호할 필요가 있을 때는 가해자 퇴거, 피해자의 주거·직장 등에서 100m 이내 접근 금지 등의 임시 조치를 할 수 있다.
- **긴급 임시 조치(제8조 2)**: 검사의 직권 또는 사법 경찰관의 신청에 의해 법원에 청구된 후 조치가 취해지는 기존의 임시 조치를 보완한 것으로, 사법 경찰관의 직권이나 피해자의 신청에 의해 먼저 임시 조치를 취할 수 있다.
- **보호 처분(제40조 제1항)**: 판사는 보호 처분이 필요하다고 인정하는 경우 행위자가 피해자에게 접근하는 행위나 피해자에 대한 친권 행사를 제한할 수 있다.

개념 꽉꽉 다지기

01. **(　　　　)(이)란, 가족 구성원 사이에서 일어난 폭력으로, 상대방을 억압하고 통제하는 상황을 의미한다.**

02. **다음은 가정폭력에 대한 설명이다. 맞으면 ○, 틀리면 ×표를 하시오.**

(1) 가정폭력과 부부 싸움은 같은 것이다. (　　　)

(2) 내 아이니까 잘되라고 때릴 수 있다. (　　　)

(3) 아이를 훈육하는 일 등은 남의 가정사이므로 함부로 간섭해서는 안 된다. (　　　)

(4) 가정폭력은 반복적으로 일어나고, 중복성이 있다. (　　　)

03. **다음에서 설명하는 가정폭력의 특징을 쓰시오.**

- 가정폭력은 가정에서 은밀하게 일어난다.
- 가정폭력은 다른 사람들이 관여해서는 안 되는 가정 내의 일이라고 생각하여, 가정폭력 사실이 축소되거나 은폐되기 쉽다.

(　　　　　　　)

04. **가정폭력의 예방 방안으로 옳지 않은 것은?**

① 화, 분노, 스트레스를 조절한다.
② 가부장적인 사고방식을 버린다.
③ 가정폭력을 사회의 문제로 인식한다.
④ 적당한 폭력은 눈감아 주어도 괜찮다.
⑤ 평소 폭력적인 말과 행동을 하지 않는다.

05. **가정폭력의 대처 방안으로 옳은 것은?**

① 가정폭력을 호소하는 친구가 있다면 비밀을 지켜 준다.
② 가까운 경찰서나 가정폭력 상담 기관의 연락처를 알아 둔다.
③ 욕설이나 문을 쾅 닫는 정도의 행동은 크게 고칠 필요가 없다.
④ 가정폭력 상황을 목격한 경우, 일단 가족 내에서 해결하도록 눈감아 준다.
⑤ 가족 구성원을 신고하는 것은 가혹한 일이므로 일단 경과를 살피도록 한다.

Helper

01. 가정폭력은 가족이라는 관계 내에서 이루어지는 폭력이다.

02. 폭력은 어떠한 상황에서도 정당화될 수 없으며, 부부간의 관계에서도 갈등이 폭력의 형태로 나타나면 명백한 가정폭력이다. 또한, 가정폭력을 목격하거나 알게 되면, 도움을 주어야 한다.

03. 가정 폭력의 특징에는 은폐성, 반복성, 중복성, 순환성 등이 있다.

04. 폭력에 민감하게 반응하고, 폭력적인 상황을 눈감아 주어서는 안 된다.

05. 가정폭력에 놓여 있는 사람을 인지하거나 목격했을 경우에는 가해자를 제지하고 적극적인 도움을 주어야 한다. 또한 위기 상황이면 경찰에 바로 신고해야 한다.

차곡차곡 실력 쌓기

01 가정폭력에 대한 설명으로 옳지 않은 것은?

① 부부 싸움과 같은 의미이다.
② 가족 구성원 사이에서 일어난 폭력이다.
③ 가족 전체에 부정적인 영향을 줄 수 있다.
④ 가족을 억압하고 통제하는 상황을 의미한다.
⑤ 신체적·정신적·재산상의 피해를 가져오는 행위이다.

02 다음 중 가정폭력이 아닌 것은?

① 위험 상황에 내버려 두는 것
② 신체를 직접적으로 때리는 행위
③ 폭언, 무시, 모욕 등의 언어 폭력
④ 비폭력의 원칙을 갖고 일관적으로 자녀를 훈육하는 것
⑤ 생활비를 주지 않거나 동의 없이 재산을 처분하는 행위

03 가정폭력의 원인으로 옳지 않은 것을 보기 에서 있는 대로 고른 것은?

보기
ㄱ. 가부장적인 태도
ㄴ. 민주적인 가족 분위기
ㄷ. 가족 간의 원활한 의사소통
ㄹ. 개인의 정신적 이상이나 성격 이상

① ㄱ, ㄴ ② ㄱ, ㄷ
③ ㄴ, ㄷ ④ ㄴ, ㄹ
⑤ ㄷ, ㄹ

04 다음은 가정폭력에 대한 편견들이다. 이에 대한 설명으로 옳지 않은 것은?

- 부부 싸움은 칼로 물 베기이다.
- 남의 가정사에 간섭해서는 안 된다.
- 내 아이니까 잘되라고 때릴 수 있다.

① 가족 내의 문제이므로 타인이 간섭할 권리가 없다.
② 폭력은 어떠한 상황에서도 정당화될 수 없음을 알아야 한다.
③ 자녀가 폭력으로 인식한다면 '사랑의 매'도 폭력이 될 수 있다.
④ 가정폭력을 목격하거나 알게 되면, 적극적으로 도움을 주어야 한다.
⑤ 부부간의 관계에서도 갈등이 폭력의 형태로 나타난다면 명백한 가정폭력이다.

05 가정폭력의 원인에 대하여 잘못된 설명을 하고 있는 학생을 보기 에서 있는 대로 고른 것은?

보기
성희: 폭력을 묵인하고 용인하는 태도는 사회·문화적 요인에 해당하지.
종환: 가해자의 알코올 중독은 가정폭력의 원인 중 개인 요인에 해당된다고 할 수 있어.
철민: 가정폭력은 개인, 가정, 사회·문화적 요인이 각각 개별적으로 작용하는 특징이 있어.

① 성희
② 철민
③ 성희, 철민
④ 종환, 철민
⑤ 성희, 종환, 철민

06~08 보기 는 가정폭력이 일어나는 양상에 따라 나타나는 특징들이다. 다음 물음에 답하시오.

보기
- 반복성
- 은폐성
- 중복성
- 순환성

06 다음 설명에 해당하는 가정폭력의 특징을 보기 에서 찾아 쓰시오.

- 가정폭력은 가족 내에서 일어나기 때문에 일회적으로 나타나지 않고 반복된다.
- 오랫동안 지속해서 가정폭력이 이루어지는 경우 폭력의 수위가 점차 가혹하고 잔혹해진다.

( )

07 다음 설명에 해당하는 가정폭력의 특징을 보기 에서 찾아 쓰시오.

- 가정폭력은 단순히 가정 내에서의 폭력으로 그치는 것이 아니라 여러 사회 문제의 원인이 된다.
- 가정 내 피해자였던 청소년이 학교에서는 가해자가 되거나 성인이 되어 가족에게 폭력을 행사하게 되는 경우가 해당된다.

( )

08 다음 설명에 해당하는 가정폭력의 특징을 보기 에서 찾아 쓰시오.

처음에는 배우자 폭력에서 시작해 자녀, 부모 등으로 이어지는 특징을 나타낸다.

( )

09 가정폭력을 예방할 수 있는 방안으로 옳지 않은 것은?

① 평소 폭력적인 말과 행동을 하지 않는다.
② 폭력에 민감하게 반응하는 태도를 기른다.
③ 가정폭력을 개인 또는 한 가족의 문제라고 생각한다.
④ 가정폭력 신고 문화를 정착시켜 제2의 폭력을 예방한다.
⑤ 가부장적 사고방식을 버리고 양성평등한 가치관을 확립한다.

10 ( ) 안에 알맞은 말을 쓰시오.

가정폭력은 가정을 무너뜨리는 사회 문제이며 범죄 행위이므로, 이웃과 국가가 함께 피해자를 보호하고, 가해자를 제지할 필요가 있다. 우리나라에서는 ( )을/를 제정하여 당사자뿐만 아니라 누구든지 경찰에 신고할 수 있다.

( )

11 가정폭력에 대처하는 자세로 옳은 것을 보기 에서 있는 대로 고른 것은?

보기
ㄱ. 가정폭력 상황을 인지했다면 즉시 경찰에 신고한다.
ㄴ. 가족 구성원을 신고한다는 죄책감보다는 반복·악화되는 상황을 방지하는 것이 더 중요함을 인지한다.
ㄷ. 가까운 경찰서나 가정폭력 상담 기관의 위치나 연락처를 알아 둔다.

① ㄱ ② ㄷ
③ ㄱ, ㄴ ④ ㄴ, ㄷ
⑤ ㄱ, ㄴ, ㄷ

대단원 마무리 1회

중요

01 가족에 대한 설명으로 옳은 것을 보기 에서 있는 대로 고른 것은?

> 보기
> ㄱ. 사회를 구성하는 기본 단위이다.
> ㄴ. 인류 역사상 가장 오래된 집단이다.
> ㄷ. 입양으로 이루어진 관계는 제외된다.
> ㄹ. 사회의 변화에도 그 형태가 일정하게 유지된다.

① ㄱ, ㄴ　② ㄱ, ㄷ　③ ㄴ, ㄷ　④ ㄴ, ㄹ　⑤ ㄷ, ㄹ

중요

02 오늘날 가족 형태의 변화 모습을 바르게 설명한 사람을 모두 고른 것은?

> 보기
> 수경: 저출산 현상으로 평균 가족 구성원의 수가 줄어들고 있어.
> 성빈: 가족의 가치관이 변화함에 따라 다양한 형태의 가족이 출현하고 있어.
> 진영: 독신 가족이 증가함에 따라 1세대 가구는 감소하고, 2세대 이상의 가구는 계속 늘어나고 있어.

① 수경　② 진영　③ 수경, 성빈　④ 성빈, 진영　⑤ 수경, 성빈, 진영

03 과거와 비교하여 증가한 가족 형태로 옳지 않은 것은?

① 확대 가족　② 노인 가족　③ 다문화 가족　④ 무자녀 가족　⑤ 한 부모 가족

출제 예감

04 (가), (나)와 관련 있는 가족의 기능이 바르게 짝지어진 것은?

> (가) 부부간의 성적 욕구를 충족하고, 자녀 출산을 통해 부모 됨의 욕구를 충족한다.
> (나) 경쟁적이고 불안감이 높은 현대 사회에서는 가족 구성원 간 애정과 지지를 통한 정서적인 안정감이 특히 강조되고 있다.

	(가)	(나)
①	자녀 출산의 기능	애정 및 정서의 기능
②	자녀 출산의 기능	보호 및 부양의 기능
③	성 및 자녀 출산의 기능	생산과 소비의 기능
④	성 및 자녀 출산의 기능	애정 및 정서의 기능
⑤	성 및 애정의 기능	보호 및 부양의 기능

05 건강 가정을 만들기 위한 방법으로 옳은 것을 보기 에서 있는 대로 고른 것은?

> 보기
> ㄱ. 양성평등한 가족 가치관을 형성한다.
> ㄴ. 긍정적이고 적극적인 대화를 자주 한다.
> ㄷ. 중대한 결정은 가족이 협의하에 결정한다.
> ㄹ. 가족을 위하여 각자의 개성은 되도록 표현하지 않는다.

① ㄱ, ㄴ　② ㄱ, ㄷ　③ ㄴ, ㄹ　④ ㄱ, ㄴ, ㄷ　⑤ ㄴ, ㄷ, ㄹ

06 전통적 가족 가치관로 옳은 것은?

① 이혼이나 재혼에 허용적이다.
② 자녀의 성별에 크게 구애받지 않는다.
③ 결혼은 누구나 해야 하는 것이 아닌 선택이다.
④ 자녀 양육과 가사 노동을 남녀가 상호 분담한다.
⑤ 남성은 일, 여성은 가정이라는 성 역할 구분이 뚜렷하다.

07 다음에서 설명하는 가족 관계로 옳은 것은?

• 결혼을 통해 이루어지는 관계로, 하나의 가족을 탄생시키는 출발점이 된다.
• 서로의 차이를 극복하기 위하여 상대를 이해하고, 적극적으로 소통하려고 노력해야 한다.

① 부부 관계
② 친인척 관계
③ 형제자매 관계
④ 부모 자녀 관계
⑤ 조부모 손자녀 관계

08 다음 사례에 해당하는 형제자매의 역할로 옳은 것은?

지선이는 숙제를 하다가 모르는 문제를 언니에게 물어보아 도움을 받는다. 올해부터는 방과 후에 시간을 정해 놓고 언니와 함께 공부하는 시간을 갖기로 하였다.

① 경쟁자 역할
② 보호자 역할
③ 중재자 역할
④ 놀이 친구 역할
⑤ 교육·학습자 역할

중요

09 가족 갈등에 대한 설명으로 옳은 것을 보기 에서 있는 대로 고른 것은?

보기
ㄱ. 가족 간에 대화가 부족하면 갈등이 발생하기 쉽다.
ㄴ. 갈등이 원만하게 해결되지 않으면 가족 관계가 멀어질 수 있다.
ㄷ. 갈등은 무조건 나쁜 영향을 가져오기 때문에 최대한 회피해야 한다.
ㄹ. 가족은 가까운 공간에서 수없이 상호 작용을 하므로 많은 갈등을 경험한다.

① ㄱ, ㄴ
② ㄱ, ㄷ
③ ㄷ, ㄹ
④ ㄱ, ㄴ, ㄹ
⑤ ㄴ, ㄷ, ㄹ

중요

10 나-전달법을 사용할 때, 해당되지 않는 것은?

① 나의 기분이나 느낌
② 나에게 미치는 영향
③ 상대방에게 바라는 상황
④ 나의 입장에서 결론 내리기
⑤ 상대방의 행동에 대한 비판적이지 않은 묘사

11 가족 갈등의 긍정적인 영향에 대한 설명으로 옳지 않은 것은?

① 갈등에 직면하여 더 큰 갈등을 예방할 수 있다.
② 갈등 해결 과정에서 서로의 감정을 이해할 수 있다.
③ 가족원의 잘못된 점을 비난하여 감정이 상할 수 있다.
④ 다양한 갈등 상황에 대처할 수 있는 능력을 키울 수 있다.
⑤ 갈등을 드러내어 오해와 불만 등의 부정적인 감정을 감소시킬 수 있다.

12 경청하는 태도로 옳은 것을 보기 에서 있는 대로 고른 것은?

보기
ㄱ. 상대의 마음을 이해하며 듣는다.
ㄴ. 상대의 눈을 편안하게 바라보면서 듣는다.
ㄷ. 궁금증이 생기면 도중에 말을 끊고 질문한다.
ㄹ. 상대방에게 방해가 되므로 말하는 내용에 대하여 반응을 하지 않는다.

① ㄱ, ㄴ
② ㄱ, ㄷ
③ ㄴ, ㄷ
④ ㄴ, ㄹ
⑤ ㄷ, ㄹ

대단원 마무리 1회

출제 예감

13 (가), (나)와 같은 종류에 해당하는 의사소통 방법을 올바르게 나열한 것은?

> 소희는 학교에서 가장 친한 친구인 민재와 다툰 후, 마음이 좋지 않아 (가)편지로 사과의 마음을 전했다. 이후 점심시간에 식당에서 만난 민재가 (나)환하게 웃으며 소희를 맞이해 주었다.

	(가)	(나)
①	대화	이메일
②	대화	이모티콘
③	이모티콘	대화
④	이모티콘	문자 메시지
⑤	문자 메시지	대화

중요

14 성폭력에 대한 설명으로 옳은 것을 보기 에서 있는 대로 고른 것은?

보기
ㄱ. 성폭력은 신체적인 피해만을 남긴다.
ㄴ. 음란 전화, 성희롱 등은 해당하지 않는다.
ㄷ. 상대방의 동의 없이 강제로 이루어지는 모든 성적 행동은 성폭력에 해당한다.
ㄹ. 성폭력에 대한 불안감이나 공포감을 느낀다면 이것 또한 간접적인 성폭력에 해당된다.

① ㄱ, ㄴ ② ㄱ, ㄷ
③ ㄴ, ㄷ ④ ㄴ, ㄹ
⑤ ㄷ, ㄹ

15 성폭력 대처 방안으로 옳은 것을 보기 에서 있는 대로 고른 것은?

보기
ㄱ. 피해 사실을 적극적으로 알린다.
ㄴ. 성폭력을 폭력의 문제로 인식한다.
ㄷ. 전문가나 전문 상담 기관에 도움을 요청한다.
ㄹ. 평소 아는 사람이 가해자일 경우 눈감아 준다.

① ㄱ, ㄴ ② ㄱ, ㄷ
③ ㄴ, ㄹ ④ ㄱ, ㄴ, ㄷ
⑤ ㄴ, ㄷ, ㄹ

16 성적 의사 결정권에 대한 설명으로 옳지 않은 것은?

① 건전한 성 가치관 확립에 중요한 역할을 한다.
② 스스로 판단한 선택에 책임을 지는 것을 포함한다.
③ 성적 의사 결정권을 통해 성 문제의 예방은 어렵다.
④ 성적인 행동을 스스로의 판단에 따라 선택하는 것이다.
⑤ 원하지 않는 성적인 행동이나 표현으로부터 자신을 보호할 수 있는 방법이다.

중요

17 성폭력에 관하여 잘못된 생각을 하고 있는 사람을 고른 것은?

① 진영: 성폭력은 누구에게나 일어날 수 있어.
② 정재: 남자도 성폭력의 피해자가 될 수 있어.
③ 민지: 성폭력은 어둡거나 밀폐된 장소에서 일어나.
④ 동민: 성폭력의 피해자는 피해자일 뿐, 책임을 물을 수 없어.
⑤ 진희: 상대방의 의사에 반하는 모든 성적 행동은 성폭력이라고 볼 수 있어.

출제 예감

18 가정폭력에 대한 설명으로 옳은 것을 보기 에서 있는 대로 고른 것은?

보기
ㄱ. 훈육의 목적이라면 자녀를 때릴 수 있다.
ㄴ. 가족 구성원 사이에서 상대를 억압하는 상황이다.
ㄷ. 무관심하게 내버려 두는 것은 폭력 행위가 아니다.
ㄹ. 부부 싸움이나 가족 간의 갈등과는 구분되는 폭력 행위이다.

① ㄱ, ㄴ ② ㄱ, ㄷ
③ ㄴ, ㄷ ④ ㄴ, ㄹ
⑤ ㄷ, ㄹ

중요

19 다음 사례와 같은 가정폭력의 특징으로 옳은 것은?

평소 아버지에게 가정폭력을 당해 오던 철수는 그 분노를 학교 친구들에게 풀기 시작했다. 사소한 일로 친구들에게 자주 시비를 건다거나 기분이 나쁘면 무조건 폭력을 행사하는 것이다.

① 반복성 ② 은폐성
③ 중복성 ④ 순환성
⑤ 계속성

중요

20 가정폭력을 예방하기 위한 방법으로 옳은 것을 보기 에서 있는 대로 고른 것은?

보기
ㄱ. 사소한 폭력은 눈감아 준다.
ㄴ. 평소에 스트레스를 조절한다.
ㄷ. 효과적으로 대화하는 방법을 익힌다.
ㄹ. 가정폭력은 한 가족의 문제임을 명확히 한다.

① ㄱ, ㄴ ② ㄱ, ㄷ
③ ㄴ, ㄷ ④ ㄴ, ㄹ
⑤ ㄷ, ㄹ

중요

21 가정폭력이 발생한 상황에서 대처할 수 있는 방법으로 옳지 않은 것은?

① 소문이 나지 않도록 되도록 은폐한다.
② 피해 당사자는 전문가의 도움을 받는다.
③ 믿을 수 있는 사람에게 상황을 적극적으로 알린다.
④ 피해자라고 의심되는 경우가 있다면 경찰이나 상담 기관에 신고한다.
⑤ 폭력 문화가 사라지도록 인권 감수성을 높이는 운동을 전개해 나간다.

서술형 평가

22 오늘날 다양한 가족 형태가 등장하게 된 이유를 세 가지 서술하시오.

23 다음 상황을 '나-전달법'을 사용하여 바람직한 대화 내용으로 서술하시오.

• 엄마: 넌 왜 항상 TV만 보니? 숙제는 언제 할래?
• 지원: 알아서 할 테니까 상관하지 마세요.

24 양성평등한 부부 관계를 위한 구체적인 방법을 세 가지 서술하시오.

01~02 다음 글을 읽고 물음에 답하시오.

핵가족화 및 저출산 현상으로 인해 평균 가족 구성원 수가 줄어들고, 1인 가구의 비율이 증가하는 등 가족 규모가 (㉠)되고 있다. 한편 (가) 1세대 가구는 증가하고, 2세대 이상의 가구는 계속 감소하여 가족 세대의 구성이 (㉡)되고 있다.

01 ㉠, ㉡에 들어갈 적합한 개념을 고른 것은?

	㉠	㉡
①	확대	단순화
②	확대	복잡화
③	축소	단순화
④	축소	복잡화
⑤	축소	확대화

중요

02 밑줄 친 (가)의 원인에 해당하지 않는 것을 보기 에서 있는 대로 고른 것은?

보기
ㄱ. 노인 가족의 증가
ㄴ. 독신 가족의 증가
ㄷ. 국제결혼의 증가
ㄹ. 무자녀 가족의 감소

① ㄱ, ㄴ ② ㄱ, ㄷ
③ ㄴ, ㄷ ④ ㄴ, ㄹ
⑤ ㄷ, ㄹ

출제 예감

03 가족의 기능에 대한 설명으로 옳은 것을 보기 에서 있는 대로 고른 것은?

가족은 다양한 기능을 수행하면서 가족 구성원의 욕구를 충족시키고 사회를 안정적으로 유지·발전시킨다. 대표적으로는 (가) 성 및 자녀 출산의 기능, (나) 생산과 소비의 기능, (다) 자녀 양육 및 사회화 기능, 애정 및 정서의 기능, 보호 및 부양의 기능 등이 있다.

보기
ㄱ. (가)에서 자녀 출산의 기능은 가족만이 갖는 고유한 기능이다.
ㄴ. (나)는 자신이 속한 사회의 행동 양식과 규범, 가치관을 습득해 가는 과정을 의미한다.
ㄷ. (다)에서 많은 부분이 사회로 이전되고 있는 추세이다.

① ㄱ ② ㄴ
③ ㄱ, ㄷ ④ ㄴ, ㄷ
⑤ ㄱ, ㄴ, ㄷ

04 오늘날 가족 가치관의 변화 모습에 대한 설명으로 옳지 않은 것은?

① 여성의 사회 진출 증가로 맞벌이 부부가 늘고 있다.
② 자녀도 가족 생활의 의사 결정에 민주적으로 참여한다.
③ 집안일, 자녀의 양육과 교육은 부부가 의논하여 함께 결정한다.
④ 부모는 자녀의 좋은 친구이자 안내자가 되어 바르게 살도록 돕는다.
⑤ 결혼은 누구나 해야 하는 것이며, 집안과 집안의 결합이라는 의미가 강조된다.

출제 예감

05 다음은 우리나라 노부모 부양에 대한 의식 변화를 나타낸 것이다. 오늘날 가족 부양에 대한 가치관의 변화로 볼 수 없는 것은?

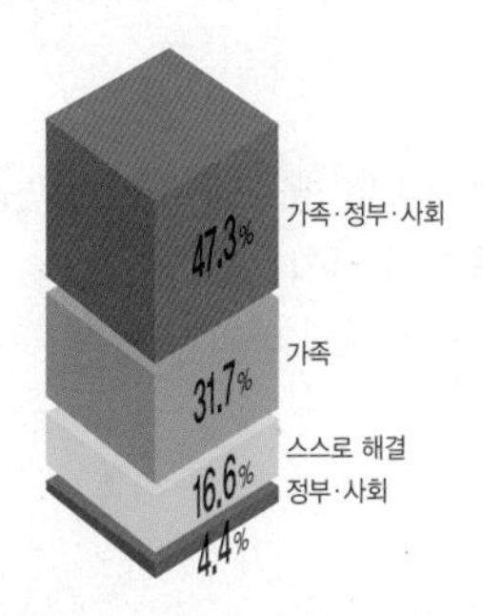

① 노부모 부양은 가족과 사회, 국가의 공동 책임이라는 의식이 강해졌다.
② 노부모 부양은 전적으로 자식이 해야 한다는 의식이 점차 강화되고 있다.
③ 과거에 비해 달라진 가치관의 변화는 노인 가족의 증가로 이어질 수 있다.
④ 노부모 부양에 대한 인식은 시간이 지남에 따라 고정적이지 않고 변화하였다.
⑤ 노부모 역시 자녀에게 의지하지 않고 독립적으로 생활하기를 원하는 경향이 늘어나고 있다.

중요

06 양성평등한 가족 가치관에 대한 설명으로 옳지 않은 것을 보기 에서 있는 대로 고른 것은?

보기
ㄱ. 수직적인 부부 관계를 유지한다.
ㄴ. 남녀의 성별에 따라 역할을 구분한다.
ㄷ. 집안일은 능력에 따라 공평하게 분담한다.
ㄹ. 가족 구성원 모두가 의사 결정에 참여한다.

① ㄱ, ㄴ
② ㄱ, ㄷ
③ ㄴ, ㄷ
④ ㄴ, ㄹ
⑤ ㄷ, ㄹ

중요

07 건강 가정을 만들기 위하여 실천해야 할 방법으로 옳지 않은 것은?

① 가족이 함께 여가 시간을 보낸다.
② 서로 아끼고 사랑하는 마음을 표현한다.
③ 열린 대화로 가족 간에 친밀감을 형성한다.
④ 가족 간에 존경하고 신뢰하는 마음을 갖는다.
⑤ 정해진 가족의 일만을 충실하게 수행하고 남의 일은 돕지 않는다.

08 다음에서 설명하고 있는 가족 관계로 옳은 것은?

- 부모와의 관계를 조정하는 역할을 한다.
- 서로 보고 배울 수 있는 교육적 역할을 한다.
- 출생 순위 또는 주위의 비교나 차별에 의해 경쟁하기도 한다.

① 부부 관계
② 친인척 관계
③ 형제자매 관계
④ 부모 자녀 관계
⑤ 조부모와 손자녀 관계

09 건강한 부부 관계에 대한 설명으로 옳은 것을 보기 에서 있는 대로 고른 것은?

보기
ㄱ. 부부는 각자의 역할에 충실해야 한다.
ㄴ. 무조건적인 희생이 바탕이 되어야 한다.
ㄷ. 서로 협력하며 열린 대화를 통해 평등한 관계를 유지해야 한다.

① ㄱ
② ㄴ
③ ㄱ, ㄷ
④ ㄴ, ㄷ
⑤ ㄱ, ㄴ, ㄷ

10 바람직한 조부모 손자녀 관계를 보기 에서 있는 대로 고른 것은?

보기
ㄱ. 조부모님께 자주 안부를 전한다.
ㄴ. 조부모님의 대화 상대가 되어 드린다.
ㄷ. 조부모님께 지혜를 배우며 감사하는 마음을 갖는다.
ㄹ. 조부모님을 가족 행사에 참여시키지 않는다.

① ㄱ, ㄴ ② ㄱ, ㄷ
③ ㄴ, ㄹ ④ ㄱ, ㄴ, ㄷ
⑤ ㄴ, ㄷ, ㄹ

중요
11 가족 갈등을 해결하기 위한 방법으로 옳은 것을 보기 에서 있는 대로 고른 것은?

보기
ㄱ. 다른 사람에게 책임을 떠넘기지 않는다.
ㄴ. 갈등이 생길 때마다 서로 참고 넘어간다.
ㄷ. 지역 사회의 유용한 자원을 활용한다.
ㄹ. 각자의 의견은 되도록 자제하고 가장의 의견을 따른다.

① ㄱ, ㄴ ② ㄱ, ㄷ
③ ㄴ, ㄷ ④ ㄴ, ㄹ
⑤ ㄷ, ㄹ

12 가족 갈등에 대한 설명으로 옳지 않은 것은?

① 갈등을 적당히 표현하면 가족 결속력을 높일 수 있다.
② 가족 갈등이 발생하면 가족 구성원 전체가 영향을 받는다.
③ 갈등 상황은 되도록 회피하는 것이 갈등 해결에 도움이 된다.
④ 갈등을 긍정적으로 해결하는 과정에서 건강한 가족 생활을 영위할 수 있다.
⑤ 가족 구성원은 서로 다른 개성을 가지고 있으므로 여러 가지 갈등이 복합적으로 나타난다.

13 '나'를 주어로 하여 상대의 감정이 상하지 않게 자신의 생각이나 느낌을 솔직하게 표현하는 의사소통 기술로서, 다음 설명에 해당하는 의사소통 방법의 명칭을 쓰시오.

- 상대방의 행동에 대한 비판적이지 않은 묘사
- 나에게 미치는 영향
- 상대방에게 바라는 상황

( )

14 의사소통에 대한 설명으로 옳은 것을 보기 에서 있는 대로 고른 것은?

보기
ㄱ. 의사소통은 보내는 사람만 참여해도 가능하다.
ㄴ. 서로를 배려하는 바람직한 의사소통은 가족 간의 친밀한 관계 유지에 중요하다.
ㄷ. 원활한 의사소통을 위해서 언어적 의사소통과 비언어적 의사소통을 효율적으로 사용해야 한다.

① ㄱ ② ㄴ
③ ㄱ, ㄷ ④ ㄴ, ㄷ
⑤ ㄱ, ㄴ, ㄷ

중요
15 다음 밑줄 친 부분과 같은 의사소통 방법으로 옳은 것은?

시장에서 길을 찾는 외국인을 만난 영희는 손을 머리 위로 올려 닭 벼슬 흉내를 내는 외국인의 모습을 보고 치킨집을 안내해 주었다.

① 대화 ② 수화
③ 채팅 ④ 얼굴 표정
⑤ 문자 메시지

중요

16 성폭력의 예방 방안으로 옳지 않은 것은?

① 성적 의사소통 능력을 기른다.
② 상대방의 침묵은 동의한다는 뜻으로 이해한다.
③ 성 행동과 관련된 지침을 정하고 이에 따라 행동한다.
④ 성 역할 고정 관념에서 벗어나 바람직한 성 가치관을 갖춘다.
⑤ 성 행동에 관한 명확한 거부 의사를 밝히고 위급 시 도움을 요청한다.

17 가정폭력의 유형에 해당되지 않는 것은?

① 성적 폭력 ② 정신적 학대
③ 신체적 폭력 ④ 경제적 위협
⑤ 평등한 대화

출제 예감

18 가정 폭력의 대처 방법으로 옳지 않은 것은?

① 가까운 경찰서나 상담 기관을 알아 둔다.
② 피해자는 적극적으로 폭력 상황을 알린다.
③ 가정폭력 상황을 목격한 경우에는 가해자를 제지한다.
④ 심각한 폭력 상황을 발견했을 때는 경찰에 바로 신고한다.
⑤ 가까운 친구가 가정폭력을 호소할 경우에는 비밀을 지켜 준다.

서술형 평가

19 의사소통의 구성 요소를 모두 쓰고, 의사소통의 효율성을 높일 수 있는 방법을 서술하시오.

20 건강 가정의 특징을 세 가지 이상 서술하시오.

21 가정폭력이 발생하였을 때의 대응 방안을 세 가지 서술하시오.

읽기 자료

성폭력에 대처하는 우리의 자세

성폭력은 성추행과 성희롱, 성폭행을 포함해 성과 관련된 모든 정신적·신체적 폭력을 말한다. 사건 발생 장소와 피해자 및 가해자의 관계 등에 따라 데이트 성폭력, 친족 성폭력, 사이버 성폭력, 공공장소에서의 성폭력 등으로 나눌 수 있다.

혹시라도 내게 위험한 순간이 닥친다면?

성폭행이 일어날 수 있는 여러 가지 상황과 상황별 대처 방법을 미리 알아 놓는다. 위험한 순간에 놓일 경우 침착하게 대응하는 데 도움이 될 것이다.

1. 애인이나 직장 동료, 선후배, 가족, 친지 등에 의한 성폭력

성폭력은 주로 아는 사람에 의해 익숙한 장소에서 일어난다. 성폭력으로 나아갈 수 있는 상황에서는 분명하고 단호하게 거부 의사를 표현한다. 즉각적으로 싫고 좋음을 밝혀야만 한다.

2. 공공장소에서의 성폭력

가볍더라도 불쾌한 신체 접촉이 있을 때에는 현장에서 즉시 불쾌한 반응을 보인다. 단, 상대가 심한 창피를 당할 경우 피해자를 폭행하는 등의 2차 폭력이 발생할 수 있으므로 욕설은 자제한다.

3. 낯선 장소와 어두운 곳에서의 성폭력

주변 상황을 살피며 큰 소리로 도움을 요청한다. 인적이 드문 곳이라면 소지품이나 가방 등을 던져 가까운 집의 창문을 깨는 것도 방법이 될 수 있다. 거주지가 인적이 드문 곳일 경우 호신용 호루라기나 경보기, 스프레이를 가방에 넣고 다니는 것도 좋다.

만의 하나라도 성폭력 피해를 당하면 국번 없이 117로 전화를 걸어 도움을 요청한다. 117은 여성 폭력 피해자를 위한 긴급 지원 센터로서, 성폭력 피해 여성에게 의료, 상담, 수사, 법률 서비스를 무료로 통합 지원하고 있다. 기관을 찾아갈 때는 씻지 말고 피해 당시 입었던 옷차림 그대로 가는 것이 좋다.

가장 먼저 할 일은 임신과 성병 예방!

가까운 산부인과 또는 117 ONE-STOP 지원 센터 등을 통해 응급 피임약을 처방받고 성병 예방 치료를 받아야 한다. 배란기가 아니더라도 결코 안심할 수 없다. 아울러 가해 증거를 남겨 놓는다. 당장은 무섭고 불안해서 법적 대응을 할지 말지에 대한 판단이 서지 않을 수도 있다. 법적 대응 여부는 나를 추스르고 난 뒤에 생각해도 늦지 않는다. 그러나 증거는 반드시 남겨 놓아야 한다. 가해 증거를 빠짐없이 남겨 두어야 한다는 점을 명심한다.

[출처: (사단법인) 푸른 아우성]

II/ 안전한 가정생활

1 균형 잡힌 식사, 가족 건강의 시작

「주제 열기」

- 우리 학교의 급식 메뉴를 내가 정할 수 있다면 어떤 음식들로 할 것인지 써 보자.

→ 밥, 치킨, 떡볶이, 과일 샐러드, 콜라 등

- 내가 정한 급식 메뉴가 우리가 성장하는 데 필요한 영양소를 골고루 포함하고 있는지 점검해 보자.

→ 채소류가 부족하여 비타민과 무기질이 부족할 수 있다.

1/ 균형 잡힌 식사 구성을 위해서는 여러 사항을 고려해야 한다

(1) 한국인 영양 섭취 기준

우리 몸에 유용하게 쓰이는 식품 속의 성분

몸에 질병이 없고, 마음이 즐겁고 건전하며, 사회적으로 잘 적응하며 다른 사람들과 더불어 원만하게 생활하는 상태

① **한국인 영양 섭취 기준이란** 우리나라 사람들의 건강을 바람직한 상태로 유지할 수 있도록 하루에 섭취해야 하는 영양소의 종류와 양을 제시한 것이다.

② 영양소의 섭취 부족, 만성 질환이나 영양소 과다 섭취의 예방까지 고려하였다.

③ 평균 필요량, 권장 섭취량, 충분 섭취량, 상한 섭취량으로 구성되어 있다.

④ 나이와 성별에 따라 필요한 영양소의 종류와 양이 다르다.

⑤ **청소년기 영양 섭취 기준** 성장 급등과 2차 성징으로 인해 성인에 비해 체중(kg)당 단백질, 비타민, 무기질 등의 권장 섭취량이 많다.

⑥ **청소년기 칼슘 섭취의 중요성** 골격 성장의 45% 정도가 청소년기에 이루어지고 뼈가 단단해지는 시기로, 권장 섭취량이 성인에 비해 많다.

청소년과 성인의 영양 섭취 기준(1일 권장 섭취량)

나이(세)	성별	에너지(kcal)	단백질(g)	비타민 A(μg RAE*)	비타민 D(μg*)	티아민(mg)	리보플라빈(mg)	비타민 C(mg)	칼슘(mg)	나트륨(mg)	철(mg)
12～14	남	2,500	55	750	10	1.1	1.5	90	1,000	1,500	14
	여	2,000	50	650	10	1.1	1.2	100	900	1,500	16
15～18	남	2,700	65	850	10	1.3	1.7	105	900	1,500	14
	여	2,000	50	600	10	1.2	1.2	95	800	1,500	14
30～49	남	2,400	60	750	10	1.2	1.5	100	800	1,500	10
	여	1,900	50	650	10	1.1	1.2	100	700	1,500	14

※에너지는 필요 추정량, 비타민 D와 나트륨은 충분 섭취량, 그 외 영양소는 권장 섭취량을 기준으로 함.
*RAE: 레티놀 활성 당량(retinol activity equivalents)의 약자로, 비타민 A의 효력을 나타내는 단위임.
*μg: 1g의 100만분의 1

[출처: 한국 영양 학회, 2015]

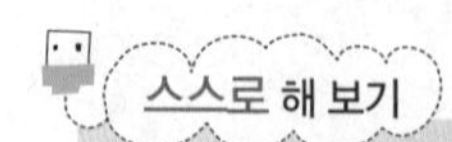

표 Ⅱ-1에서 철의 권장 섭취량이 남자에 비해 여자가 많은 까닭을 써 보자.

예 여자는 월경으로 매달 철의 손실이 늘어나기 때문이다.

표 Ⅱ-1에서 청소년기의 필요 에너지가 성인의 에너지보다 많은 까닭을 써 보자.

예 청소년기는 계속해서 성장하는 시기이고, 활동량도 많기 때문이다.

개념 더하기+

⊕ 만성 질환

증세가 서서히 오랫동안 나타나는 질병을 말하며, 고혈압, 고지혈증, 동맥 경화, 당뇨병 등이 있다.

⊕ 한국인 영양 섭취 기준 제정 대상 영양소

- 평균 필요량: 에너지, 단백질, 비타민 A, 비타민 C, 비타민 B_1, 비타민 B_2, 칼슘, 철
- 권장 섭취량: 단백질, 비타민 A, 비타민 C, 비타민 B_1, 비타민 B_2, 칼슘, 철
- 충분 섭취량: 식이 섬유, 수분, 비타민 D, 나트륨, 염소, 칼륨
- 상한 섭취량: 비타민 A, 비타민 D, 비타민 C, 칼슘, 철, 나트륨

(2) 식품 구성 자전거

① **식품 구성 자전거란** (수분 섭취와 적절하고 규칙적인 운동을 통해 비만을 예방하는 것의 중요성도 함께 알려 주고 있다.)

- 과잉 섭취를 주의해야 하는 유지·당류를 제외한 다섯 가지 식품군을 매일 골고루 필요한 만큼 먹어 균형 잡힌 식사를 해야 함을 알려 주는 모형이다.
- 식품군의 적절한 섭취 비율을 자전거 바퀴의 면적 배분으로 나타낸 것으로, 다양한 식품 섭취를 통한 균형 있는 식사의 중요성을 나타내고 있다.

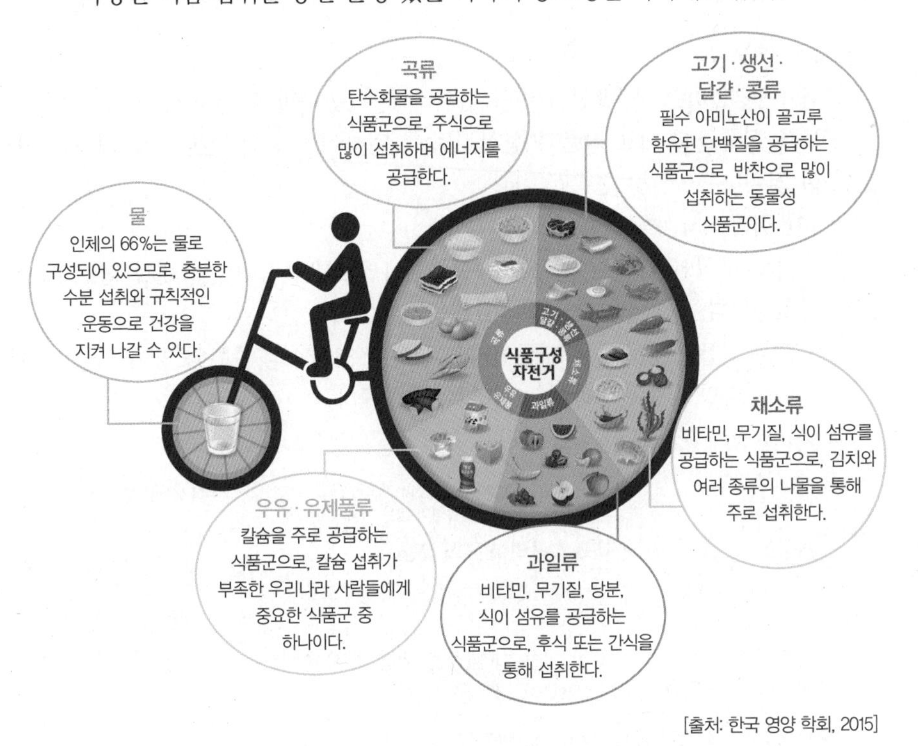

[출처: 한국 영양 학회, 2015]

▲ 식품 구성 자전거

② **식품 구성 자전거의 활용 방법** 뒷바퀴는 식품군별로 1인 1회 분량을 하루에 섭취해야 하는 횟수와 분량이 비례하도록 면적을 배분한 것으로, 하루에 필요한 식품군의 섭취 횟수를 정한다.

③ **식품군별 주요 영양소 및 해당 식품**

식품군	주요 영양소	해당 식품
곡류	탄수화물	밥(쌀, 보리), 면류(국수, 라면), 빵류, 떡류, 감자류(감자, 고구마), 시리얼, 옥수수, 메밀묵, 청포묵
고기·생선·달걀·콩류	단백질	육류(쇠고기, 돼지고기, 닭고기, 햄), 어패류(고등어, 조기, 오징어, 멸치, 새우, 바지락, 게), 알류(달걀, 메추리알), 콩류(대두, 두부, 된장), 견과류(땅콩, 호두, 잣)
채소류	비타민, 무기질, 식이 섬유	채소류(시금치, 오이, 고추, 당근, 무, 배추, 토마토, 김치), 해조류(김, 미역, 다시마), 버섯류(표고버섯, 느타리버섯, 양송이버섯, 팽이버섯)
과일류	비타민, 무기질, 당분, 식이 섬유	과일류(수박, 참외, 딸기, 사과, 귤, 배, 바나나, 포도, 건포도, 말린 대추), 주스류(과일 음료)
우유·유제품류	칼슘	우유, 치즈, 요구르트, 아이스크림
유지·당류	지방, 탄수화물	유지류(식용유, 참기름, 버터), 당류(설탕, 꿀, 물엿)

개념 더하기+

식품군
성격이 비슷한 영양소를 함유하는 식품끼리 묶어 분류한 것

균형 잡힌 식사의 의미를 자전거로 표현한 이유
자전거 바퀴 모양을 이용하여 식품군에 권장 식사 패턴의 섭취 횟수와 분량이 비례하도록 면적을 배분하고, 물컵 이미지를 넣어 수분 섭취의 중요성도 표현하고 있다. 또한 적절한 운동을 통해 비만을 예방하자는 의미를 전달하고 있다.

유지·당류를 적게 섭취하는 것이 좋은 이유
유지·당류는 포화 지방이나 당분 함량이 높은 식품으로, 에너지 이외에 다른 영양소가 거의 함유되어 있지 않아 비만, 당뇨를 유발할 수 있다.

개념 더하기+

스스로 생각해 보기

식품 구성 자전거에서 어제 섭취한 식품에 ○표해 보자. 부족하거나 과잉 섭취한 식품군은 무엇인지 써 보자.

예 채소류의 섭취가 부족하다. 이러한 상황이 계속될 경우 식이 섬유, 무기질, 비타민 등이 부족할 수 있으므로, 좋아하는 음식에 채소를 조금씩 넣어서 먹어야겠다.

(3) 식사 구성안

① **식사 구성안이란** 일반인이 영양 섭취 기준에 만족할 만한 식사를 제공할 수 있도록 식품군별 대표 식품과 섭취 횟수를 정하여 식사의 기본 구성 개념을 제시한 것이다.

② **균형 잡힌 식사 계획 방법**

- 식사 구성안에 제시해 놓은 식품군별 1인 1회 분량과 1일 권장 섭취 횟수를 활용한다.
- 같은 식품군에 속하는 식품이라도 함유된 영양소의 종류와 양이 조금씩 다르므로 다양하게 선택하여 섭취하는 것이 좋다.

⊕ 1인 1회 분량
우리나라 사람이 해당 식품을 보통 한 번에 먹는 분량이다.

⊕ 1일 권장 섭취 횟수
1인 1회 분량을 단위로 하여 나이, 성별로 하루에 섭취해야 할 횟수를 권장한 것이다.

⊕ 권장 식사 패턴
- 개인이 복잡한 영양가 계산을 하지 않아도 영양소 섭취 기준에 맞는 식단을 구성할 수 있게 만든 방법이다.
- 각각의 1일 에너지 필요량에 따라 식품군별 섭취 횟수를 계산하여 제시했기 때문에 개인이 필요한 열량을 안다면 자신에게 필요한 식품군별 섭취 횟수를 확인할 수 있다.

식품군별 1인 1회 분량과 1일 권장 섭취 횟수

식품군	대표 식품의 1인 1회 분량 (대표 식품: 각 식품군에서 섭취량이 비교적 많고 해당 영양소 함유량이 많은 식품)	1일 권장 섭취 횟수			
		청소년 (12~18세)		성인 (19~64세)	
		남	여	남	여
곡류 300 kcal	쌀밥 1공기(210 g), 국수 1대접(건면 90 g), 식빵 1쪽(35 g)*, 감자 1개(140 g)*, 시리얼 1접시(30 g)*	3.5	3	4	3
고기·생선·달걀·콩류 100 kcal	쇠고기 1접시(생 60 g), 닭고기 1조각(생 60 g), 고등어 1토막(60 g), 달걀 1개(60 g), 대두 1접시(20 g), 두부 2조각(80 g)	5.5	3.5	5	4
채소류 15 kcal	당근 1조각(70 g), 콩나물 1접시(생 70 g), 시금치 1접시(생 70 g), 배추김치 1접시(40 g), 표고버섯 2개(30 g), 물미역 1접시(생 30 g)	8	7	8	8
과일류 50 kcal	참외 $\frac{1}{2}$개(150 g), 사과 $\frac{1}{2}$개(100 g), 바나나 1개(100 g), 포도 15알(100 g), 과일 주스 $\frac{1}{2}$컵(100 mL)	4	2	3	2
우유·유제품류 125 kcal	액상 요구르트 $\frac{3}{4}$컵(150 mL), 우유 1컵(200 mL), 호상 요구르트 $\frac{1}{2}$컵(100 g), 아이스크림 $\frac{1}{2}$컵(100 g), 치즈 1장(20 g)*	2	2	1	1
유지·당류 45 kcal	깨 1 ts(5 g), 콩기름 1 ts(5 g), 마요네즈 1 ts(5 g), 버터 1 ts(5 g), 설탕 1 Ts(10 g)	8	6	6	4

* 다른 식품 1회 분량의 $\frac{1}{3}$을 함유하고 있으므로 1인 1회 분량을 모두 섭취하였을 때 0.3회로 간주함.

[출처: 한국 영양 학회, 2015]

2 바람직한 식단을 통해 균형 잡힌 식사를 할 수 있다

(1) 가족의 요구를 반영한 식단 작성 방법

① 가족의 요구를 분석한다.

② 가족 구성원의 나이, 노동량 또는 활동량 등에 따라 영양 필요량이 다르므로 고려해야 한다.

③ 가족 구성원의 건강 상태를 고려한다.

④ 가족의 음식 기호도를 고려한다.

(2) 식단 작성 과정

건강한 식사는 식사 구성안을 잘 활용한 식단 작성과 실행을 통해 이루어진다.

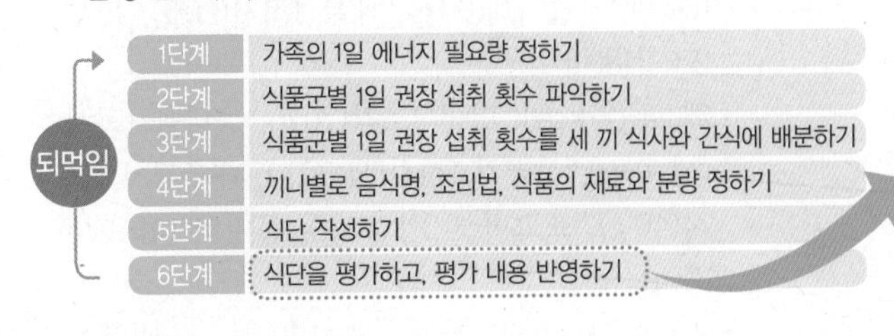

- 식품군을 알맞게 골고루 사용했는가?
- 가족 구성원의 기호를 반영했는가?
- 경제적인 식품을 선택했는가?
- 친환경적인 농산물을 선택했는가?
- 위생적으로 안전한 식단인가?
- 조리자의 작업 부담을 고려했는가?

식품군 중 하나를 선택해서 어제 내가 섭취한 음식의 양과 식사 구성안의 식품군별 권장 섭취 횟수를 비교해 보자.

예 곡류로 밥 2공기, 식빵 3쪽과 소보로빵 1개를 섭취하였는데, 청소년기 여자의 권장 섭취 횟수가 3회이므로 곡류 1회를 과잉 섭취하였다.

개념 더하기+

⊕ 가족 구성원의 대상을 고려한 식단 작성 방법

- 유아: 다양한 식품으로 구성하고, 두뇌 발달에 도움을 주는 등푸른 생선을 식단에 자주 포함시킨다.
- 아동: 다양한 식품과 조리법을 활용하고, 싱거운 맛에 익숙해지도록 조리한다.
- 청소년: 두뇌 활동에 도움을 주는 등푸른 생선을 제공하고, 들깨나 참기름 등을 활용한 조리를 식단에 포함시킨다.
- 성인: 열량, 당, 지방, 나트륨 등을 과도하게 제공하지 않고, 곡류, 채소류, 해조류 등 식이 섬유가 풍부한 식단을 계획한다.
- 노인: 소화하기 쉬운 음식을 제공하고, 질긴 육류보다는 부드러운 생선류, 닭고기, 두부, 달걀 등으로 식단을 계획한다.

주제 활동 가족 식단 계획 및 평가하기

1. 가족의 요구를 분석하여 식단을 써 보자.

1-1. 가족 구성원의 연령, 에너지 필요량, 기호 등 요구를 분석해 보자.

가족 구성원	연령	에너지 필요량	고려해야 할 사항(기호, 건강, 활동량, 알레르기 등)
예 아빠	50	2,200 kcal	건강을 위한 저염식 음식이 좋다.
엄마	46	2,000 kcal	해산물을 좋아한다.
언니	17	2,000 kcal	허약 체질이다.
나	13	2,000 kcal	칼슘 섭취가 필요하다.
남동생	11	2,000 kcal	땅콩 알레르기가 있다.

1-2. 식사 구성안을 활용하여 한 끼의 가족 식단을 써 보자.

식단	곡류	고기 · 생선 · 달걀 · 콩류	채소류	과일류	우유·유제품류
예 쌀밥, 북엇국, 계란찜, 배추 겉절이, 오이나물, 사과, 우유	쌀밥	북어, 두부, 달걀	무, 배추, 오이	사과	우유

2. 평가 항목(영양, 기호, 경제, 환경 보존, 위생, 능률)과 내용에 따라 식단을 평가해 보자. 식단을 평가한 후에 개선할 점이 있다면 다시 보완하여 식단을 만들어 보자.

예 평가 결과가 △, ×인 경우에 어떻게 개선해야 할 것인지 생각해 본다.

내용 정리

1/ 균형 잡힌 식사 구성을 위해 고려해야 할 사항

(1) 영양 섭취 기준

① 영양 섭취 기준

- 바람직한 건강 상태를 유지할 수 있도록 하루에 섭취해야 하는 영양소의 종류와 양을 제시한 것
- 영양소 섭취 부족, 만성 질환이나 영양소 과다 섭취의 예방까지 고려하여 제정한 것
- 평균 필요량, 권장 섭취량, 충분 섭취량, 상한 섭취량으로 구성
- 나이와 성별에 따라 필요한 영양소의 종류와 양이 다름.

② 청소년기 영양 섭취 기준

- 성인에 비해 체중(kg)당 단백질, 비타민, 무기질 등의 권장 섭취량이 많음.
- 청소년기 칼슘 권장 섭취량이 성인에 비해 많음(골격 성장의 45 %가 이 시기에 이루어지기 때문).

(2) 식품 구성 자전거

① 식품군의 적절한 섭취 비율을 자전거 바퀴의 면적 배분으로 나타낸 것

② 다양한 식품 섭취를 통한 균형 있는 식사의 중요성을 나타내고 있고, 수분 섭취와 적절하고 규칙적인 운동을 통해 비만 예방의 중요성도 함께 알려 주고 있음.

(3) 식사 구성안

① 일반인이 영양 섭취 기준에 만족할 만한 식사를 제공할 수 있도록 식품군별 대표 식품과 섭취 횟수를 정하여 식사의 기본 구성 개념을 제시한 것

② 식사 구성안에 제시해 놓은 식품군별 1인 1회 분량과 1일 권장 섭취 횟수를 활용함.

- 곡류(300 kcal): 쌀밥 1공기(210 g), 국수 1대접(건면 90 g), 식빵 1쪽(35 g)*, 감자 1개(140 g)*, 시리얼 1접시(30 g)*
- 고기·생선·달걀·콩류(100 kcal): 쇠고기 1접시(생 60 g), 닭고기 1조각(생 60 g), 고등어 1토막(60 g), 달걀 1개(60 g), 대두 1접시(20 g), 두부 2조각(80 g)
- 채소류(15 kcal): 당근 1조각(70 g), 콩나물 1접시(생 70 g), 시금치 1접시(생 70 g), 배추김치 1접시(40 g), 표고버섯 2개(30 g), 물미역 1접시(생 30 g)
- 과일류(50 kcal): 참외 $\frac{1}{2}$개(150 g), 사과 $\frac{1}{2}$개(100 g), 바나나 1개(100 g), 포도 15알(100 g), 과일주스 $\frac{1}{2}$컵(100 mL)
- 우유·유제품류(125 kcal): 액상 요구르트 $\frac{3}{4}$컵(150 mL), 우유 1컵(200 mL), 호상 요구르트 $\frac{1}{2}$컵(100 g), 아이스크림 $\frac{1}{2}$컵(100 g), 치즈 1장(20 g)*
- 유지·당류(45 kcal): 깨 1 ts(5 g), 콩기름 1 ts(5 g), 마요네즈 1 ts(5 g), 버터 1 ts(5 g), 설탕 1 Ts(10 g)

③ 같은 식품군에 속하는 식품이라도 함유된 영양소의 종류와 양이 조금씩 다르므로 다양하게 선택하여 먹는 것이 좋음.

2/ 바람직한 식단 작성 방법

(1) 가족의 요구를 반영한 식단 작성 방법

가족 구성원의 나이, 활동량에 따른 영양 필요량, 건강 상태, 음식 기호 등을 파악해야 함.

(2) 식단 작성 과정

① 가족의 1일 에너지 필요량 정하기

② 식품군별 1일 권장 섭취 횟수 파악하기

③ 식품군별 1일 권장 섭취 횟수를 세 끼 식사와 간식에 배분하기

④ 끼니별로 음식명, 조리법, 식품의 재료와 분량 정하기

⑤ 식단 작성하기

⑥ 식단 평가하고, 평가 내용 반영하기

개념 꽉꽉 다지기

01. 우리나라 사람들의 건강을 바람직한 상태로 유지할 수 있도록 하루에 섭취해야 하는 영양소의 종류와 양을 제시한 것을 (   )(이)라고 한다.

02. 식품군과 그에 따른 함유 식품을 바르게 연결하시오.

(1) 곡류 •　　• ㄱ. 국수, 감자, 옥수수
(2) 고기·생선·달걀·콩류 •　　• ㄴ. 미역, 당근, 김치
(3) 채소류 •　　• ㄷ. 요구르트, 치즈, 아이스크림
(4) 우유·유제품류 •　　• ㄹ. 두부, 오징어, 새우

03. 다음은 식사 구성안에 대한 설명이다. 맞으면 ○, 틀리면 ×표를 하시오.

(1) 식사 구성안은 식품군별 대표 식품과 섭취 횟수를 정하여 식사의 기본 구성 개념을 제시한 것이다. (　　)
(2) 같은 식품군에 속하는 식품은 함유된 영양소의 종류와 양이 똑같다. (　　)
(3) 1인 1회 분량은 우리나라 사람이 해당 식품을 보통 하루에 먹는 분량을 의미한다. (　　)
(4) 1일 권장 섭취 횟수는 1인 1회 분량을 단위로 하여 나이, 성별로 하루에 섭취해야 할 횟수를 권장한 것이다. (　　)

04. 식단 작성을 할 때 가장 먼저 해야 할 것은?

① 가족의 1일 에너지 필요량 정하기
② 식단을 평가하고, 평가 내용 반영하기
③ 식품군별 1일 권장 섭취 횟수 파악하기
④ 끼니별로 음식명, 조리법, 식품의 재료와 분량 정하기
⑤ 식품군별 1일 권장 섭취 횟수를 세 끼 식사와 간식에 배분하기

05. 식품군 중에서 (   )은/는 지방, 당분을 주로 공급하는 식품군으로, 조리할 때 필요한 것을 제외하고는 적게 섭취하는 것이 좋다.

Helper

01. 건강한 식생활은 균형 잡힌 영양 섭취를 통해 이루어진다.

02. 식품군은 성격이 비슷한 영양소를 함유하는 식품끼리 묶어 분류한 것이다.

03. 식사 구성안은 일반인이 영양 섭취 기준에 만족할 만한 식사를 제공할 수 있도록 도움을 준다.

04. 가족 구성원을 위한 식단을 작성할 때에는 가족의 요구를 분석해야 하는데, 가족 구성원의 나이, 노동량 또는 활동량에 따라 영양 필요량이 다르다.

05. 식품 구성 자전거의 뒷바퀴는 식품군별로 1인 1회 분량을 하루에 섭취해야 하는 횟수와 분량이 비례하도록 면적을 배분한 것으로, 유지·당류는 조리 시 조금씩 사용하는 것을 권장하여 2015년 개정에는 포함되어 있지 않다.

차곡차곡 실력 쌓기

01 한국인 영양 섭취 기준에 대한 설명으로 옳은 것을 보기 에서 있는 대로 고른 것은?

> 보기
> ㄱ. 모든 영양소를 상한 섭취량으로 제시하였다.
> ㄴ. 나이, 성별로 필요한 영양소의 종류와 양이 다르다.
> ㄷ. 영양소의 섭취 부족, 만성 질환과 영양소의 과다 섭취 예방까지 고려하였다.
> ㄹ. 건강을 바람직한 상태로 유지할 수 있도록 한 번에 섭취해야 하는 영양소의 종류와 양을 제시한 것이다.

① ㄱ, ㄴ ② ㄱ, ㄷ
③ ㄴ, ㄷ ④ ㄴ, ㄷ, ㄹ
⑤ ㄱ, ㄴ, ㄷ, ㄹ

02 영양 섭취 기준에서 권장 섭취량을 제시할 수 없을 때 건강한 사람의 영양 섭취량을 바탕으로 설정한 값을 무엇이라고 하는지 쓰시오.

( )

03 청소년기에 성인에 비해 체중(kg)당 권장 섭취량이 많은 영양소가 아닌 것은?

① 철 ② 칼슘
③ 나트륨 ④ 단백질
⑤ 요오드

04 청소년기 여자의 에너지 권장 섭취량과 곡류의 권장 섭취 횟수를 바르게 연결한 것은?

	에너지 권장 섭취량	곡류의 권장 섭취 횟수
①	1,900 kcal	3회
②	2,000 kcal	3회
③	2,000 kcal	3.5회
④	2,400 kcal	4회
⑤	2,500 kcal	4회

05 식품군과 주요 영양소를 바르게 연결한 것은?

	식품군	주요 영양소
①	곡류	비타민, 당분
②	과일류	탄수화물
③	채소류	비타민, 무기질
④	우유 · 유제품류	단백질
⑤	고기 · 생선 · 달걀 · 콩류	칼슘

06 채소류에 속하는 식품으로 옳은 것을 보기 에서 있는 대로 고른 것은?

> 보기
> ㄱ. 대두 ㄴ. 미역
> ㄷ. 버섯 ㄹ. 고구마
> ㅁ. 콩나물

① ㄱ, ㄴ ② ㄱ, ㄷ
③ ㄴ, ㄷ, ㄹ ④ ㄴ, ㄷ, ㅁ
⑤ ㄱ, ㄴ, ㄷ, ㄹ

07 다음 식품들과 같은 식품군에 해당되는 것은?

> 깨, 버터, 설탕

① 사과 ② 양파
③ 고등어 ④ 마요네즈
⑤ 아이스크림

08 ( ) 안에 들어갈 알맞은 말을 쓰시오.

> ( )은/는 칼슘을 주로 공급하는 식품군으로, 칼슘 섭취가 부족한 우리나라 사람들에게 중요한 식품군 중 하나이다.

( )

09 식품 구성 자전거에 대한 설명으로 옳은 것은?

① 과일류는 반찬으로 많이 섭취한다.
② 뒷바퀴는 수분 섭취의 중요성을 의미한다.
③ 채소류는 후식 또는 간식을 통해 섭취한다.
④ 곡류는 주식으로 많이 섭취하며, 에너지를 공급해 준다.
⑤ 앞바퀴는 식품군별로 섭취해야 하는 횟수와 분량이 비례하도록 배분되어 있다.

10 다음은 청소년 여자의 1일 권장 섭취 횟수를 나타낸 것이다. ㉠, ㉢에 해당되는 식품군을 쓰시오.

식품군	1일 권장 섭취 횟수
㉠	3
㉡	3.5
㉢	7
㉣	2
우유 · 유제품류	2
유지 · 당류	6

(㉠: , ㉢:)

11 균형 잡힌 식사를 위해 다음 식단에서 보충해야 할 식품군으로 옳은 것은?

> 보리밥, 콩나물국, 고등어구이, 깍두기, 사과

① 곡류
② 과일류
③ 채소류
④ 우유 · 유제품류
⑤ 고기 · 생선 · 달걀 · 콩류

12 다음 식단 작성 과정에서 ( ) 안에 들어갈 알맞은 말을 쓰시오.

1단계	가족의 1일 에너지 필요량 정하기
2단계	식품군별 1일 권장 섭취 횟수 파악하기
3단계	( )
4단계	끼니별로 음식명, 조리법, 식품의 재료와 분량 정하기
5단계	식단표 작성하기
6단계	식단을 평가하고, 평가 내용 반영하기

( )

2 건강과 환경을 지키는 식품 선택과 보관

「주제 열기」

- 그림과 같이 음식을 먹고 식중독, 구토, 설사, 복통, 알레르기 등이 일어난 경험이 있다면 이야기해 보자.

→ 지난 겨울에 굴을 먹고 식중독에 걸려 설사를 심하게 하였다.

- 그림과 같은 피해가 발생하지 않으려면 어떻게 해야 할지 써 보자.

→ 신선도가 좋지 않은 음식은 사계절 내내 익혀 먹도록 하고, 손 씻기를 철저히 한다. 냉장고를 주기적으로 청소하고 식품을 올바른 방법으로 보관한다.

1/ 가족의 건강한 식생활과 환경을 위해 식품 선택은 중요하다

(1) 건강을 고려한 식품 선택

① **건강한 식생활** 식품의 안전성이 확보되고 영양소가 풍부한 식품을 선택하여 건강한 식생활을 실천한다.

② **안전성이 확보된 식품** 식중독, 식품 변질, 식품 위해 요소 등의 위험이 없어야 식품에 함유된 영양소를 제대로 섭취할 수 있다.

③ **식품 위해 요소** 식품의 원재료를 제조, 가공, 유통하는 단계에서 인체의 건강을 해할 우려가 있는 요소가 없어야 한다.

생물학적 위해 요소	화학적 위해 요소	물리적 위해 요소
• 곰팡이, 세균, 바이러스 등의 미생물 • 기생충, 원충 등의 생물체	• 자연적 구성 성분에서 발생되는 버섯 독, 복어 독, 곰팡이 독소 등 • 식품의 생산 및 가공 중에서 오염되는 농약, 항생제, 중금속, 세제, 살균제 등	유리, 금속 및 플라스틱과 같은 다양한 이물질

④ **식품 안전 관리 인증 기준(HACCP)** 식품의 원재료를 제조, 가공, 유통하는 각 단계에서 인체의 건강을 해할 우려가 있는 요소가 식품에 섞이거나 오염되는 것을 사전에 막기 위해 각 과정에서 중점적으로 관리된 식품에 인증해 주고 있는 위생 관리 체계이다.

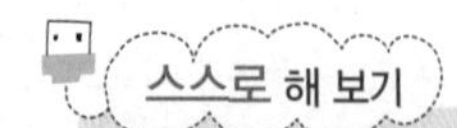

식품 위해 요소에 어떤 것이 있는지 예를 써 보자.

예 빵에 핀 곰팡이, 항생제를 먹인 쇠고기, 농약을 친 사과, 머리카락이 들어간 통조림 등

(2) 환경을 고려한 식품 선택

① 우리가 선택한 식품은 생산·가공·유통하는 과정에서 환경의 영향을 주고받는다.

② 식품 선택 시 이동 거리가 짧은 식품을 선택하는 것이 좋다.

개념 더하기+

식중독
병원성 미생물이나 유독하고 해로운 물질로 오염된 음식물을 섭취하여 일어나는 건강상의 장애를 말한다. 세균성 식중독은 5~9월에 주로 발생하지만 겨울에도 바이러스성 식중독이 발생하고 있으므로 항상 주의한다.

식품 변질
식품을 장기간 방치하면 외관이 변하고 성분이 파괴되어 냄새, 맛 등이 달라져서 그 식품 원래의 특성을 잃게 되는 것이다.

식중독 예방 방법
- 손은 손가락 사이사이, 손등까지 비누칠하고, 흐르는 물로 20초 이상 씻는다.
- 음식물은 중심부 온도가 74℃, 1분 이상 조리하여 속까지 익혀 먹는다.
- 물은 끓여서 마신다.

로컬 푸드
장거리 운송을 거치지 않은 지역 농산물로, 흔히 반경 50 km 이내에서 생산된 농산물이다.

③ **식품 이동 거리(푸드 마일리지)** 식품이 생산된 곳에서 식탁에 오르기까지 이동한 거리로, 식품 이동 거리가 길수록 식재료를 생산·운송·소비하는 과정에서 많은 환경 부담이 발생한다.

④ **식품 이동 거리를 줄이는 방법** 로컬 푸드 이용하기, 텃밭 가꾸기, 직거래 장터 이용하기 등이 있다.

스스로 해 보기

식품을 선택할 때 환경 오염을 줄일 수 있는 방법 중 내가 실천할 수 있는 일을 찾아 써 보자.

예 필요한 만큼 식품을 구매한다. 식품의 이동 거리가 짧은 식품을 구매한다.

2 올바른 식품 선택을 위해 고려해야 할 사항을 알아보자

(1) 올바른 식품 선택

건강과 환경에 부정적인 영향을 미치지 않으면서 영양, 안전, 기호까지 고려한 식품 선택으로, 식품 표시 정보를 꼼꼼히 살펴보고 식품을 선택해야 한다.

식품 표시: 제품의 포장이나 용기에 식품의 각종 정보를 표시한 것

(2) 식품 표시 정보

① **식품 품질 인증 마크** 정부에서 식품의 품질을 인증하는 표시 제도를 시행하여 식품 안전을 보증한다.

유기 농산물 마크

유기 가공식품 인증 마크

무항생제 축산물 마크

한국 전통 식품 마크

수산물 및 수산 특산물 품질 인증

지리적 표시 등록 마크

② **유통 기한** 식품의 제조일로부터 소비자에게 판매가 허용되는 기한을 의미한다. 유통 기한 이후에 먹을 수 없음을 의미하는 것은 아니지만 유통 기한이 지난 식품은 변질 우려가 있으므로 반드시 확인한다.

③ **식품 이력** 농·축·수산물, 가공식품의 처리 및 가공, 유통 및 판매의 모든 단계에서 원료나 제품을 누구로부터 공급받고, 어떻게 생산하고, 누구에게 공급하였는가에 대한 정보 등을 기록하여 소비자에게 제공하는 제도이다.

식품 이력: 소비자의 알 권리를 보장하고 안전성에 문제가 발생할 때 신속한 유통 차단과 회수 조치를 할 수 있도록 관리하기 위한 것

농산물이력추적관리

수산물이력제
Seafood Traceability System

④ **영양 성분표** 가공식품의 영양 성분 분량과 비율을 정해진 기준에 따라 표시한 것이다.

- 표시 대상 영양 성분: 열량, 나트륨, 탄수화물, 당류, 지방, 트랜스 지방, 포화 지방, 콜레스테롤, 단백질 등이다.
- 영양 성분표에는 영양 성분 분량과 1일 영양 성분 기준치에 대한 비율(%)로 표시되어 있다.

영양 정보 총 내용량 90g 440kcal

총 내용량당	1일 영양 성분 기준치에 대한 비율
나트륨 450mg	23%
탄수화물 57g	17%
당류 3g	3%
지방 21g	41%
트랜스 지방 0g	
포화 지방 6.9g	46%
콜레스테롤 0mg	0%
단백질 6g	11%

1일 영양 성분 기준치에 대한 비율(%)은 2,000kcal 기준이므로 개인의 필요 열량에 따라 다를 수 있습니다.

개념 더하기+

식품 표시
식품의 정보를 정확하게 제공하여 소비자를 보호하고, 소비자가 식품의 다양하고 유용한 정보를 알고 식품을 선택하게 한다.

식품 품질 인증 마크
- 유기 농산물 마크: 농약과 화학 비료를 사용하지 않고 재배한 농산물
- 유기 가공식품 인증 마크: 국내 판매를 목적으로 국산 혹은 외국산 유기 원료를 사용해 제조한 식품
- 무항생제 축산물 마크: 항생제, 합성 항균제, 호르몬제를 사용하지 않고 무항생제 사료로 사육한 축산물
- 한국 전통 식품 마크: 국내산 농산물을 주원료로 제조, 가공한 우수 전통 식품
- 수산물 및 수산 특산물 품질 인증: 다른 지역과 차별화되는 품목이나 상품성이 뛰어난 수산물과 수산 특산물
- 지리적 표시 등록 마크: 우수한 지역 특산물로 보호되는 식품

영양 성분표의 활용 방법
영양 성분표의 영양 성분 분량과 1일 영양 성분 기준치에 대한 비율(%)을 확인하여 부족한 영양소의 섭취를 늘리고, 과잉 섭취하는 영양소를 줄여 자신에게 적합한 제품을 선택한다.

⑤ **원재료 및 원산지 표시**

- 원재료: 식품 또는 식품첨가물의 제조·가공·조리에 사용되는 물질을 말한다.
- 식품의 제조·가공 시 사용된 모든 원재료를 사용한 양에 따라 순서대로 표시한다.
- 원산지: 식품 및 원재료가 생산된 국가 또는 지역을 뜻한다.
- 원재료 및 원산지 표시를 통해 식품이 건전하게 유통되는지 확인할 수 있다.

⑥ **식품첨가물** 식품을 제조·가공·조리 또는 보존하는 과정에서 감미, 착색, 표백 또는 산화 방지 등을 목적으로 식품에 사용하는 물질이다.

- 우리나라에서는 엄격한 평가 과정을 거쳐 안전하다고 입증된 첨가물만 식품에 사용하므로 허용된 수준 이하에서의 식품첨가물 사용은 안전하다.
- 가공식품에만 의존하는 식생활은 영양 불균형을 일으킬 수 있으므로 자연식품도 골고루 섭취하는 것이 좋다.

식품첨가물의 종류 및 기능, 사용 예

종류	기능	사용 예
향미증진제	식품의 맛 또는 향미를 증진시킨다.	조미료
발색제	식품의 색을 안정화시키거나 유지 또는 강화시킨다.	햄, 소시지, 명란젓 등
감미료	식품에 단맛을 낸다.	과자, 껌, 아이스크림 등
착색제	식품에 색을 부여하거나 복원시킨다.	사탕, 젤리, 빙과류 등
보존료	미생물에 의한 품질 저하를 방지하여 식품의 보존 기간을 연장시킨다.	빵, 소시지, 치즈 등
산화 방지제	산화에 의한 식품의 품질 저하를 방지한다.	껌, 식용유, 마요네즈 등

함께 생각해 보기

평소에 식품을 구매할 때 주로 어떤 식품 표시 정보를 활용하여 구매하는지 이야기해 보자.

예 우유를 살 때 유통 기한과 영양 성분을 보고 유통 기한이 가장 긴 것과 저지방 우유를 선택한다.

3 안전한 식생활을 위해 올바른 식품의 관리와 보관이 필요하다

올바른 방법으로 식품을 보관하면 신선도, 영양, 맛이 유지되고, 음식물 쓰레기를 줄일 수 있어 환경 오염을 예방할 수 있다.

(1) 실온 보관

곡류, 뿌리 채소류(양파, 감자, 고구마 등), 통조림 등은 적절한 온도와 습도가 유지되고, 직사광선이 닿지 않으며, 환기가 잘되는 곳에 실온 보관한다.

(2) 건조 보관

① 식품의 수분 함량을 15~25%로 줄여 보존성을 증가시키고 안전하게 저장하는 방법이다.

② 곡류, 감자류, 해산물(황태, 과메기), 채소류(무말랭이, 무청, 고추, 산나물) 등에 많이 이용되며, 햇빛과 바람을 활용한 자연 건조와 식품 건조기를 이용한 건조 방법 등이 있다.

개념 더하기+

식품 저장 방법

- 가열 살균법: 식품을 가열하여 미생물을 살균하는 방법으로, 우유, 맥주, 과즙 등에 사용한다.
- 염장법: 농도 10% 이상의 소금에 절이는 방법으로, 해산물, 채소류 등에 사용한다.
- 당장법: 농도 50% 이상의 설탕에 절여서 저장하는 방법으로, 잼, 젤리 등에 사용한다.
- 산 저장법: 산 농도 3~4% 이상의 젖산, 초산, 구연산 등을 이용하여 저장하는 방법으로, 피클 등에 사용한다.
- 밀봉법: 밀봉 용기에 넣어 수분 증발과 흡수, 미생물의 침투를 막아 보존하는 방법으로, 진공 포장, 통조림 등에 사용한다.
- 훈연법: 벚나무, 참나무, 떡갈나무 등을 연소시켜 발생하는 연기에 그을리는 방법으로, 햄, 소시지, 베이컨 등에 사용한다.

(3) 냉장·냉동 보관

① 냉동 보관

- 냉동 보관할 조리 식품: 냉동실 상단에 보관한다.
- 냉동 보관할 어패류: 생선의 핏물은 생선을 빨리 상하게 하므로 씻어서 보관한다. 한 번 해동한 식품은 다시 냉동하지 않는다.
- 냉동 보관할 육류: 냉동실 하단에 보관하고, 고기류는 비닐 팩에 얇게 펴서 냉동한다. 한 번 해동한 식품은 다시 냉동하지 않고, 한 번 먹을 양만큼씩 비닐 팩 등에 넣어 보관한다.

② 냉장 보관

- 달걀: 오래 두고 먹을 경우에는 포장 용기 그대로 냉장고 안쪽에 보관한다.
- 금방 먹을 육류·어패류: 냉장실 온도는 −1~2℃로 유지한다. 어패류는 깨끗하게 씻어서 밀폐 용기에 보관한다.
- 뜨거운 음식: 충분히 식힌 후 뚜껑을 덮어 넣는다.
- 채소·과일: 흙과 이물질을 제거한 후 보관한다. 채소는 씻어서 밀폐 용기에 넣어 보관한다.

개념 더하기+

올바른 냉장고 사용 방법

냉장고에 넣어 둔 식품이 무조건 안전한 것은 아니므로 냉장고를 청결하게 유지하며, 냉장고 문은 자주 열지 않는 것이 좋다. 전체 용량의 70% 정도만 채워야 적정 온도를 유지할 수 있다.

함께 생각해 보기

식품을 잘못 보관하여 맛이 변하거나 신선도가 떨어져 더는 먹지 못하게 된 경험이 있다면 친구들과 함께 이야기해 보자.

예 바나나를 냉장고에 보관하여 색이 검게 변하였다. 고구마를 냉장고에 보관하여 신선도가 떨어졌다.

주제 활동 식품의 영양 성분 표시 분석하기

다음은 같은 식품의 영양 성분과 원재료를 표시한 것이다. 각각의 내용을 살펴보고, 물음에 답해 보자.

㉮

- 유통 기한: 후면 표기일까지
- 원재료명 및 원산지: 면/소맥분(미국산, 호주산), 팜유, 전분, 난각칼슘, 야채조미추출물, 정제염, 면류첨가알칼리제, 스프류/정제염, 소고기맛 베이스, 육수맛 조미베이스, 정백당, 볶음양념분, 간장분말, 조미소고기분말, 마늘발효조미분, 분말 된장, 마늘베이스, 조미소고기분말, 마늘발효조미분, 조미홍고추분말

영양 정보	총 내용량 120g 505kcal
총 내용량당	1일 영양 성분 기준치에 대한 비율
나트륨 1,930mg	97%
탄수화물 78g	24%
당류 3g	
지방 17g	34%
트랜스 지방 0g	
포화 지방 8g	53%
콜레스테롤 0mg	0%
단백질 10g	17%

1일 영양 성분 기준치에 대한 비율(%)은 2,000kcal 기준이므로 개인의 필요 열량에 따라 다를 수 있습니다.

㉯

- 유통 기한: 후면 표기일까지
- 원재료명 및 원산지: 면/우리밀 백밀가루(국산), 팜유(말레이시아산), 변성전분, 감자전분(국산), 정제소금, 글루텐, 난각칼슘, 면류알칼리제 스프류/정제염, 해물분말, 백설탕, 돈골농축액, 간장분말, 굴농축액 분말, 무즙분말, 양파분말(국산), 청양고추농축분말, 홍합엑기스분말, 말토덱스트린, 사골엑기스분말

영양 정보	총 내용량 114g 495kcal
총 내용량당	1일 영양성분 기준치에 대한 비율
나트륨 1,830mg	92%
탄수화물 78g	24%
당류 3g	
지방 16g	32%
트랜스 지방 0g	
포화 지방 8g	53%
콜레스테롤 0mg	0%
단백질 8g	14%

1일 영양 성분 기준치에 대한 비율(%)은 2,000kcal 기준이므로 개인의 필요 열량에 따라 다를 수 있습니다.

1. 위는 같은 종류의 식품 표시를 나타낸 것이다. 어떤 식품에 관한 정보를 표시한 것인지 써 보자.

예 라면

2. 내가 '가'와 '나' 중에서 선택한다면, 어떤 식품을 선택할 것인가? 그 까닭은 무엇인지 써 보자.

예 '나' 식품을 선택할 것이다. 그 이유는 '나' 식품이 '가' 식품에 비해 1회 제공 함량이 적고, 나트륨의 비율이 낮으며, 국내산 밀을 사용하여 식품 이동 거리(푸드 마일리지)가 짧기 때문이다. 건강과 환경을 고려하였을 때 '나' 식품이 '가' 식품에 비해 더 올바른 선택이다.

내용 정리

1 가족의 건강과 환경을 생각한 식품 선택

(1) 건강을 고려한 식품 선택

① 안정성이 확보된 식품은 식중독, 식품 변질, 식품 위해 요소 등의 위험이 없으므로 건강한 식생활을 실천할 수 있음.

② 변질 및 오염된 식품을 섭취하면 식중독을 일으킬 수 있고, 농약, 항생제, 중금속 등을 많이 사용한 식품을 섭취하게 되면 인체의 건강뿐만 아니라 환경에도 부정적인 영향을 끼칠 수 있음.

(2) 환경을 고려한 식품 선택

① 식품 선택 시 환경을 고려하기 위해서는 이동 거리가 짧은 식품을 선택하는 것이 좋음.

② **식품 이동 거리(푸드 마일리지)** 식품이 생산된 곳에서 식탁까지 이동한 거리로, 식재료가 생산, 운송, 소비되는 과정에서 많은 환경 부담이 발생함.

③ 식품 이동거리 줄이는 방법 로컬 푸드 이용하기, 텃밭 가꾸기, 직거래 장터 이용하기 등

2 올바른 식품 선택을 위해 고려해야 할 점

(1) 식품 품질 인증 마크

① 식품의 안전을 위해 정부에서 식품의 품질을 인증하는 제도로, 식품 선택 시 인증 마크를 확인해야 함.

② **인증 마크의 종류** 유기 농산물 마크, 무항생제 축산물 마크, 지리적 표시 등록 마크, 유기 가공식품 인증 마크, 수산물 및 수산 특산물 품질 인증, 한국 전통 식품 마크 등

(2) 유통 기한

① 식품의 제조일로부터 소비자에게 판매가 허용되는 기한을 의미함.

② 유통 기한이 지난 식품은 변질의 우려가 있으므로 반드시 확인해야 함.

(3) 식품 이력

농·축·수산물, 가공식품의 처리 및 가공, 유통 및 판매의 모든 단계에서 원료나 제품을 누구로부터 공급받고, 어떻게 생산하고, 누구에게 공급하였는가에 대한 정보 등을 기록·관리함.

(4) 영양 성분표

① 가공식품의 영양 성분 비율을 정해진 기준에 따라 표시한 것

② **표시 대상 성분** 열량, 나트륨, 탄수화물, 당류, 트랜스 지방, 포화 지방, 콜레스테롤, 단백질 등

③ 부족한 영양소를 늘리고, 과잉 섭취하는 영양소를 줄이는 등 자신에게 적합한 제품을 선택함.

(5) 원재료 및 원산지 표시

① **원재료** 식품 또는 식품첨가물의 제조·가공·조리에 사용되는 물질

② **원산지** 식품 및 원재료가 생산된 국가 또는 지역

③ 원재료 및 원산지 표시를 통해 식품이 건전하게 유통되는지 확인할 수 있음.

(6) 식품첨가물

① 식품의 모양과 맛, 색, 향 등을 내거나 보관할 수 있는 기간을 늘리기 위해 식품에 첨가하는 물질

② 가공식품에만 의존하는 식생활은 영양 불균형을 일으킬 수 있으므로 자연식품도 골고루 섭취함.

③ 향미 증진제, 발색제, 착색료, 보존료, 감미료, 산화 방지제 등이 있음.

3 올바른 식품 관리와 보관

(1) 실온 보관

곡류, 뿌리채소, 통조림 등을 적절한 온도와 습도가 유지되고 직사광선이 닿지 않으며, 환기가 잘되는 곳에 보관하는 방법

(2) 건조 보관

① 식품의 수분 함량을 15~25 %로 줄여 보존성을 증가시키고 안전하게 저장하는 방법

② 자연 건조법과 식품 건조기를 이용한 건조법이 있음.

(3) 냉장·냉동 보관

① **냉장 보관** 채소 · 과일은 흙과 이물질을 제거한 후 보관하고, 뜨거운 음식은 충분히 식혀서 뚜껑을 덮어 보관함. 금방 먹을 어패류는 깨끗이 씻어서 밀폐 용기에 보관하고, 달걀은 오래 두고 먹을 것만 포장 용기 그대로 냉장고 안쪽에 보관함.

② **냉동 보관** 주로 육류, 생선 등 장기간 냉동해 두었다가 사용할 식재료를 보관함.

개념 꽉꽉 다지기

01. 식품의 원재료를 제조, 가공, 유통하는 각 단계에서 인체의 건강을 해할 우려가 있는 요소가 식품에 섞이거나 오염되는 것을 사전에 막기 위해 각 과정에서 중점적으로 관리된 식품에 인증해 주고 있는 위생 관리 체계를 (   )(이)라고 한다.

Helper

02. 식품 품질 인증 마크와 이에 대한 설명을 바르게 연결하시오.

(1) 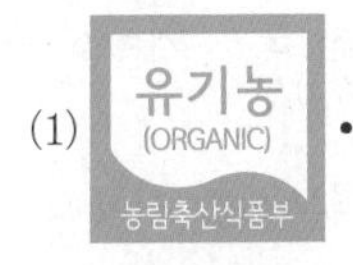

•　　　　　• ㄱ. 우수한 지역 특산물로 보호되는 식품

(2) 품질인증 (QUALITI SEAFOOD) 해양수산부 •　　　　　• ㄴ. 다른 지역과 차별화되는 품목이나 상품성이 뛰어난 수산물과 수산 특산물

(3) 지리적표시 (PGI) 농림축산식품부 •　　　　　• ㄷ. 수산물의 처리, 가공, 유통 및 판매까지 모든 단계의 정보를 기록, 관리한 제품

(4) 

•　　　　　• ㄹ. 농약과 화학 비료를 사용하지 않고 재배한 농산물

02. 정부에서는 식품의 품질을 인증하는 표시 제도를 시행하여 식품 안전을 보증하고 있으며, 식품 이력 추적 관리제를 통해 소비자의 알 권리를 보장하고, 식품 안전성에 문제가 발생할 때 신속한 유통 차단과 회수 조치를 할 수 있도록 관리한다.

03. 식품의 모양, 맛, 색, 향 등을 내거나 보관할 수 있는 기간을 늘리기 위해 식품에 첨가하는 물질을 (   )(이)라 한다.

03. 가공식품은 보존 기간을 늘리거나 식품의 풍미를 높이기 위해 첨가물을 넣기도 하며, 식품첨가물로 사용하기 위해서는 안전성이 충분히 입증되어야 한다.

04. 다음은 식품의 보관에 대한 설명이다. 맞으면 ○, 틀리면 ×표를 하시오.

(1) 냉장고에 넣어 둔 식품은 무조건 안전하다. (　　　)

(2) 생선의 핏물은 생선을 빨리 상하게 하므로 씻어서 보관한다. (　　　)

(3) 채소·과일류는 흙과 이물질을 제거한 후 보관한다. (　　　)

(4) 고구마, 감자, 양파는 냉장 보관한다. (　　　)

04. 냉장·냉동 보관은 미생물의 번식을 지연시킬 뿐 완전히 막을 수는 없으며, 고구마, 감자, 양파 등의 뿌리채소는 서늘하고 바람이 잘 통하는 실온에 보관한다.

01 건강한 식생활과 환경을 위한 식품 선택 방법을 보기 에서 있는 대로 고른 것은?

> 보기
> ㄱ. 로컬 푸드를 이용한다.
> ㄴ. 친환경 농산물을 선택한다.
> ㄷ. 식품 위해 요소가 포함된 식품을 선택한다.
> ㄹ. 식품 안전 관리 인증 기준을 통과하였는지 확인한다.

① ㄱ, ㄴ ② ㄱ, ㄷ
③ ㄴ, ㄷ ④ ㄱ, ㄴ, ㄹ
⑤ ㄱ, ㄴ, ㄷ, ㄹ

02 ( ) 안에 들어갈 알맞은 말을 쓰시오.

> (   )(이)란 식품이 생산된 곳에서 식탁에 오르기까지 이동한 거리를 말한다.

(   )

03 화학적 식품 위해 요소로 옳지 않은 것은?

① 농약 ② 유리
③ 중금속 ④ 항생제
⑤ 버섯 독

04 식품 품질 인증 마크에 대한 설명으로 옳은 것은?

① 우수한 지역 특산물로 보호되는 식품이다.
② 농약과 화학 비료를 사용하지 않고 재배한 농산물이다.
③ 국내산 농산물을 주원료로 제조, 가공한 우수 전통 식품이다.
④ 국내 판매를 목적으로 국산 혹은 외국산 유기 원료를 사용해 제조한 식품이다.
⑤ 항생제, 합성 항균제, 호르몬제를 사용하지 않고 무항생제 사료로 사육한 축산물이다.

05 식품의 제조일로부터 소비자에게 판매가 허용되는 기한을 무엇이라고 하는지 쓰시오.

(   )

06 식품 이력 추적 관리제에 대한 설명으로 옳은 것은?

① 식품의 품질을 인증하는 표시 제도이다.
② 식품 및 원재료가 생산된 국가 또는 지역을 뜻한다.
③ 식품을 마트나 매장에서 판매할 수 있는 시한을 의미한다.
④ 가공식품의 영양 성분 분량과 비율을 정해진 기준에 따라 표시한 것이다.
⑤ 식품의 제조, 가공부터 판매까지 원재료나 제품을 누구로부터 공급받고, 어떻게 생산하고, 누구에게 공급하였는가에 대한 정보 등이 담겨 있다.

07 영양 성분표에서 표시 대상 영양 성분을 보기 에서 있는 대로 고른 것은?

보기
ㄱ. 당류　　ㄴ. 열량
ㄷ. 포화 지방　　ㄹ. 콜레스테롤
ㅁ. 트랜스 지방

① ㄱ, ㄴ　② ㄱ, ㄷ
③ ㄴ, ㄷ, ㄹ　④ ㄴ, ㄷ, ㄹ, ㅁ
⑤ ㄱ, ㄴ, ㄷ, ㄹ, ㅁ

08 (　　) 안에 들어갈 알맞은 말을 쓰시오.

(　　　)은/는 식품 또는 식품첨가물의 제조·가공·조리에 사용되는 물질을 말한다. 식품의 제조·가공 시 사용된 모든 (　　　)을/를 사용한 양에 따라 순서대로 표시한다.

(　　　　　　　　)

09 식품에 감칠맛을 주는 역할을 하는 식품첨가물로 옳은 것은?

① 감미료　② 발색제
③ 보존료　④ 착색제
⑤ 향미증진제

10 실온 보관을 하는 식품을 보기 에서 있는 대로 고른 것은?

보기
ㄱ. 양파　　ㄴ. 고구마
ㄷ. 고등어　　ㄹ. 닭고기
ㅁ. 통조림

① ㄱ, ㄷ　② ㄱ, ㅁ
③ ㄴ, ㄹ　④ ㄱ, ㄴ, ㅁ
⑤ ㄱ, ㄴ, ㄷ, ㄹ

11 식품의 수분 함량을 15~25%로 줄여 보존성을 증가시킨 저장 방법을 쓰시오.

(　　　　　　　　)

12 냉장·냉동 보관에 대한 설명으로 옳은 것은?

① 생선은 씻지 않고 바로 냉장 보관한다.
② 한 번 해동한 식품은 다시 냉동하여 사용한다.
③ 뜨거운 음식을 보관할 때 빨리 식도록 냉장고에 바로 넣어 둔다.
④ 냉장고 전체 용량의 90% 정도만 채워야 적정 온도를 유지할 수 있다.
⑤ 고기를 장기간 보관할 때는 한 번 먹을 양만큼씩 비닐 팩에 넣어 냉동 보관한다.

3 건강한 가족 밥상 차리기

「주제 열기」

● 만일 내가 음식을 대접한다면 누구에게 어떤 음식을 대접하고 싶은지 써 보자.
→ 엄마께 미역국을 대접하고 싶다.

● 그 음식을 대접하고 싶은 까닭은 무엇인가?
→ 엄마 생신과 시험 기간이 겹쳐 챙겨 드리지 못해서 죄송했다.

1/ 음식을 능률적으로 만들기 위해서는 조리 과정을 알아야 한다

(1) 조리 계획 ─ 각각의 음식이 완성되는 시간이 같도록 조리 계획을 세우는 것이 효율적이다.

① 합리적으로 조리 계획을 세우면 식사 준비에 드는 시간과 노력을 절약할 수 있다.

② 효율적인 조리를 위해서 재료의 특성과 조리의 원리를 이해하고, 식품에 들어 있는 영양소, 색, 질감, 향, 맛 등을 잘 살릴 수 있어야 한다.

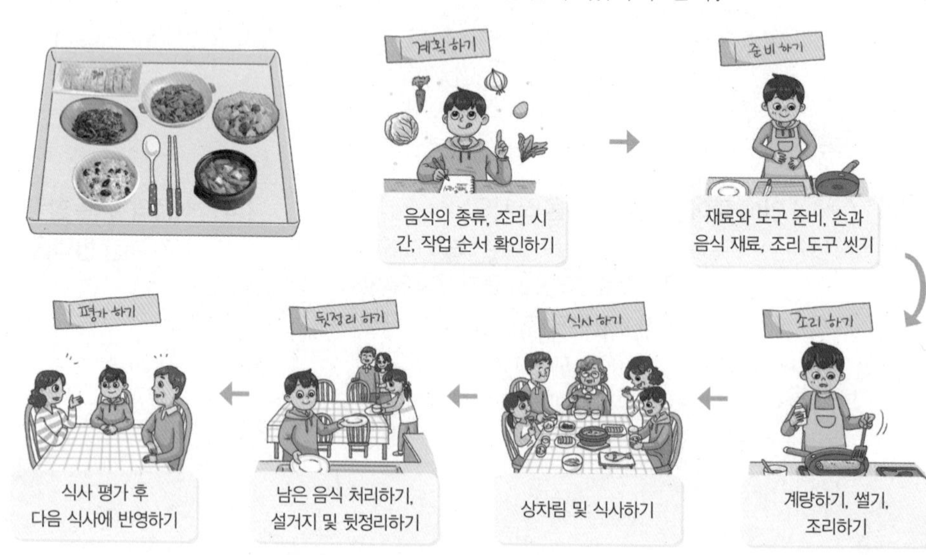

▲ 음식의 조리 과정

(2) 음식 재료 계량

① 모든 음식 재료를 정확히 계량하여 조리하면 일정한 맛을 유지할 수 있다.

② 재료의 무게를 잴 때는 저울을, 부피를 측정할 때는 계량컵과 계량스푼을 사용한다.

들여다보기

계량컵과 계량스푼, 저울 등이 없는 경우에는 어떤 방법으로 음식 재료를 계량할 수 있을지 생각해 보자.

예 종이컵, 숟가락, 손대중 등으로 계량한다.

개념 더하기+

조리의 필요성
조리는 식품의 향미, 외관을 좋게 하여 식욕을 돋우어 주고, 소화를 쉽게 하여 식품의 영양 효율을 높이며, 위생상 안전한 음식으로 만들고, 식품의 저장성을 높이므로 건강한 식생활을 위해서 꼭 필요하다.

설거지 및 뒷정리 방법
설거지는 따뜻한 물(약 40℃)에 담갔다가 세제와 물리적 힘으로 오물을 제거하고, 따뜻한 물로 헹구어 잔류 세제를 없앤다. 잔류 세제를 물로 충분히 헹군 다음, 미생물 제거를 위해 살균 소독제를 사용하여 5분간 담가 놓거나 끓는 물에 5분 이상 삶아 식기류를 살균 소독한다.

계량 단위
- 1C=1컵=200 mL
- 1Ts=1테이블스푼(큰술) =15 mL
- 1ts=1티스푼(작은술) =5 mL

2 조리를 준비하는 과정에서는 다양한 요소를 고려해야 한다

(1) **조리 방법**　생조리와 가열 조리로 나눌 수 있다.
└ 불을 이용해 조리하는 것

조리 방법	조리법	예
생조리	열을 사용하지 않고 그대로 조리	생채, 샐러드 등
끓이기	식품에 물을 더하여 100℃에서 끓이는 방법	밥, 국, 찌개, 라면 등
데치기	끓는 물속에 식품을 잠깐 익히는 방법	콩나물, 시금치나물 등
볶기	강한 불로 프라이팬에서 저으며 단시간에 익히는 방법	감자볶음, 어묵볶음, 제육볶음 등
부치기	프라이팬에 소량의 기름을 두르고 음식을 익히는 방법	생선전, 빈대떡, 파전 등
굽기	달군 석쇠 또는 프라이팬에 재료를 올리고, 가열해 익히는 방법	생선구이, 더덕구이, 북어구이 등
튀기기	고온의 기름 속에 식품을 넣어 단시간 익히는 방법	새우, 고구마, 돈까스, 치킨 등
찌기	수증기를 이용해 식품을 가열하는 방법	달걀찜, 옥수수, 감자 등
삶기	끓는 물속에 재료를 담가 익을 때까지 가열하고 건져 내는 방법	달걀, 국수, 당면 등

(2) **썰기 방법과 안전**

① **썰기 방법**　조리 시 음식에 따라 필요한 재료의 길이와 두께, 모양이 다르므로 적절한 썰기 방법을 선택해야 한다.

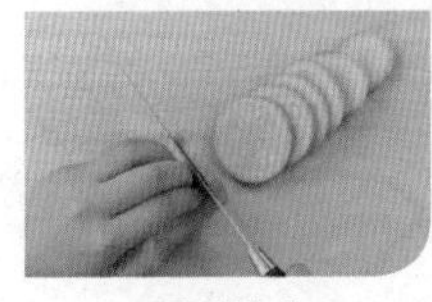
통째썰기

깍둑(팔모)썰기

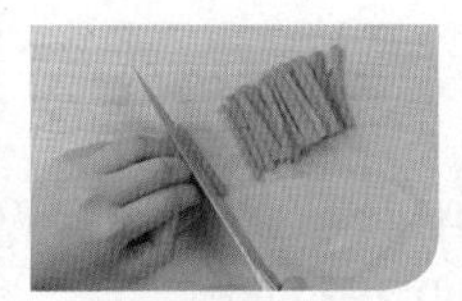
채썰기

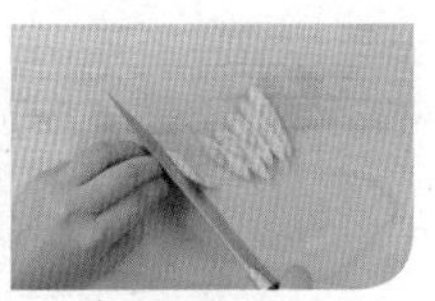
어슷썰기

② **칼을 사용할 때 주의해야 할 점**

- 칼을 사용할 때에는 안정된 자세로 정신을 집중해야 한다.
- 칼을 들고 이동할 때에는 칼날을 조심하고, 절대 칼을 든 채로 장난치지 않는다. 또한 상대에게 칼을 전달할 때에는 손잡이 부분을 잡고 전달한다.

(3) **위생적인 조리 방법**

① 조리 전 손을 항상 깨끗이 닦고 복장이 위생적인지 살펴본다.
② 행주는 사용 후 깨끗이 씻거나 끓는 물에 삶아 햇빛에 말려 사용한다.
③ 도마는 사용한 후 깨끗이 씻고 금이 많이 간 도마는 교체한다.
④ 금이 가거나 깨진 주방용품은 조리 시 손을 다칠 수 있으며, 박테리아나 해충이 서식할 수 있으므로 사용하지 않는다.

함께 생각해 보기

위생과 안전 등을 고려하지 않고 조리하여 사고 혹은 불편을 겪은 경험을 이야기해 보자.

예 머릿수건을 하지 않고 조리하여 음식에 머리카락이 들어갔다. 젖은 손으로 새우를 튀기다가 튀김 냄비에 물이 떨어져 기름이 튀어 화상을 입었다.

개념 더하기+

다양한 썰기 방법
재료의 성질과 조리하고자 하는 음식에 따라 알맞은 썰기 방법을 선택한다. 썰기 방법의 종류에는 통째썰기, 깍둑썰기, 십자 썰기, 막대 썰기, 어슷썰기, 은행잎 썰기, 반달썰기, 나박 썰기, 다지기, 저며 썰기, 솔방울 썰기, 깎아 썰기 등이 있다.

교차 오염
식품의 조리 및 모든 취급 과정에서 한쪽에 있는 미생물이 다른 쪽으로 옮겨 가 오염되는 것을 교차 오염이라 한다. 교차 오염을 줄이기 위해서는 도마, 칼, 행주 사용 방법에 유의해야 한다.

개념 더하기+

가스 사고 발생 시 응급 조치법

- LPG: 공기보다 무거워서 바닥으로 가라앉으므로 침착하게 빗자루 등으로 쓸어 내야 한다. 이때 급하다고 환풍기나 선풍기 등을 사용하면 스위치 조작 시 발생하는 스파크에 의해 점화될 수 있으므로 전기 기구는 절대 조작해서는 안 된다.
- LNG: 침착하게 콕과 중간 밸브를 잠가 가스를 차단한 후 주 밸브까지 잠그도록 한다. 대형 화재일 경우에는 도시가스 회사에 전화하여 그 지역에 공급하고 있는 가스의 차단을 요청해야 한다.

검은콩밥 조리 Tip

- 밥은 쌀에 물을 붓고 가열하면 쌀알 속의 전분이 물을 흡수하여 부풀어서 점성이 커지는 호화 현상에 의한 것이다.
- 물은 쌀 부피의 1.2배(중량의 1.5배)가 되도록 붓는다. 잡곡밥일 경우 1.7배 정도 물을 붓는다.

(4) 가열 조리 안전하게 하는 방법

① 가스레인지 사용 시 주의 사항

- 가스 불을 켜기 전 가스 연소를 위해 필요한 공기를 실내로 충분히 유입시키기 위해 환기를 한다.
- 점화 시 불이 붙었는지 확인한다.
- 사용 후에는 점화 밸브와 중간 밸브를 잠근다.
- 평상시에는 가스가 새는지 비눗물을 이용해 수시로 점검한다.

② 가열 조리 시 주의 사항

- 조리 시 발생하는 오염 물질을 내보내기 위해 환기한다.
- 기름을 너무 오래 끓이면 불이 날 수 있으며, 기름에 물이나 소금이 들어가면 기름이 튈 수 있으므로 조심한다.
- 뜨거운 팬이나 조리 기구 등을 옮길 때는 마른행주를 사용한다.
- 압력 밥솥의 수증기에 화상을 입지 않도록 주의한다.

③ 화상 처치 방법

1. 상처 부위를 찬물로 10분 정도 냉각시킨다.

2. 물집을 터뜨리지 말고 거즈를 덮은 후 병원 치료를 받는다.

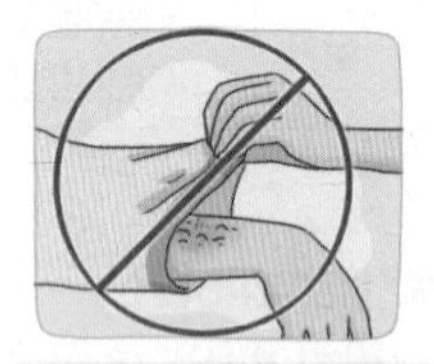

3. 화상 부위에 달라붙은 옷은 억지로 떼지 않는다.

가열 조리 시 다쳤거나 안전 사항을 지키지 않은 경험이 있다면 그 상황을 어떻게 대처했는지 자신의 경험을 이야기해 보자.

예 라면을 끓이려고 물을 올려놓았는데 깜박하여 물이 끓어 넘쳐 가스 불이 꺼지고, 가스가 새어 가스 밸브를 잠그고 환기를 시켰다.

3/ 실제로 조리를 해 볼까

(1) 검은콩밥

검은콩은 질 좋은 단백질과 비타민 A, 비타민 E 등이 풍부하게 들어 있어 흰 쌀밥의 부족한 영양소를 보완해 준다.

① **재료 및 분량(4인분)** 쌀 3C, 검은콩 $\frac{1}{2}$C

② **조리 방법** 끓이기

③ **만드는 순서**

❶ 검은콩은 하루 전날 충분히 물에 불리고, 쌀은 밥 짓기 30분 전에 깨끗이 씻어 물에 불린다.

❷ 냄비에 쌀과 불린 콩을 넣고 적정량의 물을 맞춘다.

❸ 센 불에서 끓이기 시작하여, 끓기 시작하면 중간 불에서 5분, 약한 불에서 8분 정도 둔다.

❹ 불을 끄고 5분 정도 두어 뜸을 들인 뒤 주걱으로 가볍게 섞고 밥을 그릇에 담아 낸다.

(2) **된장찌개**

된장은 콩을 발효시켜 만든 한국의 대표적인 음식으로, 음식의 간을 맞추고 맛을 내는 조미료 역할을 하거나 육류의 냄새를 없애는 등 다양하게 이용된다.

① **재료 및 분량(4인분)** 된장 5 Ts, 두부 125 g($\frac{1}{4}$모), 대파 20 g(10 cm), 국물용 멸치 6~9마리, 애호박 $\frac{1}{4}$개, 감자 1개, 양파 $\frac{1}{4}$개

② **조리 방법** 끓이기

③ **만드는 순서**

❶ 멸치는 머리와 내장을 제거한 후, 물에 넣고 끓여 육수를 만든다.

❷ 멸치를 건져 내고, 애호박, 양파, 감자 등을 썬 다음 육수에 넣고 끓인다.

❸ 국물이 끓으면 된장을 넣고 10분 정도 끓인다.

❹ 충분히 끓으면 두부를 넣고 조금 더 끓인 후, 대파를 넣는다.

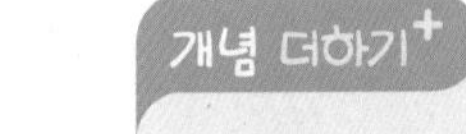

개념 더하기+

된장찌개 조리 Tip

- 된장은 메주로 장을 담가서 장물을 떠내고 남은 건더기로 만든 것이다.
- 두부는 잠깐 끓여야 부드러우며, 뚝배기에 끓여야 제맛이 난다.
- 찌개를 끓일 때 발생하는 거품은 재료의 내용물이나 양념 등에서 나오는 단백질이나 녹말 성분으로 국물에 용해되지 않은 유기 물질이 응고되어 국물 위로 떠오른 것으로 인체에 해로운 물질이 아니다. 따라서 반드시 걷어 낼 필요는 없다.

(3) **시금치나물**

시금치는 비타민 A, 칼슘, 철분 등이 풍부하게 함유되어 있어 성장기 어린이와 청소년에게 좋은 음식이다.

① **재료 및 분량(4인분)** 시금치 300 g, 소금 $\frac{1}{2}$ ts, 간장 1 Ts, 대파 30 g, 다진 마늘 $\frac{1}{2}$ Ts, 참기름 $1\frac{1}{2}$ Ts, 통깨 1 ts

② **조리 방법** 데치기

③ **만드는 순서**

❶ 시금치를 잘 다듬어 물에 씻은 후 끓는 물에 소금을 넣고 뚜껑을 열어 30초 정도 데친다.

❷ 데친 시금치는 찬물에 헹군다.

❸ 데친 시금치를 꼭 짜서 물기를 빼 준 후 먹기 좋은 크기로 썬다.

❹ 대파, 간장, 다진 마늘을 넣고 무친 후, 참기름, 통깨를 넣고 마무리한다.

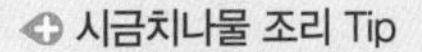

시금치나물 조리 Tip

- 시금치를 데칠 때는 끓는 물에 소금을 넣고 뚜껑을 연 채 재빨리 데쳐야 색이 변하지 않고, 영양소의 파괴도 적다.
- 시금치를 데친 후 찬물에 헹궈 색을 유지하고, 비타민 C의 용출을 막는다.

(4) **달걀말이**

달걀은 단백질, 무기질, 비타민 등 영양 성분이 고루 함유되어 있으며, 재료를 쉽게 구할 수 있다. 달걀말이는 맛도 좋고 영양 성분도 풍부하며, 누구나 쉽게 만들 수 있는 음식이다.

① **재료 및 분량(4인분)** 달걀 5개, 대파 30 g, 양파 30 g, 당근 20 g, 소금 $\frac{1}{2}$ ts, 식용유 3 Ts

② **조리 방법** 부치기

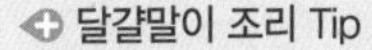

달걀말이 조리 Tip

달걀을 만지고 나면 비누로 손을 깨끗이 씻고, 조리할 때에는 안쪽까지 익혀서 식중독을 예방한다.

④ **만드는 순서**

❶ 당근, 양파, 대파를 잘게 썬 후 소금 간을 한 달걀 물을 섞는다.

❷ 프라이팬에 식용유를 두르고 달걀 물을 반쯤 붓고 고르게 펼쳐 익힌다.

❸ 달걀의 가장자리가 익기 시작하면 말아 준다.

❹ 빈자리에 남은 달걀 물을 붓고 다시 한 번 말아 준다.

개념 더하기+

제육볶음 조리 Tip

- 돼지고기는 완전히 익혀 먹어야 안전하며, 볶을 때 타지 않도록 한다.
- 고기를 연하게 하는 방법: 배즙, 양파즙, 키위즙, 파인애플즙 등을 넣어 재워 둔다.

(5) 제육볶음

제육은 돼지고기를 뜻하는 말로, 돼지고기는 고단백, 저지방 식품이다. 또한, 그 맛과 영양이 뛰어나 청소년의 성장·발달에도 큰 도움이 된다.

① **재료 및 분량(4인분)** 돼지고기(목살) 200 g, 양배추 1장(30 g), 양파 $\frac{1}{4}$개, 청양고추 1개, 홍고추 1개, 대파 10 cm(20 g), 당근 $\frac{1}{8}$개(25 g), 청주 2 Ts, 식용유 1 Ts, 양념 재료(고추장 $2\frac{1}{2}$ Ts, 고춧가루 1 ts, 진간장 $\frac{1}{2}$ Ts, 설탕 1 Ts, 다진 마늘 $\frac{1}{2}$ Ts, 참기름 $\frac{1}{2}$ Ts, 깨·소금·후춧가루·생강즙 약간)

② **조리 방법** 볶기

③ **만드는 순서**

❶ 돼지고기에 청주, 소금, 후춧가루를 넣고 10분간 재운다.

❷ ❶에 미리 만들어 둔 양념장을 넣고 조물조물 버무려 20분간 더 재운다.

❸ 양배추, 당근, 양파 등을 썰고, 대파, 청양고추, 홍고추는 어슷하게 썰어 준비한다.

❹ 달군 팬에 식용유를 두르고 재워 둔 돼지고기를 넣고 볶다가 ❸의 재료를 넣고 볶는다.

과일 샐러드 조리 Tip

- 사과와 바나나는 시간이 지나면 갈색으로 변하므로 사과는 1%의 소금물에 담그고, 바나나는 레몬즙을 뿌려 갈변을 방지한다.
- 드레싱을 먼저 뿌려 놓으면 채소와 과일에서 수분이 빠져나와 물러질 수 있으므로 먹기 직전에 뿌린다.

(6) 과일 샐러드

새콤달콤한 맛으로 입맛을 돋우고, 비타민, 식이섬유 등이 과일에 함유되어 있어 건강에 좋다.

① **재료 및 분량(4인분)** 사과 2개, 방울토마토 10개, 바나나 2개, 양상추 적당량, 호두 10개, 건포도 2 Ts, 요구르트 드레싱(올리고당 1 Ts, 플레인 요구르트 $1\frac{1}{2}$ C, 다진 양파 5 Ts, 레몬즙 1 Ts, 머스터드소스 1 ts)

② **조리 방법** 생조리

③ **만드는 순서**

❶ 사과는 씨를 제거한 다음 한입 크기로 깍둑썰기하고, 방울토마토는 반으로 자른다.

❷ 바나나는 껍질을 제거하고 한입 크기로 썬다.

❸ 양상추는 찬물에 담갔다가 물기를 뺀 다음 한입 크기로 뜯는다.

❹ 접시에 과일과 양상추, 호두, 건포도 등을 담고 만들어 놓은 요구르트 드레싱을 끼얹는다.

교과서 뛰어넘기

조미료의 종류 및 특성

- 소금: 음식의 맛을 내는 데 기본적인 조미료이다. 간을 맞추거나 식품을 절이고, 온도를 낮추는 데 이용된다.
- 간장: 간장의 성분은 단백질 물질인 아미노산과 당이 있고, 유기산이 들어 있어 향미를 준다.
- 식초: 입맛을 돋우고 생선의 살을 단단하게 하기도 한다.
- 설탕: 음식에 단맛을 주며, 방부성, 흡습성, 결정성이 있고, 근육 섬유를 분해하는 성질이 있다.
- 기름: 음식에 고소한 맛과 부드러운 맛을 준다.

개념 더하기+

조미료 첨가 순서

설탕 → 소금 → 간장 · 된장 → 식초 → 참기름

주제 활동 가족을 위한 식단 평가하기

1. 가족을 위한 음식을 만든 후에 영양, 기호, 경제, 위생, 능률, 환경 보존 면을 기준으로 평가해 보자.

평가 항목	평가 내용	그렇다	보통이다	그렇지 않다
영양	식품군을 골고루 사용하였는가?	○		
	가족 구성원의 한 끼 영양 필요량을 충족하였는가?		○	
	식단에서 식품의 종류가 다양하게 구성되었는가?	○		
기호	가족의 입맛에 맞았는가?	○		
	음식의 색, 맛, 질감 등이 조화를 이루었는가?			○
	다양한 조리 방법을 활용하였는가?		○	
경제	예산에 맞게 식품을 구매하였는가?	○		
	계절 식품이나 대체 식품을 활용하였는가?	○		
	음식을 알맞은 양만큼 조리하였는가?		○	
위생	조리할 때 손을 깨끗이 씻었는가?		○	
	행주, 조리 도구 등을 위생적으로 관리하였는가?			○
능률	조리하는 데 드는 시간이 적절하였는가?	○		
	조리 기구와 설비를 효율적으로 활용하였는가?		○	
환경 보존	음식물 쓰레기가 나오지 않게 노력하였는가?	○		
	친환경 농산물을 선택했는가?	○		

2. 가족을 위한 음식을 만들고 평가한 후에 새롭게 느낀 점을 써 보자.

예 가족들이 매우 좋아하는 모습을 보니 내가 음식을 만들었다는 것이 뿌듯하였고, 요리에 자신감이 생겼다. 하지만 다음에는 부모님의 입맛에 맞게 좀 더 싱겁게 조리하고, 위생적인 음식을 만들기 위해 행주와 도마를 깨끗이 씻도록 노력해야겠다는 생각이 들었다. 다음에는 이번에 평가한 내용을 반영하여 더 좋은 식단을 만들 것이다.

내용 정리

1/ 음식 조리 과정

(1) **조리 계획**

① 식사를 준비할 때 합리적으로 조리 계획을 세우면 식사 준비에 드는 시간과 노력을 절약할 수 있음.

② **음식의 조리 과정** 계획하기 – 준비하기 – 조리하기 – 식사하기 – 뒷정리하기 – 평가하기

(2) **음식 재료 계량**

① 모든 음식 재료를 정확히 계량하여 조리하면 일정한 맛을 유지할 수 있음.

② 재료의 무게를 잴 때는 저울을, 부피를 측정할 때는 계량컵과 계량스푼을 사용함.

2/ 조리의 기초

(1) **조리 방법**

① **생조리** 열을 사용하지 않고 그대로 조리하는 방법

② **끓이기** 식품에 물을 더하여 100℃의 온도에서 끓이는 방법

③ **데치기** 끓는 물속에 식품을 잠깐 익히는 방법

④ **볶기** 강한 불로 프라이팬에서 저으며 단시간에 익히는 방법

⑤ **부치기** 프라이팬에 소량의 기름을 두르고 음식을 익히는 조리 방법

⑥ **굽기** 달군 석쇠, 프라이팬에 재료를 올리고 가열하여 익히는 방법

⑦ **튀기기** 고온의 기름 속에 식품을 넣어 단시간 익히는 방법

⑧ **찌기** 수증기를 이용해 식품을 가열하는 방법

⑨ **삶기** 끓는 물속에 재료를 담가 익을 때까지 가열하고 건져 내는 방법

(2) **썰기 방법**

① 조리하는 음식에 따라 알맞은 썰기 방법을 선택함.

② 통째 썰기, 깍둑(팔모) 썰기, 십자 썰기, 채썰기, 어슷썰기 등

(3) **위생적인 조리 방법**

① 행주는 깨끗하게 씻거나 삶아 햇빛에 말려 사용함.

② 도마 사용 후 깨끗이 씻고, 금이 많이 간 도마는 새 도마로 교체함.

③ 항상 손을 깨끗이 하고, 복장도 위생적으로 관리함.

④ 금이 가거나 깨진 주방용품은 사용하지 않음.

3/ 실제 조리하기

(1) **검은콩밥**

① 검은콩과 쌀은 깨끗이 씻어 물에 불림.

② 솥에 불린 쌀과 콩을 넣고 물을 맞추고, 센 불에서 끓이다가 끓기 시작하면 중간 불에서 5분, 약한 불에서 8분 정도 둠.

③ 불을 끄고 5분 정도 두어 뜸을 들임.

(2) **된장찌개**

① 국물용 멸치를 넣고 끓여 육수를 만듦.

② 애호박, 양파, 감자, 대파를 썰어 육수에 넣고 끓이고, 국물이 끓으면 된장을 넣고 10분 정도 끓임.

③ 충분히 끓으면 두부를 넣고 조금 더 끓인 후, 대파를 넣어 마무리함.

(3) **시금치나물**

① 시금치를 다듬어 물에 씻은 후 끓는 물에 소금을 넣고 30초 정도 데침.

② 데친 시금치를 짜서 물기를 빼 준 후 대파, 간장, 다진 마늘을 넣고 버무리고, 참기름과 통깨를 넣고 마무리함.

(4) **달걀말이**

① 당근, 양파, 대파를 다지고 소금 간을 한 달걀과 섞음.

② 프라이팬에 식용유를 두르고 달걀 물을 반쯤 붓고 고르게 펼쳐 익히고, 가장자리가 익기 시작하면 말아 줌.

③ 빈자리에 남은 달걀 물을 붓고 다시 한 번 말아 준 후 불을 끔.

(5) **제육볶음**

① 돼지고기를 청주, 소금, 후춧가루에 재운 후 양념 재료를 넣고 버무려 20분간 더 재움.

② 달군 팬에 식용유를 두르고 재워 둔 돼지고기를 넣고 볶다가 양배추, 당근, 양파, 대파, 청양고추, 홍고추를 넣고 볶음.

(6) **과일 샐러드**

① 사과, 방울토마토, 키위, 바나나를 한입 크기로 썰고, 양상추는 씻어 한입 크기로 뜯음.

② 요구르트 드레싱을 준비하여 ①에 끼얹음.

개념 꽉꽉 다지기

01. 식사를 준비할 때 합리적으로 (　　　　　　)을/를 세우면 식사 준비에 드는 시간과 노력을 절약할 수 있다.

02. 조리 방법과 특징을 바르게 연결하시오.

(1) 끓이기 •　　　• ㄱ. 수증기를 이용해 식품을 가열하는 방법
(2) 삶　기 •　　　• ㄴ. 끓는 물속에 식품을 잠깐 익히는 방법
(3) 찌　기 •　　　• ㄷ. 식품에 물을 더하여 100℃에서 끓이는 방법
(4) 데치기 •　　　• ㄹ. 끓는 물속에 재료를 담가 익을 때까지 가열하고 건져 내는 방법

03. 다음은 안전한 조리 방법에 대한 설명이다. 맞으면 ○, 틀리면 ×표를 하시오.

(1) 가스 불을 켜기 전 가스 연소를 위해 필요한 공기를 실내로 충분히 유입시키기 위해 환기를 한다. (　　　)
(2) 기름을 너무 오래 끓이면 불이 날 수 있으며, 기름에 물이나 소금이 들어가면 기름이 튈 수 있으므로 조심한다. (　　　)
(3) 뜨거운 팬이나 조리 기구 등을 옮길 때는 젖은 행주를 사용한다. (　　　)
(4) 조리하면서 화상을 입었을 경우 물집을 터뜨려 화상 연고를 바른다. (　　　)

04. 검은콩밥을 조리할 때 가장 먼저 해야 할 일은?

① 뜸을 들인다.
② 쌀을 씻어 물에 불린다.
③ 검은콩을 충분히 물에 불린다.
④ 냄비에 적정량의 물을 맞춘다.
⑤ 약한 불에서 8분 정도 끓인다.

05. 시금치를 데칠 때 끓는 물에 (　　　　　　)을/를 넣고 뚜껑을 열어 30초 정도 데친다.

Helper

01. 조리 계획은 음식의 종류, 조리 시간, 작업 순서를 미리 생각하여 각각의 음식이 완성되는 시간이 같도록 조리하는 것이다.

02. 조리 방법은 가열 조리와 생조리로 나눌 수 있으며, 가열 조리는 가열 시간과 가열 매체에 따라 다양한 방법이 있다.

03. 가열 조리 시에는 주의 사항을 지켜 안전하게 조리해야 하며, 특히 가스레인지의 정확한 사용법을 익혀 화재나 화상 사고의 발생을 예방한다.

04. 검은콩밥을 조리할 때 검은콩은 하루 전날 충분히 물에 불려 조리한다.

05. 시금치를 데칠 때는 끓는 물에 소금을 넣고 뚜껑을 연 채 재빨리 데쳐야 색이 변하지 않고, 영양소의 파괴도 적다.

차곡차곡 실력 쌓기

01 음식의 조리 과정을 보기 에서 순서대로 바르게 나열한 것은?

보기
ㄱ. 계획하기　　ㄴ. 식사하기
ㄷ. 조리하기　　ㄹ. 준비하기
ㅁ. 평가하기　　ㅂ. 뒷정리하기

① ㄱ－ㄴ－ㄷ－ㄹ－ㅁ－ㅂ
② ㄱ－ㄷ－ㄴ－ㄹ－ㅂ－ㅁ
③ ㄱ－ㄷ－ㄹ－ㄴ－ㅁ－ㅂ
④ ㄱ－ㄹ－ㄴ－ㄷ－ㅁ－ㅂ
⑤ ㄱ－ㄹ－ㄷ－ㄴ－ㅂ－ㅁ

02 음식 재료 계량 방법으로 옳은 것은?

① 설탕 10g을 1Ts으로 측정하였다.
② 식용유 5mL를 저울로 측정하였다.
③ 고춧가루 5g을 1ts으로 측정하였다.
④ 물 100mL를 계량컵 1C으로 측정하였다.
⑤ 버터를 50g을 계량컵 1C에 꽉 눌러 담아 채워 수평이 되도록 측정하였다.

03 달군 석쇠 또는 프라이팬에 재료를 올리고 가열해 익히는 조리 방법을 쓰시오.

(　　　　　　　　　　)

04 잡채를 조리할 때 당근, 표고버섯, 양파 등 채소를 써는 방법으로 옳은 것은?

① 채썰기　　② 깍둑썰기
③ 팔모썰기　　④ 어슷썰기
⑤ 통째썰기

05 위생적으로 조리한 방법을 보기 에서 있는 대로 고른 것은?

보기
ㄱ. 행주는 끓는 물에 삶아 햇빛에 말려 사용한다.
ㄴ. 여러 가지 식품을 손질할 때는 가금류, 어류, 육류, 채소류의 순서대로 손질한다.
ㄷ. 도마는 용도별로 분리해 사용하는 것보다 1개를 사용하는 것이 위생적으로 안전하다.
ㄹ. 금이 가거나 깨진 주방용품은 박테리아나 해충이 서식할 수 있으므로 사용하지 않는다.

① ㄱ, ㄴ　　② ㄱ, ㄹ
③ ㄱ, ㄷ, ㄹ　　④ ㄴ, ㄷ, ㅁ
⑤ ㄱ, ㄴ, ㄷ, ㄹ

06 가열 조리 시 주의 사항으로 옳지 않은 것은?

① 가스를 사용하기 전에 환기한다.
② 점화 시 불이 붙었는지 확인한다.
③ 사용 후 점화 밸브와 중간 밸브를 잠근다.
④ 기름의 온도를 확인할 때 물을 넣어서 확인한다.
⑤ 가스가 새는지 비눗물 등을 이용해 수시로 점검한다.

07 검은콩밥을 조리할 때 물의 양은 쌀과 콩 부피의 몇 배를 붓는가?

① 1배　② 1.2배
③ 1.7배　④ 2배
⑤ 2.5배

08 끓이기 조리 방법에 해당되는 음식을 보기 에서 있는 대로 고른 것은?

> 보기
> ㄱ. 검은콩밥　ㄴ. 달걀말이
> ㄷ. 된장찌개　ㄹ. 제육볶음
> ㅁ. 시금치나물　ㅂ. 과일 샐러드

① ㄱ　② ㄴ, ㄷ
③ ㄱ, ㄷ　④ ㄴ, ㄷ, ㅁ
⑤ ㄷ, ㄹ, ㅂ

09 시금치나물을 만드는 방법으로 옳지 않은 것은?

① 데친 시금치를 찬물에 헹궜다.
② 시금치를 끓는 물에 소금을 넣고 데쳤다.
③ 시금치를 데칠 때 뚜껑을 닫고 2분 정도 데쳤다.
④ 데친 시금치의 물기를 뺀 후 먹기 좋은 크기로 썰었다.
⑤ 대파, 간장, 다진 마늘을 넣고 무친 후, 참기름, 통깨를 넣고 마무리하였다.

10 육류 요리에서 고기를 연하게 하는 방법으로 사용되지 않는 것은?

① 배즙　② 양파즙
③ 키위즙　④ 파인애플즙
⑤ 베이킹 소다

11 과일 샐러드를 만들 때 (　　) 안에 들어갈 알맞은 말을 쓰시오.

> 사과와 바나나는 시간이 지나면 갈색으로 변하므로 사과는 1%의 소금물에 담그고, 바나나는 (　　　)을/를 뿌려 갈변을 방지한다.

(　　　　　　　　)

12 다음 식단 평가 내용은 어떤 항목을 평가하기 위한 것인가?

> • 가족의 입맛에 맞았는가?
> • 음식의 색, 맛, 질감 등이 조화를 이루었는가?
> • 다양한 조리 방법을 활용하였는가?

① 경제　② 기호
③ 능률　④ 영양
⑤ 위생

4 가족의 요구를 반영한 주거 환경

「주제 열기」

● 나에게 집이란 어떤 의미인지 한 문장으로 표현해 보자.

→ 나에게 집이란 '솜이불'이다. 왜냐하면 솜이불처럼 따뜻하고 포근한 곳이기 때문이다.

● 나에게 집이 없는 삶은 어떨지 생각해 보고 아래 문장을 완성해 보자.

→ 만약 나에게 집이 없다면 가족이 모두 헤어져 살게 될 것이다.

개념 더하기+

⊕ 주거의 조건

- 안전성: 자연재해, 도난, 화재 등 위험으로부터 보호할 수 있어야 한다.
- 쾌적성: 채광, 통풍, 환기, 온도 등이 적절하여 쾌적한 실내 환경을 제공해야 한다.
- 심미성: 가족의 생활 양식과 개성을 반영하는 주거 공간을 연출해야 한다.
- 능률성: 동선이 짧고 공간 배치나 시설 설비가 편리하고 능률적이어야 한다.
- 경제성: 주택 구매 및 유지·관리비가 가족의 경제 수준에 맞아야 한다.

⊕ 다양한 주거의 유형

- 집합 형태에 따른 분류: 단독 주택, 공동 주택
- 기능에 따른 분류: 전용 주택, 병용 주택
- 소유에 따른 분류: 자가 주택, 임대 주택

1/ 주거 가치관에 따라 주거의 의미와 기능이 변화한다

(1) 확대되는 주거의 의미와 기능

주거: 개인과 가족의 일상적인 생활이 이루어지는 곳으로, 인간의 가장 기본적인 생활 환경

① **주거의 의미** 물리적 장소로써의 주택, 개인 생활, 가족 공동생활, 취미 생활, 공동체로서의 지역 생활을 포함한 사회생활이 함께 이루어지는 생활 장소로써의 공간을 포함한다.

② **과거 주거의 의미** 자연환경과 외부의 침입으로부터 가족을 보호하기 위한 안전한 공간으로써의 의미가 강조되었다.

③ **현대 주거의 의미** 쾌적하고 편리한 환경을 제공하고, 가족 간의 유대감 속에서 심리적 안정을 얻을 수 있는 공간으로 의미가 확대되고 있다. 또한 지역 공동체와 상호 관계를 형성하는 공간이나 재택근무도 가능한 공간으로 그 의미가 점차 확대되는 추세이다.

재택근무: 집에서 회사 업무를 보는 것

(2) 다양해지는 주거 형태

기존의 아파트, 단독 주택 외에 에너지 절약형 친환경 주택, 1인 가구를 위한 협소 주택, 거주나 이전에 편리한 조립식 주택, 노인 가구를 위한 복지 주택 등 다양하다.

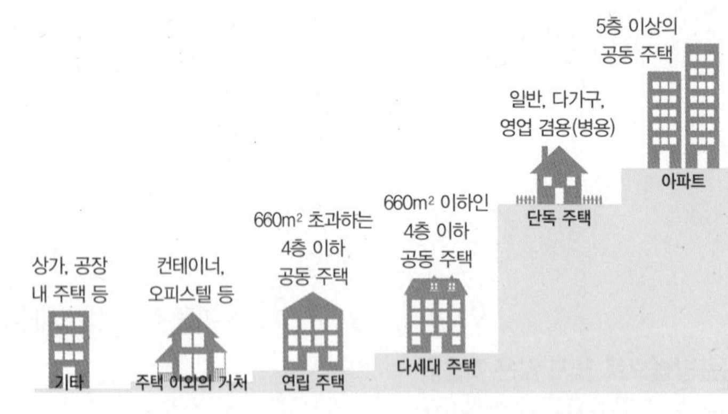

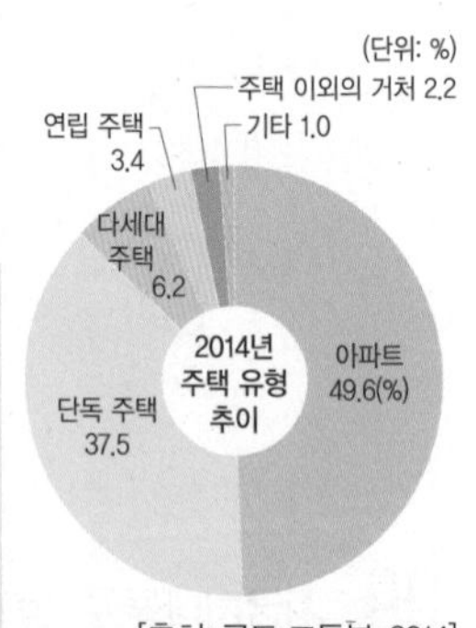

[출처: 국토 교통부, 2014]

▲ 다양한 주택 유형

스스로 해 보기

내가 생각하는 '좋은 집'의 조건과 그렇게 생각하는 까닭을 써 보자.

예 내가 생각하는 좋은 집이란 우리 가족이 모두 모여 사는 집이다. 집은 식구끼리 함께 모여 사는 곳이기 때문이다.

2 가족의 다양한 요구와 상황을 반영한 주거 선택을 하자

(1) 가족 형태에 따른 주거

현대 사회는 확대 가족, 무자녀 가족, 독신 가족 등 가족의 형태가 매우 다양하며, 이에 따라 주거의 규모와 기능에 대한 가족 구성원의 요구도 다양하다.

가족 형태에 따른 주거의 예

독신 가족 · 무자녀 가족	핵가족	확대 가족

• 큰 공간이 필요하지 않음. • 관리가 편하고, 생활비가 적게 드는 원룸, 오피스텔이 적당	• 자녀 수, 성별, 나이에 따라 공간의 크기와 방의 수가 달라질 수 있음. • 가변형 주택(필요에 따라 주거 공간 변경 가능)이 좋음.	• 큰 공간이 필요 • 세대 간의 독립성이 보장되면서 조화롭게 생활할 수 있는 공간 배치

(2) 가족 생활 양식에 따른 주거

① **전통적 주거 양식** 과거 우리나라는 사회·문화적 환경에 영향을 받은 좌식 주거가 일반적이었다.

② **최근의 주거 양식** 실내 공간에서 어떤 활동을 하는지, 실내 공간의 가치를 어디에 두는지 등 가족의 생활 양식과 가치관에 따라 주거 공간의 구성이 달라진다.

가족 생활 양식에 따른 주거의 예

요리나 손님 초대를 즐겨 하는 가족	공동생활을 중시하는 가족	자연친화적이고 환경을 중시하는 가족	재택근무가 가능한 가족
	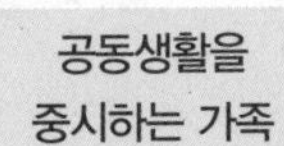	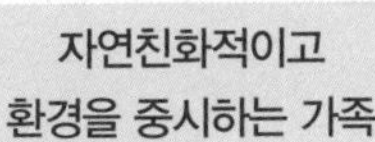	
주택의 중심에 넓은 식탁과 능률적인 부엌 설비 마련	함께 독서를 할 수 있도록 가족 공동 서재로 꾸민 거실 마련	화단을 조성하고 꽃과 식물을 기름.	집 안에 작업 공간을 마련하고, 일과 가정생활을 병행

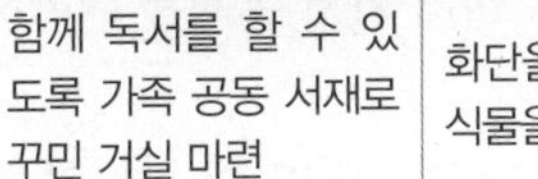

(3) 가족 생활 주기에 따른 주거

가족 생활 주기마다 가족 구성원의 수, 생활 형태, 욕구, 경제력이 달라지기 때문에 주기에 걸맞는 주거의 규모와 양식을 선택하고, 구성원의 주거 선택 기준에 알맞은 주거 공간을 마련해야 한다.

스스로 생각해 보기

우리 가족의 형태, 생활 양식, 생활 주기를 파악하고 그 내용을 써 보자.

예 우리 가족은 확대 가족으로 가정 확대기이며, 할머니, 할아버지는 독서를 좋아하셔서 집 한쪽 벽면을 책장으로 꾸며 책을 가득 꽂아 두었다.

개념 더하기+

가족 구성 형태에 따른 주거의 조건

- 신혼부부: 부부 중심의 단순한 공간을 구성하고, 가사를 편리하게 처리할 수 있어야 한다.
- 부부와 영·유아 자녀: 자녀 양육에 필요한 공간을 확보하고, 자녀의 신체 및 동작 범위에 맞는 가구, 설비를 마련해야 한다.
- 부부와 청소년·성인 자녀: 자녀의 주거 욕구를 충분히 반영하고, 자녀의 사적 공간을 확보해야 한다.
- 노부부와 부부 및 자녀: 세대 간 독립성을 확보할 수 있는 공간을 구성하고, 공동생활 공간을 충분히 확보한다.
- 노인 부부: 주거의 규모를 축소하고, 유지 및 관리가 수월해야 한다.

좌식과 입식, 절충식 주거

- 좌식: 바닥에 앉아서 생활하는 방식으로, 하나의 공간을 여러 가지 용도로 융통성 있게 활용할 수 있지만, 공간의 구분이 명확하지 않아 각 방의 독립성이 낮다.
- 입식: 의자, 침대, 책상 등 가구를 이용하여 생활하는 방식으로, 각 방의 독립성이 확보되지만 가구의 수가 많아서 넓은 면적이 필요하며, 공간의 융통성이 적다.
- 절충식: 공간의 특성, 개인의 취향에 맞게 좌식과 입식을 절충하여 다양하게 구성하는 생활 양식으로, 부엌, 식사실은 입식으로, 자녀방이나 노인방은 좌식으로 꾸밀 수 있다.

가족 생활 주기에 따른 주거의 예

가정 형성기 (결혼~첫 자녀 출산 전)	가정 확대기 (자녀 출산~첫 자녀 독립 전)	가정 축소기 (첫 자녀 독립~부부 사망)
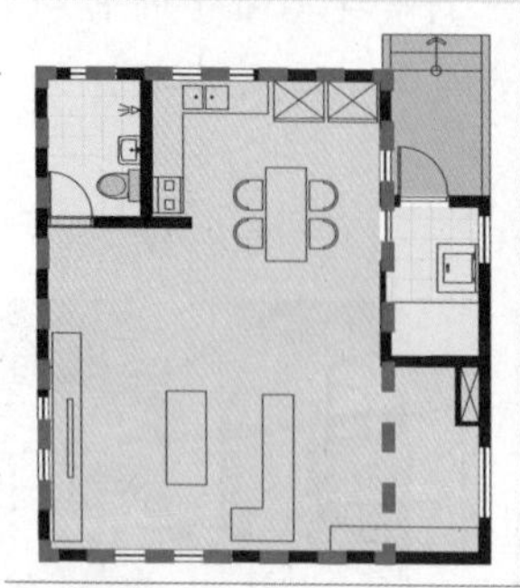	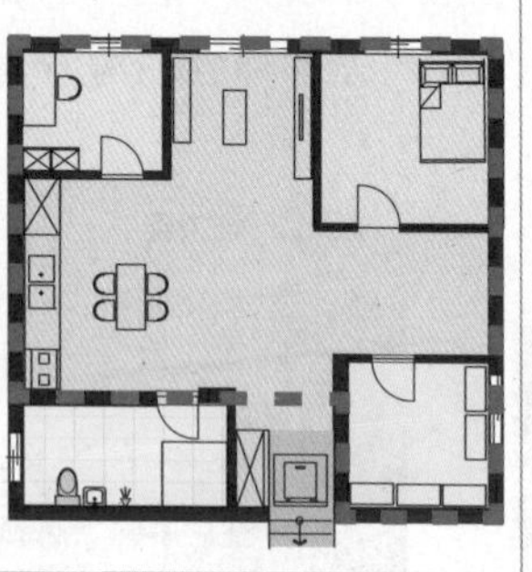	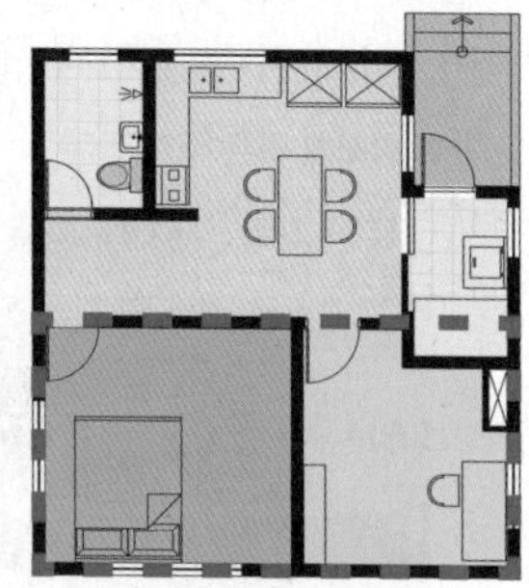
• 필요 공간의 규모가 크지 않은 시기 • 직장과의 거리, 교통의 편리성을 고려 • 부부 중심의 공간 마련 • 원룸, 소형 임대 주택이 적당	• 주거의 규모가 확대되는 시기 • 자녀의 수, 성별, 나이에 따라 주거 요구가 달라짐. • 자녀의 독립 및 학습 공간을 마련 • 학교 환경, 편의 시설을 고려	• 경제적 형편을 고려하여 주거 규모를 줄일 필요가 있음. • 신체적 특징을 고려하여 안전하고 편리한 설비가 필요 • 의료 시설과 여가 시설을 고려

개념 더하기+

변화하는 가족 생활 주기에 따른 주거 공간의 활용 사례
- 가정 형성기: 자녀 출산 이전에 부부가 생활하는 시기이므로 거실과 부엌을 원룸으로 넓게 배치하였다.
- 가정 확대기: 자녀 침실과 공부방 마련을 위해서 기존 거실 공간을 줄이고 두 개의 방을 배치하였다.
- 가정 축소기: 자녀의 침실과 공부방으로 사용되던 공간을 사랑방 및 노부부의 취미실로 개조하였다.

들여다보기

우리 가족 구성원을 위한 유니버설 디자인에는 어떤 것들이 있는지 이야기해 보자.

예
- 세면대의 높낮이를 키 높이에 맞게 자동으로 조절할 수 있게 만들어서 키가 작은 어린이도 혼자서 손을 씻을 수 있도록 한다.
- 다리가 불편하셔서 휠체어를 타시는 할머니를 위해 현관 입구에 휠체어가 올라갈 수 있도록 경사면을 설치한다.

3/ 이웃과 더불어 살아가는 주거 생활을 실천하자

(1) 이웃과 더불어 살아가는 주거 생활의 중요성

① 공동 주택에서 발생할 수 있는 여러 가지 문제를 원만히 해결하고, 이웃과 친밀한 관계를 형성할 수 있다.

② 현대 사회에서 증가하고 있는 노인 가족이나 맞벌이 가족의 돌봄 기능까지 수행할 수 있다.

③ 개인주의화, 핵가족화된 사회에서 발생하는 소통 단절의 문제를 완화시켜 준다.

(2) 이웃과 더불어 살아가는 주거 생활의 예

① **마을의 문화 사랑방 역할을 하는 도서관** 어린이에게는 도서관이자 공부방이, 주민들에게는 농사와 역사, 인문 강좌를 듣는 교육장이 된다.

② **공동 주택 커뮤니티 활동** 아파트 주민들이 모여 친환경 텃밭 가꾸기, 아파트 화합 축제 등 다양한 소통의 경험을 나눈다.

③ **이웃과 함께 생활하는 공동체 주거** 셰어 하우스나 코하우징과 같이 여러 사람이 한 주택에 거주하거나 독립된 주택에 거주하면서 거실, 부엌 등을 공유하는 주거 형태이다.

셰어 하우스
개인 방을 제외하고 거실, 주방, 식당, 서재, 현관, 욕실 등 다른 곳은 공유하는 주거 방식이다.

코하우징
가구별로 독립적인 주거 공간을 갖추고 있으면서 이웃끼리 교류가 이루어질 수 있는 실내·외 커뮤니티 공간이 설치된 주거 방식이다.

교과서 뛰어넘기

유니버설 디자인의 7가지 원칙

- 동등한 사용: 모든 사람이 동등하게 이용하고 접근할 수 있어야 한다.
- 사용상의 융통성: 사용 방법의 선택권을 제공한다. 예로 왼손 · 오른손잡이 모두 손쉬운 접근과 사용을 도모한다.
- 손쉬운 이용: 불필요한 복잡함을 제거하며, 사용자의 기대와 직관력에 일치하게 한다.
- 정보 이용의 용이: 필수 정보는 최대한 쉽게 알 수 있도록 하며, 다양한 양식(그림, 언어, 촉감 등)을 사용한다.
- 안전성: 위험과 실수를 최소화하도록 위험한 요소는 제거하고 분리시키며, 막아 놓는다.
- 편리한 조작: 되풀이되거나 지속적으로 힘을 가하는 동작을 최소화하여 사용자들에게 적절한 자세를 유지할 수 있도록 도와준다.
- 적당한 크기와 공간: 모든 물건은 앉아 있거나 서 있는 사용자들 모두에게 편하게 닿을 수 있어야 하며, 보조 장치나 보조원의 도움을 받을 수 있는 적절한 공간을 제공한다.

개념 더하기+

유니버설 디자인
1990년대 미국의 로널드 메이스가 제창한 디자인 개념이다. 초창기엔 신체가 불편한 사람들도 편하게 사용하는 디자인 개발에서 시작해 연령과 성별, 국적(언어)을 비롯한 개인의 능력과 개성의 차이와 관계없이 누구나 사용하기 편리한 제품, 건축, 환경, 서비스 등을 구현하는 디자인으로 의미가 발전했다.

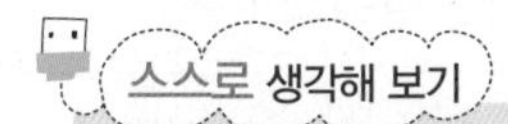

이웃과 더불어 살아가는 주거 시설에는 어떤 것이 있는지 생각하여 써 보자.

예 엘리베이터, 복도, 마을 놀이터, 도서관, 노인정, 공부방 등

주제 활동 우리 마을 환경 조사하기

다음을 읽은 후 우리 동네 환경을 파악하고 더 살기 좋은 마을을 만드는 데 필요한 시설이나 공간은 무엇일지 생각해 보자.

커뮤니티란 같은 지역에 사는 사람들이 비슷한 문화와 성향을 함께 나누면서 공동이 정한 목표를 바탕으로 지속해서 상호 교류하며 살아가는 생활 공동체를 의미한다.

이웃과의 활발한 커뮤니티 활동은 개인주의로 발생하는 문제를 해결하고 생활 환경을 개선한다. 또한, 공동의 의사 결정에 참여할 수 있는 기회를 제공하여 지역 주민으로서의 소속감과 연대 의식을 높일 수 있다.

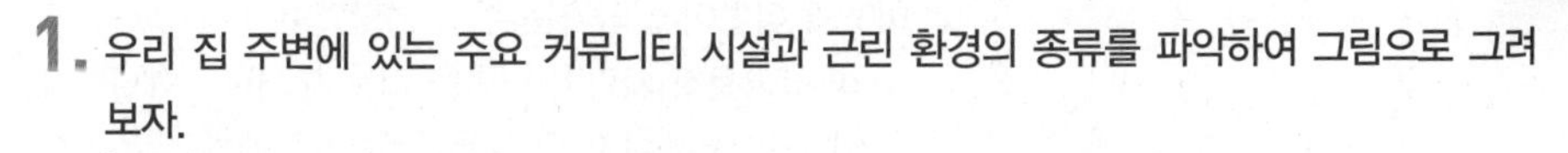

1. 우리 집 주변에 있는 주요 커뮤니티 시설과 근린 환경의 종류를 파악하여 그림으로 그려 보자.

예
- 커뮤니티 시설: 주민 도서관, 생활 체육 시설, 마을 카페, 마을 회관, 경로당, 마을 록서실, 옥상 텃밭, 아파트 놀이터 등
- 근린 환경: 도로, 병원, 영화관, 학교, 주민 센터, 지역 생태 공원, 은행 등

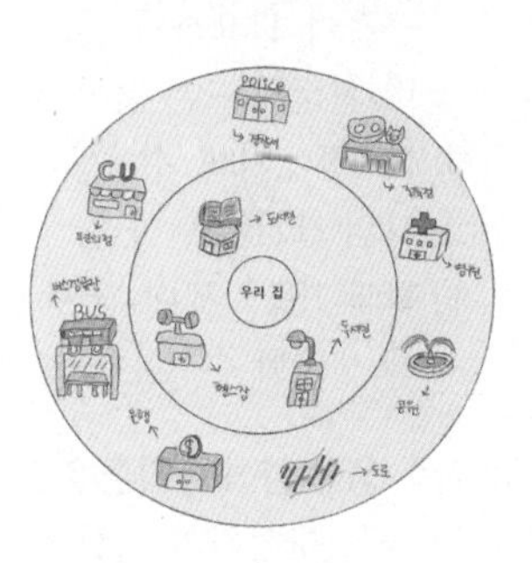

2. 더 살기 좋은 우리 마을을 만들기 위해 필요한 시설이나 공간은 무엇일까? 그렇게 생각한 까닭을 써 보자.

예 동물 병원이 있었으면 좋겠다. 우리 마을에는 반려동물을 키우는 집이 많은데, 집 앞에 동물 병원이 없어서 불편하기 때문이다.

내용 정리

1 주거 가치관의 변화

(1) 확대되는 주거의 의미와 기능

① 주거는 개인과 가족의 일상적인 생활이 이루어지는 곳으로 인간의 가장 기본적인 생활 환경

② 물리적 환경으로써의 주택과 그 안에서 이루어지는 생활을 포함한 생활 장소로써의 공간

③ 과거에는 자연환경과 외부의 침입으로부터 가족을 보호하기 위한 안전한 공간으로써의 의미 강조

④ 오늘날의 주거는 쾌적하고 편리한 환경을 제공하고 가족 간 심리적 안정을 얻을 수 있는 공간으로써의 의미 확대

⑤ 주거의 의미와 기능은 점차 확대되는 추세임.

(2) 다양해지는 주거 형태

① 아파트, 단독 주택의 비율이 가장 높음.

② 친환경 주택, 에너지 절약형 주택 등 다양한 주거 형태가 등장함.

③ 1인 가구를 위한 협소 주택, 거주나 이전에 편리한 조립식 주택, 노인 가구를 위한 복지 주택 등 다양한 주거 형태가 공존함.

2 가족의 요구를 반영한 주거 선택

(1) 가족 형태에 따른 주거

① 가족 형태가 다양한 만큼 주거의 규모와 기능 등의 가족 구성원의 요구가 달라지고 있음.

② 주거 공간 선택 시 가족의 형태를 고려할 필요가 있음.

③ **독신 가족·무자녀 가족** 가족 수가 적으므로 큰 공간이 필요하지 않으며, 관리하기 편하고 생활비가 적게 드는 것이 좋음.

④ **핵가족** 자녀 수, 성별, 나이 등에 따라 주거 공간의 크기가 달라짐.

⑤ **확대 가족** 세대 간 독립성이 보장되면서 조화롭게 생활할 수 있는 공간 배치가 필요함.

(2) 가족 생활 양식에 따른 주거

① 가족 구성원의 생활 양식과 가치관에 의해 주거 공간 구성이 달라짐.

② 가족 구성원의 선호도, 취향, 개성에 따라 다양한 주거 공간을 구성함.

(3) 가족 생활 주기에 따른 주거

① 가족 생활 주기마다 가족 구성원의 수, 생활 형태, 욕구, 경제력 등이 달라지기 때문에 주기에 걸맞은 주거의 규모, 양식, 주거 선택 기준에 알맞은 주거 공간 구성이 필요함.

② **가정 형성기** 크지 않은 규모의 공간이 요구되며, 부부 중심의 공간을 마련함.

③ **가정 확대기** 주거의 규모가 확대되는 시기로, 자녀의 독립 및 학습 공간 마련, 학교 환경, 편의 시설 등을 고려함.

④ **가정 축소기** 가족 구성원 수가 감소하므로 주거 규모를 줄일 필요가 있고, 안전하고 편리한 설비가 필요하며, 의료 시설과 여가 시설을 고려함.

3 이웃과 더불어 살아가는 주거 생활

(1) 이웃과 더불어 살아가는 주거 생활

① 최근 공동체 주거의 관심이 증가하면서 주민들이 마을 공동체로서의 가치관을 공유하고, 지역 사회에 관한 관심을 높일 수 있는 다양한 시도가 이루어지고 있음.

② 1인 가구의 증가, 주거비 부담 증가 등으로 개인이 마련하기 어려운 주거 시설을 보완하고 함께 생활하는 공동생활 공간에 대한 요구 증가

(2) 이웃과 더불어 살아가는 주거 생활의 예

① **마을의 문화 사랑방 역할을 하는 도서관** 어린이에게는 도서관이자 공부방이, 주민들에게는 농사와 역사, 인물 강좌를 듣는 교육장이 됨.

② **공동 주택 커뮤니티 활동** 아파트 주민들이 모여 친환경 텃밭 가꾸기, 아파트 화합 축제 등 다양한 소통의 경험을 나눔.

③ **이웃과 함께 생활하는 공동체 주거** 셰어 하우스나 코하우징과 같이 여러 사람이 한 주택에 거주하거나 독립된 주택에 거주하면서 거실, 부엌 등을 공유하는 주거 형태가 등장함.

개념 꽉꽉 다지기

01. ( )은/는 물리적 장소로써의 주택, 수면과 여가 등의 개인 생활, 식사와 유대 관계 등의 가족 공동생활, 손님 초대와 사교 등의 취미 생활, 공동체로서의 지역 생활을 포함한 사회생활이 함께 이루어지는 생활 장소로써의 공간을 포함한다.

02. 가족 형태, 가족 생활 양식, 가족 생활 주기와 이에 따른 주거에 대한 요구 사항을 바르게 연결하시오.

(1) 가정 형성기 •
(2) 가정 확대기 •
(3) 가정 축소기 •
(4) 확대 가족 •
(5) 가족의 공동생활을 중시하는 가족 •

• ㄱ. 자녀의 독립 및 학습 공간을 마련하고, 학교 환경, 편의 시설 등을 고려한다.
• ㄴ. 부부 중심의 공간을 마련하고, 원룸이나 소형 임대 주택이 적당하다.
• ㄷ. 세대 간의 독립성이 보장되면서 조화롭게 생활할 수 있는 공간 배치를 한다.
• ㄹ. 함께 독서를 할 수 있도록 서재로 꾸민 거실을 마련한다.
• ㅁ. 가족 공동 주거 규모를 줄이고, 안전하고 편리한 설비를 갖추고, 의료 시설과 여가 시설을 고려한다.

03. 어린이, 노인, 장애인, 임산부 등 모든 사람이 능력이나 나이, 신체 조건에 상관없이 평등하고 안전하게 생활할 수 있도록 디자인한 주거 형태를 ( )(이)라 한다.

04. 다음은 이웃과 더불어 살아가는 주거 생활에 대한 설명이다. 맞으면 ○, 틀리면 ×표를 하시오.

(1) 셰어 하우스는 가구별로 독립적인 주거 공간을 갖추고 있으면서 이웃끼리 교류가 이루어질 수 있는 실내·외 커뮤니티 공간이 설치된 주거 방식이다. ( )
(2) 코하우징은 개인 방을 제외하고 거실, 주방, 식당, 서재, 현관, 욕실 등 다른 곳을 공유하는 주거 방식이다. ( )
(3) 1인 가구가 증가하고 주거비 부담이 증가하면서 함께 생활하는 공동생활 공간을 늘리려는 움직임이 생겨나고 있다. ( )
(4) 이웃과 더불어 살아가는 주거 생활을 통해 공동 주택에서 발생할 수 있는 여러 가지 문제를 원만히 해결할 수 있다. ( )

Helper

01. 주거의 의미는 과거의 자연환경과 외부의 침입으로부터 가족을 보호하기 위한 의미에서 쾌적하고 편리한 환경을 제공하고 가족 간의 유대감 속에서 심리적 안정을 얻을 수 있는 공간으로 그 의미가 확대되고 있다.

02. 현대 사회가 빠르게 변화하고 있는 만큼 가족 형태, 가족 생활 양식, 가족 생활 주기가 변화함에 따라 주거의 형태가 달라지고 있으며, 가족의 요구도 다양해지고 있다.

03. 유니버설 디자인은 무장애 디자인(barrier free design)에서 출발하여 장애인과 노인을 위한 디자인이라는 개념을 넘어 다양한 능력과 인간의 전체 생애 주기를 수용하는 디자인 개념으로까지 발전하였다.

04. 최근 이웃과 더불어 살아가는 주거와 관련하여 사회적 관심이 증가하고 있다.

차곡차곡 실력 쌓기

01 현대의 주거 의미를 포함하는 개념을 보기 에서 있는 대로 고른 것은?

> 보기
> ㄱ. 주택 ㄴ. 개인 생활 장소
> ㄷ. 지역 생활 장소 ㄹ. 취미 생활 장소
> ㅁ. 가족 공동생활 장소

① ㄱ, ㄴ ② ㄱ, ㄷ
③ ㄴ, ㄷ, ㅁ ④ ㄱ, ㄴ, ㄹ, ㅁ
⑤ ㄱ, ㄴ, ㄷ, ㄹ, ㅁ

02 다음은 주거의 조건 중 무엇을 설명한 것인지 쓰시오.

> 동선이 짧고 공간 배치나 시설 설비가 편리하고 능률적이어야 한다.

( )

03 다음은 주택 유형 추이에 대한 그래프이다. 바르게 해석한 것은?

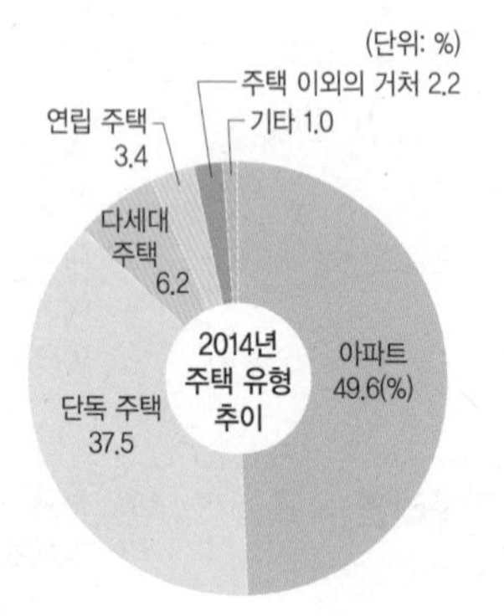

[출처: 국토 교통부, 2014]

① 5층 이상의 공동 주택이 가장 많다.
② 컨테이너, 오피스텔 등은 37.5%를 차지한다.
③ 일반, 다가구, 병용 주택 등은 1.0%를 차지한다.
④ 660m^2 이하인 4층 이하의 공동 주택은 37.5%를 차지한다.
⑤ 660 m^{2}를 초과하는 4층 이하의 공동 주택은 6.2%를 차지한다.

04 주거의 유형을 소유에 따라 분류한 것은?

① 단독 주택, 공동 주택
② 전용 주택, 병용 주택
③ 자가 주택, 임대 주택
④ 친환경 주택, 협소 주택
⑤ 복지 주택, 조립식 주택

05 확대 가족을 위한 주거 형태에 대한 설명으로 옳은 것은?

① 큰 공간이 필요하지 않다.
② 원룸이나 오피스텔이 적당하다.
③ 의자, 침대, 책상 등 가구를 이용하여 공간 배치를 한다.
④ 주거의 규모를 축소하고 부부 중심의 단순한 공간을 구성한다.
⑤ 세대 간의 독립성이 보장되면서 조화롭게 생활할 수 있는 공간 배치를 한다.

06 가족 생활 양식과 주거 공간 구성이 바르게 짝지어진 것은?

① 자연친화적이고 환경을 중시하는 가족-화단을 조성하고 꽃과 식물을 기른다.
② 공동생활을 중시하는 가족-집 안에 작업 공간을 마련하고 일과 가정생활을 병행한다.
③ 재택근무가 가능한 가족-주택의 중심에 넓은 식탁과 능률적인 부엌 설비를 마련한다.
④ 취미 생활을 중시하는 가족-개인 침실, 욕실 등을 아늑하게 꾸미고 휴식용 가구를 배치한다.
⑤ 요리나 손님 초대를 즐겨 하는 가족-함께 독서를 할 수 있도록 가족 공동 서재로 꾸민 거실을 마련한다.

07 가정 축소기에 알맞은 주거 선택 기준에 대한 설명을 보기 에서 있는 대로 고른 것은?

보기
ㄱ. 주거의 규모가 확대되는 시기이다.
ㄴ. 의료 시설과 여가 시설을 고려한다.
ㄷ. 자녀의 학습 공간을 마련하고 학교 환경을 고려한다.
ㄹ. 신체적 특징을 고려하여 안전하고 편리한 설비가 필요하다.

① ㄱ, ㄴ ② ㄱ, ㄷ
③ ㄴ, ㄹ ④ ㄴ, ㄷ, ㄹ
⑤ ㄱ, ㄴ, ㄷ, ㄹ

08 다음과 같은 주거 공간 마련이 필요한 가족 생활 주기의 단계를 쓰시오.

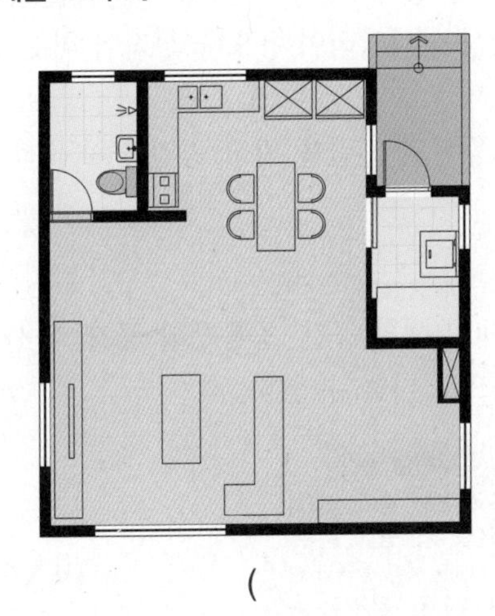

( )

09 유니버설 주거에 해당하는 것이 아닌 것은?

① 완만한 경사의 진입로
② 높낮이가 조절되는 책상
③ 욕실 내부에 손잡이를 설치
④ 친환경 바닥재를 사용한 실내 공간
⑤ 방문 턱을 없애 이동의 편리성을 고려

10 다음에서 설명하는 주거 방식을 쓰시오.

가구별로 독립적인 주거 공간을 갖추고 있으면서 이웃끼리 교류가 이루어질 수 있는 실내·외 커뮤니티 공간이 설치된 주거 방식이다.

( )

11 이웃과 더불어 살아가는 주거와 관련된 설명으로 옳지 않은 것은?

① 사회적 관심이 감소하고 있다.
② 소통 단절의 문제를 완화시켜 주는 데 큰 역할을 한다.
③ 노인 가족이나 맞벌이 가족의 돌봄 기능까지 수행할 수 있다.
④ 1인 가구가 증가하고 주거비 부담이 증가하면서 공동생활 공간을 늘리려는 움직임이 있다.
⑤ 주민들이 마을 공동체로서의 가치관을 공유하고, 지역 사회의 관심을 높이기 위한 시도를 하고 있다.

12 ( ) 안에 공통으로 들어갈 알맞은 말을 쓰시오.

( )(이)란 같은 지역에 사는 사람들이 비슷한 문화와 성향을 함께 나누면서 공동이 정한 목표를 바탕으로 지속해서 상호 교류하며 살아가는 생활 공동체를 의미한다. 이웃과의 활발한 ( ) 활동은 개인주의로 발생하는 문제를 해결하고 생활 환경을 개선한다. 또한, 공동의 의사 결정에 참여할 수 있는 기회를 제공하여 지역 주민으로서의 소속감과 연대 의식을 높일 수 있다.

( )

5 다 함께 꾸미는 우리 집

「주제 열기」

- 현재 사는 집에서 다락, 반침, 벽장과 같은 역할을 하는 곳은 어디인지 써 보자.

→ 베란다에서 벽면을 이용한 수납 공간, 복층 아파트에서 거실 위 공간의 다락방 등

- 평소 물건을 수납할 공간이 부족한 적은 없었는가? 그런 경험이 있다면 어떻게 해결하였는지 친구들과 함께 이야기해 보자.

→ 모자와 가방 등을 넣을 공간이 부족하였는데, 아버지께서 침대와 책상 사이의 빈 공간에 수납장을 만들어서 넣어 주셨다.

1/ 생활 내용과 동선을 고려해 주거 공간을 활용하자

(1) 주거 공간의 계획

① **주거 공간** 가족 구성원이 가장 오랫동안 머무르는 장소이며, 다양한 활동이 이루어지는 곳이다.

② 주어진 공간을 효율적으로 활용하면 공간 낭비를 막고 편리하게 생활할 수 있다.

③ 합리적인 주거 공간 계획을 위해서 주거 공간의 조닝과 동선을 고려해야 한다.

(2) 조닝(zoning)

① **조닝(zoning)이란** 공간의 내용이나 성격에 따라 구역을 구분하는 것을 말한다.

② 조닝을 할 때에는 각 공간의 특성을 파악하여 용도나 성격이 비슷한 공간을 묶어서 가까이 배치한다.

③ 조닝을 통해 공간을 구성하면 동선의 혼란을 막고 공간을 효율적으로 사용할 수 있으며, 관리하기 편하다.

(3) 주거 공간의 분류

주거 공간은 생활 내용에 따라 개인 생활 공간, 공동생활 공간, 가사 작업 공간, 생리위생 공간, 기타 부수 공간 등으로 나눌 수 있다.

개인 생활 공간
- 수면, 휴식, 공부, 독서 등 개인 생활을 위한 공간
- 독립적이고 조용한 곳에 배치
  예 침실, 공부방, 서재 등

생리위생 공간
- 목욕, 세면 등의 청결과 배설을 위한 공간
- 급·배수 시설, 통풍과 환기 시설 등이 필요
  예 욕실, 화장실 등

가사 작업 공간
- 조리, 설거지 등 식사 준비와 세탁을 위한 공간
- 능률적인 설비가 필요
  예 부엌, 세탁실 등

공동생활 공간
- 가족이 함께 모여 대화, 오락, 식사 등을 하는 공간
- 동선을 고려하여 주택의 중심에 위치
  예 거실, 식사실 등

기타 부수 공간

생활 공간을 연결하는 통로와 출입을 하는 장소
예 현관, 계단, 복도 등

▲ 생활 내용에 따른 주거 공간의 분류와 동선

개념 더하기+

⊕ 동선
일상생활을 하면서 움직이는 사람의 이동 경로를 선으로 나타낸 것으로, 동선이 길어지면 생활 능률이 떨어지므로 동선은 가능한 짧고 단순한 것이 좋다.

⊕ 주거 공간 배치
- 부엌은 가사 노동이 이루어지므로 동선을 절약하기 위해서는 가구를 작업 순서에 따라 배치하는 것이 효율적이다.
- 부엌과 식사실, 침실과 욕실 등의 공간을 가깝게 배치하면 동선을 절약할 수 있다.

스스로 생각해 보기

우리 집에서 각 공간의 성격을 고려하여 가깝게 배치한 사례를 찾아 써 보자.

예 안방, 옷방, 욕실을 한 공간에 배치하였다. 부엌에 식탁을 두고 식사 공간으로 활용하였다.

2 주거 공간을 다양한 방법으로 활용하자

(1) 공간 활용 방법

① **주거 공간의 활용도를 높이는 방법** 하나의 공간을 여러 용도로 사용하는 방법과 같은 크기의 공간을 입체적으로 활용하는 방법 등이 있다.

② **다목적 활용 방법** 다양한 목적을 지닌 공간을 하나로 배치하면 좁은 공간을 효율적으로 활용할 수 있다. 이때 이동식 조립 벽을 활용하면 공간의 독립성도 갖출 수 있다.

다목적 활용 방법의 예

다이닝 키친	리빙 다이닝	리빙 다이닝 키친	원룸형 공간
부엌과 식사실을 한 공간에 두고 거실을 분리한 형태	거실과 식사실이 통합되고, 부엌이 분리된 형태	거실, 식사실, 부엌이 하나의 공간으로 이루어진 형태	거실, 부엌, 식사실, 침실의 기능을 한 공간에 두는 형태

③ **입체적 활용 방법** 같은 크기의 공간도 그 공간을 입체적으로 활용하면 더 넓게 사용할 수 있다. 계단이나 침대의 아랫부분, 벽과 벽 사이 등의 버려진 공간을 수납공간으로 활용하는 것도 효과적이다.

입체적 활용 방법의 예

			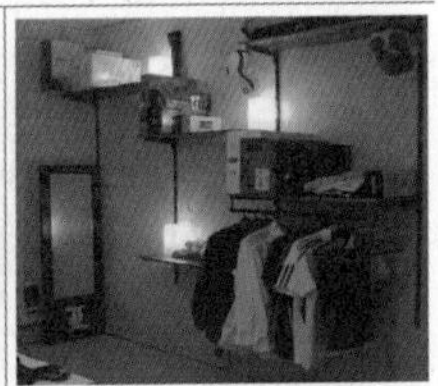
침대나 소파 밑 공간을 활용	침대 아래 공간에 소파를 두어 휴식 공간으로 이용	계단 아래 공간을 활용해서 수납공간으로 이용	벽면에 선반과 옷걸이를 달아 생활용품과 옷을 보관

스스로 해 보기

우리 집에서 활용하지 않는 자투리 공간을 찾아보고, 이를 어떻게 활용하는 것이 좋을지 써 보자.

예 침대 밑이나 옷장 위에는 계절이 지나 보관해야 할 옷이나 자주 꺼내지 않는 물건을 상자에 담아 남는 공간에 보관한다. 침대 위 벽면은 선반을 벽에 설치하여 가벼운 물건을 올려 둔다.

개념 더하기+

공간의 다목적 활용

- 다이닝 키친(Dining Kitchen): 동선이 짧아서 효율적이나 식사 분위기가 어수선해질 수 있다.
- 리빙 다이닝(Living Dining): 식사를 하면서 가족과의 화목이 자연스럽게 이루어지나, 조리대와 식탁과의 거리가 멀다는 단점이 있다.
- 리빙 다이닝 키친(Living Dining Kitchen): 공간을 효율적으로 활용할 수 있으나 주택 전체가 어수선한 느낌을 갖기 쉽다.
- 원룸형 공간: 가구나 칸막이, 화분 등을 활용하여 공간을 구분할 수 있다.

한옥의 공간 활용

안방, 대청, 건넌방은 서로 구분되어 있고 장지문이 있어 개폐가 자유롭다. 따라서 공간의 변형이 가능하고 커다란 새로운 공간을 만들어 낼 수 있다. 특히 대청은 남쪽의 전면이 완전히 개방되어 있어 마당의 연속적 기능으로도 사용된다. 북쪽의 후면도 들문으로 되어 있어 좁고 한정된 내부 공간을 외부에까지 확장시키고, 반대로 외부 공간을 내부로 포함시키는 공간의 융통성이 우수하다.

(2) 가구 활용 방법

① **가구의 기능** 가구는 주거 공간의 일부를 구성하며, 생활을 편리하게 해 주거나 생활용품을 수납하는 기능뿐만 아니라 장식적인 기능도 한다.

② **가구의 분류** 가구는 구조에 따라 붙박이식·조립식·이동식 가구로 나눌 수 있으며, 사용 목적에 따라 휴식용·수납용·작업용 가구로 나눌 수 있다.

구조에 따른 가구 종류

붙박이식 가구	조립식 가구	이동식 가구

건물에 고정된 가구로, 바닥에서 천장까지 벽면을 모두 활용 가능	조립과 해체가 가능한 가구로, 원하는 공간에 알맞게 조립해 공간을 활용 가능	필요에 따라 자유롭게 옮길 수 있고, 이동성을 위해 바퀴 부착

사용 목적에 따른 가구 종류

휴식용 가구	수납용 가구	작업용 가구

신체를 편안히 받쳐 줌. 예 소파, 침대, 안락의자 등	물품을 보관함. 예 옷장, 서랍장, 책장, 식기장, 신발장 등	사용자의 신체 치수, 동작 범위를 고려함. 예 책상, 의자, 부엌 작업대 등

③ **효율적인 가구 배치 방법**

- 큰 가구를 먼저 배치하고, 작은 가구는 나중에 배치한다.
- 가구의 폭과 높이를 맞추고, 요철이 생기지 않도록 한다.
- 가구 사용에 필요한 공간을 충분히 확보한다.
- 창, 문, 스위치, 콘센트를 가리지 않도록 한다.
- 문의 개폐, 출입과 통행에 방해되지 않도록 한다.
- 방의 크기와 용도에 맞게 꼭 필요한 가구만 배치한다.

스스로 해 보기

만약 내 방에 필요한 가구를 만든다면 어떤 종류의 가구를 만들 것인가? 그 까닭은 무엇인지 써 보자.

예 방이 좁아서 책상과 의자가 일체로 보관이 되도록 가구를 만들어 평상시에 공간을 넓게 활용한다.

(3) 수납 활용 방법

① **수납이란** 무엇을, 어디에, 어떻게 보관할 것인가를 잘 살펴서 적절한 장소에 넣어 두는 것이다.

개념 더하기+

가구 선택을 위해 고려할 사항

- 기능성: 휴식, 수납, 장식, 작업 등 가구 구입 목적을 고려한다.
- 경제성: 유지·관리의 측면이나 예산 범위 내에서 구입할 수 있는지 등을 고려한다.
- 안정성: 형태가 안정적이고 견고한지, 좋은 재료를 사용했는지 살핀다.
- 심미성: 다른 가구와의 조화가 되는지 확인하고, 사용자의 개성을 반영한다.
- 능률성: 공간의 너비, 동선 등 배치 공간의 특성을 고려한다.

바람직한 수납 습관

- 정리, 정돈은 무리하지 말고 조금씩 하기
- 사용할 물건과 버릴 물건 나누기
- 사용할 수 없는 물건 당장 처분하기
- 사재기 습관 버리기
- 쌓이는 종이류는 바로바로 버리기

② **수납의 필요성** 수납을 용도에 맞게 효과적으로 하면 물건을 꺼내는 데 필요한 시간과 에너지를 절약할 수 있어 능률적으로 일할 수 있으며, 주거 공간을 넓고 쾌적하게 사용할 수 있다.

③ **수납 활용 방법의 예**

- 공부방: 책과 문구류는 책꽂이나 서랍을 활용하고, 책상 서랍은 작은 바구니 등을 활용해 용도별로 분류한다.
- 부엌: 조리 기구는 사용 빈도나 용도에 따라 분류하고, 자주 사용하지 않거나 무거운 것은 아래쪽에 수납한다.
- 거실: 바닥부터 천장까지 벽면 크기만큼 붙박이장을 이용해 수납공간을 극대화할 수 있다.
- 옷: 계절별, 사용자별, 용도별로 나누어 갠 후 세로로 세워 수납하면 옷을 찾기 쉽고 공간도 넓게 활용 가능하다.
- 물품: 용도가 같은 것끼리 모아 정리하는 것이 좋으며, 사용 빈도가 높은 물품은 꺼내기 쉬운 곳에 수납한다.

내 방의 수납 상태가 어떤지 생각해 보고, 바람직한 수납 방법을 마련해 보자.

예 서랍장 안에 있는 속옷이 정리되어 있지 않아 찾기 어려우므로 작은 칸막이를 만들어서 속옷을 나누어 정리한다.

개념 더하기+

정리 수납 컨설턴트
가정이나 회사 등을 찾아가 각각의 공간이나 환경의 문제점을 진단하고, 공간별, 용도별, 사용자별로 물건을 분류해 체계적인 정리 및 수납을 할 수 있도록 도와주는 일을 한다.

주제 활동 내 방 구조 개선하기

1. 현재 생활하고 있는 내 방의 구조와 가구 배치 상태를 간단하게 그려 보고, 만족스러운 점과 불편한 점을 써 보자.

예
- 만족스러운 점: 침대 옆에 책상이 있어서 공부하다가 피곤할 때 쉬기 좋다.
- 불편한 점: 침대에서 보던 책이나 시계를 올려놓을 공간이 없어서 책상에 올려놓고 쓰니 불편하다. 책꽂이가 책상과 떨어져 있어서 많이 움직여야 한다. 침대에 누워서 책장을 보면 복잡해 보인다.
- 개선하고 싶은 점: 책장 위치를 바꿔 동선을 줄이고, 침대 주변에 물건을 놓을 수 있는 공간을 마련한다.

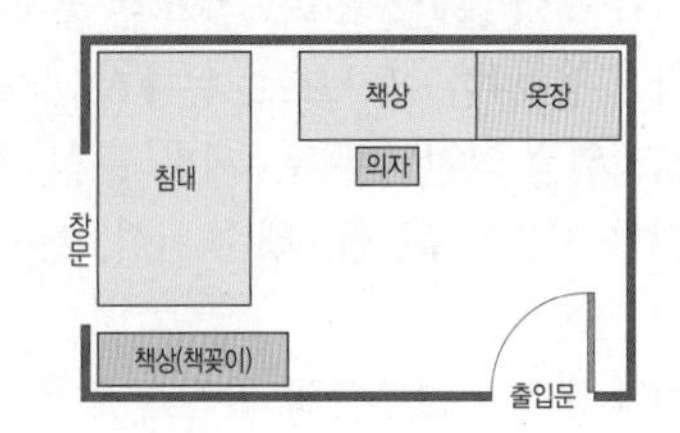

2. 위 내용을 반영하여 새롭게 바꾸고 싶은 내 방의 평면도를 그려 보자.

예

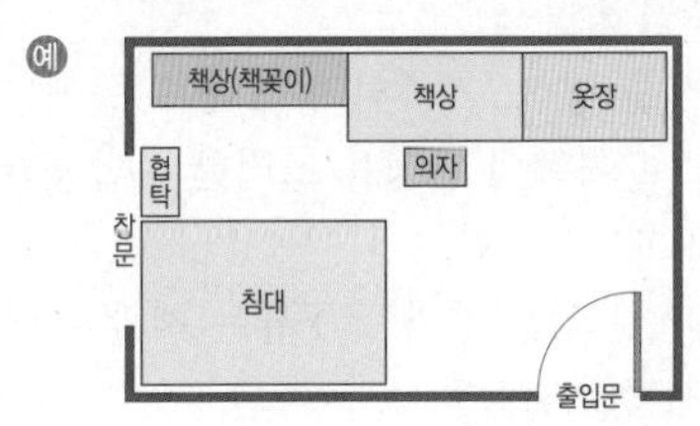

3. 활동 후의 생각이나 느낌을 친구들과 함께 이야기해 보자.

예 내 방의 불편한 점을 파악하고 개선하기 위한 방법을 찾아 방을 바꿔 보니 생활이 달라졌다. 엄마, 아빠께도 불편한 점이 있는지 여쭤 보고 해결해 드리고 싶다.

내용 정리

1 생활 내용과 주거 공간

(1) 주거 공간의 계획

① **주거 공간** 가족 구성원이 가장 오랫동안 머무르는 장소이며, 다양한 활동이 이루어지는 곳

② 주어진 공간을 효율적으로 활용하면 공간의 낭비를 막고 편리하게 생활할 수 있음.

③ 합리적인 주거 공간 계획을 위해서 주거 공간의 조닝과 동선을 고려해야 함.

(2) 조닝

① 공간의 내용이나 성격에 따라 구역을 구분하는 것

② 조닝을 할 때에는 각 공간의 특성을 파악하여 용도와 성격이 비슷한 공간을 묶어서 가깝게 배치함.

③ 조닝을 통해 공간을 구성하면 동선의 혼란을 막고 공간을 효율적으로 사용할 수 있으며, 관리하기 편리함.

(3) 주거 공간의 분류

생활 내용에 따라 분류할 수 있음.

① **공동생활 공간** 가족이 함께 모여 대화, 오락, 식사 등을 하는 공간으로, 동선을 고려해 주택의 중심에 위치해야 함.

② **개인 생활 공간** 수면, 휴식, 공부, 독서 등 개인 생활을 위한 공간으로, 독립적인 조용한 곳에 배치해야 함.

③ **가사 작업 공간** 조리, 설거지 등 식사 준비와 세탁 등을 위한 공간으로, 능률적인 설비가 필요함.

④ **생리위생 공간** 목욕, 세면 등의 청결과 배설을 위한 공간으로, 급·배수 시설, 통풍과 환기 시설이 필요함.

⑤ **기타 부수 공간** 생활 공간을 연결하는 통로와 출입을 하는 장소로, 현관, 계단, 복도 등이 있음.

2 주거 공간의 다양한 활용 방법

(1) 공간 활용 방법

① **다목적 활용 방법**

- 하나의 공간을 다양한 목적을 지닌 공간으로 배치하는 것
- 좁은 공간을 효율적으로 활용할 수 있음.
- 이동식 조립 벽 등을 활용하면 공간의 독립성을 유지할 수 있음.
- 원룸, 리빙 다이닝 룸 등

② **공간의 입체적 활용**

- 같은 크기의 공간을 입체적으로 활용하여 더 넓게 활용하는 방법
- 계단이나 침대의 아랫부분, 벽과 벽 사이 등 버려진 공간을 수납공간 등으로 활용할 수 있음.

(2) 가구 활용 방법

① **가구의 기능** 주거 공간의 일부를 구성하며, 생활을 편리하게 해 주고, 생활용품의 수납 및 장식 기능을 함.

② **가구의 종류**

- 구조에 따른 가구: 붙박이식·조립식·이동식 가구 등으로 나눌 수 있음.
- 사용 목적에 따른 가구: 휴식용·작업용·수납용 가구 등으로 나눌 수 있음.

③ **가구의 효율적인 배치 방법**

- 큰 가구를 먼저 배치하고, 작은 가구는 나중에 배치함.
- 가구의 폭과 높이를 맞추고, 요철이 생기지 않도록 함.
- 가구 사용에 필요한 공간을 충분히 확보함.
- 창, 문, 스위치, 콘센트를 가리지 않도록 함.
- 문의 개폐, 출입과 통행에 방해되지 않도록 함.
- 방의 크기와 용도에 맞게 꼭 필요한 가구만 배치함.

(3) 수납 활용 방법

① **수납** 무엇을, 어디에, 어떻게 보관할 것인가를 잘 살펴서 적절한 장소에 넣어 두는 것

② **효율적인 수납의 필요성**

- 물건을 꺼내는 데 필요한 시간과 에너지를 절약할 수 있어 능률적인 생활이 가능해짐.
- 주거 공간을 넓고, 쾌적하게 사용할 수 있음.

③ **효율적인 수납 방법**

- 가족의 생활 양식, 가족의 형태와 수 등에 따라 달라지므로 가족의 특성을 고려한 수납공간 마련이 필요함.
- 공부방: 자주 읽는 책과 문구류는 책상 주변 책꽂이나 서랍을 활용함.
- 거실: 붙박이장을 이용하여 수납공간을 극대화할 수 있음.
- 부엌: 사용 빈도나 용도에 따라 조리 기구를 분류하고, 자주 사용하지 않거나 무거운 것은 아래쪽에 수납함.

개념 꽉꽉 다지기

01. 주거 공간의 내용이나 성격에 따라 구역을 구분하는 것을 (　　　　)(이)라고 한다.

> Helper
>
> 01. 합리적인 주거 공간 계획을 위해서는 주거 공간의 조닝과 동선을 고려해야 한다.

02. 생활 내용에 따른 주거 공간과 공간의 예를 바르게 연결하시오.

(1) 가사 작업 공간 •　　　• ㄱ. 현관, 계단, 복도 등
(2) 개인 생활 공간 •　　　• ㄴ. 욕실, 화장실 등
(3) 공동생활 공간 •　　　• ㄷ. 침실, 공부방, 서재 등
(4) 기타 부수 공간 •　　　• ㄹ. 부엌, 세탁실 등
(5) 생리위생 공간 •　　　• ㅁ. 거실, 식사실

> 02. 주거 공간은 생활 내용에 따라 공동생활 공간, 개인 생활 공간, 가사 작업 공간, 생리위생 공간, 기타 부수 공간으로 나눌 수 있다.

03. 다음은 주거 공간을 다양한 방법으로 활용하는 방법에 대한 설명이다. 맞으면 ○, 틀리면 ×표를 하시오.

(1) 리빙 다이닝 룸은 거실과 부엌을 일체화시킨 형태이다. (　　　)
(2) 같은 크기의 공간도 그 공간을 입체적으로 활용하면 더 넓게 사용할 수 있다. (　　　)
(3) 붙박이식 가구는 필요에 따라 자유롭게 옮길 수 있고, 이동성을 위해 바퀴를 단다. (　　　)
(4) 책상, 의자, 부엌의 작업대는 작업용 가구이다. (　　　)

> 03. 같은 크기와 구조의 주거 공간이라고 하더라도 공간을 어떻게 활용하느냐, 가구를 어떻게 배치하느냐, 생활용품을 어떻게 수납하고 정리하느냐에 따라 주거 공간의 활용도가 달라진다.

04. (　　　　)은/는 주거 공간의 일부를 구성하며, 생활을 편리하게 해 주거나 생활용품을 수납하는 기능뿐만 아니라 장식적인 기능도 한다.

> 04. 가구는 공간 활용뿐만 아니라 공간의 분위기 연출에도 중요한 역할을 한다.

05. 효율적인 가구 배치 방법으로 옳지 않은 것은?

① 작은 가구를 먼저 배치한다.
② 가구의 폭과 높이를 맞춘다.
③ 가구 사용에 필요한 공간을 충분히 확보한다.
④ 창, 문, 스위치, 콘센트를 가리지 않도록 한다.
⑤ 문의 개폐, 출입과 통행에 방해되지 않도록 한다.

> 05. 가구를 배치할 때에는 공간의 용도에 맞는 가구를 선택하고, 사용하기 편리하도록 동선을 고려해서 배치하는 것이 바람직하다.

차곡차곡 실력 쌓기

01 일상생활을 하면서 움직이는 사람의 이동 경로를 선으로 나타낸 것을 무엇이라고 하는지 쓰시오.

( )

02 합리적인 주거 공간 계획에 대한 설명으로 옳은 것은?

① 동선은 가능한 길고 복잡한 것이 좋다.
② 화장실과 현관을 묶어서 가까이 배치한다.
③ 부엌은 동선을 고려하여 주택의 중심에 배치한다.
④ 부엌은 작업 순서에 따라 가구를 배치하는 것이 효율적이다.
⑤ 부엌과 침실의 공간을 가깝게 배치하면 공간을 효율적으로 사용할 수 있다.

03 조닝(zoning)에서 가사 작업 공간에 속하는 것을 보기 에서 있는 대로 고른 것은?

보기
ㄱ. 부엌 ㄴ. 욕실
ㄷ. 침실 ㄹ. 세탁실
ㅁ. 화장실

① ㄱ, ㄴ ② ㄱ, ㄹ
③ ㄷ, ㅁ ④ ㄴ, ㄷ, ㅁ
⑤ ㄱ, ㄴ, ㄹ, ㅁ

04 급 · 배수 시설과 통풍과 환기 시설이 필요한 공간으로 옳은 것은?

① 거실 ② 서재
③ 침실 ④ 공부방
⑤ 화장실

05 공동생활 공간에 대한 설명으로 옳은 것은?

① 독립적이고 조용한 곳에 배치한다.
② 동선을 고려하여 주택의 중심에 배치한다.
③ 목욕, 세면 등의 청결과 배설을 위한 공간이다.
④ 생활 공간을 연결하는 통로와 출입을 하는 장소이다.
⑤ 가사 노동을 위한 공간으로 능률적인 설비가 필요하다.

06 주거 공간에 대한 설명으로 옳지 <u>않은</u> 것은?

① 이동식 조립 벽을 활용하면 공간의 독립성을 갖출 수 있다.
② 현대에는 새로운 주거 공간에 대한 사람들의 요구가 줄어들고 있다.
③ 같은 크기의 공간도 그 공간을 입체적으로 활용하면 더 넓게 사용할 수 있다.
④ 주거 공간의 활용도를 높이는 방법에는 하나의 공간을 여러 용도로 사용하는 방법이 있다.
⑤ 같은 크기와 구조의 주거 공간이라고 하더라도 가구를 어떻게 배치하느냐에 따라 주거 공간의 활용도가 달라진다.

07 다음에서 설명하는 공간의 다목적 활용 방법의 형태로 옳은 것은?

> 거실과 식사실이 통합되고, 부엌이 분리된 형태

① 가변형 벽 ② 다이닝 키친
③ 리빙 다이닝 ④ 원룸형 공간
⑤ 리빙 다이닝 키친

08 입체적 공간 활용에 대한 설명으로 옳지 않은 것은?

① 침대 밑 공간을 수납공간으로 활용하였다.
② 부엌의 가구를 작업 순서대로 배치하였다.
③ 계단 아래 공간을 활용해서 수납공간으로 이용하였다.
④ 침대 아래 공간에 소파를 두어 휴식 공간으로 이용하였다.
⑤ 벽면에 선반과 옷걸이를 달아 생활용품과 옷을 보관하였다.

09 건물에 고정된 가구로, 바닥에서 천장까지 벽면을 모두 활용할 수 있는 가구를 무엇이라고 하는지 쓰시오.

( )

10 휴식용 가구를 보기 에서 있는 대로 고른 것은?

> 보기
> ㄱ. 소파 ㄴ. 옷장
> ㄷ. 책상 ㄹ. 침대
> ㅁ. 안락의자

① ㄱ, ㄴ ② ㄱ, ㄹ
③ ㄷ, ㅁ ④ ㄱ, ㄹ, ㅁ
⑤ ㄱ, ㄴ, ㄹ, ㅁ

11 가구의 효율적 활용 방법에 대한 설명으로 옳지 않은 것은?

① 가구의 폭과 높이를 다양화한다.
② 공간의 용도에 맞는 가구를 선택한다.
③ 가구 사용에 필요한 공간을 충분히 확보한다.
④ 방의 크기와 용도에 맞게 꼭 필요한 가구만 배치한다.
⑤ 사용하기 편리하도록 동선을 고려해서 가구를 배치한다.

12 효과적인 수납 방법으로 옳은 것은?

① 공부방에 있는 책은 서랍에 보관하였다.
② 부엌에서 자주 사용하거나 무거운 것을 위쪽에 수납하였다.
③ 책상에 사용 빈도가 낮은 물품을 꺼내기 쉬운 곳에 수납하였다.
④ 책상 아래에 신발 전용 선반을 활용하여 신발을 깔끔하게 정리하였다.
⑤ 거실에 바닥부터 천장까지 벽면 크기만큼 붙박이장을 이용하여 수납하였다.

대단원 마무리 1회

중요

01 다음은 성인에 비해 체중(kg)당 청소년의 권장 섭취량이 많은 영양 섭취 기준을 나타낸 것이다. ㉠, ㉡, ㉢에 해당되는 영양소가 바르게 짝지어진 것은?

나이(세)	성별	㉠(kcal)	㉡(mg)	㉢(mg)
12~14	남	2,500	1,000	14
	여	2,000	900	16
15~18	남	2,700	900	14
	여	2,000	800	14
30~49	남	2,400	800	10
	여	1,900	700	14

	㉠	㉡	㉢
①	단백질	나트륨	칼슘
②	단백질	칼슘	티아민
③	지방	리보플라빈	비타민 C
④	에너지	칼슘	철
⑤	에너지	비타민 A	비타민 D

02 (   ) 안에 들어갈 알맞은 말을 쓰시오.

> (   )은/는 일반인이 영양 섭취 기준에 만족할 만한 식사를 제공할 수 있도록 식품군별 대표 식품과 섭취 횟수를 정하여 식사의 기본 구성 개념을 제시한 것이다.

(   )

출제 예감

03 식품군과 해당 식품이 바르게 짝지어진 것은?

① 곡류 – 시리얼, 햄
② 채소류 – 김, 시금치
③ 과일류 – 당근, 바나나
④ 우유 · 유제품류 – 버터, 치즈
⑤ 고기 · 생선 · 달걀 · 콩류 – 두부, 표고버섯

04 식사 구성안과 활용 방법에 대한 옳은 설명을 보기 에서 있는 대로 고른 것은?

> 보기
> ㄱ. 영양 섭취 기준을 충족시킬 수 있게 되어 있다.
> ㄴ. 수분 섭취와 규칙적인 운동의 중요성을 나타내고 있다.
> ㄷ. 식품별로 1인 1회 분량의 1일 권장 섭취 횟수를 알 수 있다.
> ㄹ. 같은 식품군에 속하는 식품이라도 함유된 영양소와 양이 조금씩 다르므로 다양하게 선택하여 먹는 것이 좋다.

① ㄱ, ㄴ ② ㄱ, ㄷ
③ ㄱ, ㄷ, ㄹ ④ ㄴ, ㄷ, ㄹ
⑤ ㄱ, ㄴ, ㄷ, ㄹ

05 다음 식단에서 부족한 영양 성분을 보충하기 위해 가장 적절한 음식은?

> 밥, 된장찌개, 갈치조림, 배추겉절이, 우유

① 두부전 ② 어묵볶음
③ 요구르트 ④ 과일 샐러드
⑤ 시금치나물

중요

06 식품 안전 관리 인증 기준(HACCP)에 대한 설명으로 옳은 것은?

① 균형 잡힌 식단을 구성하기 위한 기준이다.
② 가공식품의 영양 성분 비율을 정해 놓은 기준이다.
③ 식품이 생산된 곳에서 식탁에 오르기까지 이동한 거리가 기준이 된다.
④ 식품의 모양, 맛, 색, 향 등을 내거나 보관 기간을 늘리기 위해 식품에 첨가하는 기준이다.
⑤ 인체의 건강을 해할 우려가 있는 요소가 식품에 섞이거나 오염되는 것을 사전에 막기 위한 기준이다.

07 (　　) 안에 들어갈 알맞은 말을 쓰시오.

> (　　　)은/는 농·축·수산물, 가공식품의 처리 및 가공, 유통 및 판매의 모든 단계에서 원료나 제품을 누구로부터 공급받고, 어떻게 생산하고, 누구에게 공급하였는가에 대한 정보를 담고 있다.

(　　　　　　　　)

출제 예감

08 다음 영양 성분표에 대한 해석으로 옳지 않은 것은?

영양 정보	총 내용량 90g 440kcal
총 내용량당	1일 영양 성분 기준치에 대한 비율
나트륨 450mg	23%
탄수화물 57g	17%
당류 3g	3%
지방 21g	41%
트랜스 지방 0g	
포화 지방 6.9g	46%
콜레스테롤 0mg	0%
단백질 6g	11%
1일 영양 성분 기준치에 대한 비율(%)은 2,000kcal 기준이므로 개인의 필요 열량에 따라 다를 수 있습니다.	

① 이 식품 속에는 450 mg의 나트륨이 들어 있다.
② 이 식품을 섭취하면 440kcal의 열량을 얻게 된다.
③ 단백질은 1일 영양 성분 기준치의 11%를 함유하고 있다.
④ 포화 지방은 1일 영양 성분 기준치의 46%를 차지하고 있다.
⑤ 1일 영양 성분 기준치에 대한 비율은 1,900 kcal를 기준으로 하였다.

중요

09 식품 보관 방법에 대한 설명으로 옳은 것은?

① 무청을 건조 보관하였다.
② 양파를 냉장 보관하였다.
③ 고구마를 냉동 보관하였다.
④ 바나나를 냉장 보관하였다.
⑤ 해동한 식품을 다시 냉동하였다.

중요

10 조리의 필요성을 보기 에서 있는 대로 고른 것은?

> 보기
> ㄱ. 식품의 저장성을 높인다.
> ㄴ. 식품의 소화를 쉽게 한다.
> ㄷ. 식품의 영양 효율을 높인다.
> ㄹ. 위생상 안전한 음식으로 만든다.
> ㅁ. 식품의 향미와 외관을 좋게 한다.

① ㄱ, ㄴ　② ㄱ, ㄷ, ㄹ
③ ㄴ, ㄷ, ㅁ　④ ㄱ, ㄴ, ㄹ, ㅁ
⑤ ㄱ, ㄴ, ㄷ, ㄹ, ㅁ

11 호박전을 조리할 때 호박 써는 방법으로 가장 적절한 것은?

① 채썰기　② 깍둑썰기
③ 어슷썰기　④ 통째썰기
⑤ 둥굴려 깎기

12 가스 사고 발생 시 응급 조치에 대한 설명으로 옳은 것은?

① 대형 화재일 경우 중간 밸브만 잠근다.
② LNG의 경우 콕과 중간 밸브를 잠가 가스를 차단한다.
③ LPG의 경우 선풍기를 사용하여 가스를 밖으로 내보낸다.
④ 점화한 후 그릇을 올려 그릇의 크기에 맞게 불이 붙었는지 확인한다.
⑤ LPG는 공기보다 가벼워서 위로 뜨므로 침착하게 창문을 열어 환기한다.

13 음식과 조리 방법이 바르게 짝지어진 것은?

① 검은콩밥 – 찌기
② 시금치나물 – 삶기
③ 제육볶음 – 생조리
④ 달걀말이 – 부치기
⑤ 과일 샐러드 – 데치기

중요

14 과거에 강조하였던 주거 의미에 대해 설명으로 옳은 것은?

① 지역 공동체와 상호 관계를 형성하는 곳이 좋은 집이지.
② 손님 초대와 사교 등 취미 생활이 이루어지는 곳이 좋은 집이지.
③ 비, 바람을 잘 막아 주고, 햇빛이 잘 드는 따뜻한 집이 좋은 집이지.
④ 주변 환경, 주거비, 실내 장식까지 우리 가족에게 적당해야 좋은 집이지.
⑤ 가족과 식사와 유대 관계 등을 통해 심리적 안정을 얻을 수 있는 곳이 좋은 집이지.

15 독신 가족 · 무자녀 가족을 위한 주거 형태의 설명으로 옳은 것은?

① 큰 공간이 필요하다.
② 자녀의 학습 공간을 마련한다.
③ 세대 간의 독립성이 보장되도록 한다.
④ 가족 구성원의 변화에 따라 바꿀 수 있는 가변형 주택이 필수적이다.
⑤ 관리하기 편하고, 생활비가 적게 드는 원룸이나 오피스텔이 적당하다.

출제 예감

16 다음과 같은 주거 공간의 특징은 가족 생활 주기 중 어느 단계에 속하는가?

> • 가족 구성원 수가 적어 필요한 공간의 규모가 크지 않은 시기이다.
> • 직장과의 거리, 교통의 편리성을 고려한다.
> • 부부 중심의 공간을 마련한다.
> • 원룸이나 소형 임대 주택이 적당하다.

① 노후기　② 가정 형성기
③ 자녀 교육기　④ 자녀 독립기
⑤ 자녀 양육기

17 유니버설 주거에 대한 설명으로 옳지 않은 것은?

① 몸이 불편한 사람들만을 위한 특수 시설이다.
② 욕실에 설치한 손잡이는 안전성을 위한 것으로 유니버설 디자인에 해당된다.
③ 가족 구성원 모두가 편리하고 안락한 생활을 할 수 있는 시설이 갖추어져 있다.
④ 어린이, 노인, 장애인, 임산부 등 모든 사람이 평등하고 안전하게 생활할 수 있다.
⑤ 레버형 손잡이는 적은 힘을 들여 누구나 문을 쉽게 열 수 있으므로 유니버설 디자인에 해당된다.

18 다음 설명에 해당하는 알맞은 말을 쓰시오.

> 개인 방을 제외하고 거실, 주방, 식당, 서재, 현관, 욕실 등 다른 곳은 공유하는 주거 방식

(　　　　　　　　)

출제 예감

19 합리적인 주거 공간 계획에 대해 옳은 설명을 보기 에서 있는 대로 고른 것은?

보기
ㄱ. 동선은 짧고 단순하도록 계획한다.
ㄴ. 생리위생 공간은 주택의 중심에 배치한다.
ㄷ. 공동생활 공간은 독립적이고 조용한 곳에 배치한다.
ㄹ. 부엌은 작업 순서에 따라 가구를 배치하는 것이 효율적이다.

① ㄱ, ㄴ ② ㄱ, ㄹ
③ ㄴ, ㄷ ④ ㄱ, ㄴ, ㄹ
⑤ ㄱ, ㄴ, ㄷ, ㄹ

20 주거 공간을 다목적으로 활용하는 방법에서 리빙 다이닝 키친에 대한 설명으로 옳은 것은?

① 거실과 식사실이 통합되고 부엌이 분리된 형태이다.
② 거실, 식사실, 부엌이 하나의 공간으로 이루어진 형태이다.
③ 부엌과 식사실을 한 공간에 두고 거실을 분리한 형태이다.
④ 거실, 부엌, 식사실, 침실의 기능을 한 공간에 두는 형태이다.
⑤ 장식장을 사용하여 식사 공간과 거실 공간을 분리시킨 형태이다.

21 가구 선택을 위해 고려할 사항으로 거리가 먼 것은?

① 기능성 ② 경제성
③ 능률성 ④ 안정성
⑤ 쾌적성

서술형 평가

22 청소년기에는 칼슘의 권장 섭취량이 성인에 비해 많은데, 그 이유를 두 가지 서술하시오.

23 식품 이동 거리(푸드 마일리지)를 줄이는 방법을 세 가지 서술하시오.

24 달걀을 위생적으로 조리하기 위한 방법을 두 가지 서술하시오.

대단원 마무리 2회

01 청소년의 영양 섭취 기준에 대한 설명으로 옳은 것을 보기 에서 있는 대로 고른 것은?

보기
ㄱ. 청소년은 계속해서 성장하는 시기이므로 성인보다 더 많은 나트륨을 필요로 한다.
ㄴ. 청소년은 성장 급등과 2차 성징으로 인해 성인에 비해 체중(kg)당 에너지의 필요량이 많다.
ㄷ. 청소년기는 골격 성장의 45% 정도가 이루어지고 뼈가 단단해지므로 칼슘의 권장량이 성인에 비해 많다.
ㄹ. 청소년기 여자의 경우에는 월경으로 매달 리보플라빈의 손실이 늘어나기 때문에 남자보다 더 많은 리보플라빈의 섭취를 요구한다.

① ㄱ, ㄴ ② ㄱ, ㄷ
③ ㄴ, ㄷ ④ ㄴ, ㄷ, ㄹ
⑤ ㄱ, ㄴ, ㄷ, ㄹ

출제 예감

02 식품 구성 자전거에서 ㉠에 대한 설명으로 옳은 것은?

① 매일 7~8회 섭취해야 한다.
② 1일 권장 섭취 횟수가 가장 많다.
③ 주식으로 많이 섭취하며 에너지를 공급한다.
④ 조리 시 조금씩 사용하는 것을 권장하고 있다.
⑤ 식이 섬유를 주로 공급해 주는 식물성 식품군이다.

03 성별로 청소년의 1일 권장 섭취 횟수가 같은 식품군은?

① 곡류 ② 과일류
③ 채소류 ④ 우유 · 유제품류
⑤ 고기 · 생선 · 달걀 · 콩류

중요

04 다음은 청소년 남자의 식품군별 권장 섭취 횟수 끼니별 배분표이다. ㉠에 해당하는 음식으로 옳은 것은?

식품군	1일 권장 섭취 횟수	아침	점심	저녁	간식
곡류	3.5	1	1	1.5	
고기 · 생선 · 달걀 · 콩류	5.5	1.5	㉠ 2	2	
채소류	8	2.5	2.5	3	
과일류	4				4
우유 · 유제품류	2				2

① 김, 삼계탕 ② 콩밥, 삶은 감자
③ 동태전, 두부조림 ④ 미역국, 버섯볶음
⑤ 배추김치, 도라지생채

출제 예감

05 식품 이동 거리(푸드 마일리지)를 줄이기 위한 방법을 보기 에서 있는 대로 고른 것은?

보기
ㄱ. 로컬 푸드를 이용한다.
ㄴ. 직거래 장터를 이용한다.
ㄷ. 친환경 농산물을 이용한다.
ㄹ. 텃밭을 가꾸어 생산해 낸 채소를 섭취한다.

① ㄱ, ㄴ ② ㄱ, ㄷ
③ ㄴ, ㄷ ④ ㄱ, ㄴ, ㄹ
⑤ ㄱ, ㄴ, ㄷ, ㄹ

출제 예감

06 농약과 화학 비료를 사용하지 않고 재배한 농산물에 표시되는 인증 마크는?

① 유기농 (ORGANIC) 농림축산식품부

② 

③ 

④ 

⑤ 

출제 예감

07 식품첨가물의 종류와 사용하는 식품이 바르게 짝지어진 것은?

① 착색제 – 라면, 빵
② 발색제 – 소시지, 햄
③ 산화 방지제 – 사탕, 젤리
④ 향미 증진제 – 두부, 우유
⑤ 감미료 – 식용유, 마요네즈

중요

08 올바른 식품 선택을 위해 고려해야 할 사항으로 옳지 않은 것은?

① 식품 품질 인증 마크를 확인하고 선택한다.
② 유통 기한이 지나지 않은 식품을 선택한다.
③ 환경을 위해 푸드 마일리지가 짧은 것을 선택한다.
④ 가공식품을 구매할 때에는 자연식품도 함께 구매한다.
⑤ 영양 성분표를 보고 부족한 영양소의 섭취를 줄이고, 과잉 섭취하는 영양소를 늘려 선택한다.

출제 예감

09 음식의 조리 과정에 따라 바르게 조리하지 않은 것은?

① 생선을 손질한 후에 손을 깨끗이 씻었다.
② 물을 계량컵을 이용하여 부피(mL)로 계량하였다.
③ 평가하기 과정에서 식사 평가 후에 다음 식사 계획에 반영하였다.
④ 뒷정리 과정에서 설거지 후에 식기류를 끓는 물에 살균 소독하였다.
⑤ 계획하기 과정에서 각각의 음식이 완성되는 시간이 모두 다르게 조리 계획을 세웠다.

10 가열 조리에 해당되는 조리 방법을 보기 에서 있는 대로 고른 것은?

보기

ㄱ. 삶기　　ㄴ. 데치기
ㄷ. 부치기　　ㄹ. 생조리
ㅁ. 튀기기

① ㄱ, ㄴ　　② ㄱ, ㄷ
③ ㄴ, ㄹ　　④ ㄱ, ㄴ, ㄹ, ㅁ
⑤ ㄱ, ㄴ, ㄷ, ㅁ

11 조리 시 화상을 입었을 경우 가장 먼저 쉽게 할 수 처치 방법으로 옳은 것은?

① 물집을 터뜨린다.
② 화상 부위를 거즈로 감싼다.
③ 병원으로 가서 치료를 받는다.
④ 상처 부위를 찬물로 냉각시킨다.
⑤ 화상 부위에 달라붙은 옷을 떼어 낸다.

12 다음은 제육볶음에 들어갈 양념 재료이다. 돼지고기 비린내 제거를 위해 이외에 더 들어갈 양념 재료로 옳은 것은?

> 고추장, 고춧가루, 진간장, 설탕,
> 다진 마늘, 참기름, 깨, 후춧가루

① 우유　② 당근즙
③ 생강즙　④ 올리브유
⑤ 올리고당

13 주거의 조건과 그에 대한 설명이 바르게 짝지어진 것은?

① 경제성 – 자연재해, 도난, 화재 등 위험으로부터 보호할 수 있어야 한다.
② 능률성 – 주택 구매 및 유지 관리비가 가족의 경제 수준에 맞아야 한다.
③ 심미성 – 가족의 생활 양식과 개성을 반영하는 주거 공간을 연출해야 한다.
④ 쾌적성 – 동선이 짧고 공간 배치나 시설 설비가 편리하고 능률적이어야 한다.
⑤ 안전성 – 채광, 통풍, 환기, 온도 등이 적절하여 쾌적한 실내 환경을 제공해야 한다.

14 우리나라의 전통적인 좌식 주거에 대한 설명으로 옳은 것은?

① 각 방의 독립성이 확보된다.
② 가구의 수가 많아서 넓은 면적이 필요하다.
③ 의자, 침대, 책상 등 가구를 이용하여 생활하는 방식이다.
④ 하나의 공간을 여러 가지 용도로 융통성 있게 활용할 수 있다.
⑤ 주택의 중심에 넓은 식탁과 부엌 설비가 가사 노동에 효율적이다.

중요

15 다음과 같은 주거 형태는 어떤 가족을 위한 것인가?

> • 자녀 수, 성별, 나이에 따라 주거 공간의 크기나 필요한 방의 수가 달라질 수 있다.
> • 필요에 따라 주거 공간을 바꿀 수 있는 가변형 주택이 좋다.

① 핵가족　② 노인 가족
③ 독신 가족　④ 확대 가족
⑤ 다문화 가족

16 재택근무가 가능한 가족을 위한 주거 공간 구성으로 옳은 것은?

① 주거 내 작업 공간을 따로 마련한다.
② 넓은 식탁과 능률적인 부엌 설비를 마련한다.
③ 홈시어터와 운동 기구 설치를 위한 공간을 배치한다.
④ 가족이 함께할 수 있는 가족실과 부엌을 아늑하게 꾸민다.
⑤ 발코니를 활용하여 식물을 가꾸거나 조그만 텃밭을 마련한다.

출제 예감

17 이웃과 더불어 살아가는 주거 생활과 거리가 먼 것은?

① 코하우징　② 공동체 주거
③ 셰어 하우스　④ 유니버설 주거
⑤ 커뮤니티 활동

18 생활 내용에 따른 주거 공간을 분류한 것으로 옳은 것은?

① 공동생활 공간 - 욕실, 화장실 등
② 생리위생 공간 - 거실, 식사실 등
③ 가사 작업 공간 - 부엌, 세탁실 등
④ 개인 생활 공간 - 현관, 계단, 복도 등
⑤ 기타 부수 공간 - 침실, 공부방, 서재 등

중요

19 다음과 같은 사항을 고려해야 하는 주거 공간으로 옳은 것은?

- 수면, 휴식, 공부, 독서 등을 위한 공간
- 독립적이고 조용한 곳에 배치

① 공동생활 공간
② 생리위생 공간
③ 기타 부수 공간
④ 가사 작업 공간
⑤ 개인 생활 공간

20 주거 공간을 효율적으로 활용하지 못한 것은?

① 큰 가구를 먼저 배치하였다.
② 소파 밑에 공간을 활용하여 수납하였다.
③ 용도가 다른 것끼리 물품을 모아 정리하였다.
④ 방의 크기와 용도에 맞게 꼭 필요한 가구만 배치하였다.
⑤ 사용 빈도가 높은 물품을 꺼내기 쉬운 곳에 수납하였다.

서술형 평가

21 균형 잡힌 식사를 계획하기 위해서 식사 구성안의 활용 방법을 두 가지 서술하시오.

22 식품 표시 정보 중에서 영양 성분표의 활용 방법을 서술하시오.

23 시금치를 데칠 때 끓는 물에 소금을 넣고 뚜껑을 연 채로 데쳐야 하는 이유를 서술하시오.

읽기 자료

아페르의 병조림 (요리사의 경험과 집념이 낳은 발명)

요즘에는 제철이나 산지에 구애받지 않고 갖가지 음식물의 제맛을 즐길 수 있다. 이와 같이 '미각의 향연'을 마음껏 누리게 된 데에는 무엇보다도 식품 가공 및 보관 기술의 발달이 있었기 때문이다.

식품 가공 및 보관 기술의 원조라 할 수 있는 발명품은 무엇일까? 바로 '병조림'이다.

병조림의 발명가는 작은 식당의 요리사였던 니콜라 아페르(NicolasAppert, 1749~1841)이다. 프랑스 파리 변두리에서 태어난 아페르는 학교 근처에는 가 보지도 못한 채 식당에서 온갖 허드렛일과 더불어 심부름꾼으로 잔뼈가 굵은 지 10년, 비로소 요리사가 되었다.

1805년, 당대의 영웅인 나폴레옹은 12,000 프랑과 자신의 훈장을 내걸고 '식료품 저장과 포장 방법'을 공개 모집했다. 그때만 해도 오랜 항해가 불가피한 선원이나 군인들을 위한 식품을 썩지 않게 잘 보관하는 것이 큰 골칫거리였다. 프랑스 식품업계는 이러한 공개 모집 소식으로 크게 술렁거렸다. 상금도 엄청났지만 나폴레옹 훈장은 공작의 작위에 버금가는 명예의 상징이었기 때문이다.

'절호의 기회가 왔구나. 당선은 내 것이다.' 이 소식을 전해 들은 아페르는 자신에 넘쳐 있었다. 이미 오랜 경험을 통해 '음식은 찌거나 삶은 것이 날 것보다 덜 상한다', '뚜껑을 닫아 놓으면 변질이 잘 안 된다', '음식이 상할 기미가 보일 때는 한 번 더 끓이면 오래 간다' 등의 방법을 체득하고 있던 그로서는 전혀 낯설지 않은 주제였던 것이다.

아페르는 음식을 끓여서 여러 개의 병에 집어넣고 코르크 마개로 꼭 닫은 후 공기가 들어가지 못하도록 양초를 녹여 밀봉했다. 이어 밀봉한 병을 솥에 넣고 한 번 더 끓여 냈다. 원했던 결과가 나타났다. 처음 그대로의 신선도와 맛이 오랫동안 지속된 것이었다. 그는 파리 근교에서 보존 식품 제조소를 열어 병조림 제조를 개시했다. 그리고 그 방법으로 나폴레옹의 새로운 식품 저장법에 대한 공모에 당당히 당선되어 12,000 프랑의 상금과 나폴레옹 훈장을 받았다. 생활과 경험의 지혜를 십분 살린 이 발명은 아페르를 평생 부와 명예를 누리도록 만들었다.

정리 · 정돈은 나의 힘

미국의 정리 전문가로 유명한 '주디스 콜버그'는 현대인들이 하루 중 $\frac{1}{3}$을 물건을 찾는 데 소비하고 있다고 하였다. 실제 미국인 중 상당수가 정리를 제대로 할 줄 몰라 일상생활에서 곤란을 겪고 있다는 보고가 있으며, 정리 · 정돈 전문가라는 신종 직업까지 생겨났다.

'부자가 되려면 책상을 치워라'의 저자 마쓰다 미쓰히로는 '청소력'이라는 신조어를 만들며 청소의 위력을 극찬한 인물이다. 그는 "버리고 닦고 정리하는 습관이 인생을 단순하게 만들어 주고, 자신이 집중해야 할 일이 무엇인지를 깨닫게 해 준다."며 청소 안에 강력한 성공의 비밀이 숨겨져 있다고 하였다.

청소나 정돈에 무슨 위력이 있을까 싶지만 주변이 깨끗해진 후에 개운하고 맑은 기분을 느껴본 적이 있을 것이다. 정리 후에 느끼는 맑은 기분인 긍정적인 에너지에 주목해야 한다. 시작은 미미했지만 이로 인해 발생되는 시너지 효과는 예상 외로 대단하다.

III/

진로와 생애 설계

1 내가 만드는 나의 삶

「주제 열기」

● 아버지와 아들의 여행에서 나침반은 어떤 역할을 했는지 써 보자.

→ 아버지와 아들이 길을 잃지 않도록 도와주었다. 사막을 벗어나 원하는 목적지에 도착할 수 있도록 도왔다.

● 나의 삶에서 나침반이 될 수 있다고 생각하는 가치나 목표는 무엇인지 생각해 보자.

→ 경제적 성공(부자가 되는 것, 대기업 사장, 큰 집과 자동차), 보람과 가치(남을 돕는 사회 복지사, 성직자), 개인적 행복(행복한 가족생활, 전업주부, 결혼, 독신)

개념 더하기+

⊕ 생활 주체

생활이란 생명, 생존을 포함하는 일상적 행위의 통합체로, 가정은 가장 기본적 생활체이고, 가족은 그 주체이다. 개인 및 가족은 생활하는 주체로서 '어떻게 살아가는가?'라는 존재 방식을 결정한다.

⊕ 생활 설계

생활을 설계한다는 것은 생활 주체와 관련하여 실제적이어야 하며, 사회·경제·문화·규범과의 관계에서도 개인과 개인, 개인과 가족이 조화롭고 균형을 이루도록 생활 방식을 유도하는 것이다.

1/ 행복한 삶을 위해서는 목표에 따른 계획이 필요하다

(1) 생애 설계 — 청소년기는 지금까지의 살아온 경험을 바탕으로 미래의 삶을 준비하는 시기로, 이 시기에 자신이 원하는 삶의 모습을 구상하고 계획한다.

① 생애 설계란 개인과 가족이 인생의 목표를 설정하고 이를 실현하기 위해 구체적인 방법을 찾아 나가는 종합적이며 장기적인 계획이다.

② 전 생애에 걸쳐 지속해서 이루어진다.

③ 생애 설계를 하면 살아가면서 겪게 되는 크고 작은 사건들에 적절히 대처하고 극복할 수 있으며, 더욱 더 행복하고 긍정적인 삶을 살 수 있다.

(2) 생애 설계의 중요성

① 자신이 원하는 만족한 삶을 살 수 있다.

② 변화하는 미래 생활을 예측하고 준비할 수 있다.

③ 생활의 변화에 현명하게 대처할 수 있다.

④ 자신의 삶에 책임감을 가질 수 있게 된다.

함께 생각해 보기

생애 설계를 하지 않고 살아간다면 어떻게 될지 써 보고, 친구들과 이야기해 보자.

예 예기치 못하게 일어나는 사건들의 대처 능력이 떨어져 위기를 극복해 나가기 힘들 것이므로 부정적인 삶을 살아가게 될 것이다.

더 들여다보기

나는 어떤 유형의 삶을 살 수 있을까? 삶의 유형을 결정하는 가장 중요한 태도는 무엇일지 생각해 보자.

예 내가 살고 싶은 유형은 '홀로서기 노인'이다. 하지만 현재 목표를 구체적으로 세우거나 이것을 글로 적고 실천하고 있지는 않아서, 만약에 지금과 같이 계속해서 살아간다면 '겨우겨우 노인'이 될 것 같다. 앞으로 내가 살고 싶은 유형으로 살기 위해서는 인생에서 목표를 정하는 것과 계획을 세우고 실천하는 것이 가장 중요한 태도인 것 같다.

2 생애 설계는 생애 주기를 고려해서 계획한다

(1) 개인 생애 주기별 발달 과업

① 개인의 생애는 개인 생활의 측면과 가족생활의 측면을 동시에 가지게 되므로 생애 설계는 개인의 생애 주기와 가족 생활 주기를 함께 고려해야 한다.

② **발달 과업** 성인이 성장하고 발달해 나가는 생애 주기의 단계마다 반드시 이루어야 할 역할이나 행동을 말한다. 발달 과업을 성공적으로 수행하면 건강하고 행복하게 살아갈 수 있다.

③ 개인 생애 주기별 발달 과업을 이해하고 이를 달성하기 위한 구체적인 준비와 계획이 필요하다.

(발달 과업: 개인이나 가족에 따라 정도의 차이는 있지만, 생애 주기 각 단계의 진행 순서와 중요 발달 과업은 일반적으로 비슷하게 나타난다.)

개인 생애 주기별 발달 과업

개인 생애 주기	발달 과업	개인 생애 주기	발달 과업
영아기	• 젖 떼기 • 말하기 • 애착 관계 형성하기	유아기	• 기본 생활 습관 형성하기 • 언어로 의사소통하기
아동기	• 또래 친구와 어울리기 • 성 역할 습득하기 • 도덕성 기초 형성하기 • 학교생활 적응하기	청소년기	• 자아 정체감 형성하기 • 신체적 · 지적 발달하기 • 진로 탐색하기
성년기	• 직업 선택하기 • 배우자 선택 및 결혼하기 • 사회 구성원의 역할 수행하기 • 자녀 양육 및 가정 관리하기	중년기	• 결혼 생활 유지하기 • 직업 생활 유지하기 • 중년기 위기 관리하기 • 건강 관리하기
노년기	• 신체적 노화 긍정적 수용하기 • 은퇴에 적응 및 여가 활동하기 • 죽음에 대비하기		

(2) 가족 생활 주기에 따른 생애 설계

① 가족 생활 주기의 각 단계는 가족의 요구와 생활 내용에 따라 많은 차이가 있기 때문에 가족은 우리 가족에게 맞는 가족 생활 설계를 수립하고, 가족 구성원이 서로 협력하여 각 단계의 변화에 대비하고 적응해 나가야 한다.

② 생애 설계에서 안정적인 경제생활을 위한 경제 설계는 매우 중요하다. 소득이 있는 기간은 한정되어 있지만, 소비와 지출은 평생 지속되기 때문이다.

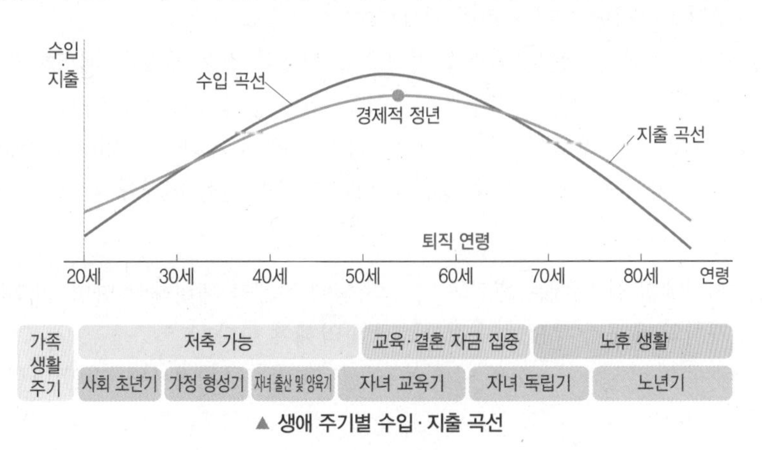

▲ 생애 주기별 수입 · 지출 곡선

개념 더하기+

⊕ 생애 주기
개인이 시간의 흐름에 따라서 평생 경험하는 단계적인 변화 과정이다.

⊕ 개인 생애 주기
- 영아기: 신생아기 ~ 24 개월
- 유아기: 만 2 ~ 6 세
- 아동기: 만 6 ~ 12 세
- 청소년기: 만 12 ~ 20 세
- 성년기: 만 20 ~ 40 세
- 중년기: 만 40 ~ 60 세
- 노년기: 만 60 세 ~ 사망

⊕ 가족 생활 주기
가족의 형성, 확대, 축소, 소멸까지 가족생활이 변화되어 가는 과정이다.
- 가정 형성기: 결혼 ~ 첫 자녀 출산 전
- 자녀 출산 및 양육기: 첫 자녀 출산 ~ 첫 자녀 초등학교 입학 전
- 자녀 교육기: 첫 자녀 초등학교 입학 ~ 첫 자녀 독립 전
- 자녀 독립기: 첫 자녀 독립 ~ 막내 자녀 독립
- 노년기: 막내 자녀 독립 ~ 부부 사망

가족 생활 주기별 생애 설계의 예

단계		주요 발달 과업	가족 관계 및 자녀 양육·교육 설계	가정 경제 설계
가정 형성기		• 가족의 목표와 가족 계획 수립 • 출산 및 양육비 마련 • 합리적인 부부 역할 분담 • 배우자 가족과의 관계 형성	• 어떤 모습의 가정을 이룰까? • 부부 역할을 어떻게 나눌까? • 양가 부모 및 친지들과 잘 지내려면 어떤 노력을 해야 할까?	• 수입과 지출 관리는 누가 할까? • 안정적인 거주지 마련을 위한 단·장기적 계획을 어떻게 세울까? • 자녀 양육비, 부부의 노후 자금 마련 등은 어떻게 계획할까?
가정 확대기	자녀 출산 및 양육기	• 부모 역할 습득 • 주택 확장 계획 • 가사 및 양육 분담	• 나는 어떤 양육 방식으로 자녀를 키울까? • 자녀 출산으로 늘어난 가사와 양육의 부담을 어떻게 해결할까? • 건강하고 정서적으로 안정된 자녀로 키우기 위해 어떤 준비와 노력이 필요할까?	• 자녀의 양육비 지출은 얼마나 해야 할까? • 교육, 주택 확장 등을 위한 저축 및 투자는 어떻게 할까?
	자녀 교육기	• 자녀의 학교생활 적응 지원 • 원만한 부모 자녀 관계 • 자녀의 진로 지도	• 자녀의 학교생활 적응 및 학업 지도를 위해 어떤 노력이 필요할까? • 자녀의 성장과 발달에 맞게 부모 역할을 잘하려면 어떤 준비가 필요할까? • 원만한 부모 관계를 위해 무엇을 해야 할까?	• 자녀 교육비 지출 및 마련을 어떻게 해야 할까? • 주택 확장을 위한 자금 마련을 어떻게 할까? • 부부의 노후 생활 자금 마련을 위해 어떤 준비가 필요할까?
가정 축소기	자녀 독립기	• 자녀의 독립 및 결혼 지원 • 노후 생활 준비 구체화 • 성인 자녀의 정서적 지원 • 변화된 부부 관계 재조정	• 취업과 결혼 등 자녀의 독립을 위한 정서적 지원을 어떻게 할까? • 자녀와의 세대 차이를 극복하기 위해 어떤 노력을 해야 할까? • 변화된 부부의 역할을 어떻게 재조정할까?	• 주거 규모를 어떻게 조정할까? • 자녀의 독립을 위해 경제적 지원을 얼마나 해야 할까? • 안정적인 노후 생활 자금을 어떻게 마련할까?
	노년기	• 조부모 역할 수행 • 은퇴에 따른 변화 적응 • 여가 및 시간 활용 • 신체적 노화 적응 및 건강 관리	• 자녀와 손자녀에게 어떤 역할을 해야 할까? • 은퇴 이후 달라진 가족생활에 어떻게 적응할까? • 늘어난 시간을 어떻게 사용하고, 여가 활동으로 무엇을 할까?	• 의료비 지출 증가에 대한 대비를 어떻게 해야 할까? • 줄어든 수입과 생활비 지출과의 균형을 위해 어떻게 관리해야 할까?

개념 더하기+

우리 가족에 해당하는 가족 생활 주기에 필요한 생애 설계 내용을 표 Ⅲ-2에서 확인해 보자.

예 우리 가족은 나와 초등학교 6학년 남동생이 있어서 가족 생활 주기는 가정 확대기 중에서 자녀 교육기이다. 따라서 부모님께서는 나와 남동생의 학교생활 적응 돕기 및 진로 지도, 원만한 가족 관계 유지 등을 설계해야 한다.

3/ 자신의 생애를 설계하고 평가할 수 있다

(1) 생애 설계의 영역

① **진로 및 직업 설계** 인생의 목표에 적합하고 자신이 원하는 일이 무엇인지 탐색하고, 진로 선택을 구체적으로 계획한다(예 내가 꼭 하고 싶고, 잘할 수 있는 일은 무엇일까?).

② **건강 설계** 건강은 신체뿐만 아니라 정신적 건강도 포함한다(예 노년기까지 건강을 유지하려면 어떤 노력이 필요할까?)

③ **결혼 설계** 바람직한 결혼관을 바탕으로 행복한 결혼 생활을 계획하고 준비한다(예 내가 꿈꾸는 가정생활은 무엇이고, 어떤 준비가 필요할까?)

④ **경제 설계** 가족생활의 변화에 맞는 적절한 경제 계획을 세워야 한다(예 주택 마련, 결혼, 자녀 교육, 노후 생활을 위한 자금 마련을 어떻게 할 것인가?).

(2) 생애 설계의 과정

① 생애 설계를 할 때에는 개인과 가족의 생애 전체를 계획해야 하며, 개인과 가족의 가치와 욕구가 무엇인지 정확하게 파악해야 한다.

② 생애 목표 설정하기 – 하위 영역 목표 설정하기 – 구체적 실천 방안 마련하기 순서로 한다.

생애 설계의 원리
• 적합성: 수준에 맞게 설계한다.
• 자발성: 스스로 계획을 실천한다.
• 현실성: 욕구와 현실을 고려한다.
• 융통성: 상황에 따라 조정한다.
• 종합성: 전체 생활을 반영한다.

생애 설계의 과정 및 예

예

	생애 목표 설정	하위 영역 목표 설정	구체적 실천 방안 마련
진로	원하는 직업을 가질 것이다.	나의 흥미, 적성을 고려해 직업 분야를 선택한다.	직업에 필요한 학과에 입학한다.
건강	100세까지 건강한 삶을 살 것이다.	몸과 마음의 건강을 위해 꾸준히 운동한다.	하루 한 번씩 웃고, 30분 이상 걷는다.
결혼	양성평등한 문화의 가정을 만들 것이다.	양성평등 의식을 갖는다.	이성을 배려하고 가사 노동을 분담한다.
경제	노후까지 여유롭고 풍족하게 살 것이다.	저축을 많이 하고 계획적인 소비를 한다.	용돈 기입장을 쓰고, 충동구매를 하지 않는다.

주제 활동 나만의 인생 설계도 작성하기

1. 인생에서 실현하고자 하는 나의 꿈은 무엇인가? 나의 생애 목표를 영역별로 써 보자.

- 진로 및 직업: 예 직업을 통해서 존경과 명예를 얻을 것이다.
- 건강: 예 건강한 노인으로 100세까지 살 것이다.
- 결혼: 예 행복한 가족을 만들 것이다.
- 경제: 예 부모님 도움 없이 자립적으로 살 것이다.

2. 나의 생애 목표를 고려하여 앞으로 어떻게 살아야 할지 구체적으로 생각하고 써 보자.

영역	하위 목표	나의 계획
진로 및 직업	판사가 되기 위한 방법 탐색하기	• 법원에서 판사와 인터뷰하기 • 공부 및 뉴스 꾸준히 보기
건강	100세까지 건강한 삶을 살기 위해서 운동을 꾸준히 하기	• 매일 30분 이상씩 걷고 5층 이하에서는 계단을 이용하기 • 스트레스 상태를 줄이고 자주 웃기 • 눈치를 보거나 참지 말고 솔직하게 자신을 표현하기
결혼	20대 중반까지 경제적으로 자립하여 35세가 되기 전에 결혼하기	• 현실적이고 구체적으로 이상형 설계하기 • 결혼할 나이를 정하고 단계별로 무엇을 준비해야 하는지 구체적으로 작성하기 • 어떠한 직업을 가질 것이며, 경제적 자립을 어떻게 이루어야 하는지 구체적으로 작성하기
경제	계획적인 소비하기	• 용돈 기입장 쓰기, 충동구매하지 않기

3. 이 활동을 하면서 느낀 점을 써 보자.

예 미래에 행복한 꿈을 꼭 이루도록 계획한 대로 실천해야겠다는 생각을 했다.

내용 정리

1/ 행복한 삶을 위한 생애 설계

(1) 생애 설계

① 생애 설계란 개인과 가족이 인생의 목표를 설정하고 이를 실현하기 위해 구체적인 방법을 찾아 나가는 종합적이며 장기적인 계획

② 전 생애에 걸쳐 지속해서 이루어짐.

③ 생애 설계를 하면, 살아가면서 겪게 되는 사건들을 대처하고 극복하는 과정에서 행복하고 긍정적인 삶을 경험할 수 있음.

(2) 생애 설계의 중요성

① 자신이 원하고 만족한 삶을 살 수 있음.

② 미래 생활을 예측하고 준비할 수 있음.

③ 생활의 변화에 현명하게 대처할 수 있음.

④ 자신의 삶에 책임감을 가질 수 있게 됨.

2/ 생애 주기를 고려한 생애 설계

(1) 개인 생애 주기별 발달 과업

① 생애 주기는 개인이 시간의 흐름에 따라서 평생 경험하는 단계적 변화 과정을 말함.

② **발달 과업** 생애 주기의 단계마다 반드시 이루어야 할 역할이나 행동으로, 건강하고 행복하게 살아갈 수 있도록 발달 과업을 성공적으로 수행해야 함.

③ **개인 생애 주기별 발달 과업**

- 영아기: 젖떼기, 말하기, 애착 관계 형성하기 등
- 유아기: 기본 생활 습관 형성하기, 언어로 의사소통하기 등
- 아동기: 또래 친구와 어울리기, 성 역할 습득하기, 도덕성 기초 형성하기, 학교생활 적응하기 등
- 청소년기: 자아 정체감 형성하기, 신체적·지적 발달하기, 진로 탐색하기 등
- 성년기: 직업 탐색하기, 배우자 선택 및 결혼하기, 사회 구성원의 역할 수행하기, 자녀 양육 및 가정 관리하기 등
- 중년기: 결혼 생활 유지하기, 직업 생활 유지하기, 중년기 위기 관리하기, 건강 관리하기 등
- 노년기: 신체적 노화 긍정적 수용하기, 은퇴에 적응 및 여가 활동하기, 죽음에 대비하기 등

(2) 가족 생활 주기에 따른 생애 설계

① 가족 생활 주기는 가족의 형성, 확대, 축소, 소멸까지 가족생활이 변화되어 가는 과정을 말함.

② '가정 형성기 – 자녀 출산 및 양육기 – 자녀 교육기 – 자녀 독립기 – 노년기'의 단계로 진행됨.

③ 가족 생활 주기의 단계별 변화 내용을 알고 주요 발달 과업을 달성하기 위한 준비와 계획이 필요함.

④ **가족 생활 주기에 따른 주요 설계 내용**

- 가정 형성기: 가족 목표 및 가족계획 수립, 가정 경제 전반의 계획, 주택 마련 계획 등
- 자녀 출산 및 양육기: 부모 역할 준비, 양육 및 가사 분담, 자녀 양육비 마련, 교육 및 주택 확장 비용 마련 계획 등
- 자녀 교육기: 자녀 성장에 따른 부모 역할 준비, 자녀 교육비 마련, 노후 준비 계획 등
- 자녀 독립기: 부부 역할 변화, 자녀 독립 경제적 지원, 퇴직 후 생활 자금 마련 계획 등
- 노년기: 조부모 역할 준비, 여가 활동, 의료비 지출 증가, 수입 감소에 따른 생활 경제 계획 등

3/ 생애 설계 및 평가

(1) 생애 설계의 영역

① **생애 설계의 영역**

- 진로 및 직업 설계: 자신이 원하는 일을 탐색하고 진로 선택을 위한 구체적인 준비를 계획함.
- 건강 설계: 평생에 걸쳐 꾸준히 관리해야 하며, 신체적·정신적 건강을 모두 포함함.
- 결혼 설계: 바람직한 결혼관을 바탕으로 행복한 결혼 생활을 계획하고 준비함.
- 경제 설계: 경제적 안정과 자립을 위해 단계별로 적절한 경제 계획을 세워야 함.

(2) 생애 설계의 과정

① **생애 목표 설정** 생애 설계를 위해 가장 먼저 해야 함.

② **하위 영역별 목표 설정** 목표를 이루기 위한 구체적인 목표를 정함.

③ **구체적인 실천 방안 마련** 목표 달성을 위해 실천해야 하는 일을 정함.

개념 꽉꽉 다지기

01. 개인과 가족이 인생의 목표를 설정하고 이를 실현하기 위해 구체적인 방법을 찾아 나가는 종합적이며 장기적인 계획을 (   )(이)라고 한다.

02. 개인의 생애 주기와 발달 과업을 바르게 연결하시오.

(1) 노년기 • • ㄱ. 젖 떼기, 말하기, 애착 관계 형성하기
(2) 성년기 • • ㄴ. 기본 생활 습관 형성하기, 언어로 의사소통하기
(3) 아동기 • • ㄷ. 또래 친구와 어울리기, 학교생활 적응하기
(4) 영아기 • • ㄹ. 자아 정체감 형성하기, 신체적 · 지적 발달하기
(5) 유아기 • • ㅁ. 결혼 · 직업 생활 유지하기, 중년기 위기 관리하기
(6) 중년기 • • ㅂ. 직업 · 배우자 선택하기, 결혼하기, 사회의 역할 수행하기
(7) 청소년기 • • ㅅ. 신체적 노화 긍정적 수용하기, 은퇴 적응 및 여가 활동하기

03. 다음은 생애 설계에 대한 설명이다. 맞으면 ○, 틀리면 ×표를 하시오.

(1) 생애 설계는 개인의 생애 주기와 가족 생활 주기를 함께 고려한다. (   )
(2) 생애 설계는 다양한 영역에서 철저한 계획과 장기간에 걸친 설계와 관리가 이루어져야 한다. (   )
(3) 생애 설계는 가족만을 위한 가치와 욕구가 무엇인지 정확하게 파악해야 한다. (   )

04. 가족의 형성, 확대, 축소, 소멸까지 가족생활이 변화되어 가는 과정을 (   )(이)라고 한다.

05. 가정 형성기의 주요한 발달 과업으로 옳은 것은?

① 부모 역할 습득
② 주택 확장 계획
③ 자녀의 진로 지도
④ 조부모 역할 수행
⑤ 가족의 목표와 가족계획 수립

Helper

02. 생애 주기에 따른 발달 과업을 이해하고 이를 달성하기 위한 구체적인 준비와 계획이 필요하다.

03. 개인의 생애는 개인 생활의 측면과 가족생활의 측면을 동시에 가지게 되므로, 생애 설계는 개인 생애 주기와 가족 생활 주기를 함께 고려해야 한다.

04. 가족 생활 주기는 가족의 형성, 확대, 축소, 소멸까지 가족생활이 변화되어 가는 과정이다.

05. 가정 형성기는 결혼 ~ 첫 자녀 출산 전까지로, 가족의 목표와 가족계획을 수립하고, 출산 및 양육비를 마련하며, 합리적인 부부 역할 분담, 배우자와 가족과의 관계 형성이 필요하다.

차곡차곡 실력 쌓기

01 생애 설계에 대한 설명으로 옳은 것을 보기 에서 있는 대로 고른 것은?

보기
ㄱ. 생활의 변화를 예상하고 적극적으로 대처하기 위한 것이다.
ㄴ. 개인의 생애 주기에서 현재에 해당하는 단기적인 계획이다.
ㄷ. 개인과 가족이 인생의 목표를 설정하고 이를 실현하기 위한 것이다.
ㄹ. 청소년기는 미래의 삶을 준비하는 시기로, 자신이 원하는 삶의 모습을 구상하고 계획한다.

① ㄱ, ㄴ ② ㄱ, ㄷ
③ ㄴ, ㄷ ④ ㄱ, ㄷ, ㄹ
⑤ ㄱ, ㄴ, ㄷ, ㄹ

02 생애 설계의 중요성에 대한 설명으로 옳지 않은 것은?

① 자신이 원하는 만족한 삶을 살 수 있다.
② 생활의 변화에 현명하게 대처할 수 있다.
③ 자신의 삶에 책임감을 가질 수 있게 된다.
④ 변화하는 미래 생활을 예측하고 준비할 수 있다.
⑤ 자선 단체나 구호 기관 등의 도움을 받을 수 있다.

03 개인이 성장하고 발달해 나가는 생애 주기의 단계마다 반드시 이루어야 할 역할이나 행동을 무엇이라고 하는지 쓰시오.

( )

04 다음과 같은 발달 과업을 수행해야 하는 시기로 옳은 것은?

- 자아 정체감 형성하기
- 신체적 · 지적 발달하기
- 진로 탐색하기

① 노년기 ② 영아기
③ 유아기 ④ 중년기
⑤ 청소년기

05 성년기의 발달 과업에 대한 설명으로 옳은 것은?

① 성 역할 습득하기
② 애착 관계 형성하기
③ 또래 친구와 어울리기
④ 배우자 선택 및 결혼하기
⑤ 기본 생활 습관 형성하기

06 가족 생활 주기에서 남녀가 만나 결혼하여 첫 자녀를 출산하기 전까지의 시기를 쓰시오.

( )

07 다음과 같은 발달 과업이 필요한 가족 생활 주기로 옳은 것은?

> • 부모 역할 습득
> • 주택 확장 계획
> • 가사 및 양육 분담

① 노년기 ② 가정 형성기
③ 자녀 교육기 ④ 자녀 독립기
⑤ 자녀 출산 및 양육기

08 자녀 독립기의 생애 설계 내용으로 옳은 것은?

① 어떤 양육 방식으로 자녀를 키울까?
② 자녀의 양육비 지출은 얼마나 해야 할까?
③ 변화된 부부의 역할을 어떻게 재조정할까?
④ 주택 확장을 위한 자금 마련을 어떻게 할까?
⑤ 늘어난 가사와 양육의 부담을 어떻게 해결할까?

09 은영이네 집을 위한 생애 설계 내용으로 옳은 것은?

> 15살 은영이는 엄마, 아빠, 초등학교 4학년 동생과 함께 살고 있다.

① 수입과 지출 관리는 누가 할까?
② 자녀 교육비 지출 및 마련을 어떻게 해야 할까?
③ 은퇴 이후 달라진 가족생활에 어떻게 적응할까?
④ 자녀의 독립을 위해 경제적 지원을 얼마나 해야 할까?
⑤ 늘어난 시간을 어떻게 사용하고, 여가 활동으로 무엇을 할까?

10 생애 설계의 원리와 설명이 바르게 짝지어진 것은?

① 자발성 – 수준에 맞게 설계한다.
② 적합성 – 상황에 따라 조정한다.
③ 융통성 – 전체 생활을 반영한다.
④ 종합성 – 스스로 계획을 실천한다.
⑤ 현실성 – 욕구와 현실을 고려한다.

11 생애 설계의 영역을 보기 에서 있는 대로 고른 것은?

> 보기
> ㄱ. 건강 설계 ㄴ. 결혼 설계
> ㄷ. 경제 설계 ㄹ. 진로 및 직업 설계

① ㄱ ② ㄱ, ㄹ
③ ㄱ, ㄹ ④ ㄴ, ㄷ
⑤ ㄱ, ㄴ, ㄷ, ㄹ

12 생애 설계의 과정에서 가장 먼저 해야 할 것은?

① 생애 목표 설정
② 하위 영역 목표 설정
③ 구체적 실천 방안 마련
④ 설계 내용 검토 및 평가
⑤ 평가한 내용을 바탕으로 수정

2 진로 탐색과 설계하기

「주제 열기」

● 존 우드가 새로운 일에 도전하게 된 까닭은 무엇이었을지 생각해 보자.

→ 남들이 부러워하는 직업을 가지고 있었지만 허전한 마음을 가졌던 존 우드는 우연한 기회에 네팔에 도서관을 짓게 되었고, 그 일에서 보람과 성취감을 얻게 되면서 직업을 바꾸게 되었다.

● 존 우드에게 중요한 직업 선택의 기준은 무엇이었을지 생각해 보자.

→ 물질의 풍요보다 마음의 풍요를 얻는 것이 중요한 선택 기준이다.

개념 더하기+

⊕ 진로의 어원

진로(career)는 '수레가 길을 따라 굴러간다.'라는 의미의 라틴어 'carro'에서 유래한 것이다. 영어 사전에서는 진로가 경력의 의미 외에 '한 인생의 전 과정'으로 정의하고 있으며, 한자에서도 進路는 '나아갈 길'을 의미한다.

1/ 진로 설계는 전 생애에 걸쳐 중요하다

(1) 진로와 직업

① **진로** 개인이 평생 앞으로 나아가야 할 길을 의미한다. 즉, 개인이 하는 일과 관련된 교육, 결혼, 직업, 가정생활 등의 모든 것을 포함하는 삶의 전 과정을 말한다.

(일: 어떠한 가치를 창출하기 위해 하는 육체적·정신적 모든 활동)

② **직업** 개인이 가치를 창조하기 위하여 정신적·육체적으로 하는 모든 활동 중 지속해서 수행하게 되는 경제 활동을 말한다.

(직업: 일 중에서 개인의 생계유지를 위해 지속해서 수행하는 경제·사회 활동)

③ **직업의 가치**

- 경제적인 안정을 얻을 수 있다.
- 사회 활동에 참여하며 원만한 인간관계를 형성할 수 있다.
- 자아실현을 할 수 있다.
- 인생의 가치와 보람을 느낄 수 있다.

(2) 진로 설계

① **진로 설계** 삶의 목표를 정하고 자신의 특성에 관한 이해와 직업 탐색을 바탕으로, 자신에게 적합한 진로를 선택하고 준비하는 과정이다.

② 청소년기는 어떤 인생을 살아갈 것인지 자신의 진로를 고민하고 탐색하게 되므로 진로 설계를 통해 자신이 앞으로 나아갈 길을 합리적으로 선택하고 준비해야 한다.

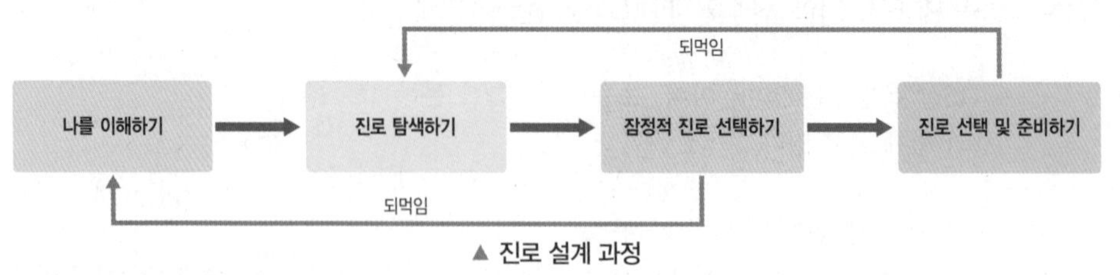

▲ 진로 설계 과정

함께 생각해 보기

나에게 일과 직업은 어떤 의미가 있는지 생각해 보자.

예 원하는 삶을 살 수 있도록 하는 원천이다. 왜냐하면, 일과 직업을 통해 돈을 벌고 다른 사람들에게 도움을 줄 수 있기 때문이다.

2 진로 설계 과정에 따라 진로 설계를 해 보자

(1) 나를 이해하기

나를 올바르게 이해하는 것은 진로를 탐색하는 데 매우 중요한 기초가 된다.

① 진로 설계를 잘하기 위해서는 무엇보다 나 자신을 이해해야 한다. 평소 자신이 잘하는 것은 무엇인지, 좋아하는 일은 어떤 것인지 등 여러 가지 관점에서 자신을 파악해야 한다.

② 나의 이해 요소

- 적성 (직업에서의 성공 가능성을 높여 준다.)
  - 학업, 업무 등 특정 분야에서 능력을 발휘할 수 있는 잠재적 능력이나 소질을 말한다.
  - 타고나기도 하지만 성장하면서 새롭게 발견되거나 후천적으로 개발되기도 한다.
- 흥미
  - 어떤 사물이나 활동에 가지고 있는 호감이나 선호도를 말한다.
  - 직업의 선택, 지속성, 만족도 등과 밀접한 관련이 있다.
  - 스스로 관찰하거나, 직업 흥미 검사 등을 통해 알 수 있다.
- 성격
  - 개인이 가지고 있는 고유한 성질이나 품성을 말한다.
  - 직업 선택뿐만 아니라, 대인관계나 사회 적응 등에 영향을 준다.
  - 후천적 노력과 환경에 따라 변화할 수 있으며, 직업이나 인간관계에 따라 달라지기도 한다.
- 가치관
  - 어떤 일이나 대상에 대해 생각하고 행동하게 하는 믿음이나 신념이다.
  - 가치관에 따라 삶을 대하는 방식이 달라지므로 자신의 가치관에 알맞은 직업을 선택해 성취감과 삶의 만족도를 높일 수 있다.
- 신체적 조건 (현대 사회에서는 신체적 조건보다 능력, 창의성, 지적 능력 등을 중시한다.)
  - 건강 상태, 체력, 용모, 시력, 청력 등이 해당한다.
  - 직업에 따라 특정한 신체 조건이 필요하므로 적합 여부를 파악해야 한다.
- 가정 및 사회적 환경 (자신을 둘러싼 환경을 객관적으로 파악하는 것도 진로 계획에 도움이 된다.)
  - 부모의 기대, 가족 가치관 등이 있다.
  - 사회 환경을 반영한 직업 선호도의 변화로 직업 선택이 달라진다.

스스로 해 보기

나의 이해 요소를 알아본 다음 빈칸을 채워 보자.

예 나는 노래 을/를 잘 부르고 음악 을/를 좋아하며, 앞으로 가수 이/가 되고 싶다.

(2) 진로 탐색하기

① 직업 탐색

- 직업 세계의 변화를 예측하고 직업의 장래성을 고려하면서 직업에 관한 객관적인 지식과 정보를 수집하는 태도가 필요하다.

개념 더하기+

나를 이해하는 방법
- 스스로 관찰하기
- 표준화 심리 검사하기
- 다양한 분야를 직접 · 간접적으로 체험하기
- 친구, 부모님 등 주변 사람에게 물어보기

능력
어떤 종류를 행동할 수 있게 하는 고정적인 실체 또는 힘을 말한다. 일반적인 것과 특수한 것이 있으며, 진로 선택에서는 능력과 유사한 개념으로 재능과 적성이라는 개념을 구분하여 사용하기도 한다.

직업 정보 수집 방법
- 직업 체험 프로그램을 활용한다.
- 책, 신문, 인터넷 등을 활용한다.
- 직업인과 대화, 인터뷰 등을 한다.

• 수집해야 할 직업 정보에는 주된 업무, 업무 변화 추세, 근무 환경, 요구 조건 및 교육 정도, 보수, 전망 등이 있다.

② **상급 학교 탐색** 직업과 관련된 상급 학교의 종류와 학과 특성, 입학 정보 등을 구체적으로 살펴보고, 진로 선택에 반영한다.

스스로 해 보기

고등학교 입시 정보 제공 사이트 '고입 정보 포털'에서 내가 관심 있는 고등학교의 정보를 찾아 써 보자.

예 나는 음악에 관심이 있어서 특수 목적 고등학교 중에서 예술 고등학교를 알아보았다. 고등학교 학과 정보, 입시 정보 등을 살펴보고 진학을 하기 위해 어떤 준비가 필요한지 조사하였다.

(3) 잠정적 진로 선택하기

① 자신을 이해하고, 직업 정보 및 상급 학교를 탐색한 내용을 바탕으로 진로를 잠정적으로 결정한다.

② 최종 진로 결정은 자신이 하는 것이지만 장래를 좌우하는 중요한 결정이므로 부모님이나 선생님, 전문 상담가 등으로부터 객관적이고 전문적인 조언을 듣는 것이 바람직하다.

(4) 진로 선택 및 준비하기

① 자신에게 적합한 진로를 선택하면 이를 실현하기 위한 구체적인 준비와 계획이 필요하다.

② 직업에 따라서 오랜 준비 기간이 필요할 수도 있으므로 단기적 또는 장기적 계획을 세워 이를 실천하기 위해 꾸준히 노력해야 한다.

3/ 건전한 직업관과 직업 윤리를 형성해야 한다

(1) 직업관

① **직업관이란** 개인이나 사회 구성원들이 직업에 대해 갖는 가치관이나 태도를 의미한다.

② **직업관의 역할**

• 직업 선택과 직업인으로서의 자세를 결정하는 데 중요한 역할을 한다.

• 개인이나 사회가 어떤 직업관을 가지는가에 따라 개인의 직업 선택과 수행 정도, 사회 발전에도 많은 영향을 미친다.

③ **건전한 직업관** 직업에서 맡은 역할과 직무를 충실히 수행하며, 일을 통해 사회 발전에 이바지할 수 있다는 자부심을 느끼게 된다.

④ **왜곡된 직업관** 왜곡된 직업관을 가지게 되면 자기 일에 만족감이 줄어들고, 직업 선택의 폭을 제한하여 직업 편중 현상을 초래하기도 한다.

건전하지 못한 직업관으로 특정 직업으로만 치우친 잘못된 생각과 태도를 의미한다.

(2) 직업 윤리

① **직업 윤리란** 어떤 직업을 수행하는 사람들에게 요구되는 행동 규범이다.

② **바람직한 직업인이 되려면** 소명 의식과 봉사 의식, 책임 의식, 전문가 의식 등의 직업 윤리를 가져야 한다.

개념 더하기+

고등학교의 종류
- 일반 고등학교
- 특수 목적 고등학교: 과학 고등학교, 외국어·국제 고등학교, 예술·체육 고등학교, 마이스터 고등학교
- 특성화 고등학교: 직업 특성화 고등학교, 대안 특성화 고등학교
- 자율 고등학교: 자립형 사립 고등학교, 자립형 공립 고등학교
- 기타: 영재 학교

직업 선택의 대안적 기준 4가지
- 하고 싶은 일 찾기(흥미)
- 잘할 수 있는 일 찾기(적성)
- 일을 통하여 사회적으로 이바지하기(가치)
- 경제적으로 자립하기

다양한 직업관의 예
- 생계유지의 수단
- 사회적 역할 실현
- 가치 실현의 장

바람직한 직업 윤리의 예
- 소명 의식: 직업을 통해 개인적 삶의 목적을 실현하고 사회적으로 의미 있는 일을 할 수 있다고 생각하여 최선을 다하는 자세
- 봉사 의식: 직업 활동을 통해 공동체에 봉사한다는 생각을 가지고 이를 실천하는 자세
- 책임 의식: 직업에 관한 사회적 역할과 책무를 충실히 수행하고, 책임을 다하는 자세
- 전문가 의식: 자신이 속한 직업 분야의 전문 지식과 경험을 바탕으로 성실히 수행하는 자세

함께 생각해 보기

왜곡된 직업관으로 인해 발생할 수 있는 문제가 무엇일지 써 보고, 친구들과 이야기해 보자.

예 돈만 보고 직업을 갖게 되면 처음에는 돈을 많이 벌어서 좋겠지만, 그 일이 힘들어지면 결국 직업 만족도가 떨어질 것이다. 또 사람들이 직업 선택의 기준을 돈으로만 생각하면 직업 편중 현상이 일어나 사회와 국가에 부정적인 영향을 줄 것 같다.

주제 활동 직업 가치 경매하기

직업을 선택할 때 중요하게 생각하는 항목을 모두 고르고, 직업 가치 경매 활동을 해 보자.

[활동 방법]
1. 표의 항목 중에서 직업을 선택할 때 중요하게 생각하는 항목을 모두 골라 번호에 O표한다.
2. 합계 금액이 100만 원이 되도록 선택한 항목에 입찰 금액을 나누어 적는다.
3. 항목마다 경매를 하여 낙찰 금액이 가장 높은 사람에게 낙찰한다.

	직업 선택 항목	나의 입찰 금액	낙찰받은 사람	낙찰 금액
1	스트레스가 적고 몸과 마음이 여유롭다.			
2	해고나 조기 퇴직 없이 안정적이다.			
3	남을 위해 봉사한다.			
4	목표를 달성하고, 성취감을 맛볼 수 있다.			
5	지시나 통제 없이 자율적이다.			
6	새로운 지식과 기술을 얻을 수 있다.			
7	다양하고 새로운 것을 경험할 수 있다.			
8	개별적으로 일할 수 있다.			
9	돈을 많이 벌 수 있다.			
10	자기 뜻대로 일을 진행할 수 있다.			
11	사람들에게 인정과 존경을 받는다.			
12	신체 활동이 적다.			
13	나라를 위해 애국할 수 있다.			

1. 내가 입찰한 조건 중 가장 높은 금액을 적은 항목은 어떤 것이고, 그 까닭은 무엇인지 써 보자.

예 8번 항목: '개별적으로 일할 수 있다'에 가장 높은 금액을 적었다. 내 꿈은 만화가인데, 원래부터 나는 다른 사람들이 간섭하거나 명령하는 것이 싫고, 혼자서 자유롭게 창작할 수 있는 직업 환경이 좋기 때문이다.

2. 학급에서 가장 많은 사람이 선택한 항목과 가장 높은 금액에 낙찰된 항목은 각각 무엇인지 써 보자.

3. 이 활동을 통해 새롭게 알게 된 사실이나 느낌을 이야기해 보자.

예 직업 가치 경매에 적극적으로 참여하지 못해 낙찰 받은 항목이 없었다. 그 이유는 왜곡된 직업 가치를 가지고 있어서 그런 것 같다. 직업 가치에 대해 좀 더 생각해 보고 건전한 직업관을 가지도록 나에 대해 더 관찰하고 나의 행동을 반성해야겠다.

내용 정리

1/ 전 생애에 걸친 진로 설계

(1) 진로와 직업

① **진로** 개인이 앞으로 나아가야 할 길을 의미하는 것으로, 개인이 하는 일과 관련된 교육, 결혼, 직업, 가정생활 등 모든 것을 포함하는 삶의 전 과정

② **직업** 개인의 생계유지를 위해 지속해서 수행하는 경제·사회 활동

③ **직업의 가치**
- 생계유지 및 경제적 안정
- 사회 활동을 통한 원만한 인간관계 형성
- 자아실현
- 인생의 가치와 보람을 느낌.

(2) 진로 설계

① 삶의 목표를 정하고 자신의 특성에 관한 이해와 직업 탐색을 바탕으로 자신에게 적합한 진로를 선택하고 준비하는 과정

② 청소년 시기는 진로 설계를 통하여 자신이 앞으로 나아갈 길을 합리적으로 선택하고 준비해야 함.

③ **진로 설계 과정** 나를 이해하기 – 진로 탐색하기 – 잠정적 진로 탐색하기 – 진로 선택 및 준비하기

2/ 진로 설계 과정

(1) 나를 이해하기

① **적성** 학업, 업무 등 특정 분야에서 능력을 발휘할 수 있는 잠재적 능력이나 소질로, 직업에서의 성공 가능성을 높여 줌.

② **흥미** 어떤 사물이나 활동 등에서 가지고 있는 호감이나 선호도를 말하며, 지속성, 만족도와 밀접한 관련이 있음.

③ **성격** 개인이 가지고 있는 고유한 성질이나 품성으로, 대인관계나 사회 적응 등에 영향을 줌.

④ **가치관** 어떤 일이나 대상에 관해 생각하고 행동하게 하는 믿음이나 신념으로, 자신의 가치관에 알맞은 직업을 선택하여 성취감과 만족도를 높일 수 있음.

⑤ **신체적 조건** 건강 상태, 체력, 용모, 시력, 청력 등으로, 직업에 따라 특정 신체 조건이 필요하기도 함.

⑥ **가정 및 사회적 환경** 부모의 기대, 가족 가치관 등이 있고, 사회 환경을 반영한 직업 선호도의 변화로 직업 선택이 달라짐.

(2) 진로 탐색하기

① **직업의 탐색**
- 책, 신문, 인터넷 등을 활용하거나 직업 체험 및 직업인 인터뷰 등을 통해 정보를 수집함.
- 수집해야 할 직업 정보: 주된 업무, 업무 변화 추세, 근무 환경, 요구 조건 및 교육 정도, 보수, 전망 등

② **상급 학교의 탐색**
- 직업과 관련한 상급 학교의 정보 수집
- 학과 특성, 입학 정보 등

(3) 잠정적 진로 선택하기

① 자기 이해, 직업 정보, 상급 학교 정보 등을 토대로 잠정적 진로를 결정함.

② 교사, 부모님, 전문 상담가 등으로부터 객관적이고 전문적인 조언을 듣는 것이 바람직함.

(4) 진로 선택 및 준비하기

① 선택한 진로를 실현하기 위한 구체적인 준비와 계획이 필요함.

② 선택한 진로를 단기적 또는 장기적으로 계획을 세워 실천하기 위해 꾸준히 노력함.

3/ 건전한 직업관과 직업 윤리

(1) 직업관

① 개인이나 사회 구성원들이 직업에 관하여 갖는 가치관이나 태도

② 직업 선택과 직업의 태도를 결정하는 데 중요한 역할을 함.

③ **건전한 직업관** 직업에서 맡은 역할과 직무를 충실히 수행하고, 일을 통해 사회 발전에 이바지할 수 있다는 자부심을 느낌.

④ **왜곡된 직업관** 자기 일에 만족감이 줄어들고, 직업 선택의 폭을 제한하여 직업 편중 현상을 초래하기도 함.

(2) 직업 윤리

① 어떤 직업을 수행하는 사람들에게 요구되는 행동 규범

② 바람직한 직업인이 되려면 소명 의식, 책임감, 봉사 정신, 전문가 의식 등의 직업 윤리를 가져야 함.

개념 꽉꽉 다지기

01. ( )은/는 개인이 평생 앞으로 나아가야 할 길을 의미한다. 즉, 개인이 하는 일과 관련된 교육, 결혼, 직업, 가정생활 등의 모든 것을 포함하는 삶의 전 과정을 말한다.

02. '자기 이해 요소'와 이에 대한 설명을 바르게 연결하시오.

(1) 성 격 • • ㄱ. 어떤 일이나 대상에 대해 생각하고 행동하게 하는 믿음이나 신념이다.

(2) 적 성 • • ㄴ. 어떤 사물이나 활동에 가지고 있는 호감이나 선호도를 말한다.

(3) 흥 미 • • ㄷ. 학업, 업무 등 특정 분야에서 능력을 발휘할 수 있는 잠재적 능력이나 소질을 말한다.

(4) 가치관 • • ㄹ. 개인이 가지고 있는 고유한 성질이나 품성을 말한다.

03. 다음은 진로 설계에 대한 설명이다. 맞으면 ○, 틀리면 ×표를 하시오.

(1) 진로 설계를 잘하기 위해서는 무엇보다 나 자신을 이해해야 한다. ( )

(2) 진로 계획을 수립할 때에는 직업 세계의 변화보다는 직업에 대한 주관적인 지식과 정보를 수집하는 태도가 필요하다. ( )

(3) 진로의 최종 결정은 부모님이 하는 것이다. ( )

(4) 건전한 직업관을 가지면, 직업에서 맡은 역할과 직무를 충실히 수행하며, 일을 통해 사회 발전에 이바지할 수 있다는 자부심을 느끼게 된다. ( )

04. 개인이나 사회 구성원들이 직업에 대해 갖는 가치관이나 태도를 ( )(이)라 한다.

05. 왜곡된 직업관에 해당되지 않는 것은?

① 전문가 의식
② 금전 만능주의
③ 편안한 직업 선호
④ 성 역할 고정 관념
⑤ 학벌을 중시하는 경향

Helper

01. 청소년기는 일에 대한 올바른 가치관을 형성하고 진로를 설계해 책임 있는 사회 구성원이 되기 위한 준비를 하는 시기이다.

02. 진로 설계를 잘하기 위해서는 무엇보다 자기 자신을 이해해야 한다.

03. 진로 설계는 삶의 목표를 정하고 자신의 특성에 관한 이해와 직업 탐색을 바탕으로, 자신에게 적합한 진로를 선택하고 준비하는 과정이다.

04. 직업관은 직업 선택과 직업인으로서의 자세를 결정하는 데 중요한 역할을 한다.

05. 왜곡된 직업관은 건전하지 못한 직업관으로, 특정 직업으로만 치우친 잘못된 생각과 태도를 의미한다.

차곡차곡 실력 쌓기

01 (　　) 안에 들어갈 알맞은 말을 쓰시오.

> 삶의 목표를 정하고 자신의 특성에 관한 이해와 직업 탐색을 바탕으로, 자신에게 적합한 진로를 선택하고 준비하는 과정을 (　　　)(이)라고 한다.

(　　　　　　　　)

02 직업의 가치에 대한 설명으로 옳은 것을 보기 에서 있는 대로 고른 것은?

> 보기
> ㄱ. 자아실현을 할 수 있다.
> ㄴ. 경제적인 안정을 얻을 수 있다.
> ㄷ. 인생의 가치와 보람을 느낄 수 있다.
> ㄹ. 사회 활동에 참여하며 원만한 인간관계를 형성할 수 있다.

① ㄱ, ㄴ　② ㄱ, ㄷ　③ ㄴ, ㄷ　④ ㄱ, ㄷ, ㄹ　⑤ ㄱ, ㄴ, ㄷ, ㄹ

03 진로 설계 과정에서 가장 먼저 해야 할 것은?

① 나를 이해하기
② 진로 탐색하기
③ 잠정적 진로 선택하기
④ 진로 선택 및 준비하기
⑤ 장기적 계획을 세워 실천하기

04 진로 설계에서 자신을 이해하기 위한 요소에 해당되는 것을 보기 에서 있는 대로 고른 것은?

> 보기
> ㄱ. 성격　ㄴ. 수입
> ㄷ. 적성　ㄹ. 흥미
> ㅁ. 가치관

① ㄱ, ㄷ　② ㄱ, ㄹ　③ ㄴ, ㄹ　④ ㄱ, ㄴ, ㄷ　⑤ ㄱ, ㄷ, ㄹ, ㅁ

05 다음은 자기 이해 요소 중에서 무엇에 대한 설명인지 쓰시오.

> • 학업, 업무 등 특정 분야에서 능력을 발휘할 수 있는 잠재적 능력이나 소질을 말한다.
> • 직업에서의 성공 가능성을 높여 준다.
> • 타고나기도 하지만 성장하면서 새롭게 발견되거나 후천적으로 개발되기도 한다.

(　　　　　　　　)

06 진로 설계에서 자신을 이해하는 방법과 가장 거리가 먼 것은?

① 스스로 관찰한다.
② 표준화 심리 검사를 한다.
③ 상급 학교의 종류와 학과를 알아본다.
④ 다양한 분야를 직 · 간접적으로 체험한다.
⑤ 친구, 부모님 등 주변 사람에게 물어 본다.

07 다음은 진로 설계 과정 중 어느 단계에서 해야 하는 일인가?

> • 직업 체험 프로그램을 활용한다.
> • 책, 신문, 인터넷 등을 활용한다.
> • 직업인과 대화, 인터뷰 등을 한다.

① 나를 이해하기
② 직업 탐색하기
③ 상급 학교 탐색하기
④ 잠정적 진로 선택하기
⑤ 진로 선택 및 준비하기

08 (　　) 안에 들어갈 알맞은 말을 쓰시오.

> A는 음악에 관심이 있어서 (　　　　) 고등학교 중에서 예술 고등학교를 알아보았다. 고등학교의 입시 정보 등을 살펴보고 진학을 하기 위해 어떤 준비가 필요한지 조사하였다.

(　　　　　　　　　)

09 직업 탐색 과정에서 수집해야 할 직업 정보를 보기 에서 있는 대로 고른 것은?

> 보기
> ㄱ. 보수　　　　ㄴ. 근무 환경
> ㄷ. 요구 조건　　ㄹ. 주된 업무
> ㅁ. 업무 변화 추세

① ㄱ, ㄷ　　② ㄱ, ㅁ
③ ㄴ, ㄹ　　④ ㄱ, ㄴ, ㅁ
⑤ ㄱ, ㄴ, ㄷ, ㄹ, ㅁ

10 (　　) 안에 들어갈 알맞은 말을 쓰시오.

> (　　　　)은/는 직업을 통해 개인적 삶의 목적을 실현하고 사회적으로 의미 있는 일을 할 수 있다고 생각하여 직업 생활에 최선을 다하는 자세를 말한다.

(　　　　　　　　　)

11 바람직한 직업 윤리와 거리가 먼 것은?

① 봉사 의식
② 소명 의식
③ 책임 의식
④ 전문가 의식
⑤ 금전 만능주의

12 직업관과 직업 윤리에 대한 설명으로 옳은 것을 보기 에서 있는 대로 고른 것은?

> 보기
> ㄱ. 왜곡된 직업관을 가지게 되면 직업 편중 현상을 초래하기도 한다.
> ㄴ. 직업관은 어떤 직업을 수행하는 사람들에게 요구되는 행동 규범이다.
> ㄷ. 선진한 직업관을 가지면 직업에서 맡은 역할과 직무를 충실히 수행하게 된다.
> ㄹ. 직업 윤리는 개인이나 사회 구성원들이 직업에 대해 갖는 가치관이나 태도를 의미한다.

① ㄱ, ㄴ　　② ㄱ, ㄷ
③ ㄴ, ㄷ　　④ ㄱ, ㄷ, ㄹ
⑤ ㄱ, ㄴ, ㄷ, ㄹ

3 저출산 · 고령사회, 우리가 마주하는 세상

「주제 열기」

● 나는 결혼과 출산을 어떻게 생각하고 있는지 써 보자.

→ • 하고 싶은 일이 있다면 결혼하지 않고 혼자 살 수 있다.
• 결혼을 해서 아이를 낳고 살면 외롭지 않고 좋을 것 같다.

● 위와 같은 상황이 지속된다면 개인과 가정, 사회에 어떤 영향을 미치게 될지 상상해 보자.

→ • 미래에는 가족의 대가 끊겨 외롭고 쓸쓸할 것 같다.
• 인구가 줄어들어 학교가 문을 닫을 수도 있을 것이다.

1/ 아이들은 줄어들고 노인은 늘어나고 있다

(1) 저출산 · 고령화의 의미와 현황

① **저출산**

- 태어나는 아이의 수가 감소하여 합계 출산율이 2.1명 이하로 지속되는 현상을 말한다.
  (합계 출산율: 출산 가능한 나이인 15～49세의 한 여성이 평생 낳을 수 있는 자녀의 수)
- 초저출산은 합계 출산율이 1.3명 이하인 경우를 말하는데, 우리나라는 2015년 기준 1.24명으로 초저출산 국가에 해당한다.

② **고령화**

- 전체 인구 중 만 65세 이상의 노년 인구가 차지하는 비율이 높아지는 현상이다.
- 우리나라의 노인 인구의 증가는 세계에서 가장 빠른 속도로 진행되고 있고, 2050년이 되면 세계 최고령 국가 중 하나가 될 것으로 전망하고 있다.

▲ 합계 출산율

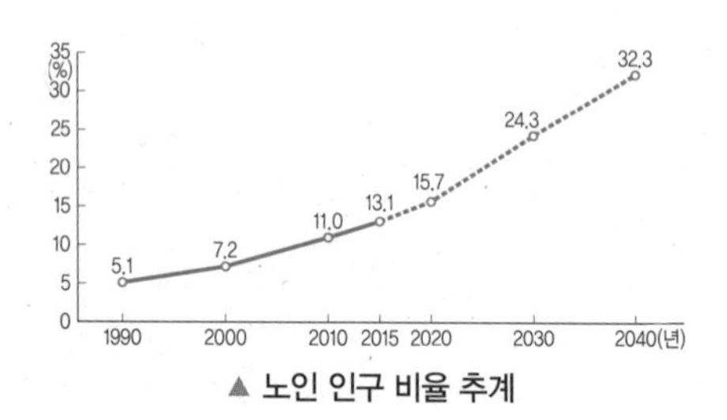

▲ 노인 인구 비율 추계

(2) 저출산 · 고령화의 원인

① **저출산의 원인**

- 여성의 경제 활동 참여율 증가
- 초혼 연령 상승
- 출산 · 육아 비용 증가
- 청년층의 고용 불안정
- 일 · 가정 양립의 어려움
- 결혼과 자녀에 대한 가치관 변화

② **고령화의 원인** 1970년대 이후 고도의 경제 성장을 이룬 우리나라는 생활 수준의 향상과 의료 기술의 발달로 평균 수명이 증가하고 있다.

개념 더하기+

⊕ 고령사회

전체 인구 중 65세 이상 노인 인구의 비율이 7% 이상이면 고령화 사회, 14% 이상이면 고령사회, 20% 이상이면 초고령 사회이다.

⊕ 시대별 가족계획 표어

- 1961년: 알맞게 낳아서 훌륭하게 키우자.
- 1963년: 덮어 놓고 낳다 보면 거지꼴을 못 면한다.
- 1966년: 3명 자녀를 3년 터울로 35세 이전에 단산하자.
- 1971년: 딸, 아들 구별 말고 둘만 낳아 잘 기르자.
- 1980년: 잘 키운 딸 하나 열 아들 안 부럽다.
- 1982년: 둘도 많다. 하나 낳고 알뜰살뜰
- 1986년: 하나로 만족합니다. 우리는 외동딸
- 1990년: 엄마 건강, 아기 건강, 적게 낳아, 밝은 생활
- 2004년: 아빠! 하나는 싫어요. 엄마! 저도 동생을 갖고 싶어요.
- 2006년: 낳을수록 희망 가득, 기를수록 행복 가득

2 저출산·고령화가 우리 생활에 미치는 영향을 알아보자

저출산·고령화는 노인 인구 증가와 출산율 감소로 우리 사회에 직접적인 영향을 미칠 것이다. 따라서 저출산·고령화가 가져온 우리 생활의 변화를 이해하고, 이것이 나와 가족, 사회와 국가 모두의 문제임을 인식해야 한다.

(1) 저출산이 미치는 영향

① **가족 기능의 약화** 세대 간 문화 교류의 기회가 줄어들고 가족 내 전통의 가치나 문화의 전수가 어려워진다.

② **개인주의 사고의 증가** 형제자매 관계를 경험하지 못하는 아이들이 늘어나고, 정서적인 외로움을 겪거나 다양한 관계를 형성할 기회가 부족해진다.

③ **평균 연령의 상승** 1990년 이후 지속된 저출산 현상은 노인 인구 비율을 증가시켜 인구 고령화가 가속되고 있다.

함께 해 보기

저출산 현상이 나와 가족에게 미칠 영향을 더 찾아 써 보자.

예 • 아이를 돌보는 영·유아 보육 시설이나 어린이집, 유치원 등 아이의 나이에 적당한 보육 시설들이 증가하고 있다.
• 자녀의 보살핌을 받기 어려워 혼자 생활하는 노인들이 늘어나면서 노인을 돌볼 수 있는 노인 요양 보호 시설이나 재택 서비스 등이 증가하고 있다.

(2) 고령화가 미치는 영향

① **노인 문제의 증가** 과거와 달리 가족과 사회의 보살핌에서 소외된 노인들의 빈곤, 질병, 외로움 등 노인 문제가 늘어난다.

② **사회 비용의 증가** 소득을 벌 수 있는 인구에 비해 연금을 받는 인구가 많아지고, 다양한 노인 문제 해결을 위한 젊은 세대의 부담이 커진다.

③ **세대 간 갈등 증가** 젊은 세대가 부담해야 하는 사회적 비용이 증가하여 세대 간 갈등이 깊어진다.

(3) 저출산 및 고령화가 미치는 영향

① **국가 경제의 침체** 구매력이 낮은 노인 인구가 급격히 증가하면서 생산과 소비가 줄어든다.

② **국가 경쟁력의 약화** 생산 인구의 감소와 경제 위축, 계속되는 경제 성장률 하락과 노인 복지를 위한 국가 재정 지출 증가 등으로 인해 국가 재정에 위기가 올 수 있다.

③ **생산 가능 인구의 감소** 일을 할 수 있는 생산 가능 인구가 급격하게 줄어 국가의 기본 성장 동력이 약화된다.

함께 생각해 보기

고령사회에서 증가하는 노인 문제에는 어떤 것이 있을지 생각해 보자.

예 노인 문제에는 경제적 빈곤, 정서적 외로움, 질병 등으로 인한 신체적 어려움 등이 있으며, 이로 인해 최근에는 고독사하는 노인들이 늘어나고 있다.

개념 더하기+

⊕ 인구 절벽 현상
인구 절벽은 미국의 저명한 경제학자 해리 덴트(H.S. Dent Jr)가 제시한 개념으로, 생산 가능 인구(15～64세)의 비율이 급속도로 줄어드는 현상을 말한다. 인구 절벽 현상이 발생하면 생산과 소비가 주는 등 경제 활동이 위축돼 심각한 경제 위기가 발생할 수 있다.

⊕ 노인 부양비 증가
노년 부양비란 부양 연령층(15～64세) 인구에 대한 피부양 노인 연령층(65세 이상) 인구 비율이다. 생산 가능 인구의 감소는 사회적으로 부담해야 하는 노년 부양비를 빠르게 증가시키고 있다. 2004년 노년 부양비는 12.1%로, 생산 가능 인구 약 8명이 노인 1명을 부양하였으나, 2030년경에는 2.7명이 노인 1명을 부양하게 될 것으로 전망하고 있다.

3 저출산·고령화를 극복하기 위한 노력이 필요하다

(1) **저출산 대비책**

① 출산 자체를 장려하는 것과 더불어, 출산에 대한 사회적 책임을 강화하여 아이를 낳아 잘 키울 수 있는 환경을 만든다.

② 가족이 함께 많은 시간을 보낼 수 있는 사회 분위기를 만든다.

③ 양성평등한 사회 속에서 아이를 낳은 여성이 경제 활동을 지속하고, 부모가 함께 자녀 양육에 동참할 수 있도록 해야 한다.

④ 생애 주기별 출산 친화 문화를 형성하고, 가족 친화 문화를 만들기 위한 가족 중심의 정책을 마련하여 온 가족이 함께 건강한 가정생활을 하도록 도와야 한다.

함께 생각해 보기

'가족 사랑의 날'에 가족과 함께하고 싶은 일이 무엇인지 써 보고, 친구들과 함께 이야기해 보자.

예
- 밥을 일찍 먹고 가족과 함께 영화를 보고 싶다.
- 가족과 함께 집 근처 공원을 산책하며 대화를 나누고 싶다.

(2) **고령화 대비책**

① 고령자의 삶의 질을 높이기 위해서는 개인 및 가족 수준의 대책과 사회 제도 차원의 지원이 마련되어야 한다.

② 국민연금 등 공적 연금을 통해 안정적이고 기본적인 노후 소득을 보장하고, 기업과 근로자는 퇴직 연금을 준비하며, 개인은 자발적으로 개인연금 등 저축을 할 필요가 있다.

③ 경제 활동의 은퇴 시기를 늦춰 주거나, 경제 활동에 지속해서 참여할 수 있도록 평생 교육, 재취업 기회 확대, 정년 연장 등으로 노인의 경제적 기반을 마련해 주어야 한다.

④ 노인 일자리 창출은 사회의 안정성을 높이고 젊은 층의 노인 부양 부담을 줄일 수 있다.

교과서 뛰어넘기

가족 친화 지원 센터

일과 가정이 조화로운 가족 친화 직장 문화를 조성하고, 다양한 가족 친화 정책을 지원하기 위해 여성가족부 장관의 지정을 받아 운영하는 기관이다.

- 가족 친화 경영 컨설팅: 근로자가 일과 가정생활을 조화롭게 병행할 수 있도록 다양한 프로그램, 제도, 교육 등의 지원을 통하여 새로운 기업 문화를 만들어 가는 컨설팅을 진행한다.
- 가족 친화 교육: 일·가정 양립 및 가족 친화 경영 역량 강화를 위해 기업(관) 임직원을 대상으로 가족 친화 교육을 진행한다.
- 가족 친화 사업 홍보: 가족 친화 인증, 가족 친화 경영 컨설팅, 가족 친화 교육, 가족 친화 사업 안내 등 관련 정보를 홍보하고 제공하여 기업(관)의 가족 친화적인 직장 환경을 조성하도록 돕는다.

개념 더하기+

가족 친화 문화
근로자들이 일과 가족의 조화를 꾀할 수 있도록 지원하는 직장 내 분위기를 말한다.

저출산 대비책
저출산·고령사회 위원회에서 2015에 발표한 「제3차 저출산·고령사회 기본 계획(안)」에 따른 저출산 대비책은 다음과 같다.
- 결혼하기 좋은 여건 확충: 청년 고용 활성화 등
- 출생·양육에 대한 사회적 책임 강화: 맞춤형 돌봄 지원, 임신·출산 의료비 부담 감소 등
- 일·가정 양립 근로 현장 정착: 근로 형태 다양화, 시간 선택제 일자리, 유연 근무제, 아빠 육아 휴직 인센티브를 1개월에서 3개월로 연장 등

출산에 대한 사회적 책임 강화
- 출산 장려 정책 마련
- 출산 및 양육 보조 수당 지급
- 국공립 보육 시설 확충
- 출산 휴가 및 육아 휴직 제도 마련
- 임신·출산으로 인한 직장 내 불이익 금지

교과서 뛰어넘기

새로마지플랜 2015

보건복지부는 저출산 · 고령화 시대를 대비하여 '새로마지플랜 2015'를 발표했다. '새로움'과 '마지막'을 더하여 만든 말로, '새롭게 태어나는 아이부터 노후의 마지막 생애까지 희망차고 행복하게'라는 국가의 인구 복지 정책을 목표로 하고 있다. 출산과 양육에 유리한 환경을 조성하고, 정부 · 지역 사회 · 개인이 함께 준비하여 활기찬 고령사회를 만들기 위한 내용이 들어 있다.

- 저출산 시대를 대비한 주요 계획
  - 육아기 근로 시간 단축 청구권 및 근로 시간 저축 휴가제 도입
  - 직장 보육 시설 설치 기준 완화 및 운영 지원 확대
  - 신혼부부 대상 주택 자금 지원 확대
  - 보육비 · 교육비 지원 대상 확대 및 공공형 · 자율형 어린이집 증설
- 고령화 사회를 대비한 주요 계획
  - 퇴직 연금 도입 및 개인연금 활성화를 위한 제도 개선
  - 고령자의 신규 창업 교육 등 '시니어 창업 지원' 실시
  - 노인 요양 시설 전담 주치의 제도 및 의료 · 재활 치료비 지원 대상 확대
  - 전문 퇴직자로 구성된 전문 노인 자원 봉사단 구성

개념 더하기+

실버산업 육성

실버산업은 노년층을 대상으로 한 상품 및 서비스를 제조 · 판매하거나 제공하는 것을 목적으로 하는 산업을 말한다. 주요 내용으로 홈케어 서비스사업, 중간 보호 시설 및 1인 노인 보호 사업, 유료의 양로 및 요양 시설, 노인 전용 의료 서비스 산업, 케어 하우징의 절차 운영 사업, 노인을 대상으로 하는 관광 · 취미 · 오락 프로그램을 제공하는 사업, 노인 식품, 노인 의복, 노인용 생활용품의 제조 · 판매 산업 등이 있다.

주제 활동 저출산 · 고령사회 토의 · 토론하기

1. 물고기 뼈를 중심으로 원인, 영향, 해결 방안이라는 하위 가시를 그리고, 다음 순서에 따라 활동해 보자.

- **원인:** 저출산의 원인은 양육비 부담, 일과 직업 생활 병행의 어려움, 전통적인 가족 가치관의 변화 등이며, 고령화의 원인은 생활 수준 향상, 낮은 출산율, 의료 기술 발달 등으로 인한 평균 수명의 증가 등이 있다.
- **영향:** 인구가 줄어들어 일할 사람이 없어지고, 노인이 늘어나 노인 빈곤, 외로움, 건강 등의 문제가 발생한다.
- **해결 방안:** 아기를 낳고 키우기 좋은 환경 만들기, 노인 재취업을 위한 교육 지원하기, 노인 일자리 만들기 등이 있다.

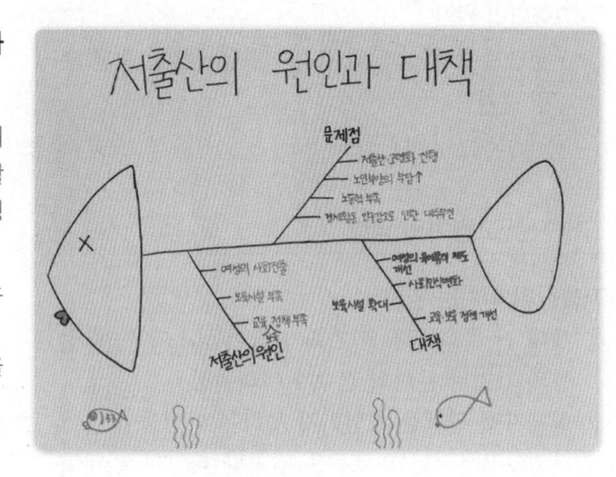

2. 모둠별로 정리한 토의 · 토론 내용을 바탕으로 발표해 보자.

3. 이 활동을 통해 느낀 점을 써 보자.

저출산 · 고령사회가 먼 훗날의 일이 아닌 우리 모두가 겪을 수 있는 일이라는 점에서 심각한 문제임을 알게 되었고, 이로 인해서 나타나는 여러 문제점을 해결하기 위해서 사람들 모두가 의식적으로 노력해야 할 것 같다.

내용 정리

1. 저출산 · 고령화 현상

(1) 저출산 · 고령화의 의미와 현황

① 저출산
- 태어나는 아이의 수가 줄어들어 합계 출산율이 2.1명 이하로 지속되는 현상
- 우리나라는 2014년 기준 1.2명으로 초저출산 국가에 해당됨.

② 고령화
- 전체 인구 중 만 65세 이상 노년 인구가 차지하는 비율이 높아지는 현상
- 우리나라 노인 인구 증가는 세계에서 가장 빠른 속도로 진행되고 있음.

(2) 저출산 · 고령사회의 원인

① 저출산의 원인
- 여성의 경제 활동 참여 증가
- 결혼과 출산에 대한 가족 가치관의 변화
- 양육 및 교육비 부담 증가
- 출산과 양육으로 인한 일 · 가정 양립의 어려움
- 청년 실업 및 고용 불안정

② 고령화의 원인
- 생활 수준 향상과 의료 기술 발달로 인한 평균 수명 증가
- 지속되는 낮은 출산율

2. 저출산 · 고령화의 영향

(1) 저출산이 미치는 영향

① 세대 간 문화 교류의 기회가 줄어들고 가족 내 전통의 가치나 문화의 전수가 어려워짐.

② 형제자매 관계를 경험하지 못하는 아이들이 늘어나고, 정서적인 외로움을 겪거나 다양한 관계를 형성할 기회가 부족해짐.

③ 1990년 이후 지속된 저출산 현상은 노인 인구 비율을 증가시켜 인구 고령화가 가속되고 있음.

(2) 고령화가 미치는 영향

① 과거와 달리 가족과 사회의 보살핌에서 소외된 노인들의 빈곤, 질병, 외로움 등 노인 문제가 늘어남.

② 소득을 벌 수 있는 인구에 비해 연금을 받는 인구가 많아지고, 다양한 노인 문제 해결을 위한 젊은 세대의 부담이 커짐.

③ 젊은 세대가 부담해야 하는 사회적 비용이 증가하여 세대 간 갈등이 깊어짐.

(3) 저출산 · 고령화가 미치는 영향

① 구매력이 낮은 노인 인구가 급격히 증가하면서 생산과 소비가 줄어듦.

② 일을 할 수 있는 생산 가능 인구가 급격하게 줄어 국가의 기본 성장 동력이 약화됨.

③ 생산 인구의 감소와 경제 위축, 계속되는 경제 성장률 하락과 노인 복지를 위한 국가 재정 지출 증가 등으로 인해 국가 재정에 위기가 올 수 있음.

3. 저출산 · 고령화의 극복을 위한 노력

(1) 저출산 대비책

① 출산에 대한 사회적 책임을 강화하여 아이를 낳아 잘 키울 수 있는 환경을 조성함.

② 가족이 함께할 수 있는 사회 분위기를 조성함.

③ 양성평등 사회를 지향하고, 부모가 함께 자녀 양육, 가사 노동에 동참할 수 있도록 함.

④ 생애 주기별 출산 친화 문화를 형성하고, 가족 친화 문화를 만들기 위한 가족 중심의 정책을 마련함.

(2) 고령화 대비책

① 고령자의 삶의 질을 높이기 위한 대책을 마련함.

② 안정적인 노후 생활을 위해 공적 연금, 개인 저축, 퇴직 연금 등 노후 소득을 준비함.

③ 경제적 기반 마련을 위해 정년 연장, 평생 교육 및 재취업 기회 확대, 노인 일자리 창출 방안을 마련함.

교과서 뛰어넘기

✽ 노인 돌봄 서비스 지원
- 노노 케어: 지역 내 홀몸 노인 또는 부양가족의 경제 활동으로 주간에 돌볼 사람이 없는 저소득 노인, 요보호 대상자 등을 대상으로 개인 활동 지원, 가사 지원 등을 제공한다.
- 대국민 치매 상담 전화 센터: 치매 환자, 가족, 간호인 등을 대상으로 정보 제공 및 돌봄 상담을 제공한다.
- 치매 노인 돌봄 가족 지원 사업: 치매 환자 지원 센터, 데이 케어 센터 등에서는 치매 노인 돌봄 가족에게 필요한 자원을 연계하는 역할과 함께 치매에 대한 정확한 지식과 정보를 제공하고, 모임을 통해 참석자들의 정보 교환 및 공감대 형성을 촉진하는 등 직접적인 교육 서비스를 제공한다.

개념 꽉꽉 다지기

01. ( )(이)란, 평균 수명의 증가, 출산율의 감소로 노인 인구의 수가 증가하여 전체 인구에서 차지하는 노인 인구의 비율이 높아지는 것을 말한다.

02. 다음은 고령화의 원인에 대한 설명이다. 맞으면 ○, 틀리면 ×표를 하시오.

(1) 생활 수준의 향상과 의료 기술의 발달로 평균 수명이 증가하고 있다. ( )

(2) 출산·육아 비용의 증가로 출산율이 감소하고 있다. ( )

(3) 정부 지원의 증가로 결혼이나 출산을 앞당기는 경우가 많아지고 있다. ( )

03. 다음 ㉠, ㉡에 들어갈 알맞은 말을 쓰시오.

- 출산 가능한 나이인 15~49세의 한 여성이 평생 낳을 수 있는 자녀의 수를 (㉠)(이)라고 한다.
- 자녀 양육·교육비 부담, 보육 시설 부족, 초혼 연령 상승 등은 (㉡)의 원인이 되고 있다.

(㉠: , ㉡:)

04. 저출산과 고령화가 우리 생활에 미치는 영향으로 옳지 <u>않은</u> 것은?

① 가족 기능이 강화된다.
② 노인 문제가 증가한다.
③ 평균 연령이 상승한다.
④ 국가 경쟁력이 약화된다.
⑤ 생산 가능 인구가 감소한다.

05. 노년층을 대상으로 한 상품 및 서비스를 제조·판매하거나 제공하는 것을 목적으로 하는 산업을 ( )(이)라고 한다.

Helper

01. 고령화는 전체 인구 중 만 65세 이상의 노년 인구가 차지하는 비율이 높아지는 현상이다.

02. 청년층의 고용 불안정, 일·가정 양립의 어려움, 결혼과 자녀에 대한 가치관 변화 등으로 결혼이나 출산을 미루거나 피하는 경우가 많아지고 있다.

03. 태어나는 아이의 수가 감소하여 합계 출산율이 2.1명 이하로 지속되는 현상을 저출산이라 한다.

04. 세대 간 문화 교류의 기회가 줄어들고 가족 내 전통의 가치나 문화의 전수가 어려워진다.

05. 실버산업은 고령화 사회에 발맞춰 그 역할이 주목받고 있다.

01 다음 (가)~(라)에 해당하는 개념으로 옳은 것은?

> (가) 전체 인구 중 65세 이상의 노년 인구 비율이 14% 이상인 사회
> (나) 태어나는 아이의 수가 감소하여 합계 출산율이 1.3명 이하인 경우
> (다) 전체 인구 중 만 65세 이상의 노년 인구가 차지하는 비율이 높아지는 현상
> (라) 태어나는 아이의 수가 감소하여 합계 출산율이 2.1명 이하로 지속되는 현상

① (가) – 저출산
② (나) – 초저출산
③ (다) – 고령사회
④ (라) – 초저출산
⑤ (라) – 초고령 사회

02 저출산·고령화의 원인으로 볼 수 없는 것은?

① 평균 수명의 증가
② 청년층의 고용 불안정
③ 출산·육아 비용의 감소
④ 일·가정 양립의 어려움
⑤ 여성의 경제 활동 참여율 증가

03 다음에서 설명하는 현상을 쓰시오.

> 미국의 저명한 경제학자 해리 덴트(H. S. Dent Jr)가 제시한 개념으로, 생산 가능 인구(15~64세)의 비율이 급속도로 줄어드는 현상을 말한다. 이와 같은 현상이 발생하면 생산과 소비가 주는 등 경제 활동이 위축되어 심각한 경제 위기가 발생할 수 있다.

(   )

04 다음은 노인 인구 비율 추계를 나타낸 것이다. 이와 같은 현상에 대한 설명으로 옳은 것을 보기 에서 있는 대로 고른 것은?

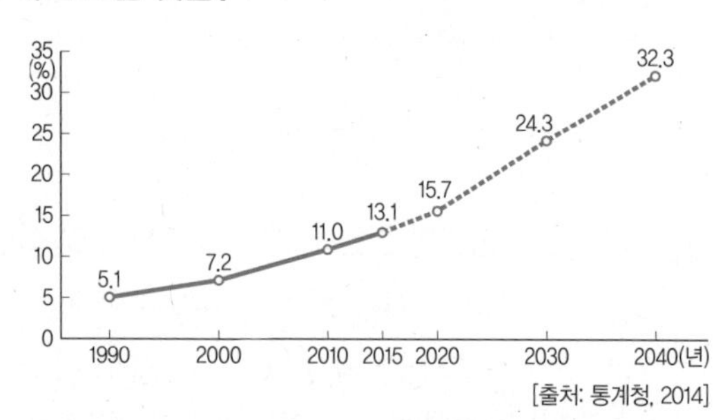

[출처: 통계청, 2014]

> **보기**
> ㄱ. 노년 인구가 차지하는 비율이 높아지고 있다.
> ㄴ. 의료 기술의 발달과는 관련이 없는 현상이다.
> ㄷ. 노인 인구의 증가가 점차 느린 속도로 진행되고 있다.
> ㄹ. 출산율의 감소 현상은 노인 인구 비율의 증가에 영향을 준다.

① ㄱ, ㄴ
② ㄱ, ㄹ
③ ㄴ, ㄷ
④ ㄴ, ㄹ
⑤ ㄷ, ㄹ

05 고령화가 사회에 미치는 영향으로 옳지 않은 것은?

① 노인 문제가 증가한다.
② 젊은 세대의 사회 비용이 감소한다.
③ 노인 복지를 위한 재정 지출이 증가한다.
④ 생산 인구의 감소와 경제 위축으로 국가 경쟁력이 약화된다.
⑤ 구매력이 낮은 노인 인구의 급격한 증가로 국가 경제가 침체된다.

06 저출산이 미치는 영향을 보기 에서 있는 대로 고른 것은?

보기
ㄱ. 노인 인구 비율을 감소시킨다.
ㄴ. 가족 내 전통의 가치나 문화 전수가 어려워진다.
ㄷ. 형제자매 관계를 경험하지 못하는 아이들의 증가로 정서적인 외로움을 겪을 수 있다.

① ㄱ ② ㄴ
③ ㄱ, ㄷ ④ ㄴ, ㄷ
⑤ ㄱ, ㄴ, ㄷ

07 저출산·고령화 현상이 나와 가족에게 미칠 영향으로 옳지 않은 것을 보기 에서 있는 대로 고른 것은?

보기
ㄱ. 생산 인구의 증가로 경제가 활성화된다.
ㄴ. 노인 인구 비율을 증가시켜 평균 연령이 상승한다.
ㄷ. 연금을 받는 인구가 줄어들어 사회 비용이 감소한다.
ㄹ. 혼자 크는 아이의 증가로 개인주의 사고의 증가를 예상할 수 있다.

① ㄱ, ㄴ ② ㄱ, ㄷ
③ ㄴ, ㄷ ④ ㄴ, ㄹ
⑤ ㄷ, ㄹ

08 저출산 대비책으로 옳지 않은 것은?

① 출산 자체를 장려한다.
② 청년 고용을 활성화하여 결혼하기 좋은 여건을 확충한다.
③ 가족이 함께 많은 시간을 보낼 수 있는 사회적 분위기를 만든다.
④ 맞춤형 돌봄 지원과 같은 정책을 통하여 아이의 양육에 대한 사회적 책임을 강화한다.
⑤ 여성은 아이를 돌보고 남성은 직장에 나가서 일하는 문화를 정착시키기 위해 노력한다.

09 다음에서 설명하는 알맞은 말을 쓰시오.

근로자들이 일과 가족의 조화를 꾀할 수 있도록 지원하는 직장 내의 분위기를 의미한다.

( )

10 고령화 대비책에 관한 설명으로 옳은 것을 보기 에서 있는 대로 고르면?

보기
ㄱ. 공적 연금을 최대한 줄여 젊은 세대의 부담을 줄여 준다.
ㄴ. 기업과 근로자는 퇴직 연금을 준비하여 노후에 대비한다.
ㄷ. 경제 활동에 지속적으로 참여할 수 있도록 평생 교육을 실시하거나 재취업 기회를 확대한다.

① ㄱ ② ㄴ
③ ㄱ, ㄷ ④ ㄴ, ㄷ
⑤ ㄱ, ㄴ, ㄷ

11 저출산·고령사회에 대하여 바르게 설명한 사람을 보기 에서 있는 대로 고르면?

보기
서준 : 저출산은 합계 출산율이 2.1명 이하로 지속하는 현상이야.
지연 : 일과 직업 생활 병행의 어려움이 저출산의 원인이 되고 있어.
윤정 : 저출산·고령화는 먼 훗날의 이야기니까 당장은 심각하게 생각하지 않아도 괜찮아.
정은 : 저출산·고령화가 지속되면 가족 기능이 강화되고 평균 연령은 낮아질 거야.

① 서준, 지연 ② 서준, 정은
③ 지연, 윤정 ④ 지연, 정은
⑤ 윤정, 정은

4 일과 더불어 행복한 가정

「주제 열기」

- **어린이집에서 부모님을 기다리는 아이의 마음을 상상해서 그림의 말풍선에 써 보자.**

→ 친구들은 다 집에 갔는데 혼자 남아 있어 무섭다. 부모님은 언제쯤 오시려나?

- **위 상황의 가족이 처한 어려움이 무엇인지 생각해 보자.**

→ 부모님 두 분 모두 직장을 나가셔서 아이의 학교 운동회나 현장 학습 등에 참석하기 어렵다. 부모님은 퇴근하셔서 아이를 돌보고, 집안일까지 해야 하니까 무척 피곤할 것이다.

1/ 일과 가정생활의 조화와 균형은 모두에게 중요하다

(1) 일과 가정생활의 시대적 변화

① **과거** 남성은 생계를 맡고 여성은 자녀 양육과 가사 노동을 주로 맡았다.

② **현대 사회** 양성평등 의식이 확산되고, 여성의 경제 활동 참여율이 증가함에 따라 남성과 여성이 모두 일과 가정 생활을 함께하는 시대가 되었다.

(단위: %)

2009	2010	2011	2012	2013	2014	2015(년)
49.2	49.4	49.7	49.9	50.2	51.3	51.8

[출처: 통계청, 2015]

▲ 여성의 경제 활동 참여율

(2) 일 · 가정 양립

① **일 · 가정 양립이란** 일과 가정생활에서 시간과 신체적 · 심리적 에너지를 어느 한쪽에 치우치지 않게 배분하여 조화와 균형을 이루면서 생활하는 것을 의미한다.

② 노동 시간의 증가로 가정생활을 원만하게 수행하지 못하면, 기혼 여성의 자유로운 사회 진출을 가로막는 원인이 될 수 있다.

③ 가사 및 돌봄 노동의 부담은 자녀 출산 기피 현상으로 나타나 저출산의 원인이 되기도 한다.

④ 일과 가정생활이 조화를 이룰 때 가족은 즐겁고 만족스러운 생활을 할 수 있을 뿐만 아니라 직장 생활에서 능률 향상도 기대할 수 있다.

(3) 일 · 가정 양립의 필요성

① **가정의 행복**

- 가정생활과 직업 생활이 조화를 이루면 직장에서의 업무 능률이 향상되고, 가정생활에서도 활력을 얻을 수 있다.
- 직장에서 스트레스가 높으면 그 영향으로 가정생활에서도 어려움을 겪을 수 있다.

② **기업의 생산성 증가**

- 가정일로 인한 스트레스는 직업 생활에도 영향을 미쳐 근로 의욕을 저하시키고, 업무의 효율성을 떨어뜨린다.
- 유능한 인력이 가정생활 문제로 잦은 결근을 하거나 직장을 포기하면 기업의 경쟁력도 약화될 수 있다.

개념 더하기+

맞벌이 부부 가족

산업의 발달로 인하여 기혼 여성의 노동 시장 참여율이 높아졌고, 맞벌이 부부 가족이란 개념이 가족의 한 형태로 등장하였다. 맞벌이 부부 가족은 결혼한 부부가 모두 직업을 가지게 되면서 가정 내에서 부부 간의 구조적 역할 구조인 대외적 역할을 하는 남편과 대내적 역할을 하는 부인의 전통적 역할 구조를 벗어난 것이다. 산업화 이후 생계유지형, 내조형, 자아실현형, 여가 활동형 등 여러 가지 유형의 맞벌이 부부 가족이 등장하였다.

③ **국가 경쟁력 향상**
- 일·가정 병행의 어려움으로 유능한 근로자가 노동 시장에서 이탈하게 되면, 경제 활동에 큰 타격을 입을 수 있다.
- 일·가정 양립을 위한 제도적 장치가 필요하다.

2 일과 가정생활의 병행으로 다양한 문제가 발생한다

(1) 자녀 양육의 문제

① 자녀 양육은 일·가정 양립에서 겪는 가장 어려운 문제 중 하나이다.

② 자녀와 함께하는 시간이 부족해지고, 자녀 양육·교육 문제 등에 부딪히게 된다.

③ 자녀 양육의 문제는 부부 중 한 명이 직업을 포기하게 되는 주요 원인이 되기도 한다.

(2) 가사 노동 분담의 문제

가사 노동을 여성의 역할이라고 생각하던 고정 관념이 변화하고 있지만, 여전히 여성의 일로 인식하는 경우가 많아서 일·가정 양립을 어렵게 하고 있다.

(3) 역할 갈등의 문제

① **역할 갈등** 개인이 가진 두 가지 이상의 역할에서 서로 상반되는 것을 요구할 때 발생하는 갈등이다.

② 가정생활과 직업 생활에서 수행해야 하는 다양한 역할이 가족 구성원에게 적절히 분산되거나 대체되지 않고 한 사람에게 집중되면, 역할 갈등이 발생한다.

(4) 경제생활 관리의 문제

① 맞벌이 가족은 부부가 함께 경제 활동에 참여하여 가족의 소득이 높지만, 소득이 늘어나는 만큼 외식, 자녀 교육, 가사 서비스 이용, 편의 제품 사용 등으로 지출 비용이 커진다.

② 일부에서는 과소비하는 경향이 나타나기도 한다.

개념 더하기+

⊕ 가사 노동 분담의 문제

가정 내에서 이루어지는 음식 준비, 세탁, 청소 등은 전통적으로 여성의 역할로 간주하여 온 부분으로, 아직도 여성의 역할로 기대되고 있다. 최근 일부 남성의 역할로 해결되고 있지만, 여전히 남성은 조력자의 역할에 머물러 있다.

남성은 직업을 가져도 가사 노동의 책임을 느끼지 않는 반면, 여성에게는 취업하였다 해도 가사 노동으로부터 해방될 수 있는 기회를 주지 않는다.

취업 기혼 남성과 여성의 역할 전환 문제는 취업 당사자와 가족 구성원의 유기적 관계를 재구성하고, 사회적으로 남녀 간 공평한 기회가 제도적으로 보장받을 수 있는 공동체로서의 가족의 기능을 마련해야 한다. 이를 통해 수직적 부부 관계에서 수평적 부부 관계로 전환하고, 가사 노동과 임금 노동의 가치 불균형도 해소해야 한다.

개념 더하기+

✚ 양성평등한 가족 문화 만들기
- 성 역할 고정 관념에 따라 남성과 여성의 역할을 구분하지 않고 가정 내 역할 분담을 남녀 간 또는 세대 간 균형 있게 조절하도록 한다. 식사 준비, 청소, 가족 돌보기 등 매일 반복되는 가사 일에 어른뿐만 아니라 자녀도 함께한다.
- 가사 노동의 부담을 줄이기 위해 식기 세척기, 로봇 청소기 등 가전제품을 이용하거나 외식, 세탁소, 가사 도우미 서비스 등을 이용하는 방법을 적극적으로 활용하여 효율적으로 가사 노동을 관리한다.
- 가족의 의사 결정 과정에서도 가족 구성원 모두가 함께 참여하고 개개인의 의견을 존중하여 책임과 권리가 모두에게 평등하게 주어질 수 있도록 한다. 남녀 모두 조화롭고 평등한 가족 문화를 형성하여 가정생활과 직업 생활을 병행하며 나타날 수 있는 어려움을 극복하도록 노력해야 할 것이다.

스스로 생각해 보기

우리 가족이 겪고 있는 일·가정 병행의 문제가 있는지 생각해 보자.

예
- 간호사인 엄마는 3교대 근무를 하신다. 저녁 근무를 하실 때면 내가 저녁밥을 차려 먹어야 해서 불편하다.
- 우리 집은 부모님이 두 분 모두 아침 일찍 출근하신다. 아침마다 동생을 깨워서 유치원에 보내는 일을 내가 맡아서 하고 있다.
- 부모님이 모두 밤늦게 퇴근하시게 될 때 집 근처에 살고 계시는 할머니가 부모님이 돌아오실 때까지 나와 동생을 돌봐주신다.

3/ 일과 가정생활 양립을 위해 다 함께 노력하자

일과 가정생활의 균형과 조화를 위해서는 개인뿐만 아니라 가족 구성원 모두의 이해와 노력, 일과 가정생활 양립이 가능한 사회 분위기 조성, 기업과 정부 차원의 지원 정책 마련도 함께 이루어져야 한다.

(1) 개인과 가족의 노력

① 개인과 가족은 일·가정 양립의 중요성을 이해하고 서로 도움을 주고받을 수 있는 관계를 형성해야 한다.

② 가정생활과 직업 생활은 상호 도움을 줄 수 있는 관계이며, 일·가정 양립을 통해 개인과 가족의 삶의 만족도를 높일 수 있음을 이해해야 한다.

양성평등한 가치관을 바탕으로, 가족 구성원의 능력과 상황에 맞게 역할을 분담한다.

직장에서는 효율적인 근무 방식을 적극적으로 활용하여 업무 효율을 높이고, 가정에서는 효율적인 가사 노동 관리 방법을 습득한다.

일, 가정, 여가의 조화 속에서 자기 계발을 통해 성장한다.

가족 구성원이 심리적 지지자로서 서로에게 힘이 되어 준다.

▲ 일·가정 양립을 위한 개인과 가족의 노력

우리 가족의 일과 가정생활 양립을 위해 실천할 수 있는 구체적인 방안을 찾아 써 보자.

예
- 개인의 노력: 가사일에 적극적으로 참여한다.
- 가족의 노력: 우리 가족의 역할을 공평하게 분담한다.

(2) 기업의 노력

① 장시간 노동 근무 환경으로 인한 일·가정 양립의 어려움 개선

- 우리나라의 장시간 노동 근무 환경은 남성과 여성 모두에게 일과 가정생활의 조화로운 양립을 어렵게 만드는 요인으로 작용하고 있다.
- 가정에서 보낼 수 있는 시간이 부족해지고 가사 노동이나 자녀 양육 등을 부부가 함께 분담하기 어려워지기 때문인데, 이는 가족 갈등의 원인이 되기도 한다.
- 과도한 장시간 근로를 막고, 가족 친화 문화를 형성할 수 있는 제도적 장치를 마련하여 일과 가정생활의 양립을 지원할 수 있는 기업 환경을 조성해야 한다.
- 기업은 근로자가 일과 삶의 균형을 찾고, 개성과 창의력을 발휘할 수 있도록 적절한 근무 방식을 도입하고, 효율적이고 유연한 근무 환경을 만든다.

② 일·가정 양립을 위한 기업의 노력

(3) 사회·국가적 노력

① 양성평등 의식 확산을 위해 노력

- 학교나 직장, 사회에서의 성차별적인 관행을 개선하고, 성 역할 고정 관념을 버릴 수 있도록 지원해야 한다.
- 양성평등 의식 확산을 위한 각종 교육 프로그램이나 캠페인 등을 시행하는 것이 방법이 될 수 있다.

개념 더하기+

유연 근무제

- 탄력적 근로 시간제: 평균 근로 시간을 주 40시간 또는 하루 8시간의 법정 근로 시간에 맞춰서 근로자 스스로 출퇴근 시간을 선택하고 조정할 수 있는 제도이다.
- 선택적 근로 시간제: 주 5일이나 주 40시간 근무를 준수하면서 출퇴근 시간을 자율적으로 조정할 수 있는 제도이다. 근로자 개개인이 선택한 시간대에 출퇴근하는 '시차 출퇴근제'가 가장 많이 쓰인다.
- 시간제 근무: 주 40시간 이하를 근무하는 단시간 근무 제도로, 직위 및 계급을 불문하고 활용할 수 있는 제도이다. 특히, 여성 근로자는 임신, 출산, 육아를 함께하며 직장 생활을 계속 이어갈 수 있게 하고, 학업과 일을 병행하고자 하는 근로자에게 시간을 제공할 수 있다.
- 재량 근무제: 개인이 별도 계약 때문에 주어진 프로젝트를 완료한 경우, 실제 근무 시간을 따지지 않고 근로 시간을 인정해 주는 제도이다. 연구·개발 업무, 기사의 취재와 편집 등 고도의 전문 지식과 기술이 필요하거나 업무 수행 방법과 시간 배분을 수행자의 재량에 맡길 수밖에 없는 분야에 활용되는 형태의 근무 방식이다.
- 원격 근무제: 근로자가 집이나 주거지에 인접한 원격 근무용 사무실에 출근하여 일하거나 모바일 기기를 이용하여 사무실이 아닌 장소에서 근무하는 방식이다.

개념 더하기+

⊕ 일 · 가정 양립을 위한 사회 · 국가적 노력

- 기혼 여성의 경력 단절을 줄이려는 사회적 노력이 필요하다.
- 여성 가족부 여성 새로 일하기 센터에서는 육아 · 가사 등으로 경력이 단절된 여성 대상 직업 상담, 구인 · 구직 관리, 직업 교육 훈련, 인턴십, 취업 연계, 취업 후 사후 관리 등 종합적인 취업 지원 서비스를 제공하고 있다.
- 부모와 사회, 국가가 아이를 함께 키운다는 관점에서 다양한 보육 지원 정책을 마련할 필요가 있다. 육아와 휴직으로 발생한 경제적 부담과 손실을 줄이기 위해 보육 수당 및 휴직 수당을 지급하고, 일하는 부모가 안심하고 자녀를 맡길 수 있는 보육 환경을 마련하기 위해 국공립 보육 시설을 확충하도록 한다.

② 경력 단절 근로자 지원

- 일 · 가정 병행의 어려움으로 직장을 그만두면서 경력이 단절된 근로자들이 많은 것이 현실이다.
- 경력 단절 근로자들에게 재취업 기회를 확대하는 등 다양한 방안으로 경력 단절 근로자를 지원하면, 육아를 마치고 직장 생활을 다시 시작할 수 있는 사회적 분위기를 형성할 수 있다.

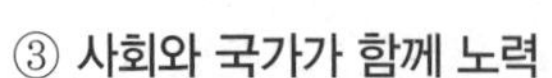

③ 사회와 국가가 함께 노력

- 일 · 가정을 양립하는 데 부딪히는 어려움 중 하나가 자녀 출산 및 양육의 문제이다.
- 사회와 국가가 함께 아이를 키워 나가는 가족 친화 문화와 자녀 출산 및 육아 · 보육 지원 제도를 통해 일 · 가정 양립을 실현할 수 있다.

함께 생각해 보기

여성이 남성보다 일과 가정생활의 양립에 어려움을 겪는 까닭은 무엇인지 생각해 보자.

예 • 기업에서 임신, 출산 등을 이유로 여성의 채용을 피하거나 불이익을 주고 있기 때문이다.
• 사회에서 가부장적 권위, 남성 우월 의식, 남녀 차별 의식이 여전히 존재하고 있기 때문이다.

더 들여다보기

이 외에 일 · 가정 양립을 지원하는 제도에는 무엇이 있는지 찾아보자.

예 태아 검진 시간 허용, 육아 시간 허용 등

교과서 뛰어넘기

✽ 외국의 육아 휴직 및 출산 휴가 사례

- 유명 소셜 네트워크 서비스(SNS) 회사의 창업자이자 최고 경영자인 마크 저커버그(M. E. Zuckerberg)는 딸이 태어나면 두 달 동안 육아 휴직을 가겠다고 발표하고, 전 세계 페이스북 임직원들도 아이가 태어나면 4개월간 유급 육아 휴직을 갈 수 있도록 규정을 바꿨다.
- 양성평등이 가장 잘 실현된 국가로 꼽히는 스웨덴은 왕실에서도 남성 육아 휴직을 사용한다. 스웨덴 왕위 계승 서열 1위인 빅토리아 공주는 지난 2012년 딸 에스텔을 출산했으며, 남편인 다니엘 공은 곧바로 남성 육아 휴직을 냈다. 다니엘 공은 에스텔 공주가 어린이집에 다니기 전까지 장기 육아 휴직을 내고 아이가 크는 과정을 지켜봤다. 스웨덴은 1974년부터 남녀 모두 육아 휴직을 쓸 수 있도록 법률을 제정했다.

교과서 뛰어넘기

부부 육아 휴직 지원, '아빠의 달(Father's Month)'

'아빠의 달'이란 남성의 육아 휴직을 촉진하기 위해 2014년 도입된 것으로, 한 자녀에 대해 부부가 차례로 육아 휴직을 사용할 경우, 두 번째로 육아 휴직을 사용하는 사람에게 임금의 100%(최대 150만 원)를 3개월간 육아 휴직 급여로 지원하는 제도이다. 일반적으로 여성이 먼저 육아 휴직을 사용한다는 점을 고려해 두 번째 육아 휴직에 성과 보수를 주는 것이다. 실제 적용 시에는 여성과 남성의 순서가 바뀌어도 상관없다.

개념 더하기+

주제 활동 일 · 가정 양립을 위한 전략 세우기

1. 네 가지 상황 중 나는 어떤 선택을 할 것인지 표시해 보자.

선택 1 선택 2 선택 3 선택 4

2. 1에서 내린 선택으로 얻는 것과 포기해야 하는 것은 무엇일지 써 보자.

	얻을 수 있는 것	포기해야 하는 것
선택 1	직업에 충실하여 자아실현을 할 수 있고, 승진을 빨리할 수 있다.	자녀와의 시간을 포기해야 한다.
선택 2	아이를 돌보는 데 여유가 생긴다.	직장에서 불이익을 받는다.
선택 3	휴직 기간을 육아에 전념할 수 있다.	수입이 일시적으로 줄어들 수 있고, 경력 단절이 생긴다.
선택 4	아이를 위해 시간과 에너지를 충분히 쓸 수 있어서 스트레스를 덜 받을 수 있다.	전업주부로 지내게 되면서 경제적인 어려움이 발생할 수 있다.

3. 나의 선택을 지원해 줄 수 있는 정책에는 어떤 것들이 있을지 생각하여 제안해 보자.

예
- 선택 1: 밤 10시까지 개방하는 어린이집을 많이 늘리는 정책을 세운다.
- 선택 2: 출퇴근 시간을 자유롭게 조정해 주는 제도를 만든다.
- 선택 3: 부모 중 한 사람이 육아 휴직을 하는 동안 휴직자 월급의 일부를 지급한다.
- 선택 4: 근로자가 원하면 다니던 회사에 우선 복직할 수 있도록 법을 만든다.

4. 각자 만든 정책을 모둠별로 이야기하고, 느낀 점을 써 보자.

예 일 · 가정 양립에서 발생할 수 있는 상황은 개인의 상황에 따라 매우 다양하다. 다양한 사람들의 생활을 반영하여 활용할 수 있는 좋은 정책들이 실제로도 많이 개발되었으면 좋겠다.

내용 정리

1 일과 가정생활의 조화와 균형

(1) 일 · 가정생활의 양립

① 과거와는 달리 여성의 경제 활동 참여 증가와 양성평등 의식의 확산 등으로 남성과 여성이 함께 일하는 시대가 됨.

② **일 · 가정 양립** 일과 가정생활에서 시간과 심리적 · 신체적 에너지를 어느 한쪽에 치우치지 않고 조화와 균형을 이루면서 생활하는 것

③ 일과 가정생활이 조화를 이룰 때 가족은 즐겁고 만족스러운 생활을 할 수 있을 뿐만 아니라 직장생활에서 능률 향상도 기대할 수 있음.

(2) 일 · 가정 양립의 필요성

① **가정의 행복** 일 · 가정 양립은 직장에서의 업무 능률 향상과 가정생활에서의 활력을 줄 수 있음.

② **기업의 생산성 증가** 업무의 효율성을 높이고, 유능한 인력의 유출을 막을 수 있음.

③ **국가 경쟁력 향상** 유능한 근로자의 유출을 막고, 경제 활동의 향상을 유도할 수 있음.

2 일 · 가정생활 병행의 문제점

(1) 자녀 양육의 문제

① 일 · 가정 양립에서 겪는 가장 어려운 문제 중 하나임.

② 직장 생활을 하면 자녀와 함께하는 시간이 부족해지고, 자녀 양육 · 교육 문제 등에 부딪히게 됨.

(2) 가사 노동 부담의 문제

① 가사 노동의 분담이 잘 이루어지지 않아 여러 가지 문제가 생길 수 있음.

② 가사 노동을 여성의 일로 인식하는 경우가 여전히 존재함.

(3) 역할 갈등의 문제

① **역할 갈등** 개인이 가진 두 가지 이상의 역할에서 서로 상반되는 것을 요구할 때 발생하는 갈등

② 여러 가지 역할이 가족 구성원에게 적절히 분산되거나 대체되지 않고 한 사람에게 집중될 경우, 역할 갈등이 발생함.

(4) 경제생활 관리의 문제

① 맞벌이는 가족의 소득 증대를 가져오지만, 소득이 늘어나는 만큼 지출 비용이 커짐.

② 일부에서는 과소비 경향이 나타나기도 함.

3 일과 가정생활의 양립을 위한 노력

(1) 개인과 가족의 노력

① 양성평등한 가치관을 바탕으로, 가족 구성원의 능력과 상황에 맞게 역할을 분담함.

② 직장에서는 효율적인 근무 방식으로 업무 효율을 높이고, 가정에서는 효율적인 가사 노동 관리 방법을 습득함.

③ 일과 가정, 여가의 조화를 통해 자기 계발을 하며 성장함.

④ 가족 구성원 모두가 서로의 심리적 지지자로서 서로에게 힘이 되어 줌.

(2) 기업의 노력

① 과도한 장시간 근로를 막고, 가족 친화 문화를 형성할 수 있는 제도적 장치를 마련하여 일과 가정생활의 양립을 지원할 수 있는 기업 환경을 조성함.

② 기업은 근로자가 일과 삶의 균형을 찾고, 개성과 창의력을 발휘할 수 있도록 적절한 근무 방식을 도입하고, 효율적이고 유연한 근무 환경을 조성함.

③ **일 · 가정 양립을 위한 기업의 노력**

- 유연 근무 활용도 높이기
- 회식 · 야근 줄이기
- 자기 계발 및 휴가 지원하기
- 육아 부담 나누기
- 생산성과 효율성 높이기

(3) 사회 · 국가적 노력

① 성차별적인 관행을 개선하고, 성 역할 고정 관념을 버리는 등 양성평등 의식 확산을 위해 노력해야 함.

② 일 · 가정 병행의 어려움으로 인한 경력 단절 근로자를 지원해야 함.

③ 사회와 국가가 함께 아이를 키워 나가는 가족 친화 문화와 자녀 출산 및 양육 · 보육 지원 제도를 만들어 나가야 함.

개념 꽉꽉 다지기

01. (   )(이)란, 일과 가정생활에서 시간과 신체적·심리적 에너지를 어느 한쪽에 치우치지 않게 배분하여 조화와 균형을 이루면서 생활하는 것을 의미한다.

02. 다음은 일·가정 양립에 대한 설명이다. 맞으면 ○, 틀리면 ×표를 하시오.

(1) 가사 노동의 부담은 기혼 여성의 자유로운 사회 진출을 가능하게 한다. (   )

(2) 자녀 돌봄의 부담은 자녀 출산 기피 현상으로 나타나 저출산의 원인이 될 수 있다. (   )

(3) 일과 가정생활이 조화를 이룰 때 가족은 즐겁고 만족스러운 생활을 할 수 있다. (   )

03. 맞벌이 부부 가족이 겪는 문제점으로 옳지 않은 것은?

① 과도한 양육 비용
② 가사 노동의 공평한 분담
③ 질 좋은 보육 시설의 부재
④ 돌봄을 대체할 사교육비의 증가
⑤ 외식비와 같은 지출 규모의 확대

04. 일·가정 양립에 대한 설명으로 옳은 것은?

① 일과 가정 중 하나에 중점을 둔다.
② 남성의 적극적인 태도 개선만이 대책이다.
③ 일과 가정 생활에서 조화와 균형을 이루는 것이다.
④ 성 역할 고정 관념은 일·가정의 양립을 수월하게 해 준다.
⑤ 일과 가정이 서로 어떠한 영향도 미치지 않는 상태를 의미한다.

05. 일·가정 양립을 위한 기업의 노력으로 옳지 않은 것은?

① 유연 근무제의 확대
② 비생산적인 회의 문화 개선
③ 가사 노동의 적극적인 참여
④ 수유실 설치 등의 시설 개선
⑤ 늦은 회식 등의 기업 문화 개선

Helper

01. 현대 사회는 양성평등 의식이 확산되고, 여성의 경제적 참여율이 증가하여 일과 가정생활의 양립이 중요한 시대가 되었다.

02. 가사 및 자녀 돌봄의 부담은 자녀 출산 기피 현상 및 여성의 자유로운 사회 진출을 가로막는 원인이 될 수 있다.

03. 부부가 모두 사회생활을 병행할 경우, 가사 노동이 어느 한 쪽으로 치우치지 않도록 공평하게 분담해야 한다.

04. 일·가정 양립이란 부부 모두가 노력해야 이루어질 수 있는 것으로, 성 역할 고정 관념을 버리는 것이 중요하다.

05. 가사일의 적극적인 참여는 가정에서 할 수 있는 노력에 해당한다.

차곡차곡 실력 쌓기

01 일·가정 양립에 대한 설명으로 옳지 않은 것은?

① 일과 가정생활이 조화와 균형을 이루는 것을 의미한다.
② 일·가정 양립으로 가사 및 돌봄 노동의 부담이 증가할 수 있다.
③ 직장에서의 업무 능률 향상과 가정생활의 활력을 기대할 수 있다.
④ 가족의 만족스러운 생활이 직장에서의 능률 향상으로 이어질 수 있다.
⑤ 일과 가정이 조화를 이루지 못할 경우 유능한 근로자의 노동 시장 이탈 등의 문제가 발생한다.

02 오늘날 일과 가정생활의 변화 모습에 대한 설명으로 옳지 않은 것은?

① 양성평등 의식이 확산되었다.
② 여성의 사회 활동이 증가하였다.
③ 점차 개인과 가족의 행복을 중요시하게 되었다.
④ 여성의 교육 수준 및 자아실현 욕구가 높아졌다.
⑤ 남성은 생계를 맡고, 여성은 자녀 양육과 가사 노동을 주로 맡게 되었다.

03 일과 가정생활 병행에 대한 설명으로 옳은 것을 보기 에서 있는 대로 고른 것은?

보기
ㄱ. 자녀와 함께하는 시간의 감소로 죄책감을 겪을 수 있다.
ㄴ. 한 사람에게 두 가지 이상의 역할이 집중되어 역할 갈등을 겪을 수 있다.
ㄷ. 직장 일, 가정일, 개인 생활 등과 같은 시간대가 중복되어 일정 갈등이 발생할 수 있다.
ㄹ. 맞벌이 가족은 부부가 함께 경제 활동에 참여하여 소득이 높은 만큼 지출 비용에 대한 부담이 적다.

① ㄱ, ㄴ ② ㄱ, ㄷ
③ ㄴ, ㄹ ④ ㄱ, ㄴ, ㄷ
⑤ ㄴ, ㄷ, ㄹ

04 다음에서 설명하는 알맞은 말을 쓰시오.

> 한 개인이 가진 두 가지 이상의 역할에서 상반되는 것을 요구할 때 발생하는 갈등을 의미한다.

( )

05~06 다음 그림을 보고 물음에 답하시오.

05 그림에서 알 수 있는 일·가정 병행에 따른 문제점으로 옳은 것은?

① 자녀 교육 문제
② 자녀 양육 문제
③ 경제생활 관리 문제
④ 가족 가치관 갈등 문제
⑤ 가사 노동 분담의 문제

06 위와 같은 문제를 해결하기 위한 노력으로 가장 적절한 것은?

① 책임감 있는 역할을 수행한다.
② 필요한 생활비를 미리 계산한다.
③ 일의 우선순위에 따라 일정을 조절한다.
④ 가족 각자의 일정표를 검토하여 점검한다.
⑤ 가족 구성원 모두가 가사 노동에 책임 의식을 갖는다.

07 맞벌이 부부 가족의 경제생활 관리 문제에 대한 설명으로 옳지 않은 것은?

① 외식을 자주 하게 된다.
② 과소비 경향이 나타날 수 있다.
③ 자산 관리를 누가 하는가에 대한 갈등이 생길 수 있다.
④ 가사 노동 서비스 이용과 관련한 지출 비용이 줄어든다.
⑤ 부부가 함께 경제 활동에 참여하여 가족의 소득 증대를 가져온다.

08 일·가정 병행에서 나타나는 문제에 대한 사회적 해결 방법을 보기 에서 있는 대로 고른 것은?

보기
ㄱ. 보육 시설을 확대한다.
ㄴ. 역할 수행에 책임감을 갖는다.
ㄷ. 유연 근무 제도를 활성화한다.
ㄹ. 가족 구성원 간 효율적인 의사소통을 한다.

① ㄱ, ㄴ ② ㄱ, ㄷ
③ ㄴ, ㄷ ④ ㄴ, ㄹ
⑤ ㄷ, ㄹ

09 일·가정 양립을 위한 노력 방법으로 옳지 않은 것은?

① 경력 단절 근로자를 지원한다.
② 양성평등 의식 확산을 위해 노력한다.
③ 자녀를 적게 출산하는 사회적 분위기를 조성한다.
④ 직장 어린이집을 설치하여 육아의 부담을 기업에서 덜어 준다.
⑤ 집중 근무제 등과 같은 제도를 확충하여 일하는 시간은 줄이고 업무 효율은 높인다.

10 다음에서 설명하는 자녀 출산 및 육아·보육 지원 제도를 쓰시오.

만 8세 이하 또는 초등학교 2학년 이하의 자녀를 둔 직장인에게 최대 1년 동안 휴직 및 급여 일부를 지원하는 제도이다.

( )

11 일·가정 양립을 위한 개인과 가족의 노력으로 옳은 것을 보기 에서 있는 대로 고른 것은?

보기
ㄱ. 효율적인 가사 노동 관리 방법을 습득한다.
ㄴ. 가족 구성원이 심리적 지지자로서 서로에게 힘이 되어 준다.
ㄷ. 양성평등한 가치관을 바탕으로, 가족 구성원의 능력과 상황에 맞게 역할을 분담한다.

① ㄱ ② ㄴ
③ ㄱ, ㄷ ④ ㄴ, ㄷ
⑤ ㄱ, ㄴ, ㄷ

12 일·가정 양립을 위한 기업의 노력으로 옳지 않은 것은?

① 회식 횟수를 늘려 퇴근 후에 즐기는 시간을 갖도록 지원한다.
② 육아의 부담을 기업에서 덜어 주어 일하는 부모를 배려한다.
③ 근로자에게 시간과 공간의 유연성을 갖도록 유연 근무 활용도를 높인다.
④ 생산성과 효율성을 높이기 위하여 교대제 개편이나 회의 시간 단축 등을 실행한다.
⑤ 근로자의 자기 계발은 인재로 성장하는 기회이므로 근로자의 자기 계발을 지원한다.

대단원 마무리 1회

중요

01 다음 ㉠, ㉡에 각각 들어갈 알맞은 말을 쓰시오.

> 개인은 가족의 구성원으로 태어나 성장하고 성인이 되면 부모에게서 독립하여 새로운 가족생활을 하는 것이 일반적이다. 이처럼 개인의 생애는 개인 생활의 측면과 가족생활의 측면을 동시에 가지게 되므로 생애 설계는 (㉠)와/과 (㉡)을/를 함께 고려해야 한다.

(㉠: , ㉡:)

02 중년기에 수행해야 할 발달 과업을 보기 에서 있는 대로 고른 것은?

> 보기
> ㄱ. 진로 탐색하기
> ㄴ. 결혼 생활 유지하기
> ㄷ. 직업 생활 유지하기
> ㄹ. 중년기 위기 관리하기

① ㄱ, ㄴ ② ㄴ, ㄷ
③ ㄱ, ㄷ, ㄹ ④ ㄴ, ㄷ, ㄹ
⑤ ㄱ, ㄴ, ㄷ, ㄹ

중요

03 가족 생활 주기별 주요 발달 과업이 바르게 짝지어진 것은?

① 가정 형성기 – 부모 역할 습득
② 노년기 – 은퇴에 따른 변화 적응
③ 자녀 독립기 – 조부모 역할 수행
④ 자녀 교육기 – 자녀의 독립 및 결혼 지원
⑤ 자녀 출산 및 양육기 – 자녀의 진로 지도

04 생애 주기별 수입·지출 곡선에 대한 설명으로 옳은 것은?

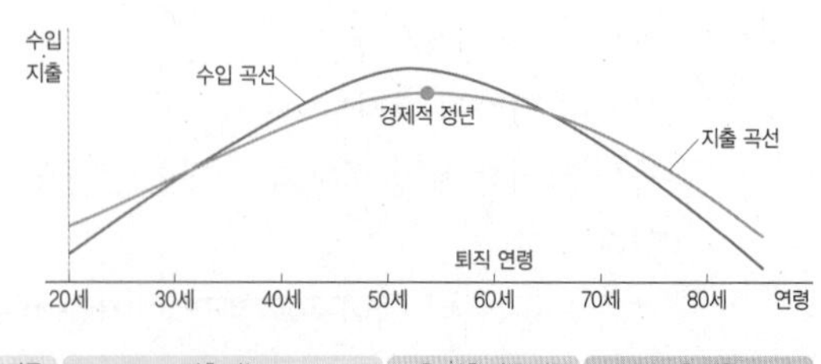

① 노년기에는 수입보다 지출이 많다.
② 경제적 정년에는 수입과 지출이 동일하다.
③ 퇴직을 하면서 수입이 지출보다 점점 많아진다.
④ 자녀 출산 및 양육기에는 수입보다 지출이 많다.
⑤ 저축이 가능한 시기는 자녀 독립기부터 노년기까지이다.

05 생애 설계에서 진로 및 직업에 대한 설계에 해당하는 것으로 옳은 것은?

① 내가 꼭 하고 싶고, 잘할 수 있는 일은 무엇일까?
② 노년기까지 건강을 유지하려면 어떤 노력이 필요할까?
③ 양성평등한 문화의 가정을 만들기 위해 무엇이 필요할까?
④ 내가 꿈꾸는 가정생활은 무엇이고, 어떤 준비가 필요할까?
⑤ 주택 마련, 결혼, 자녀 교육, 노후 생활을 위한 자금 마련을 어떻게 할까?

06 개인이 가치를 창조하기 위하여 정신적·육체적으로 하는 모든 활동 중에서 지속해서 수행하게 되는 경제 활동을 무엇이라고 하는지 쓰시오.

( )

출제 예감

07 진로 설계 과정을 순서대로 바르게 나열한 것은?

ㄱ. 나를 이해하기
ㄴ. 진로 탐색하기
ㄷ. 잠정적 진로 선택하기
ㄹ. 진로 선택 및 준비하기

① ㄱ－ㄴ－ㄷ－ㄹ
② ㄱ－ㄷ－ㄴ－ㄹ
③ ㄴ－ㄹ－ㄷ－ㄱ
④ ㄷ－ㄴ－ㄱ－ㄹ
⑤ ㄹ－ㄴ－ㄷ－ㄱ

중요

08 나를 이해하기 위한 요소 중에서 성격에 대한 설명으로 옳은 것은?

① 건강 상태, 체력, 용모, 시력, 청력 등이 해당한다.
② 개인이 가지고 있는 고유한 성질이나 품성을 말한다.
③ 스스로 관찰하거나, 직업 흥미 검사 등을 통해 알 수 있다.
④ 어떤 사물이나 활동에 가지고 있는 호감이나 선호도를 말한다.
⑤ 어떤 일이나 대상에 대해 생각하고 행동하게 하는 믿음이나 신념이다.

09 고등학교의 종류가 다른 하나는?

① 과학 고등학교
② 마이스터 고등학교
③ 예술·체육 고등학교
④ 대안 특성화 고등학교
⑤ 외국어·국제 고등학교

10 건전한 직업관에 대한 설명을 보기 에서 있는 대로 고른 것은?

보기
ㄱ. 직업 편중 현상을 초래한다.
ㄴ. 자기 일에 만족감이 줄어든다.
ㄷ. 직업에서 맡은 역할과 직무를 충실히 수행한다.
ㄹ. 일을 통해 사회 발전에 이바지할 수 있다는 자부심을 느끼게 된다.

① ㄱ, ㄴ
② ㄷ, ㄹ
③ ㄴ, ㄷ
④ ㄱ, ㄴ, ㄹ
⑤ ㄱ, ㄴ, ㄷ, ㄹ

중요

11 저출산·고령화 사회의 원인으로 옳은 것은?

① 평균 수명의 감소
② 청년층의 고용 안정
③ 출산·육아 비용의 증가
④ 여성의 경제 활동 참여율 감소
⑤ 일·가정생활의 균형 있는 분배

12 저출산이 우리 사회에 미치는 영향으로 옳지 않은 것을 보기 에서 있는 대로 고른 것은?

보기
ㄱ. 세대 간 문화 교류의 기회가 감소한다.
ㄴ. 형제자매 관계를 경험하는 아이들이 늘어난다.
ㄷ. 가족 내 전통의 가치나 문화의 전수가 수월해진다.
ㄹ. 노인 인구 비율을 증가시켜 인구 고령화가 가속화된다.

① ㄱ, ㄴ
② ㄱ, ㄹ
③ ㄴ, ㄷ
④ ㄴ, ㄹ
⑤ ㄷ, ㄹ

대단원 마무리 1회

중요

13 고령화가 사회에 미치는 영향으로 옳은 것은?

① 장기적으로 국가 경제의 활력에 도움을 준다.
② 빈곤, 질병, 외로움 등의 노인 문제가 예방된다.
③ 노인 문제 해결을 위한 젊은 세대의 부담이 감소한다.
④ 가족과 사회의 보살핌에서 소외되는 노인이 증가한다.
⑤ 소득을 얻을 수 있는 인구가 연금을 받는 인구보다 많아진다.

14 저출산 극복을 위한 노력으로 옳지 않은 것은?

① 출산 장려 정책 마련
② 국공립 교육 시설 확충
③ 출산 및 양육 보조 수당 지급
④ 경력 단절 여성 지원 제도 마련
⑤ 출산 휴가 및 육아 휴직 제도 축소

출제 예감

15 저출산·고령화 현상이 나와 가족에게 미치는 영향으로 옳은 것을 보기 에서 있는 대로 고른 것은?

보기
ㄱ. 가족 기능 강화
ㄴ. 생산 인구 증가
ㄷ. 평균 연령 상승
ㄹ. 개인주의 사고 증가

① ㄱ, ㄴ ② ㄱ, ㄹ
③ ㄴ, ㄷ ④ ㄴ, ㄹ
⑤ ㄷ, ㄹ

16 일과 가정생활의 시대적 변화에 대한 설명으로 옳은 것을 보기 에서 있는 대로 고른 것은?

보기
ㄱ. 현대에는 양성평등 의식이 확산되고 있다.
ㄴ. 과거에 남성은 생계를 맡고 여성은 자녀 양육과 가사 노동을 주로 맡았다.
ㄷ. 일과 가정생활의 조화를 위하여 성별에 따른 뚜렷한 역할 구분이 필요하다.

① ㄱ ② ㄷ
③ ㄱ, ㄴ ④ ㄴ, ㄷ
⑤ ㄱ, ㄴ, ㄷ

중요

17 일·가정 양립의 필요성에 대한 설명으로 옳지 않은 것은?

① 일·가정생활이 조화를 이루면 국가 경쟁력이 향상된다.
② 직장에서의 스트레스는 가정생활에도 악영향을 줄 수 있다.
③ 가정생활과 직업 생활의 조화로 생활의 활력을 얻을 수 있다.
④ 가정일로 인한 스트레스는 기업의 생산성 증가에 긍정적인 요인으로 작용한다.
⑤ 가정생활 문제로 유능한 인력이 직장을 포기하면 기업의 경쟁력이 약화될 수 있다.

출제 예감

18 맞벌이 부부 가족의 경제생활에 대한 설명으로 옳은 것을 보기 에서 있는 대로 고른 것은?

보기
ㄱ. 일부 과소비 경향이 나타나기도 한다.
ㄴ. 가사 서비스 이용 등의 지출 비용이 높다.
ㄷ. 부부의 경제 활동 참여로 가족의 소득이 높다.
ㄹ. 외식이나 자녀 교육 비용 등은 지출이 감소한다.

① ㄱ, ㄴ ② ㄱ, ㄷ
③ ㄴ, ㄹ ④ ㄱ, ㄴ, ㄷ
⑤ ㄴ, ㄷ, ㄹ

19 다음 그림에 해당하는 일·가정생활 병행의 문제점으로 옳은 것은?

① 자녀 교육 문제
② 자녀 양육의 문제
③ 역할 갈등의 문제
④ 경제생활 관리의 문제
⑤ 가사 노동 분담의 문제

출제 예감

20 가정생활과 직업 생활의 조화를 위한 방법으로 옳지 않은 것을 보기 에서 있는대로 고른 것은?

> 보기
> ㄱ. 남편과 아내는 합리적으로 가사 노동을 분담한다.
> ㄴ. 여가 시간을 대폭 늘려 개인의 스트레스를 해소시킨다.
> ㄷ. 가정에서는 효율적인 가사 노동 관리 방법을 습득한다.

① ㄱ ② ㄴ
③ ㄱ, ㄷ ④ ㄴ, ㄷ
⑤ ㄱ, ㄴ, ㄷ

서술형 평가

21 생애 설계의 중요성을 세 가지 이상 서술하시오.

22 진로 설계에서 자신을 이해하는 방법을 세 가지 이상 서술하시오.

23 저출산·고령화의 원인을 네 가지 이상 서술하시오.

대단원 마무리 2회

중요

01 생애 설계에 대한 설명으로 옳지 않은 것은?

① 생애 설계는 전 생애에 걸쳐 지속해서 이루어진다.
② 생애 설계를 하면 행복하고 긍정적인 삶을 살 수 있다.
③ 다양한 영역에서 철저한 계획과 장기간에 걸친 설계와 관리가 이루어져야 한다.
④ 가족 생활 주기에 따른 생애 설계는 각 가족의 요구와 생활 내용은 동일하므로 각 단계의 변화에 대비한다.
⑤ 개인과 가족의 생애 전체를 계획해야 하며, 개인과 가족의 가치와 욕구가 무엇인지 정확하게 파악해야 한다.

출제 예감

02 개인 생애 주기별 발달 과업이 바르게 짝지어진 것은?

① 성년기 – 죽음에 대비하기
② 유아기 – 학교생활 적응하기
③ 영아기 – 애착 관계 형성하기
④ 아동기 – 기본 생활 습관 형성하기
⑤ 청소년기 – 신체적 노화 긍정적 수용하기

03 다음과 같은 발달 과업이 필요한 가족 생활 주기의 단계를 쓰시오.

- 자녀의 학교생활 적응 지원
- 원만한 부모 자녀 관계
- 자녀의 진로 지도

( )

04 가족 생활 주기에서 노년기의 생애 설계의 내용을 보기 에서 있는 대로 고른 것은?

보기
ㄱ. 어떤 양육 방식으로 자녀를 키울까?
ㄴ. 자녀와 손자녀에게 어떤 역할을 해야 할까?
ㄷ. 은퇴 이후 달라진 가족생활에 어떻게 적응할까?
ㄹ. 늘어난 시간을 어떻게 사용하고, 여가 활동으로 무엇을 할까?

① ㄱ, ㄴ ② ㄱ, ㄷ
③ ㄱ, ㄷ, ㄹ ④ ㄴ, ㄷ, ㄹ
⑤ ㄱ, ㄴ, ㄷ, ㄹ

05 다음은 A가 설계한 생애 설계의 일부이다. 구체적 실천 방안으로 옳은 것은?

생애 설계의 영역	생애 목표	하위 영역 목표
결혼	양성평등한 문화의 가정을 만들 것이다.	양성평등 의식을 갖는다.

① 직업에 필요한 학과에 입학한다.
② 하루 한 번씩 웃고, 30분 이상 걷는다.
③ 배우자를 배려하고 가사 노동을 분담한다.
④ 현실적이고 구체적으로 이상형을 설계한다.
⑤ 용돈 기입장을 쓰고, 충동구매를 하지 않는다.

06 어떠한 가치를 창출하기 위해 하는 육체적 · 정신적 모든 활동을 무엇이라고 하는지 쓰시오.

( )

출제 예감

07 나의 이해 요소 중 (   ) 안에 공통으로 들어갈 알맞은 말을 쓰시오.

> • 어떤 일이나 대상에 대해 생각하고 행동하게 하는 믿음이나 신념이다.
> • (   )에 따라 삶을 대하는 방식이 달라지므로 자신의 (   )에 알맞은 직업을 선택해 성취감과 삶의 만족도를 높일 수 있다.

(   )

중요

08 나를 이해하기 위한 요소에 대한 설명으로 옳지 않은 것은?

① 성격은 후천적 노력과 환경에 따라 변화할 수 없다.
② 사회 환경을 반영한 직업 선호도의 변화로 직업 선택이 달라진다.
③ 직업에 따라 특정한 신체 조건이 필요하므로 적합 여부를 파악해야 한다.
④ 현대 사회에서는 신체적 조건보다 능력, 창의성, 지적 능력 등을 중시한다.
⑤ 자신을 둘러싼 환경을 객관적으로 파악하는 것도 진로 계획에 도움이 된다.

출제 예감

09 진로 설계를 과정에 따라 올바르게 하지 않은 사람은?

① 진수 – 직업을 탐색할 때, 직업 세계의 변화를 예측하였다.
② 경수 – 자신의 신체 조건과 직업의 적합 여부를 파악하였다.
③ 지현 – 친구, 부모님 등 주변 사람에게 물어보고 자신을 이해하였다.
④ 상미 – 부모님과 선생님께 전문적인 조언을 듣고 최종 진로를 결정하였다.
⑤ 종현 – 상급 학교를 탐색한 다음 자신을 이해하기 위해 표준화 심리 검사를 하였다.

10 어떤 직업을 수행하는 사람들에게 요구되는 행동 규범을 무엇이라고 하는지 쓰시오.

(   )

출제 예감

11 저출산·고령사회에 대한 설명으로 옳은 것을 보기 에서 있는 대로 고른 것은?

> 보기
> ㄱ. 자녀 출산에 대한 의무감이 많이 약화되었다.
> ㄴ. 생산 가능 인구가 증가하면서 노인 부양 부담이 줄어들고 있다.
> ㄷ. 고령사회로 진입하는 속도가 다른 선진국보다 현저하게 느리다.
> ㄹ. 저출산으로 인해 다음 세대에 큰 부담을 주고 장기적으로 재정이 불안해질 우려가 있다.

① ㄱ, ㄴ　② ㄱ, ㄹ
③ ㄴ, ㄷ　④ ㄴ, ㄹ
⑤ ㄷ, ㄹ

중요

12 저출산·고령화 사회의 원인으로 옳지 않은 것을 보기 에서 있는 대로 고른 것은?

> 보기
> ㄱ. 전통적인 가족 가치관이 확대되었다.
> ㄴ. 의학의 발달로 평균 수명이 늘어났다.
> ㄷ. 개인보다 집단을 중시하는 가치관으로 변화하였다.
> ㄹ. 여성의 사회 진출이 증가하면서 저출산이 증가하였다.

① ㄱ, ㄴ　② ㄱ, ㄷ
③ ㄴ, ㄷ　④ ㄴ, ㄹ
⑤ ㄷ, ㄹ

13 저출산·고령사회의 해결 방안으로 옳지 않은 것은?

① 평생 교육 확대
② 노인 일자리 확충
③ 맞춤형 돌봄 지원
④ 근로 형태의 획일화
⑤ 노인 재취업을 위한 교육 지원

14 고령사회에 대한 설명으로 옳은 것은?

① 합계 출산율이 1.3명 이하인 사회
② 합계 출산율이 2.1명 이하인 사회
③ 전체 인구 중 65세 이상의 노인 인구 비율이 7% 이상인 사회
④ 전체 인구 중 65세 이상의 노인 인구 비율이 14% 이상인 사회
⑤ 전체 인구 중 65세 이상의 노인 인구 비율이 20% 이상인 사회

중요

15 고령화 대비책에 대한 설명으로 옳지 않은 것은?

① 노인 재취업 기회를 확대한다.
② 국민연금 등 공적 연금을 확충한다.
③ 경제 활동의 은퇴 시기를 앞당긴다.
④ 기업과 근로자는 퇴직 연금을 준비한다.
⑤ 개인은 자발적인 개인연금을 저축하여 대비한다.

16 일·가정 양립에 대한 설명으로 옳지 않은 것은?

① 일과 가정생활에 조화를 추구한다.
② 남성의 적극적인 태도 개선만을 요구한다.
③ 일과 가정생활 두 역할을 모두 충실하게 수행해야 한다.
④ 양성평등적인 가치관은 일·가정의 양립을 수월하게 해 준다.
⑤ 일과 가정생활에서 시간 및 신체적·심리적 에너지를 조화롭게 배분하는 것이다.

중요

17 일·가정 양립을 어렵게 하는 요인으로 옳은 것을 보기 에서 있는 대로 고른 것은?

보기
ㄱ. 성 역할 고정 관념
ㄴ. 적극적인 가사일 참여
ㄷ. 장시간 노동 근무 환경
ㄹ. 가족 구성원의 공평한 역할 분담

① ㄱ, ㄴ ② ㄱ, ㄷ
③ ㄴ, ㄷ ④ ㄴ, ㄹ
⑤ ㄷ, ㄹ

중요

18 일과 가정생활의 조화를 위한 기업의 정책 및 노력으로 옳은 것을 보기 에서 있는 대로 고른 것은?

보기
ㄱ. 야근 및 회식 횟수 증가
ㄴ. 안식년 실시 및 연차 사용 촉진
ㄷ. 시차 출퇴근제, 탄력 근무제 실시
ㄹ. 재량 근무제 및 원격 근무제 장려

① ㄱ, ㄴ ② ㄱ, ㄷ
③ ㄴ, ㄹ ④ ㄱ, ㄴ, ㄷ
⑤ ㄴ, ㄷ, ㄹ

19 다음 중 유연 근무제에 해당하지 않는 것은?

① 시간제 근무
② 재량 근무제
③ 전일제 근무
④ 탄력적 근로 시간제
⑤ 선택적 근로 시간제

20 다음 설명에 해당하는 일·가정 양립을 위한 기업의 노력으로 옳은 것은?

- 근로자에게 일하는 시간과 공간의 유연성을 가지게 한다.
- 직장 만족도를 높이고, 가정생활에서 보낼 수 있는 시간도 활용할 수 있다.
- 시차 출퇴근제, 시간 선택제, 탄력 근무제 등이 있다.

① 육아 부담 나누기
② 회식·야근 줄이기
③ 생산성과 효율성 높이기
④ 유연 근무 활용도 높이기
⑤ 자기 계발 및 휴가 지원하기

21 ㉠, ㉡에 들어갈 숫자로 옳은 것은?

- 출산 전후 휴가제란, 임신 중인 여성 근로자에게 출산을 전후로 (㉠   )일의 휴가를 보장하는 제도이다.
- 배우자 출산 휴가제란, 배우자 출산 시 남성 근로자에게 (㉡   )일의 휴가를 주는 제도로, 3일은 유급이다.

	㉠	㉡
①	30	5
②	60	5
③	60	10
④	90	5
⑤	90	10

서술형 평가

22 바람직한 직업인이 되기 위한 직업 윤리를 세 가지 이상 서술하시오.

23 일·가정 양립의 필요성을 세 가지 제시하시오.

24 일·가정 양립을 위한 실천 방안을 개인 및 가정, 기업, 사회 및 국가의 측면에서 각각 서술하시오.

읽기 자료

해외 신직업 소개

소비 생활 어드바이저(Consumer Advisor)

"건전한 소비생활을 위해 노력해요"

소비 생활 어드바이저는 기업이나 행정 기관, 각종 단체 등의 상담 창구에서 소비자 불만 상담에 응하고, 소비자의 의견과 소비자 동향을 정확히 파악하여 상품 · 서비스 등 개발, 개선에 반영시키는 등의 업무를 한다.

- 상품 · 서비스에 관한 불만 상담 또는 사용의 상담 · 조언을 한다.
- 제품 성능, 안전성 등 사용 목적에 따라 쇼핑 상담 · 조언을 한다.
- 신제품 개발 · 기획에 관하여 소비자 입장에서 조언을 한다.
- 소비자 팸플릿이나 상품 설명서 및 각종 자료를 작성하고, 기타 상품 테스트 및 모니터링을 한다.

흥미 및 적성은 다음과 같다.

- 기본적으로 경제에 대한 관심과 상식을 갖추어야 한다.
- 고객을 상대하고 조언할 수 있으려면 의사소통 능력과 친화력이 필요하다.
- 때로는 소비자 등의 불만에 대응해야 하므로 인내력 또한 갖추어야 한다.

괴롭힘 방지 조언사(Prevention Advisor)

"회사 직원들의 정신적 · 신체적 안정을 위해 노력해요"

괴롭힘 방지 조언사는 직장 내 구성원들의 대인 관계에서 문제가 발생할 수 있는 원인을 분석하고, 예방 조치하는 것이다. 또한 문제가 발생하면 공정한 조사를 통해 적절한 조치를 하기도 한다.

- 직원들에게 따돌림과 괴롭힘 방지 교육을 제공한다.
- 성희롱, 따돌림, 폭력 등으로 인해 피해자가 발생하면 피해자를 보호하고, 공정한 조사를 수행한다.
- 피해자가 필요로 하는 지원(상담, 보호, 부서 이동 등)을 직접 제공하거나, 제공받을 수 있도록 조율한다.

흥미 및 적성은 다음과 같다.

- 지시를 받지 않고도 독립적으로 필요한 일을 찾아서 할 수 있는 능력이 필요하다.
- 다양한 문제 해결 방법을 찾아내는 유연한 사고방식을 가지고 있으면 좋다.
- 여러 분쟁과 갈등 사례를 조사하기도 하고, 다른 직원들에게 상담을 제공하는 경우도 있으므로 의사소통 능력과 체계적으로 업무를 수행하는 능력이 필요하다.

[출처 : 교육부, 커리어넷]

IV/ 수송 기술과 에너지

1 빠르고 편리하게, 수송 기술

「주제 열기」

- 그림에서 엄마와 희수가 이용한 수송 수단을 써 보고, 만약 그것을 이용할 수 없다면 어떤 불편한 점이 있을지 이야기해 보자.

→ 엘리베이터, 자동차, 무빙워크, 쇼핑 카트, 컨베이어 벨트 등

→ 엘리베이터가 없다면 아파트의 높은 층도 매일 계단으로 걸어 다녀야 한다.

- 우리가 수송 수단을 이용해 학교까지 원활하게 가기 위해 무엇이 필요한지 이야기해 보자.

→ 버스나 지하철과 같은 수송 수단이 필요하고, 해당 수송 수단으로 이동할 수 있는 도로가 있어야 한다.

1/ 효율적인 수송을 위해 수송 기술이 필요하다

과거에는 수송 수단으로 먼 지역을 이동하는 데 많은 시간이 소요되었지만, 최근에는 다양한 수송 수단의 발달로 다른 지역으로 이동할 수 있게 되었다.

(1) 수송 기술

① **수송** 수송 대상이 되는 사람, 동물, 물건 등을 한 장소에서 다른 장소로 이동시키는 것을 말한다.

② **수송 기술** 수송 대상을 더 빠르고 효율적으로 수송하기 위한 수송 수단이나 방법을 말한다.

③ **수송 기술의 특징** — 수송 기술은 건설, 제조, 통신 등 다른 영역의 기술과 밀접한 상호 관련성을 가지고 발전해 왔다.

- 지원 시설과 인력의 필요: 주유소, 비행장, 항구, 정비소 등과 같은 지원 시설과 이를 관리할 인력이 많이 필요하다.
- 수송 대상의 가치 증대: 수송 대상을 원하는 시간에 목적지까지 빠르고 안전하게 이동시켜 이들의 가치를 높인다.
- 다양한 수송 수단의 이용: 자동차, 기차, 선박, 비행기 등과 같이 다양한 형태의 수송 수단을 사용한다.
- 이동 경로가 필요: 도로, 철도, 항로 등 수송 수단이 이동하기 위한 특별한 이동 경로가 필요하다.

항로: 선박이 지나다니는 길, 항공기가 통행하는 길, 두 가지 의미를 가지고 있다.

개념 더하기+

수송 기술의 발달
초기 수송 수단은 빠른 속도에 중점을 두고 연구가 이루어져 왔으나, 최근에는 더욱 다양한 기능으로 안전하며 환경 오염을 줄일 수 있는 수송 수단을 개발하고 있다.

스스로 생각해 보기

아래 그림에서 수송 수단에 해당하는 것에는 어떤 것들이 있는지 찾아보고, 각각의 장단점을 이야기해 보자.

예

수송 수단	장점	단점
비행기	먼 거리를 빠르게 이동할 수 있다.	이용 가격이 비싸다.
드론	위험한 지역이나 험난한 지형으로 쉽게 이동시킬 수 있다.	조종 거리에 한계가 있다.

(2) **수송 기술 시스템**

① **수송 기술 시스템** 수송이 이루어지는 데 필요한 다양한 활동들을 체계화한 것이다.

② **수송 기술 시스템의 체계** 투입, 과정, 산출, 피드백의 단계로 나타낼 수 있다.

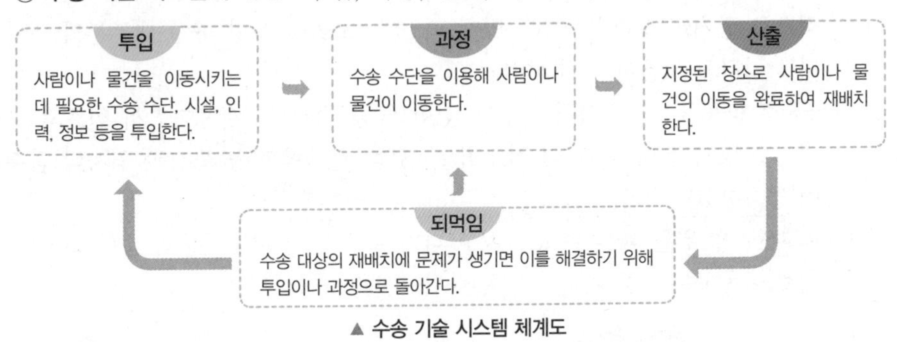

▲ 수송 기술 시스템 체계도

함께 생각해 보기

버스는 우리가 자주 이용하는 수송 수단이다. 버스로 이동할 때의 투입 요소들을 찾아보자.

예 터미널, 버스표 판매원, 버스 요금, 버스 운전사 등

2 수송 수단은 빠르고 안전하게 발달한다

(1) **육상 수송 기술의 발달**

① **바퀴** 초기 육상 수송 기술 발달에 큰 영향을 준 도구로, 바퀴를 이용한 수레, 마차의 발달로 인류는 효율적으로 작업하거나 이동할 수 있었다.

② **증기 기관을 동력으로 하는 증기 자동차와 증기 기관차의 발명** 수송 수단에 증기 기관을 이용함으로써 가축이나 사람의 힘이 아닌 기계의 힘을 동력원으로 이용하게 되었다.

증기 기관: 물에 열을 가해 발생시킨 증기의 압력으로 실린더 안의 피스톤을 왕복으로 움직이게 하여 동력을 얻는 운동 기관이다.

③ **가솔린 자동차와 디젤 자동차** 효율이 낮은 증기 기관의 단점을 보완한 가솔린 기관이나 디젤 기관이 개발되어 오늘날까지 주요 수송 수단의 동력원으로 이용되고 있다.

하이브리드: 두 가지 이상의 요소에서 서로의 단점을 보완하기 위해 장점만을 혼합한 것을 말한다.

④ **하이브리드 자동차와 전기 자동차**

- 가솔린 기관, 모터와 같이 다양한 형태의 동력원을 동시에 사용하는 하이브리드 자동차가 등장하였고, 내연 기관이 아닌 모터를 동력원으로 하는 전기 자동차의 보급도 늘고 있다.
- 하이브리드 자동차와 전기 자동차는 환경 오염 문제를 해결하기 위해 등장하였다.

⑤ **자율 주행 자동차와 하늘을 나는 자동차**

- 운전자가 자동차를 제어하지 않아도 스스로 도로의 상황을 파악하며 자동으로 주행하는 자율 주행 자동차는 시험 주행이 이루어지고 있다.
- 하늘을 나는 자동차는 이륙 및 착륙 등의 항공기 기능을 결합한 자동차로 연구와 개발이 진행 중이다.

개념 더하기+

수송 기술 시스템의 투입 요소
사람이나 물건을 원하는 장소로 이동시키는 수송 수단, 수송 수단의 이동을 위한 경로, 수송 수단을 움직이는 에너지, 수송을 지원하는 여러 가지 시설, 수송이나 관련 시설을 관리하는 인력 등이 필요하다.

수송 기술 시스템의 과정과 산출 단계
수송 대상은 보관, 짐 싣기, 짐 내리기, 배달, 이동, 관리 등의 과정 단계를 거쳐 원하는 목적지로 재배치되는 산출이 이루어진다.

전기 자동차
최초의 전기 자동차는 가솔린 자동차보다 먼저 개발되었으나, 배터리의 효율이 낮아 생산이 중지되었다. 그러나 오늘날 기술의 발달로 이러한 문제점이 해결되면서 내연 기관 자동차를 대체할 수송 수단으로 다시 주목받고 있다.

(2) **수상 수송 기술의 발달** — 초기의 선박은 추진력을 얻기 위해 사람이 노를 젓거나 바람의 힘을 이용한 돛을 사용하였다.

① **범선** 돛을 달아 바람의 힘으로 항해하며, 항해할 때 바람의 세기와 방향에 큰 영향을 받는다.

② **증기선과 디젤선** 증기 기관과 디젤 기관을 선박의 동력원으로 사용하면서 본격적으로 장거리 항해를 할 수 있게 되었다. 오늘날 운항 중인 대부분의 선박은 디젤 기관을 이용한 디젤선이다.

③ **원자력 항공 모함** 원자력 기관을 선박의 동력원으로 사용하면서 연료의 보급 없이도 장기간 항해하거나 잠수할 수 있는 원자력 항공 모함과 원자력 잠수함이 등장하였다.

④ **위그선** 물 위를 빠른 속도로 치고 나가는 초고속 선박 기술과 수면에서 뜬 상태로 이동하는 항공 기술이 접목된 위그선을 개발하였다. — 위그선의 W.I.G는 Wing-In-Ground Effect Ship(해면 효과)의 약자이다.

▲ 선박의 발달 과정

개념 더하기+

호버크라프트
배 밑으로 고압의 공기를 쏘아 배를 물 위로 띄우고 이동할 때에는 별도로 설치된 프로펠러와 방향타를 이용한다.

▲ 호버크라프트

잠수함
잠수함은 부력의 크기를 변화시켜 물속에 가라앉거나 물 위로 떠오른다. 잠수함의 공기통에 물을 채우면 부력이 줄어들어 잠수하게 되고, 공기를 넣어 물을 빼내면 부력이 증가하여 떠오르게 된다.

교과서 뛰어넘기

제트 포일(JET-FOIL)

제트 포일은 제트 기관의 '제트(jet)'와 얇은 날개를 의미하는 '포일(foil)'의 합성어이다. 선박 갑판에는 제트 기관이 장착되어 있고, 선박 아래쪽에는 날개가 설치되어 있다. 날개는 선박이 고속 운항할 때 선측 아래쪽에서 펴져서 수중에서 선체를 띄우는 역할을 한다. 제트 포일은 일반 선박과는 달리 진행 중에는 물의 부력을 받지 않으며, 수중 날개에서 발생하는 양력으로 해수면에 부상한다. 현재 부산~후쿠오카 항로를 운항 중인 여객선인 비틀(BEETLE)호는 제트 포일 선박이다.

(3) 항공 우주 수송 기술의 발달

항공 우주 수송 수단은 육상이나 해상 수송 수단보다 시기적으로 가장 늦게 발달하였다.

① 항공 우주 수송 기술의 역사

- 18세기 말 프랑스의 몽골피에(Montgolfier) 형제가 사람이 탑승한 열기구 비행에 최초로 성공하였다.
- 19세기 말 독일인 릴리엔탈(O. Lilienthal)은 사람이 탈 수 있는 글라이더를 개발하였다.
- 20세기 초 미국의 라이트(Wright) 형제가 발명한 가솔린 기관의 비행기를 시초로 본격적인 비행기의 개발이 시작되었다. 이후 제트 기관을 이용한 음속 비행기가 개발되는 등 비약적인 발전을 이루었다.
- 로켓이 개발되면서 인간의 활동 범위를 우주까지 확장시켰으며, 최근에는 인공위성 개발, 인류의 달 탐사, 무인 화성 탐사 등 항공 우주 수송 기술이 눈부시게 발전하고 있다.

② 제트 비행기와 우주 왕복선

- 제트 비행기: 기관 안에 압축된 공기를 넣고 연료를 분사한 후 연소시켜 발생하는 고온, 고압의 연소 가스를 뿜어서 추진력을 얻는 제트 기관을 비행기에 이용한다.
- 우주 왕복선: 연료와 산소를 탑재한 로켓 기관이 개발되면서, 공기의 밀도가 적은 곳이나 대기권 밖에서 비행을 할 수 있게 되었다. 우주 왕복선은 로켓 기관을 이용한다.

▲ 제트 비행기

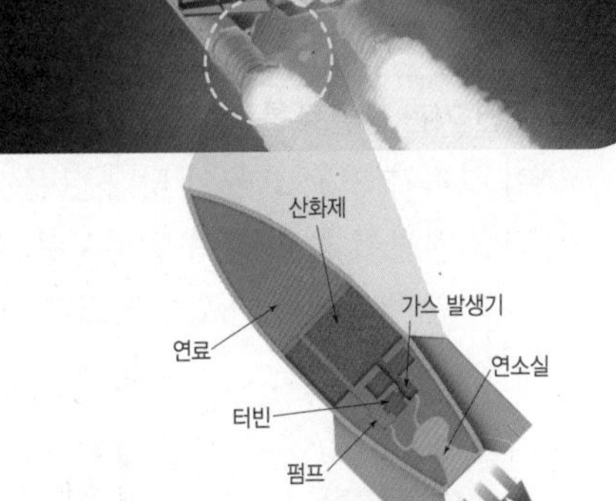

▲ 우주 왕복선

스스로 생각해 보기

제트 기관과 로켓 기관의 공통점과 차이점은 무엇일까?

예
- 공통점: 제트 기관과 로켓 기관은 모두 기관 내부에서 연료를 연소시키고 연소 가스를 분출시킴으로써 앞으로 나아가게 된다. 즉, 연료 가스가 분출하는 힘으로 추진력을 얻는데, 이는 뉴턴의 제3법칙인 작용·반작용의 원리에 해당한다.
- 차이점: 두 기관의 차이점은 연소 시 산소를 얻는 방법이다. 즉, 제트 기관은 대기권 내를 비행하기 때문에 연소에 필요한 산소를 공기 중에서 얻지만, 로켓 기관은 대기권 밖을 비행하기 때문에 로켓에 탑재한 산화제를 이용하여 산소를 얻는다.

개념 더하기+

로켓의 원리

로켓은 뉴턴의 제3법칙인 작용·반작용의 원리로 추진력을 얻는다. 작용·반작용의 법칙이란 모든 물체에 힘을 주면 힘을 받은 물체는 항상 받은 힘의 크기와 같은 크기의 힘을 반대 방향으로 돌려주는 것을 말한다.
로켓이 발사될 때 연소실에서 분출되는 연소 가스의 힘이 작용, 로켓을 밀어 올리는 반대의 힘이 반작용에 해당한다.

복합 수송 수단

- 수륙 양용 자동차: 일반 자동차와 같이 바퀴와 물 위를 운행하기 위한 구조를 겸비한 자동차이다.
- 자동차 겸용 비행기: 날개를 접고 펼 수 있게 하여 일반 도로에서 주행할 때에는 날개를 접고, 비행할 때에는 날개를 펴서 운행한다.

개념 더하기+

⊕ 가솔린 기관
실린더 내부에 연료와 공기를 공급하여 피스톤으로 압축시킨 후 전기 불꽃으로 폭발시켜 그 팽창력에 의해 동력을 얻는다.
- 4행정 사이클 기관: 피스톤이 상사점과 하사점 사이를 두 번 왕복하는 사이에 '흡입·압축·폭발·배기'의 한 주기를 완성하면서 동력을 발생한다. 승용차, 트럭 등에 이용한다.
- 2행정 사이클 기관: 피스톤이 상사점과 하사점 사이를 한 번 왕복하는 사이에 '압축·흡입·점화·폭발·배기·소기'의 한 주기를 완성하면서 동력을 발생한다. 소형 발전기, 제초기 등에 이용한다.

3 동력 기관의 원리를 알아보자

동력 기관은 화력, 수력, 전력 등의 에너지를 공급받아 이를 운동 에너지로 바꾸는 기계 장치로, 엔진이라고도 한다. 동력 기관에는 외연 기관과 내연 기관이 있으며, 연료를 연소시키는 장소에 따라 구분한다.

(1) 외연 기관

대표적인 외연 기관인 증기 기관은 연료를 연소시켜 발생하는 열에너지로 물을 끓여 고온, 고압의 증기를 발생시키고, 이 증기로 운동 에너지를 얻는다.

① **외연 기관** 연료를 연소시키는 장소가 기관의 외부에 있는 기관이다.

② 증기 기관은 탄광에서 물을 끌어 올리는 펌프에 처음 적용되었으며, 실을 만드는 방적기에 사용하면서 1차 산업 혁명이 시작되었다. 이후 증기 기관을 이용한 증기 기관차나 선박 등이 등장하였다.

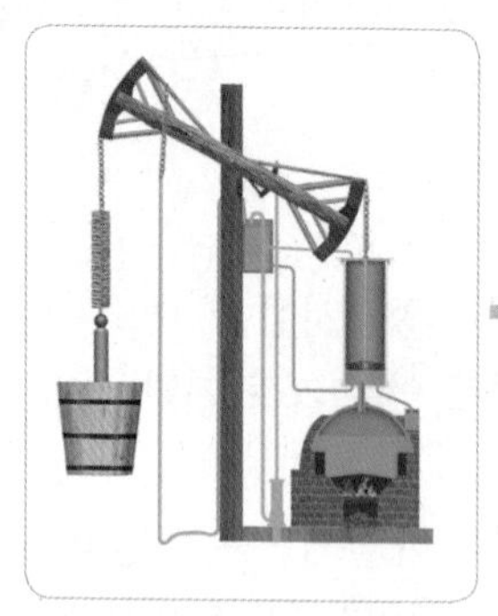
물을 끓여 발생한 수증기를 실린더 안에 넣는다.

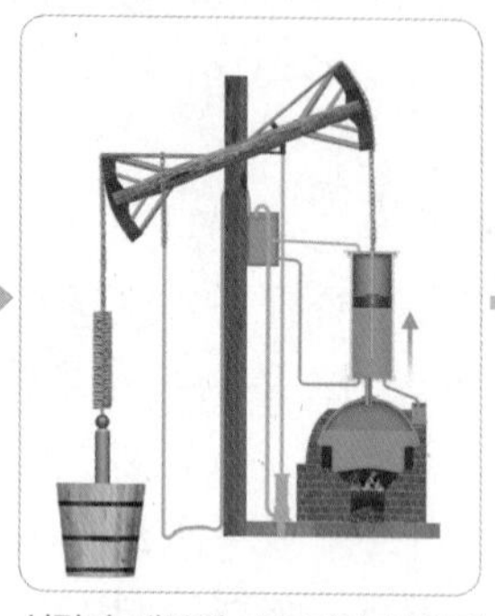
실린더 내부에 수증기가 채워져 피스톤이 올라가면 양동이가 내려가 물을 담는다.

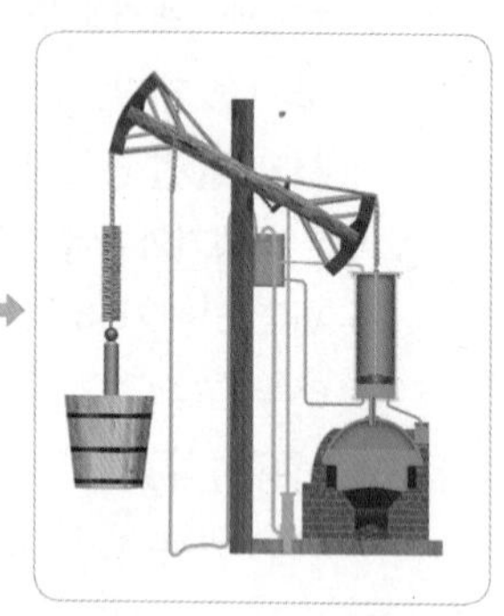
피스톤이 올라간 상태에서 찬물을 뿌려 실린더를 식히면, 피스톤이 아래로 내려오고, 양동이가 올라간다.

▲ 물을 퍼 올리는 데 사용된 외연 기관

(2) 내연 기관

내연 기관의 종류에는 가솔린 기관, 디젤 기관, 제트 기관 등이 있으며, 오늘날까지 자동차나 선박, 비행기 등에 널리 이용되고 있다.

① **내연 기관** 연료를 연소시키는 장소가 기관의 내부에 있는 기관으로, 외연 기관이 부피가 크고 효율이 낮다는 문제점을 개선하였다.

② 외연 기관이 물을 끓여 발생시킨 고온, 고압의 증기를 이용하는 반면, 내연 기관은 기관 내부에서 연료가 연소할 때 발생하는 폭발력으로 운동 에너지를 얻는다.

흡입 행정: 피스톤이 아래로 내려가며 분무 상태의 연료가 실린더 내부로 들어온다.

압축 행정: 피스톤이 위로 올라가 실린더 내부를 압축시킨다.

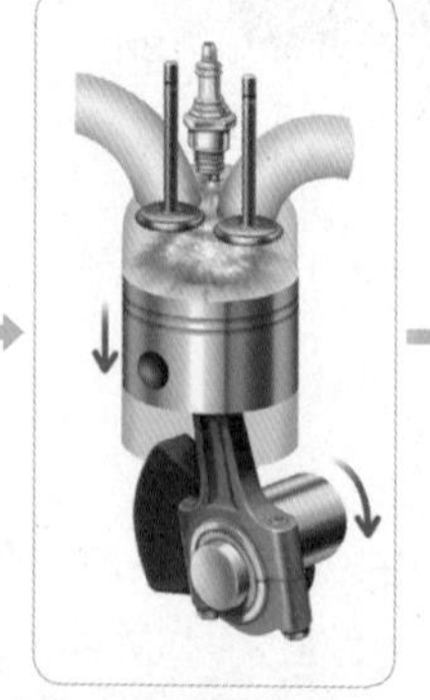
폭발 행정: 압축된 분무 상태의 연료에 불꽃을 튀겨 폭발시킨다. 이 힘으로 피스톤이 아래로 내려간다.

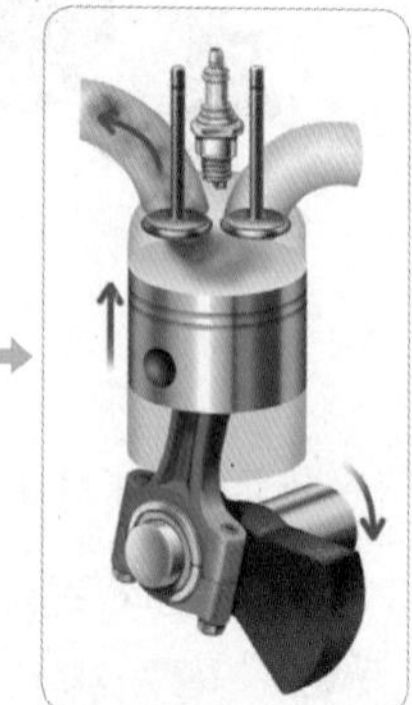
배기 행정: 피스톤이 위로 올라가 연소 가스를 내보낸다.

▲ 자동차에 사용되는 가솔린 내연 기관

교과서 뛰어넘기

다양한 종류의 비행기

- 틸트 로터(tilt-rotor): 헬리콥터와 같이 수직 이착륙이 가능하고, 비행기처럼 추진력을 얻을 수 있는 새로운 개념의 항공기이다. 틸트 로터의 프로펠러를 하늘로 향하게 하면 수직으로 이착륙할 수 있어 활주로가 필요 없고, 비행 중에는 이를 수평 방향으로 바꿔 속도를 높일 수 있다.
- 헬리오스(helios): 날개에 달린 태양 전지로 전기를 만들어 프로펠러를 작동시켜 비행하는 태양광 무인기이다.

▲ 틸트 로터

▲ 헬리오스

개념 더하기+

주제 활동 새로운 수송 수단의 영향 살피기

1. 다음은 최근 등장한 수송 수단이다. 하나를 선택하여 그 수송 수단이 보편화되었을 때 우리 사회의 각 분야에 미칠 영향을 써 보자.

• 하늘을 나는 자동차 • 자율 주행 자동차 • 드론

분야	우리 사회에 미칠 영향
새로운 산업	예 드론을 이용한 택배 산업이 생겨날 것이다. • 하늘을 나는 자동차를 대여해 주는 회사가 생겨날 것이다. • 드론을 이용한 음식 배달이 이루어질 것이다.
새로운 문화	• 드론으로 찍은 사진 전시회가 열릴 것이다. • 무인 버스 내부에서 영화가 상영될 것이다.
새로운 직업	• 자율 주행 자동차 프로그래머가 생길 것이다. • 하늘을 나는 자동차의 전담 교통경찰이 생길 것이다.
새로운 생활 습관	• 차를 타고 가는 동안 독서하는 습관이 생길 것이다. • 드론으로 배달하는 음식점에 주문을 하게 될 것이다

2. 새로운 수송 수단의 도입이 사회에 미칠 영향을 살펴보면서 느낀 점을 써 보자.

예 아직은 영화 속에만 등장할 것 같은 장면이 현실이 된다면, 굉장히 편리해질 것 같다. 하지만 예상치 못했던 문제점도 많이 생길 것 같아서 준비를 잘 해야 할 것이다.

내용 정리

1 효율적인 수송을 위한 수송 기술

(1) 수송 기술

① **수송** 수송 대상이 되는 사람, 동물, 물건 등을 한 장소에서 다른 장소로 이동시키는 것

② **수송 기술** 수송 대상을 더 빠르고 효율적으로 수송하기 위한 수송 수단이나 방법

③ **수송 기술의 특징**

- 지원 시설과 인력의 필요: 주유소, 비행장, 항구, 정비소 등과 같은 지원 시설과 이를 관리할 인력이 많이 필요함.
- 수송 대상의 가치 증대: 수송 대상을 원하는 시간에 목적지까지 빠르고 안전하게 이동시켜 이들의 가치를 높임.
- 다양한 수송 수단의 이용: 자동차, 기차, 선박, 비행기 등과 같이 다양한 형태의 수송 수단을 사용함.
- 이동 경로가 필요: 도로, 철도, 항로 등 수송 수단이 이동하기 위한 특별한 이동 경로가 필요함.

(2) 수송 기술 시스템

① **수송 기술 시스템** 수송이 이루어지는 데 필요한 다양한 요소를 체계화한 것

② **수송 기술 시스템의 구성 요소**

- 투입: 사람이나 물건을 이동시키는 데 필요한 수송 수단, 시설, 인력, 정보 등을 투입함.
- 과정: 수송 수단을 이용해 사람이나 물건이 이동함.
- 산출: 지정된 장소로 사람이나 물건의 이동을 완료하여 재배치함.
- 되먹임: 수송 대상의 재배치에 문제가 발생하면 이를 해결하기 위해 투입이나 과정 단계로 되돌아감.

2 빠르고 안전한 수송 수단

(1) 육상 수송 기술의 발달

① **바퀴** 초기 육상 수송 기술 발달에 큰 영향을 준 도구로, 바퀴를 이용한 수레, 마차의 발달로 인류는 효율적으로 작업하거나 이동할 수 있었음.

② **증기 기관을 동력으로 하는 증기 자동차와 증기 기관차 발명** 가축이나 사람의 힘이 아닌 기계의 힘을 동력원으로 이용함.

③ **가솔린 자동차와 디젤 자동차** 효율이 낮은 증기 기관의 문제점을 개선하고자 개발되어 오늘날까지 주요 수송 수단의 동력원으로 이용되고 있음.

④ **하이브리드 자동차와 전기 자동차** 화석 연료의 사용을 줄이거나 전혀 사용하지 않는 친환경적인 하이브리드 자동차, 전기 자동차 보급이 늘어남.

⑤ **자율 주행 자동차와 하늘을 나는 자동차** 첨단 기술이 집약된 이륙 및 착륙 등의 항공기 기능을 결합한 하늘을 나는 자동차나 스스로 도로 상황을 파악하며 자동으로 주행하는 자율 주행 자동차를 개발 중임.

(2) 수상 수송 기술의 발달

① **초기 선박** 사람이 노를 젓거나 범선과 같이 돛을 이용하여 바람의 힘으로 선박의 추진력을 얻음.

② **증기선** 증기 기관을 이용하여 프로펠러를 회전시켜 추진력을 얻음.

③ **디젤선** 효율이 높은 디젤 기관을 이용한 선박으로, 오늘날에도 크고 작은 선박에서 많이 사용됨.

④ **원자력 항공 모함** 원자력 기관을 선박의 동력원으로 사용하면서 연료의 보급 없이도 장기간 항해하거나 잠수할 수 있는 원자력 항공 모함과 원자력 잠수함이 등장함.

⑤ **위그선** 물 위를 빠른 속도로 치고 나가는 초고속 선박 기술과 수면에서 뜬 상태로 이동하는 항공 기술이 접목됨.

(3) 항공 우주 수송 기술의 발달

① **제트 비행기** 기관 안에 압축된 공기를 넣고 연료를 분사한 후 연소시켜 발생하는 고온, 고압의 연소 가스를 뿜어서 추진력을 얻는 제트 기관을 비행기에 이용함.

② **우주 왕복선**

- 연료와 산소를 탑재한 로켓 기관이 개발되면서, 공기의 밀도가 적은 곳이나 대기권 밖에서 비행할 수 있게 되었음.
- 우주 왕복선은 로켓 기관을 이용함.

개념 꽉꽉 다지기

01. ( )(이)란 사람, 동물, 물건 등을 한 장소에서 다른 장소로 이동시키는 것을 말한다.

02. 다음은 수송 기술 시스템에 대한 설명이다. 맞으면 ○, 틀리면 ×표를 하시오.

(1) 수송 기술 시스템은 투입 → 산출 → 과정으로 이루어진다. ( )

(2) 수송 기술 시스템의 투입 요소에는 수송 수단, 시설, 인력, 정보 등이 있다. ( )

(3) 지정된 장소로 사람이나 물건의 이동을 완료하여 재배치하는 단계는 산출 단계이다. ( )

(4) 수송 대상의 재배치에 문제가 생기면 이를 해결하기 위해 투입이나 과정으로 돌아가는 단계는 되먹임 단계이다. ( )

03. ( )(이)란 물에 열을 가해 발생시킨 증기의 압력으로 실린더 안의 피스톤을 왕복으로 움직이게 하여 동력을 얻는 운동 기관이다.

04. 내연 기관이 아닌 모터로 동력을 얻는 자동차는?

① 증기 자동차
② 전기 자동차
③ 디젤 자동차
④ 가솔린 자동차
⑤ 하이브리드 자동차

05. 다음 설명에 해당하는 수송 수단으로 옳은 것은?

> 물 위를 빠른 속도로 치고 나가는 초고속 선박 기술과 수면에서 뜬 상태로 이동하는 항공 기술이 접목된 수송 수단이다.

① 범선
② 증기선
③ 위그선
④ 호버크라프트
⑤ 원자력 항공 모함

Helper

01. 수송이란 수송 대상을 한 장소에서 다른 장소로 이동시키는 것을 말한다.

02. 수송 기술 시스템은 투입 → 과정 → 산출로 이루어지며, 문제가 발생하면 이를 해결하기 위해 이전 단계로 되먹임한다.

03. 증기 자동차와 증기 기관차는 증기의 압력으로 힘을 얻는 증기 기관을 동력원으로 이용한 수송 수단이다.

04. 하이브리드 자동차는 내연 기관과 모터를 모두 동력원으로 사용한다.

05. 위그선은 해면 효과를 활용하여 물 위에 뜬 상태로 이동한다.

차곡차곡 실력 쌓기

01 (　　) 안에 공통적으로 들어갈 알맞은 말로 옳은 것은?

> (　　　)(이)란 (　　　) 대상이 되는 사람, 동물, 물건 등을 한 장소에서 다른 장소로 이동시키는 것을 말하는데, 더 빠르고 효율적으로 (　　　)하기 위한 수단이나 방법을 (　　　) 기술이라고 한다.

① 제조　② 건설　③ 수송　④ 통신　⑤ 에너지

02 수송 기술의 특성으로 옳지 않은 것은?

① 이동 경로가 필요하다.
② 지원 시설과 인력이 필요하다.
③ 다양한 수송 수단을 사용한다.
④ 수송 대상의 가치를 증대시킨다.
⑤ 다른 기술에 영향을 받지 않고 독자적으로 발전해 왔다.

03 다음은 수송 기술 시스템에 대한 설명이다. (　　) 안에 들어갈 알맞은 말을 쓰시오.

> 수송 대상은 보관, 짐 싣기, 짐 내리기, 배달, 이동, 관리 등의 과정을 통해 원하는 목적지로 (　　　)되는 산출이 이루어진다.

(　　　　　　　　)

04~05 다음은 수송 기술 시스템의 체계도이다. 물음에 답하시오.

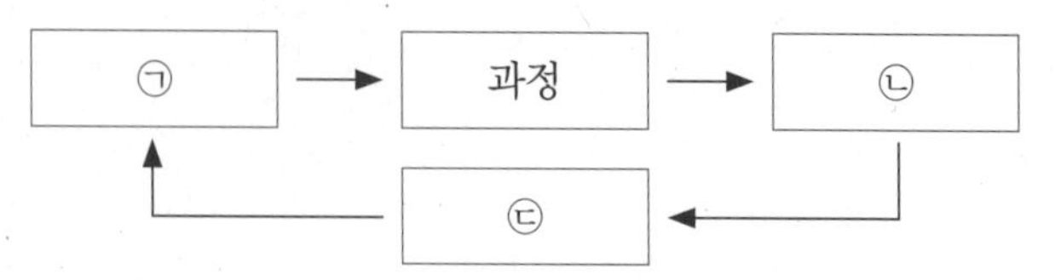

04 ㉠, ㉡, ㉢에 들어갈 단어를 옳게 짝지은 것은?

	㉠	㉡	㉢
①	투입	산출	되먹임
②	투입	되먹임	산출
③	산출	투입	되먹임
④	산출	되먹임	투입
⑤	되먹임	산출	투입

05 다음 중 ㉠의 요소에 해당하는 것은?

① 배달　② 도로　③ 이동　④ 재배치　⑤ 짐 내리기

06~07 다음 자동차를 보고 물음에 답하시오.

06 그림에 해당하는 자동차에 대한 설명으로 옳은 것은?

① 증기를 이용하여 동력을 얻는다.
② 오늘날 주요 수송 수단으로 이용되고 있다.
③ 환경 오염 문제를 해결하기 위해 만들어졌다.
④ 모터가 아닌 내연 기관을 동력원으로 사용한다.
⑤ 내연 기관과 모터 모두 동력원으로 사용하며, 그 중에서도 내연 기관을 주 동력원으로 사용한다.

07 그림의 자동차 개발 목적과 같은 목적으로 개발된 자동차는?

① 디젤 자동차 ② 가솔린 자동차
③ 자율 주행 자동차 ④ 하이브리드 자동차
⑤ 하늘을 나는 자동차

08 ( ) 안에 공통으로 들어갈 알맞은 말을 쓰시오.

> 최초의 자동차는 ( )을/를 이용하여 만들었으며, ( )은/는 증기 기관차의 동력으로 이용하기도 하였다. 하지만 ( )을/를 이용한 자동차는 효율이 낮았기 때문에 이러한 단점을 보완한 가솔린 기관이나 디젤 기관이 개발되어 오늘날까지 주요 수송 수단의 동력원으로 이용되고 있다.

( )

09 다음 설명에 해당하는 수상 수송 수단으로 옳은 것은?

> 배 밑으로 고압의 공기를 쏘아 배를 물 위로 띄우고 이동할 때에는 별도로 설치된 프로펠러와 방향타를 이용한다.

① 범선 ② 증기선
③ 디젤선 ④ 위그선
⑤ 호버크라프트

10 보기 의 항공 우주 수송 수단을 먼저 개발된 순서대로 나열한 것은?

> 보기
> ㄱ. 열기구 ㄴ. 릴리엔탈 글라이더
> ㄷ. 가솔린 기관의 비행기 ㄹ. 제트 비행기

① ㄱ → ㄴ → ㄷ → ㄹ
② ㄱ → ㄷ → ㄴ → ㄹ
③ ㄴ → ㄱ → ㄷ → ㄹ
④ ㄴ → ㄷ → ㄱ → ㄹ
⑤ ㄹ → ㄷ → ㄴ → ㄱ

11 다음 설명에 해당하는 기관에 대한 설명으로 옳은 것은?

> 기관 안에 압축된 공기를 넣고 연료를 분사한 후 연소시켜 발생하는 고온, 고압의 연소 가스를 뿜어서 추진력을 얻는 기관이다.

① 로켓 기관에 대한 설명이다.
② 공기가 없는 공간을 이동할 때 사용한다.
③ 우주 왕복선의 동력을 얻기 위해 사용한다.
④ 기관을 작동시키기 위해 산화제가 필요하다.
⑤ 연료가 폭발하면서 급격하게 팽창한 공기가 높은 압력으로 뒤로 빠져나가면서 추진력을 얻는다.

12 외연 기관에 대한 설명으로 옳은 것은?

① 내연 기관보다 효율이 높다.
② 증기 기관은 대표적인 외연 기관이다.
③ 오늘날 자동차, 선박 등에 널리 이용한다.
④ 연료를 연소시키는 장소가 기관의 내부에 있다.
⑤ 기관에서 연료가 연소할 때 발생하는 폭발력으로 운동 에너지를 얻는다.

2 지켜야 할 약속, 수송 안전

「주제 열기」

- **위 그림에서 발생할 수 있는 교통사고에는 무엇이 있는지 찾아보고 예방책을 이야기해 보자.**

→ 교통사고: 자전거와 자동차 간 충돌 사고

→ 예방책: 자전거로 횡단보도를 건널 때에는 반드시 내려서 자전거를 끌고 간다.

- **우리가 교통사고를 당하거나 목격한 경우, 대처 방안을 생각해 보자.**

→ 절대 당황하지 말고, 주변 사람의 도움을 구하거나 119에 구조를 요청한다.

개념 더하기+

자전거 운전자 안전 수칙

- 자전거 보호 장구를 착용한다.
- 외출 전 자전거를 간단하게 점검한다.
- 자전거를 탈 때 음악 감상을 자제한다.
- 야간 운행 시에는 라이트를 반드시 켠다.

1/ 자전거도 도로 교통법의 적용을 받는 수송 수단이다

(1) 자전거 교통 법규

두발자전거는 「도로 교통법」의 적용을 받으므로 만약 자전거를 타고 가다가 보행자와 부딪쳐 사고가 난다면, 차와 보행자의 사고로 처리된다.

① 횡단보도를 건널 때에는 자전거에서 내려 자전거를 끌고 가야 한다. 횡단보도에서 자전거를 타고 이동할 경우 범칙금이 부과될 수 있다.

② 자전거는 자전거 도로에서 타야 하며, 인도에서는 자전거에서 내려 자전거를 끌고 가야 한다.

횡단보도를 건널 때 자전거를 타고 가다가 차량과 부딪치게 되면 차와 차의 사고로 처리되며, 자전거 운전자에게도 과실이 인정된다.

③ 자전거 전용 도로(차로)에서 자전거를 끌고 가는 것은 「도로 교통법」 위반이다.

④ 자전거 도로가 없는 경우, 차도의 우측 가장자리로 주행해야 하고, 다른 차들과 같은 방향으로 주행해야 한다.

(2) 자전거 사고의 유형과 예방

① 자전거 사고의 유형

- 장애물이 있는 곳에서의 사고: 사거리 또는 장애물이 있어 시야가 확보되지 않은 곳을 빠르게 이동하다가 자동차나 사람과 부딪침
- 교차로에서의 사고: 자전거와 자동차가 도로에서 서로 양보하지 않고 함께 우회전하면서 부딪침
- 인도에서의 사고: 인도에서 자전거를 끌고 가지 않고 타고 가다가 보행자와 부딪침
- 횡단보도에서의 사고: 횡단보도에서 자전거를 타고 이동하다가 보행자와 부딪침

② 자전거 사고의 예방

- 자전거를 타기 전에는 항상 브레이크와 핸들 등이 잘 작동하는지 안전 점검을 한다.
- 교통 법규와 안전 수칙을 지켜 안전하게 주행해야 한다.

함께 생각해 보기

자전거와 관련된 사고를 겪었거나 목격한 적이 있는지 이야기해 보고, 어떤 부주의로 사고가 발생했는지 생각해 보자.

예 횡단보도의 녹색 불이 들어오자마자 자전거를 타고 횡단보도로 빠르게 진입하다가 신호 위반을 하는 자동차와 부딪쳤다. 주변을 살피지 않은 부주의로 발생한 사고이다.

2 자동차의 물리적 특성을 알면 사고를 방지할 수 있다

(1) 자동차의 물리적 특징

① **정지 거리**

- 운전자가 위험을 인지하고 자동차가 완전히 정지하기까지의 총 거리로, 제동 거리와 공주 거리를 더한 거리이다.
  - 제동 거리: 브레이크를 밟은 후 자동차가 완전히 정지하기까지 이동한 거리이다.
  - 공주 거리: 운전자가 운전 중 위험을 인지해 브레이크를 밟기까지 자동차가 이동한 거리이다.
- 자동차는 운전자가 위험을 인지해도 바로 멈추지 않고 일정 거리를 이동하기 때문에 운전자는 항상 전방을 주시해야 하고, 보행자는 자동차가 완전히 멈출 때까지 기다렸다가 길을 건너야 한다.

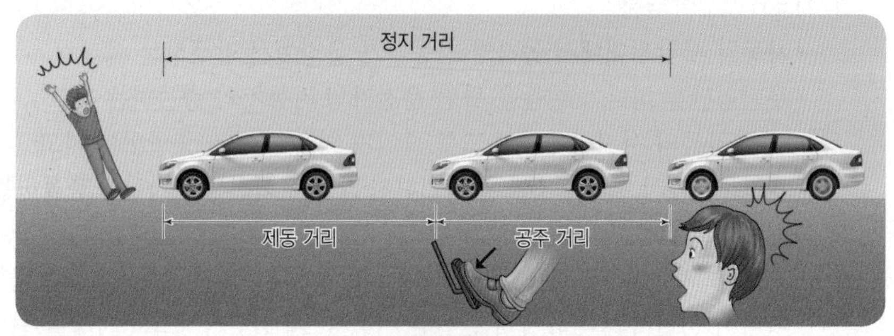

▲ 자동차 정지 거리

② **사각지대**

- 운전자의 눈높이, 사이드 미러의 크기, 문틀의 두께 등으로 시야가 확보되지 않는 지대이다.
- 사람이 사각지대에 있으면 사고로 이어질 가능성이 매우 크다. 따라서 운전자와 보행자 모두 자동차의 사각지대로 운전자가 주변의 사물이나 사람을 보지 못하는 상황이 발생할 수 있음을 알고 항상 주의해야 한다.

③ **충격력**

- 교통사고가 발생했을 때 사람에게 전달되는 자동차 운동 에너지의 정도이다.
- 이 운동 에너지는 자동차의 속도 제곱에 비례하므로, 차량의 속도가 2배 빨라지면 충격력은 4배 커진다.
- 운전자는 과속하지 않아야 하고, 도로 제한 속도 규정을 지켜야 한다.

▲ 자동차의 충격력

스스로 해 보기

자동차 운전자는 사고 예방을 위해 안전 거리를 유지해야 한다. 여기서 안전거리란 무엇인지 조사해 보자.

예 자동차의 안전거리는 앞차와 뒤차 사이에 적정한 거리를 확보하는 것을 말한다. 안전거리는 정지 거리 이상을 유지하는 것을 의미하며, 날씨나 도로의 상태에 따라 달라진다.

개념 더하기+

공주 거리
자동차의 경우, 이 시간 동안 자동차는 처음 속력 그대로 진행할 수밖에 없다. 또한 브레이크를 밟았다고 하더라도 브레이크의 유격 등에 의해 실제로 브레이크가 작동하기까지는 시간이 지연된다.

제동 거리
제동 거리는 차종, 제동 장치의 성능, 주행 속도, 운전자의 지각 반응 속도, 운전의 능숙함, 노면의 상태, 타이어의 마모 정도 등에 영향을 받는다.

자동차의 사각지대

개념 더하기+

자동차 사고 예방을 위해 정기적으로 점검해야 할 사항들

- 브레이크 패드: 브레이크 패드가 마모되면 제동력이 낮아지게 되면서 제동 거리가 길어져 큰 사고로 이어질 수 있다.
- 와이퍼: 와이퍼가 마모되면 비가 오는 날 앞 유리가 잘 닦이지 않아 시야가 확보되지 않으므로 큰 사고로 이어질 수 있다.
- 타이어 공기압: 타이어 공기압이 부족하면 타이어 옆면이 수축과 이완을 반복해 주행 중 펑크로 이어질 수 있으며, 제동력도 떨어지게 된다. 반대로 타이어 공기압이 과다하게 주입되어 있으면 외부 충격으로부터의 타이어 손상과 편마모 발생으로 타이어 성능이 저하될 수 있다.

더 들여다보기

자동차 사고 예방을 위하여 정기적으로 점검해야 할 사항에는 무엇이 있을까?

예 정기 점검이란 자동차의 운행 거리나 연식에 따라 정해진 정비 항목을 점검하는 것이다. 기본적인 엔진 오일, 오일 필터, 공기 청정기 교환에서부터 브레이크와 타이어에 이르기까지 정비와 교환 시기가 서로 다르므로 정비 내용을 기록하면서 관리해야 한다.

(2) 자동차 사고의 유형과 예방

① 자동차 사고의 유형

- 자동차 사각지대에서 놀다가 자동차가 움직여서 발생하는 사고
- 무단횡단을 하다가 한눈을 팔던 운전자의 자동차와 충돌하는 사고
- 좁은 골목의 사거리에서 속도를 줄이지 않은 차량과 충돌하는 사고
- 횡단보도에서 보행자 신호를 확인하지 않고 우회전하는 차량과 충돌하는 사고

② 자동차 사고의 예방

- 운전자: 자동차 사고는 차량 관리 소홀, 잘못된 운전 습관 등으로 발생한다. 따라서 운전자는 자동차의 안전한 이용을 위해 주기적으로 차량을 관리하고, 교통 법규와 안전 수칙을 지켜 안전하게 운전해야 한다.
- 보행자: 교통 법규를 지키고 자동차의 물리적 특징을 이해하여 사고를 미리 방지해야 한다.

정해진 일정과 노선에 따라 여러 사람이 한꺼번에 이동할 수 있는 자동차, 버스, 열차, 배, 비행기 등의 수송 수단을 말한다.

3 대중교통 이용 시 안전 수칙을 지키면 사고를 예방할 수 있다

다음과 같은 안전 수칙을 지키면 안전하게 대중교통을 이용할 수 있다.

대중교통 안전 수칙

대중교통	안전 수칙
버스	• 교통 카드나 버스 요금은 미리 준비한 다음 탑승한다. • 버스가 정거장에 완전히 정차한 후 탑승한다. • 버스에 탑승하거나 하차할 때에는 휴대 전화 사용을 자제한다. • 버스가 정차했을 때 좌석을 이동한다.
열차	• 열차와 타는 곳 사이의 발 빠짐 사고에 조심한다. • 출입문이 닫힐 때에는 무리해서 타지 않는다. • 타는 곳과 계단에서 뛰거나 장난치지 않는다. • 선로 옆을 이동할 때에는 휴대 전화 사용을 자제한다. • 타는 곳에서 열차를 기다릴 때에는 노란 안전선 안쪽에서 대기한다.
배	• 비상 대피 통로와 비상 탈출구의 위치를 알아 둔다. • 구명조끼, 소화기, 비상벨 등의 위치를 확인해 놓는다. • 파도나 바람에 흔들릴 수 있으므로 안전 난간을 잡고 계단을 오르내린다. • 선박 운항 중 안전 난간 밖으로 머리나 몸을 내밀거나 기대고 앉지 않는다. • 풍랑, 강풍, 폭우 등 기상이 좋지 않거나 선체가 크게 흔들릴 때에는 갑판으로 나가지 않는다.
비행기	• 승무원의 안내에 집중한다. • 구명조끼의 위치, 비상구의 위치, 비상시 행동 요령을 확인한다. • 안전띠를 착용한다. • 이착륙할 때 간이 탁자와 의자를 원상태로 한다.

교과서 뛰어넘기

자동차 사고 예방법 및 사고 예방 기술

상황	예방법	사고 예방 기술
졸음운전	• 자주 환기를 시킨다. • 장시간 운전 시 2시간마다 휴식을 취한다.	졸음운전 경보기
중앙선 침범	• 불법 유턴을 하지 않는다. • 무리하게 앞차를 추월하지 않는다.	차선 이탈 경보 시스템
음주 운전	• 음주 시 대중교통이나 대리 운전을 이용한다. • 술을 마시는 회식 날에는 차를 두고 출근한다.	음주 측정 스마트 키
안전띠 미착용	• 안전띠 매는 습관을 기른다. • 택시나 고속버스 탑승 시에도 안전띠를 착용한다.	안전띠 미착용 경고등 및 경고음

개념 더하기+

주제 활동 교통사고 예방 기술 조사 및 대처 방안 토의

1. 다음 사례와 같이 교통사고를 줄이기 위해 자동차나 교통 시설에 적용된 기술에는 어떤 것들이 있는지 조사해 보자.

예 노래하는 고속 도로: 과속 및 졸음운전 등의 교통사고를 줄이기 위해 서울 외곽 순환 고속 도로에 횡 방향 홈파기를 했다. 시속 100 km로 달리면 고속 도로에서 음악 소리가 들린다.

2. 그림과 같이 다양한 사고 상황에 맞춰 우리가 대처할 방안을 써 보고 이야기해 보자.

교통사고를 목격했을 때

대처 방안: 도움이 필요한 상황인지 확인하고, 필요하면 경찰이나 119에 신고한다.

차에 치여 다쳤을 때

대처 방안: 가해 차량의 번호를 확인한다.

지하철에서 화재가 발생했을 때

대처 방안: 유독 가스가 많은 경우 옷이나 수건 등으로 호흡기를 가린 후 낮은 자세로 대피한다.

배가 기울어 침몰 중일 때

대처 방안: 안내 방송이나 승무원의 안내에 따라 신속히 대피한다.

3. 교통사고를 줄이기 위해 교통 시설에 적용된 기술을 조사하면서 느낀 점을 써 보자.

예 교통 시설에 적용된 기술을 알고 보니 놀랍고 신기한 것들이 많았고, 교통사고를 예방하기 위해 교통 법규를 잘 지켜야겠다고 생각했다.

내용 정리

1/ 자전거 교통 법규와 사고 예방

(1) 자전거 교통 법규

① 횡단보도를 건널 때나 인도에서는 자전거에서 내려서 끌고 가야 함.
② 자전거는 자전거 도로에서만 타야 함.
③ 자전거 전용 도로에서 자전거를 끌고 가는 것은 「도로 교통법」 위반임.
④ 차도에서는 우측 가장자리로, 다른 차들과 같은 방향으로 주행해야 함.

(2) 자전거 사고의 유형과 예방

① **사고 유형**
- 장애물이 많은 곳: 시야가 확보되지 않아 자동차나 사람과 부딪침
- 교차로: 차량 회전 시 자동차와 부딪침
- 인도: 보행자와 부딪침
- 횡단보도: 횡단보도 보행자와 부딪치거나 자동차와 부딪침

② **예방**
- 자전거를 타기 전에는 항상 브레이크와 핸들 등이 잘 작동하는지 안전 점검을 실시함.
- 교통 법규와 안전 수칙을 지켜 안전하게 주행함.

2/ 자동차의 물리적 특성과 사고 예방

(1) 자동차의 물리적 특징

① **정지 거리** 위험을 인지하고 자동차가 완전히 정지하기까지의 총 거리
- 공주 거리: 운전 중 운전자가 위험을 인지해 브레이크를 밟기까지 자동차가 이동한 거리
- 제동 거리: 브레이크를 밟은 후 자동차가 완전히 정지하기까지 이동한 거리

② **사각지대** 운전자의 눈높이, 사이드 미러의 크기, 문틀의 두께 등으로 시야가 확보되지 않은 지대
③ **충격력** 교통사고 발생 시 자동차가 가지고 있는 운동 에너지

(2) 자동차 사고의 유형과 예방

① **사고 유형**
- 자동차 사각지대에서 놀다가 자동차가 움직여서 발생하는 사고
- 무단횡단을 하다가 한눈을 팔던 운전자의 자동차와 충돌하는 사고
- 좁은 골목의 사거리에서 속도를 줄이지 않은 차량과 충돌하는 사고
- 횡단보도에서 보행자 신호를 확인하지 않고 우회전하는 차량과 충돌하는 사고

② **자동차 사고의 예방**
- 운전자: 자동차 사고는 차량 관리 소홀, 잘못된 운전 습관 등으로 발생함.
- 운전자는 자동차의 안전한 이용을 위해 주기적으로 차량을 관리하고, 교통 법규와 안전 수칙을 지켜 안전하게 운전해야 함.
- 보행자: 교통 법규를 지키고 자동차의 물리적 특징을 이해하여 사고를 미리 방지해야 함.

3/ 대중교통 이용 시 안전 수칙

(1) 버스

① 교통 카드나 버스 요금 등을 미리 준비
② 버스가 정거장에 완전히 정차 후 탑승
③ 버스 탑승 및 하차 시 휴대 전화 사용 자제
④ 버스가 정차했을 때 좌석 이동

(2) 열차

① 열차와 타는 곳 사이의 발 빠짐 사고 조심
② 출입문이 닫힐 때 무리해서 타지 않기
③ 타는 곳과 계단에서 뛰거나 장난 금지
④ 선로 옆을 이동할 때 휴대 전화 사용 자제
⑤ 열차 도착 전 노란 안전선 안쪽에서 대기

(3) 배

① 비상 대피 통로 및 비상 탈출구 위치를 미리 파악
② 구명조끼, 소화기, 비상벨 등의 위치를 미리 파악
③ 계단을 이동할 때에는 파도나 바람에 흔들릴 수 있으므로 안전 난간을 잡고 이동
④ 선박 운항 중 안전 난간 밖으로 머리나 몸을 내밀거나 기대고 앉는 등 위험한 행동 금지
⑤ 기상이 좋지 않거나 선체가 크게 흔들릴 때에는 갑판 출입 자제

(4) 비행기

① 승무원의 안내 집중
② 구명조끼의 위치, 비상구의 위치, 비상시 행동 요령을 미리 확인
③ 안전띠 착용
④ 이착륙할 때 간이 탁자와 의자 원상태로 두기

개념 꽉꽉 다지기

01. 두발자전거는 (   )법의 적용을 받는 수송 수단이다.

02. 다음은 자전거에 대한 설명이다. 맞으면 ○, 틀리면 ×표를 하시오.

(1) 횡단보도를 건널 때에는 자전거에서 내려 자전거를 끌고 가야 한다. (   )

(2) 자전거 전용 도로에서 자전거를 끌고 가는 것은 「도로 교통법」 위반이다. (   )

(3) 자전거 도로가 없는 경우 차도의 우측 가장자리로 주행해야 한다. (   )

(4) 자전거 도로가 없는 경우 차도에서 다른 차들과 반대 방향으로 주행한다. (   )

03. 정지 거리란 위험을 인지하고 자동차가 완전히 (   )하기까지의 총 거리이다.

04. 운전자의 눈높이, 사이드 미러의 크기, 문틀의 두께 등으로 시야가 확보되지 않은 지대는?

① 사각지대 ② 삼각 지대
③ 시각 지대 ④ 시야 지대
⑤ 사고 지대

05. 자동차 운전자가 브레이크를 밟은 후 자동차가 완전히 정지하기까지 이동한 거리는?

① 공주 거리 ② 정지 거리
③ 제동 거리 ④ 운전 거리
⑤ 인지 거리

Helper

01. 「도로 교통법」에서 '차'는 자동차, 건설 기계, 원동기 장치 자전거, 자전거를 말한다.

02. 자전거 도로가 없는 경우, 차도의 우측 가장자리로 주행해야 하고, 다른 차들과 같은 방향으로 주행해야 한다.

03. 정지 거리는 공주 거리와 제동 거리의 합이다.

04. 사각(死角)이란 어느 각도에서도 보이지 아니하는 범위 또는 관심이나 영향이 미치지 못하는 범위를 비유적으로 이르는 말이다.

05. 공주 거리란 운전 중 운전자가 위험을 인지해 브레이크를 밟기까지 자동차가 이동한 거리이다.

차곡차곡 실력 쌓기

01~02 다음 그림은 우리 주변에서 볼 수 있는 도로의 모습을 나타낸 것이다. 그림을 보고 물음에 답하시오.

01 위 그림에서 교통사고가 발생할 수 있는 경우를 있는 대로 고른 것은?

① ㉠, ㉡, ㉢　　② ㉠, ㉡, ㉣
③ ㉠, ㉢, ㉣　　④ ㉠, ㉡, ㉢, ㉣
⑤ ㉠, ㉡, ㉢, ㉣, ㉤

02 그림의 상황에서 발생할 수 있는 안전사고를 예방하기 위한 수칙으로 옳지 않은 것은?

① ㉠: 찻길 근처에서 공을 가지고 놀지 않는다.
② ㉡: 멈춰 있는 차에서는 사람이 내릴 수 있으므로 주의한다.
③ ㉢: 찻길에 정차한 후 차에서 내릴 때에는 뒤에서 다른 차량이나 오토바이가 올 수 있으므로 확인 후 내린다.
④ ㉣: 신호가 없는 횡단보도에서는 자동차와 접촉 사고가 발생할 위험이 있으므로 자전거를 타고 신속하게 이동한다.
⑤ ㉤: 주차장에서는 차가 튀어나올 수 있으므로 차 주변에서 놀지 않는다.

03 자전거 교통 법규에 대한 설명으로 옳은 것은?

① 자전거는 「교통 안전법」의 적용을 받는다.
② 자전거 도로가 없는 경우 차도의 좌측 가장자리로 주행한다.
③ 인도에서 자전거를 끌고 가는 것은 「도로 교통법」 위반이다.
④ 자전거 도로가 없는 경우 차도에서 다른 차들과 같은 방향으로 주행해야 한다.
⑤ 횡단보도를 건널 때에는 보행자와 부딪칠 수 있으므로 횡단보도 우측으로 자전거를 타고 건넌다.

04 자전거 운전자 안전 수칙으로 옳지 않은 것은?

① 야간 운행 시에는 라이트를 켠다.
② 자전거를 타기 전 자전거를 점검한다.
③ 자전거를 운전할 때에는 항상 주변을 살핀다.
④ 자전거를 탈 때에는 자전거 보호 장구를 착용한다.
⑤ 자전거를 탈 때 음악 감상을 하면 자전거 운행에 집중할 수 있다.

05 다음 그림에서 자전거 운전자가 잘못한 점을 두 가지 쓰시오.

(　　　　　　　　　　)

06~07 다음 그림은 자동차 운전자가 전방의 위험을 인지하고 정지하기까지의 과정을 나타낸 것이다. 그림을 보고 물음에 답하시오.

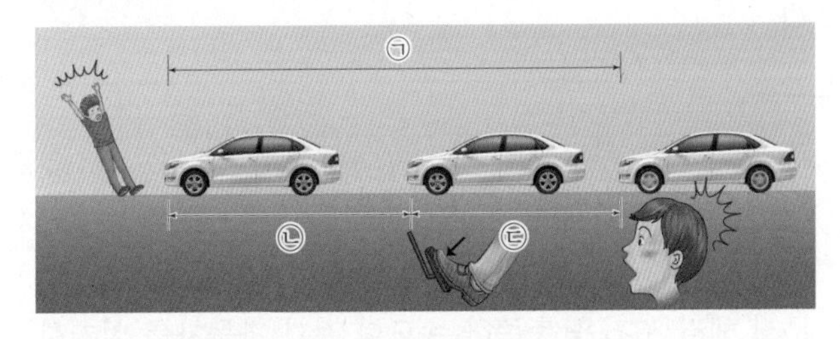

06 ㉠, ㉡, ㉢에 들어갈 알맞은 말을 바르게 나열한 것은?

	㉠	㉡	㉢
①	정지 거리	제동 거리	공주 거리
②	정지 거리	공주 거리	제동 거리
③	제동 거리	정지 거리	공주 거리
④	제동 거리	공주 거리	정지 거리
⑤	공주 거리	정지 거리	제동 거리

07 정지 거리가 10m이고 ㉡이 4m일 때 공주 거리는?

① 2m ② 4m
③ 6m ④ 10m
⑤ 14m

08 (　　) 안에 들어갈 알맞은 말을 쓰시오.

> (　　　)은/는 자동차 운전자가 운전 중 위험을 인지해 브레이크를 밟기까지 자동차가 이동한 거리이다.

(　　　　　　　　)

09 (　　) 안에 공통으로 들어갈 알맞은 말로 옳은 것은?

> • (　　　)은/는 운전자의 눈높이, 사이드 미러의 크기, 문틀의 두께 등으로 시야가 확보되지 않는 지대이다.
> • 사람이 (　　　)에 있으면 운전자가 보지 못하여 사고로 이어질 가능성이 매우 커진다.

① 사각지대 ② 삼각 지대
③ 시각 지대 ④ 시야 지대
⑤ 사고 지대

10 (　　) 안에 들어갈 자동차의 운동 에너지는?

> 자동차가 20 km/h로 달릴 때 자동차의 운동 에너지가 10 [J]이다. 그러므로 자동차가 40 km/h로 달리면 자동차의 운동 에너지는 (　　　) [J]이 된다.
>
> *여기서 [J]은 운동 에너지의 단위이다.

① 10 [J] ② 20 [J]
③ 30 [J] ④ 40 [J]
⑤ 60 [J]

11 버스를 이용할 때 안전 수칙으로 옳지 <u>않은</u> 것은?

① 버스가 정차했을 때 좌석을 이동한다.
② 버스가 정거장에 완전히 정차한 후 탑승한다.
③ 교통 카드나 버스 요금은 미리 준비한 다음 탑승한다.
④ 버스에 탑승하거나 하차할 때에는 휴대 전화 사용을 자제한다.
⑤ 버스에 자리가 없어서 서서 갈 때 중심을 잡을 수 있으면 손잡이를 잡지 않아도 된다.

3 경주용 전기 자동차 만들기

「주제 열기」

- 이 활동은 한 자동차 회사에서 전기 자동차에 대한 흥미와 관심을 높이기 위해 중학교 학생을 대상으로 모형 전기 자동차 만들기 대회를 개최하여 문제 해결 활동을 한다.

1/ 문제 확인하기

주어진 재료를 이용하여 문제 해결 조건을 충족하는 모형 전기 자동차를 설계하고 제작해 보자. 평가 기준에 꼭 들어맞는 모둠이 우승하게 된다.

(1) 문제 해결 조건

① **제작 기준** 스위치를 켰을 때 전동기의 힘으로 구동력을 얻어 전진하며, 자동차의 전조등(꼬마전구), 후미등(발광 다이오드)의 불빛이 정상적으로 들어오게 해야 한다.

② **주행 기준** 10 m 거리를 직선 주행하되, 가장 빠른 속도로 주행해야 한다.

③ **참가 기준** 3~4명이 한 모둠을 이루어 참가한다.

④ **설계 및 제작 제한 시간** 4시간

⑤ **재료 및 공구** 우드락 600 mm × 900 mm × 5 mm 1장, 기어(소형, 대형 각 1개), 풀리(소형, 대형 각 1개), 대나무 꼬치 3Ø 5개, 꼬마전구 2개, 꼬마전구 소켓 2개, 발광 다이오드 2개, 소형 전동기 1개, 건전지 2개, 스위치 달린 건전지 홀더, 가는 전선 1 m, 글루건, 글루건 심 3개, 초시계, 줄자

- 600 mm × 900 mm × 5 mm: 가로 600mm, 세로 900mm, 두께 5mm를 의미한다. 두께는 mm 대신 T로 표현하기도 한다.
- 풀리: 벨트로 동력을 전달할 때 벨트를 걸기 위해 축에 부착하는 바퀴로, 벨트 풀리라고도 한다.
- 3Ø: Ø는 지름을 나타내는 치수 기호로, 파이라고 읽는다. 3Ø는 지름이 3mm라는 의미이다.

(2) 평가 기준

① 10m의 직선거리를 주행하는 주행 속도가 가장 빠른 모둠

② 창의적인 디자인을 한 모둠

③ 견고한 자동차를 제작한 모둠

④ LED 불빛이 정상적으로 작동하는 모둠

2/ 계획하기

(1) 정보 수집하기

모형 전기 자동차의 제작을 위해서 기본적인 동력 전달 원리와 각 부품의 연결 방법을 알아보자.

① **자동차의 전동축을 회전시키는 방법**

전동축을 모터에 직접 연결하여 회전

기어를 이용하여 회전

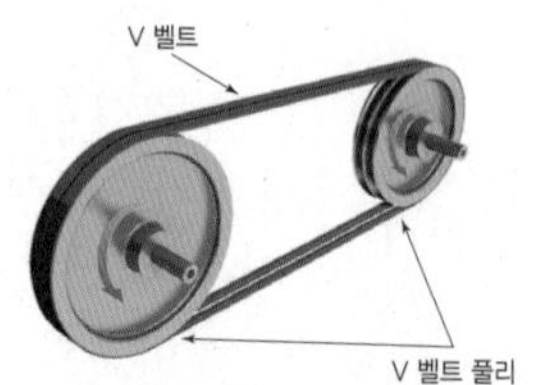

풀리를 이용하여 회전

개념 더하기+

➲ 발광 다이오드

발광 다이오드(LED, light emitting diode)는 일정 방향으로 전류를 흘려주면 빛을 내는 다이오드로, 전력 소비와 발열이 적으며, 수명이 길다는 장점이 있다.

➲ 배터리 충전 방식 외의 전기 자동차

전기 자동차는 축전지에 축적한 전기를 이용해 달리는 방식으로, 오늘날 시판되고 있는 전기 자동차의 대부분이 이 형식을 취하고 있다. 그러나 기관의 구현 방식에 따라 전기 자동차를 다양하게 분류할 수 있다. 외부로부터 전력의 공급을 받아 달리는 자동차에는 트롤리버스가 있고, 자동차 자체에서 전기를 만들고 이 전기로 달리는 자동차에는 태양 전지 자동차가 있다.

② **저항의 연결 방법** 저항의 연결 방법에는 직렬연결과 병렬연결이 있다.

구분	저항	
연결	직렬연결 $R_t = R_1 + R_2$ $V_t = V_1 + V_2$ $I_t = I_1 = I_2$	병렬연결 $\frac{1}{R_t} = \frac{1}{R_1} + \frac{1}{R_2}$ $I_t = I_1 + I_2$ $V_t = V_1 = V_2$
	전압 분배	전압 일정
특징	저항의 직렬연결에서 각 저항에 걸리는 전압은 전체 전압보다 낮으므로 전구의 밝기는 어두워진다. 그러나 저항의 병렬연결에서 각 저항에 걸리는 전압은 전체 전압과 같으므로 전구의 밝기는 같다.	

③ **전원의 연결 방법** 전원의 연결 방법에는 직렬연결과 병렬연결이 있다.

구분	저항	
연결	직렬연결 $V_t = V_1 + V_2$	병렬연결 $V_t = V_1 = V_2$
	전원 두 개의 전압	전원 한 개와 같은 전압
특징	전원을 직렬연결하면 전압이 높아져 전구의 밝기가 밝아진다. 그러나 전원을 병렬연결하면 전압은 같으므로 전구의 밝기는 같다.	

교과서 뛰어넘기

옴의 법칙

저항값이 $R[\Omega]$인 저항에 전압이 $V[V]$인 전원을 아래 그림과 같이 연결한 후 회로에 흐르는 전류 $I[A]$를 측정하면 전류, 전압, 저항 사이에는 다음과 같은 관계식이 성립된다.

$$I[A] = \frac{V[V]}{R[\Omega]}$$

$R[\Omega]$ $I[A]$ $V[V]$

즉, 회로에 흐르는 전류는 전압의 크기에 비례하고, 저항값에 반비례한다. 이와 같이 전기 회로에서 전류, 전압, 저항 사이에 나타나는 전기적인 법칙을 '옴의 법칙'이라고 한다. 이러한 옴의 법칙을 이용하면 회로 내의 전류, 전압, 저항의 값을 구할 수 있다.

개념 더하기+

전류
- 직렬연결 회로에서 전구에 불이 들어오는 것은 건전지의 (+)극과 (−)극 사이에 전기의 성질을 띤 물질, 즉 전자가 전선을 따라 이동하기 때문인데, 이와 같은 전자의 이동을 '전류'라고 한다.
- 전류는 I로 표기하며, 단위는 암페어(ampare)를 사용하고 [A]로 표시한다.

전압
- 전기 회로에서 전류가 흐를 수 있는 것은 전원으로부터 나오는 전기적인 압력 때문인데, 이러한 전기적인 압력을 '전압'이라고 한다.
- 전압은 V로 표기하며, 단위는 볼트(volt)를 사용하고 [V]로 표시한다.

저항
- 전기 회로에서 전류의 흐름을 방해하는 요소를 '저항'이라고 한다.
- 저항은 R로 표기하며, 단위는 옴(ohm)을 사용하고 [Ω]로 표시한다.

개념 더하기+

PMI 기법
PMI 기법은 아이디어의 장점(P, Plus), 단점(M, Minus), 흥미로운 점(I, Interesting)을 기준으로 여러 가지 아이디어를 평가하여 하나의 아이디어를 선정하는 수렴적 사고 기법이다.

부품도에 치수 나타내기
일반적으로 부품도에 치수를 나타낼 때에는 치수선이 수평 방향이면 치수선 중앙 위에 치수가 위를 향하도록 기재한다. 치수선이 수직 방향이면 치수선 왼쪽 중앙에 치수가 왼쪽을 향하도록 기재한다.

(2) 아이디어 탐색하기

모형 전기 자동차 관련 지식이나 정보를 바탕으로 모듬별로 확산적 사고 기법을 이용하여 문제 해결을 위한 다양한 아이디어를 탐색한다.

확산적 사고 기법: 주어진 문제를 해결하기 위한 다양한 아이디어를 창출하는 사고 기법으로, 브레인스토밍, 브레인 라이팅, 스캠퍼(SCAMPER) 기법 등이 있다.

(3) 아이디어 선정하기

아이디어 탐색을 통해 얻은 대안들은 수렴적 사고 기법을 이용하여 평가한 후 최적의 아이디어를 선정한다.

수렴적 사고 기법: 주어진 문제를 해결하기 위해 창출한 다양한 아이디어를 분석하고 평가하여 최적의 문제 해결 아이디어를 선택하는 사고 기법이다.

(4) 구체적 계획하기

모형 전기 자동차를 실제로 제작하기 위해서는 최종적으로 선정된 대안들을 구체화해야 한다. 이를 위해 선정된 대안이 반영된 전기 자동차의 구상도, 부품도 등을 그린다.

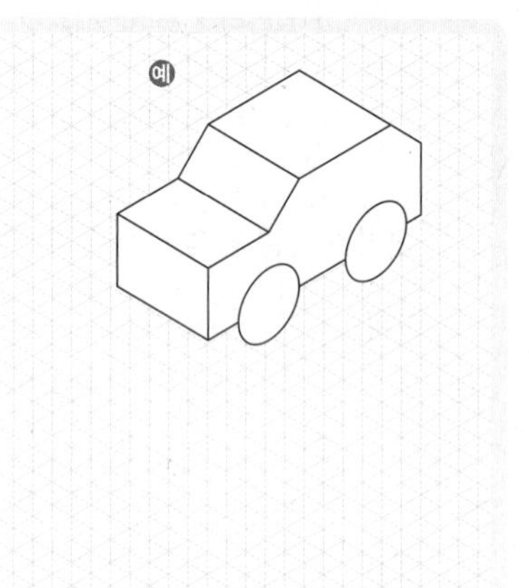

▲ 구상도 예시

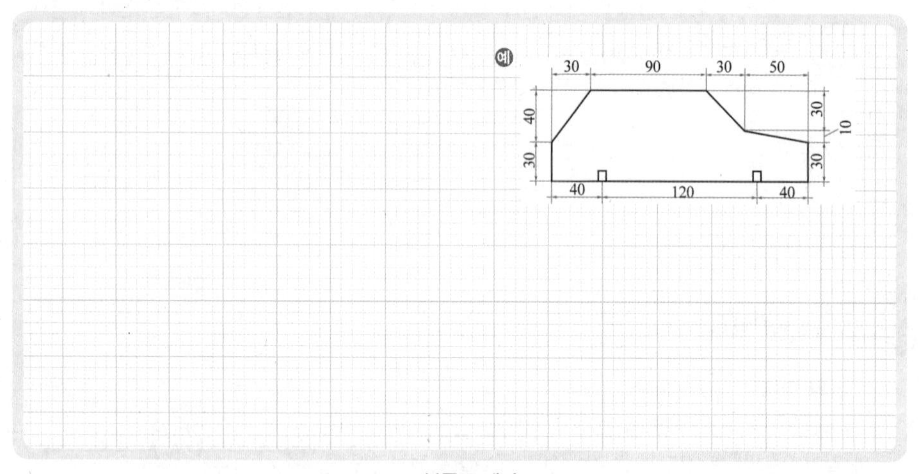

▲ 부품도 예시

3 실행하기

최종적으로 선정된 아이디어의 구상도와 부품도를 이용하여 모형 전기 자동차를 실제로 만든다.

▲ 전기 자동차 제작 과정

4/ 평가하기

모형 전기 자동차의 속도를 기록하고, 제작하는 과정과 제작한 자동차의 성능을 평가해 본다.

(1) 과정 평가

① 활동에 성실히 참여하였는가?
② 활동 시 안전 수칙과 유의 사항을 지켰는가?
③ 활동 후 모둠 구성원이 다 함께 정리·정돈하였는가?

(2) 결과 평가

① 10m 직선거리를 주행할 수 있는가?
② 외형 디자인은 창의적인가?
③ 조립 상태와 내구성이 양호한가?
④ 스위치를 켰을 때 전동기, 발광 다이오드, 꼬마전구가 모두 작동하는가?

개념 더하기+

발광 다이오드 연결 시 주의 사항

발광 다이오드를 연결할 때에는 극성에 유의하여 긴 다리는 (+)극에, 짧은 다리는 (−)극에 연결한다.

내용 정리

경주용 전기 자동차 만들기

1/ 문제 확인하기

(1) **문제 해결 조건**

① **제작 기준** 스위치를 켰을 때 전동기의 힘으로 구동력을 얻어 전진하며, 자동차의 전조등(꼬마전구), 후미등(발광 다이오드)의 불빛이 정상적으로 들어오게 할 것

② **주행 기준** 10m 거리를 직선 주행하되, 가장 빠른 속도로 주행할 것

③ **참가 기준** 3~4명이 한 모둠을 이루어 참가함.

④ **설계 및 제작 제한 시간** 4시간

⑤ **재료 및 공구** 우드락 600mm×900mm×5mm 1장, 기어(소형, 대형 각 1개), 풀리(소형, 대형 각 1개), 대나무 꼬치 3Ø 5개, 꼬마전구 2개, 꼬마전구 소켓 2개, 발광 다이오드 2개, 소형 전동기 1개, 건전지 2개, 스위치 달린 건전지 홀더, 가는 전선 1m, 글루건, 글루건 심 3개, 초시계, 줄자

(2) **평가 기준**

① 10m의 직선거리를 주행하는 주행 속도가 가장 빠른 모둠

② 창의적인 디자인을 한 모둠

③ 견고한 자동차를 제작한 모둠

④ LED 불빛이 정상적으로 작동하는 모둠

2/ 계획하기

(1) **정보 수집하기**

① **자동차의 전동축을 회전시키는 방법**

- 전동축에 바퀴를 직접 연결하여 회전
- 기어를 이용하여 회전
- 풀리를 이용하여 회전

② **저항과 전원의 연결 방법**

- 저항의 직렬연결: 전압 분배
- 저항의 병렬연결: 전압 일정
- 전원의 직렬연결: 전원의 개수만큼 전압 상승
- 전원의 병렬연결: 전원 한 개와 같은 전압

(2) **아이디어 탐색하기**

확산적 사고 기법을 이용하여 아이디어를 탐색함.

(3) **아이디어 선정하기**

수렴적 사고 기법(PMI 등)을 이용하여 아이디어를 선정함.

(4) **구체적 계획하기**

모형 전기 자동차를 실제로 제작하기 위해서는 최종적으로 선정된 대안들을 구상도, 부품도 등으로 구체화해야 함.

3/ 실행하기

최종적으로 선정된 아이디어의 구상도와 부품도를 이용하여 모형 전기 자동차를 제작함.

① 우드락에 부품도 그리기

② 칼과 자를 이용하여 설계 모양대로 잘라 내기

③ 전동기와 기어, 뒤 차축을 배치한 후 고정하기

④ 전동기, 꼬마전구, 발광 다이오드를 연결하여 회로 구성하기

⑤ 전원을 연결하여 제대로 작동하는지 확인하기

⑥ 차체 조립하기

⑦ 바퀴 조립하기

4/ 평가하기

(1) **과정 평가**

① 활동 참여의 성실성

② 안전 및 유의 사항 준수

③ 활동 후 정리·정돈

(2) **결과 평가**

① 주행 속도

② 외형 디자인의 창의성

③ 조립 상태와 내구성

④ 각 부품의 작동 여부

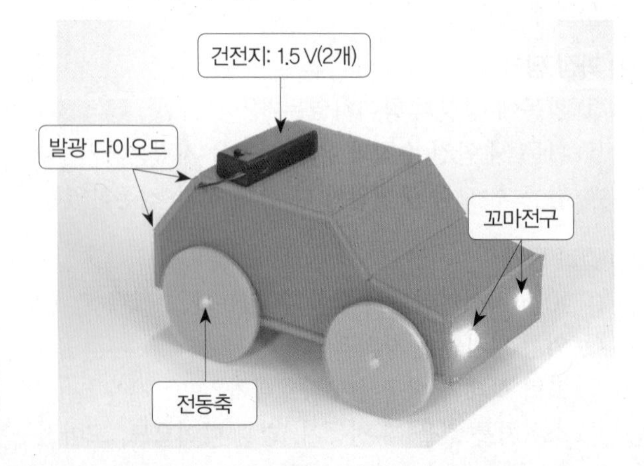

개념 꽉꽉 다지기

01. (   )은/는 일정 방향으로 전류를 흘려주면 빛을 내는 다이오드이다.

02. 다음은 경주용 전기 자동차 만들기에 대한 설명이다. 맞으면 ○, 틀리면 ×표를 하시오.

(1) 다이오드는 전류를 한쪽 방향으로만 흐르게 하는 특성이 있다. (   )

(2) 전기 회로에서 전류의 흐름을 방해하는 요소를 전압이라고 한다. (   )

(3) 3Ø짜리 대나무 꼬치의 지름은 3mm이다. (   )

(4) 한 회로 내에서 전구 두 개를 직렬연결했을 때 두 개의 전구에 걸리는 전류는 같다. (   )

03. 전원을 (   )연결하면 전압이 높아져 전구의 밝기가 밝아진다.

04. 경주용 전기 자동차를 만들 때 구체적 계획하기 단계 이후에 시행되는 단계는?

① 실행하기
② 정보 수집하기
③ 문제 확인하기
④ 아이디어 선정하기
⑤ 아이디어 탐색하기

05. 경주용 자동차를 만들 때 아이디어 선정하기 단계에서 사용하는 사고 기법은?

① 발산적 사고 기법
② 수렴적 사고 기법
③ 창의적 사고 기법
④ 확산적 사고 기법
⑤ 비판적 사고 기법

Helper

01. 발광 다이오드는 전력 소비와 발열이 적으며, 수명이 길다는 장점이 있다.

02. 전압은 전류를 흐르게 하는 전기적인 압력이다.

03. 전원을 병렬연결한 후 전구를 연결하면 전구에 전원 한 개와 같은 전압이 걸린다.

04. 구상도, 부품도 등을 통해 아이디어를 구체화한 후 구상도와 부품도대로 제품을 직접 제작한다.

05. 수렴적 사고 기법은 주어진 문제를 해결하기 위해 창출한 다양한 아이디어를 분석하고 평가하여 최적의 문제 해결 아이디어를 선택하는 사고 기법이다.

차곡차곡 실력 쌓기

01 다음 주어진 빨대에 대한 설명으로 옳은 것은?

빨대 1Ø

① 빨대의 지름은 1cm이다.
② 빨대의 지름은 2cm이다.
③ 빨대의 지름은 1mm이다.
④ 빨대의 지름은 2mm이다.
⑤ 빨대의 지름은 0.2mm이다.

02 다음과 같은 우드락을 재료표에 작성할 때 바르게 작성한 것은?

> 두께 10mm, 세로 길이 500mm,
> 가로 길이 300mm

① 10mm×500mm×300mm
② 10mm×300mm×500mm
③ 300mm×500mm×10mm
④ 500mm×300mm×10mm
⑤ 500mm×10mm×300mm

03 (　　) 안에 들어갈 알맞은 말을 쓰시오.

> 발광 다이오드는 일정 방향으로 전류를 흘려 주면 빛을 내는 다이오드로, 전력 소비와 발열이 적으며, (　　　)이/가 길다는 장점이 있다.

(　　　　　　　　)

04 모형 전기 자동차의 전동축을 회전시킬 때 다음 그림과 같이 회전시키는 방법으로 옳은 것은?

① 기어를 이용하여 회전시키는 방법
② 링크를 이용하여 회전시키는 방법
③ 풀리를 이용하여 회전시키는 방법
④ 체인을 이용하여 회전시키는 방법
⑤ 전동축을 모터에 직접 연결하여 회전시키는 방법

05~06 다음 표를 보고 물음에 답하시오.

명칭	의미	단위
㉠	전자의 이동	[ⓐ]
㉡	전원으로부터 나오는 전기적인 압력	[ⓑ]
㉢	전기의 흐름을 방해하는 요소	[ⓒ]

05 ㉠, ㉡, ㉢에 들어갈 알맞은 말을 바르게 나열한 것은?

	㉠	㉡	㉢
①	전압	전류	저항
②	전압	저항	전류
③	전류	저항	전압
④	전류	전압	저항
⑤	저항	전압	전류

06 ⓐ, ⓑ, ⓒ에 들어갈 단위를 바르게 짝지은 것은?

	ⓐ	ⓑ	ⓒ
①	[V]	[I]	[Ω]
②	[V]	[Ω]	[I]
③	[I]	[Ω]	[V]
④	[I]	[V]	[Ω]
⑤	[Ω]	[V]	[I]

07~08 다음은 경주용 전기 자동차 만들기의 단계이다. 물음에 답하시오.

> ______(㉠) → 계획하기(㉡) → 실행하기 → 평가하기

07 밑줄 친 ㉠의 단계로 옳은 것은?

① 정보 수집하기
② 문제 확인하기
③ 구체적 계획하기
④ 아이디어 선정하기
⑤ 아이디어 탐색하기

08 밑줄 친 ㉡의 단계에서 하는 일로 옳지 않은 것은?

① 구상도와 부품도대로 경주용 전기 자동차를 제작한다.
② 경주용 전기 자동차 제작을 위한 구상도, 부품도 등을 그린다.
③ 경주용 전기 자동차의 전동축을 회전시키는 방법을 조사한다.
④ 경주용 전기 자동차를 만들기 위한 다양한 아이디어를 탐색한다.
⑤ 경주용 전기 자동차를 만들기 위한 최적의 아이디어를 선정한다.

09~10 다음 회로를 보고 물음에 답하시오.

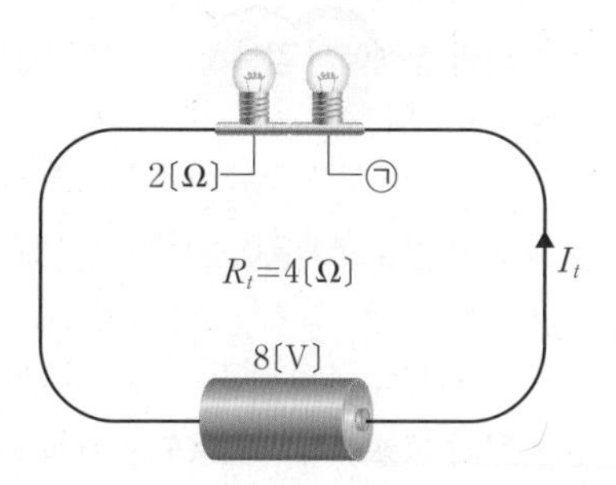

09 ㉠에 들어갈 전구의 저항값은? (단, 전선의 저항은 없다고 가정한다.)

① 1[Ω]　② 2[Ω]
③ 4[Ω]　④ 6[Ω]
⑤ 8[Ω]

10 회로 전체에 흐르는 전류값 I_t는?

① 1[A]　② 2[A]
③ 4[A]　④ 8[A]
⑤ 32[A]

11 (　　) 안에 들어갈 사고 기법을 쓰시오.

> (　　　) 기법은 아이디어의 장점, 단점, 흥미로운 점을 기준으로 여러 가지 아이디어를 평가하여 하나의 아이디어를 선정하는 수렴적 사고 기법이다.

(　　　　　　　　)

4 지구를 살리는 신재생 에너지

「주제 열기」

● **파리 협정에서 감축하기로 한 탄소의 발생 원인은 무엇일까?**

→ 오늘날 대부분의 수송 수단 및 가정, 산업 전반의 에너지원으로 사용되고 있는 화석 연료는 연소할 때 다량의 탄소를 내뿜는데, 이것이 환경 오염과 기후 변화를 가져오는 원인이 된다.

● **화석 연료의 사용이 지구의 환경에 미치는 영향에는 무엇이 있을까?**

→ 화석 연료를 연소하는 과정에서 발생한 각종 유해 물질은 지구의 환경을 오염시키며, 이산화탄소는 지구의 평균 기온을 높여 전 세계적인 기상 이변을 일으키고 있다.

● **우리 생활 속에서 사용되는 화석 연료를 줄이는 대안에는 무엇이 있을까?**

→ 신재생 에너지를 개발하고, 사용 비중을 높인다.

1/ 화석 에너지를 대체할 새로운 에너지가 필요하다

(1) 화석 연료의 문제점

화석 연료는 지구 지각에 파묻힌 동식물의 사체가 오랜 기간에 걸쳐 화석화되어 만들어진 연료이며, 이것으로 얻어진 에너지를 화석 에너지라 한다. 이러한 화석 연료의 종류에는 석탄, 석유, 천연가스 등이 있다.

① 매장량에 한계가 있어 언젠가는 고갈된다.

② 화석 에너지가 연소하며 발생하는 이산화탄소가 지구 온난화를 가속화하여 기상 이변이 나타난다.

③ 화석 에너지를 사용할 때 각종 오염 물질이 발생한다.

④ 미세 먼지, 생태계 파괴 등의 환경 문제를 일으킨다.

(2) 신재생 에너지의 개념과 중요성

① **신재생 에너지** 기존의 화석 연료를 전환해 이용(신에너지)하거나 햇빛, 물, 지열, 생물 유기체 등 재생 가능한 에너지원 또는 이로부터 얻는 에너지를 말한다.

② **종류** 새로운 에너지 자원을 뜻하는 신에너지와 재생할 수 있는 에너지 자원을 뜻하는 재생 에너지로 나뉜다.

③ 신재생 에너지는 초기 투자 비용이 많이 들고 에너지 효율이 낮은 단점이 있지만, 화석 에너지로 발생하는 문제점을 해결할 수 있다.

개념 더하기+

⊕ 신재생 에너지의 보급 확대

오늘날에는 화석 연료 사용의 문제점을 해결하기 위해 신재생 에너지의 사용 비중이 점차 늘고 있다. 이미 에너지 자립 마을이나 태양광 발전 장치를 설치한 아파트 단지가 등장하였으며, 앞으로도 신재생 에너지를 활용하는 사례가 더욱 늘어날 것이다. 또한, 앞으로는 첨단 정보 기술이 적용되어 에너지를 더욱 효율적으로 사용하는 기술이 보편화할 것이다. 예를 들어, 전력 공급자와 소비자가 실시간으로 정보를 교환하여 최적의 에너지 효율을 얻는 스마트 그리드 기술이 널리 보급될 것이다. 이 기술을 이용하면 가장 저렴한 전기 요금 구간에 맞춰 에너지를 소비하기 때문에 태양광이나 풍력 에너지와 같이 전력 생산량이 불규칙한 신재생 에너지의 보급을 확대할 수 있다.

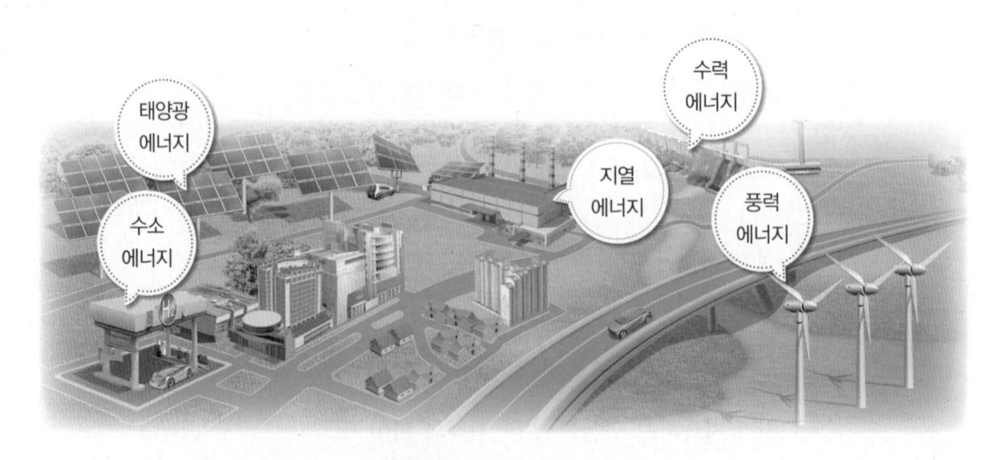

▲ 신재생 에너지 마을(가상도)

2 우리 생활 곳곳에서 신재생 에너지가 이용된다

(1) 재생 에너지의 활용

재생 에너지: 고갈될 염려가 없고, 지속해서 재생할 수 있는 무공해 에너지이다.

태양광 에너지, 태양열 에너지, 풍력 에너지, 해양 에너지, 지열 에너지, 수력 에너지, 바이오 에너지, 폐기물 에너지 등이 있다.

① **태양광 에너지** 태양 전지를 이용하여 빛 에너지를 전기 에너지로 변환시키는 기술이다.

태양 전지: 태양광 에너지를 이용하는 태양 전지는 구조가 간단하고, 유지, 보수가 쉬워 건축물이나 각종 시설물에 널리 활용하고 있다.

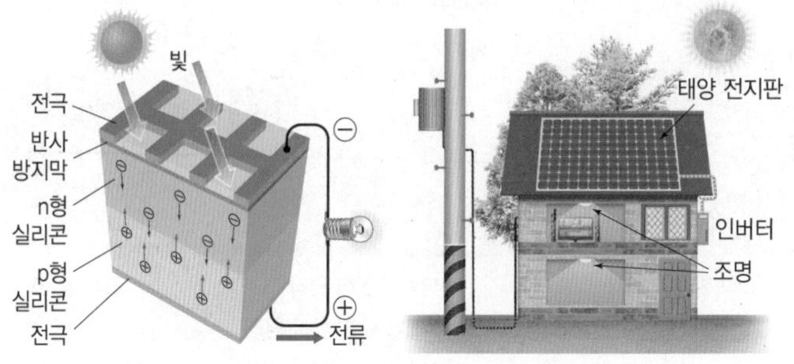

▲ 태양광 발전의 원리

② **태양열 에너지** 태양의 열에너지를 직접 이용하거나, 태양열을 모아 물을 데운 후 이때 발생한 수증기로 터빈을 돌려 전기를 생산해 내는 기술이다.

태양열 에너지: 가정이나 농가에서 온수를 얻거나 난방의 목적으로 사용하고 있으며, 공장이나 발전소에서 동력원으로 사용하기도 한다.

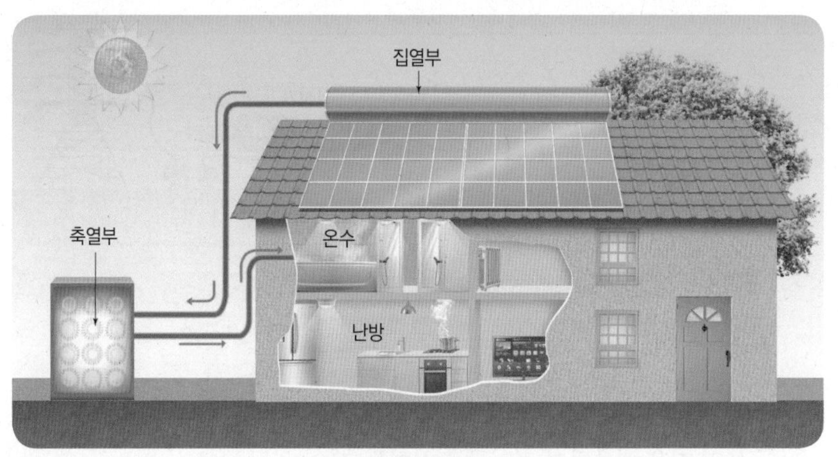

▲ 태양열 발전의 원리

③ **풍력 에너지** 바람의 힘으로 터빈을 돌려 전기를 생산하는 기술이다.

풍력 에너지: 바람의 힘을 이용하기 때문에 공해가 없으며, 무한정 사용할 수 있는 장점이 있다.

기어 박스: 천천히 불규칙하게 돌아가는 날개의 회전 속도를 발전기가 전기를 생산할 수 있을 정도의 속도로 빠르게 바꾸어 주는 장치이다.

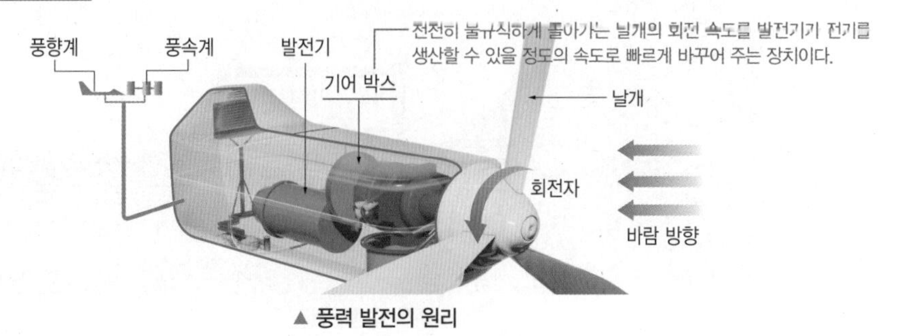

▲ 풍력 발전의 원리

개념 더하기+

⊕ 태양광 에너지의 장단점

- 장점
  - 에너지원이 깨끗하며 무제한이다.
  - 유지, 보수가 쉽다.
  - 무인화가 가능하다.
  - 수명이 길다(20년 이상).
- 단점
  - 지역별 일사량에 전력 생산량이 좌우된다.
  - 에너지의 밀도가 낮아 큰 설치 면적이 필요하다.
  - 설치 장소가 한정적이다.
  - 설치하는 데 고비용이 소요된다.
  - 초기 투자비와 발전 단가가 높다.

⊕ 풍력 발전소의 설치

풍력 발전기의 발전량은 풍차 날개의 크기와 바람의 세기에 비례한다. 그러므로 풍력 발전의 발전량을 늘리려면 풍차 날개를 크게 만들고, 풍차를 바람이 센 곳에 설치해야 한다. 일반적으로 풍력 발전을 위해서는 연간 평균 3~4m/s 이상의 풍속으로 바람이 불어야 하므로, 바람이 많이 부는 해안가나 산간 지역에 설치된다.

개념 더하기+

조력 발전
밀물과 썰물 때 물의 깊이가 달라지는 현상인 조수 간만의 차를 이용하여 전기를 생산하는 발전 방식이다.

파력 발전
파도가 치면 바닷물이 발전기 안의 공기를 위로 압축시키고, 위로 밀려난 공기가 터빈을 돌려 전기를 생산하는 발전 방식이다.

조류 발전
유속이 빠른 곳에 수차를 설치하여 해수의 흐름으로 터빈을 돌려 전기를 생산하는 발전 방식이다.

온도 차 에너지
해양 표면층의 온수(25~30℃)와 심해 500~1000m 정도의 냉수(5~7℃)의 온도 차를 이용해 암모니아를 순환시켜 터빈을 돌려 전기를 생산하는 발전 방식이다.

④ 해양 에너지

- 바닷물을 이용하여 전기를 생산해 내는 기술이다.
- 밀물과 썰물 때의 물의 깊이가 달라지는 현상을 이용한 조력 에너지, 파도가 칠 때의 힘을 이용한 파력 에너지, 바닷물의 흐름을 이용한 조류 에너지, 바닷속과 바다 표면의 온도 차를 이용해 만드는 해수 또는 해양 온도 차 에너지 등이 있다.

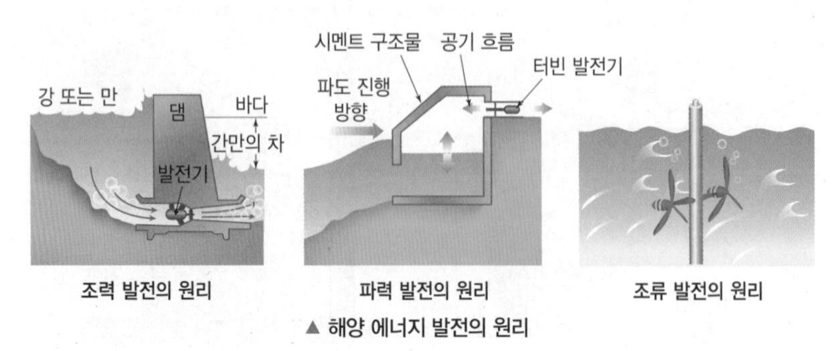

▲ 해양 에너지 발전의 원리

⑤ 지열 에너지

- 지하 깊은 곳에 있는 뜨거운 물과 마그마를 포함하는 땅이 가지고 있는 에너지를 이용하는 기술이다.
- 지열로 물을 끓여 발생시킨 뜨거운 수증기로 터빈을 돌려 전기를 생산한다.

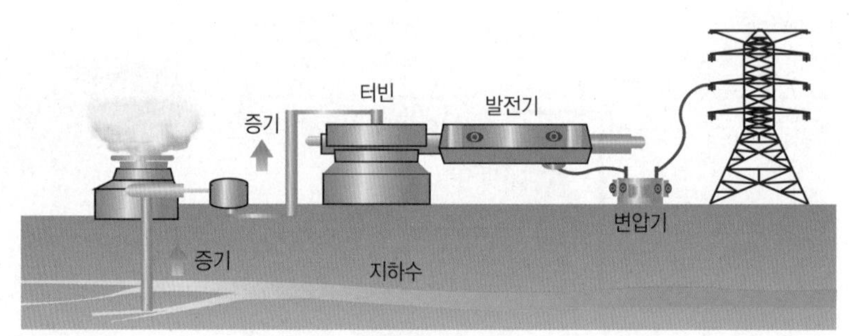

▲ 지열 발전의 원리

⑥ 수력 에너지

- 물의 힘을 이용하여 전기를 생산하는 기술이다.
- 주로 수력 발전소나 소수력 발전소 등에서 물의 힘으로 발전기에 연결된 수차를 돌려 전기를 생산한다.

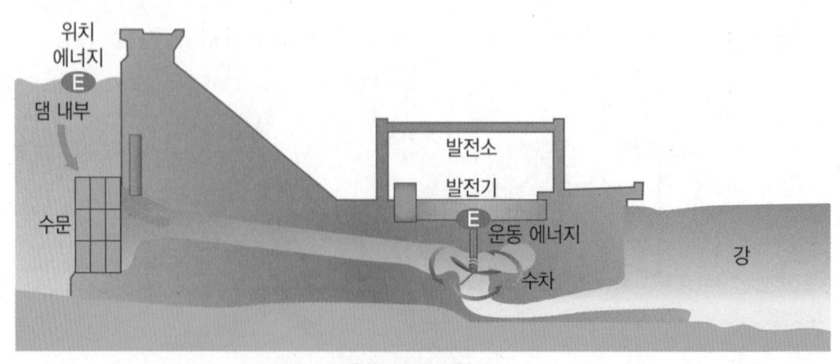

▲ 수력 발전의 원리

⑦ **바이오 에너지** ── 바이오 에너지는 나무나 고구마, 사탕수수나 해조류와 같은 유기체나 종이, 음식물 쓰레기, 폐식용유와 같은 유기계 폐기물을 이용하여 만든 연료에서 얻는 에너지를 말한다.

- 생물체로부터 생겨나는 에너지를 이용하는 기술이다.
- 주로 동물의 분뇨를 분해해 가스 연료를 만들거나 식물에서 기름을 추출해 액체 연료로 만들어 이용한다.

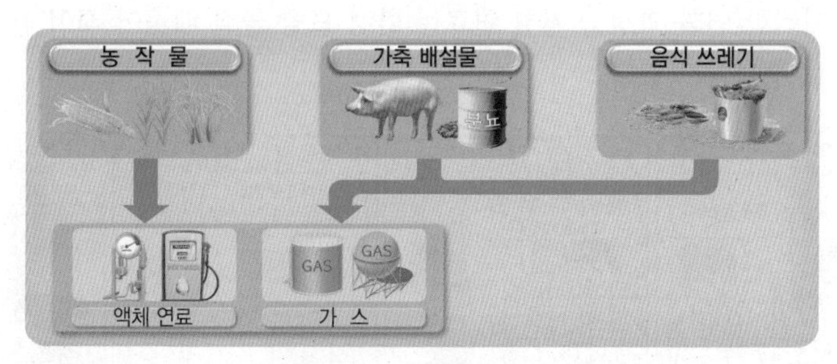

▲ 바이오 에너지 발전 원리

⑧ **폐기물 에너지**

- 쓰지 못하게 된 제품이나 쓰레기 등을 재활용하여 에너지를 얻는 기술이다.
- 주로 에너지 함량이 높은 폐기물을 고체나 액체, 또는 가스 연료로 만들어 이용한다.

▲ 폐기물 에너지 발전 원리

(2) **신에너지의 활용**

신에너지는 수소나 산소 등의 화학 반응을 이용하여 에너지를 얻거나 기존 화석 연료를 변환시켜 이용하는 에너지로, 수소 에너지, 연료 전지, 석탄 액화·가스화 에너지 등이 있다.

① **연료 전지**

- 연료를 태우지 않고 화학 반응으로 직접 전기 에너지를 생산하는 기술이다.
- 연료 전지에는 수소와 산소의 산화·환원 반응을 통해 전자의 이동이 일어나고, 이를 통해 전기가 발생한다.

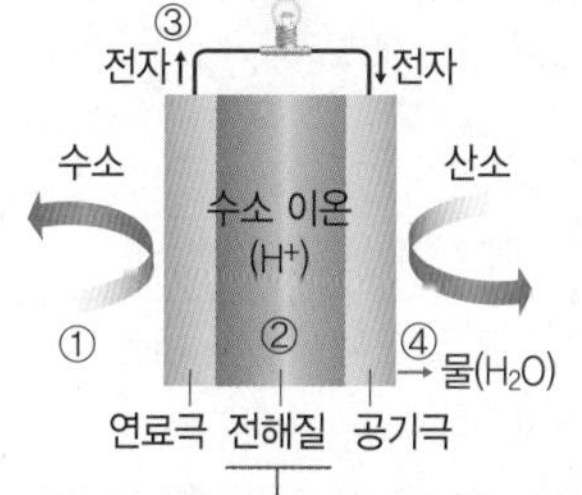

① 연료 극에서 수소가 수소 이온과 전자로 분해된다.
② 수소 이온이 전해질을 거쳐 공기 극으로 이동한다.
③ 전자는 외부 회로를 거치면서 전류를 발생시킨다.
④ 공기 극에서 수소 이온과 전자, 산소가 결합해 물이 된다.

▲ 연료 전지의 원리

- 환경을 오염시키지 않으며, 반응 중 발생한 열을 이용할 수 있다는 장점이 있다.

개념 더하기+

성형 고체 연료
종이, 나무, 플라스틱과 같이 연소할 수 있는 폐기물을 공정을 거쳐 고체 연료로 제작할 수 있다.

발전 방식이 같은 에너지
태양광, 풍력, 조력, 파력, 지열, 수력 발전은 모두 자기 작용으로 전기를 발생시킨다는 공통점을 가지고 있다. 자기장 안에 있는 코일을 돌리거나 코일 안에 있는 자석을 돌리면 전자기 유도 작용으로 전기가 발생한다. 이때 자석이나 코일을 회전시키는 데 필요한 힘을 태양, 바람, 물, 지열 등과 같이 자연에서 얻어 전기 에너지를 발생시킨다.

② **수소 에너지** 수소 형태로 에너지를 저장한 후 사용하는 대체 에너지이다.

③ **석탄 액화 및 가스화**

- 석탄을 휘발유나 디젤과 같은 액체 연료로 전환하거나, 합성 가스와 같은 기체 연료로 전환해 고부가 가치를 지닌 에너지를 얻는 기술이다.
  - 액화시킨 연료는 가솔린 또는 디젤유 등 자동차용 연료로 사용된다.
  - 가스화시킨 연료는 발전소나 보일러를 가동하는 연료로 사용된다
- 이러한 변환 과정을 거친 연료는 환경 오염 물질 배출이 적어 환경 친화 기술로 주목받고 있다.

▲ 석탄 가스화 복합 발전의 유용성

개념 더하기+

수소 에너지의 장단점

수소의 원료가 되는 물이 무한정 존재하며, 연소할 때 해로운 물질이 배출되지 않고 다시 물로 재순환되는 장점이 있어 미래의 무공해 에너지원으로 주목받고 있다. 그러나 아직 물을 원료로 하여 수소를 추출하는 데 큰 비용이 들기 때문에 이를 개선할 수 있는 기술의 개발이 선행되어야 한다.

석탄 가스화

석탄 가스화는 석탄, 중질 잔사유 등의 저급 원료를 고온·고압의 가스화기에서 수증기와 함께 산소로 불완전 연소와 가스화시킨 후 수소와 일산화 탄소가 주성분인 가스를 만드는 공정을 말한다. 이후 정제 공정을 거쳐 가스 터빈이나 증기 터빈 등을 회전시켜 전기를 얻는다.

함께 생각해 보기

신재생 에너지의 장단점을 종류별로 조사해 보자.

예
- 풍력 발전: 풍력 발전은 오염 물질이 발생하지 않으며 고갈될 염려가 없고, 태양광 발전과는 달리 야간에도 발전할 수 있는 장점이 있다. 그러나 소음이 크고, 전기를 생산하기 위해서는 연간 평균 풍속이 3~4m/s 이상이 되어야 하므로 바람이 강한 해안이나 산간 지역에 설치해야 하는 제한이 있다.
- 수력 발전: 에너지원이 고갈되거나 공해 발생의 염려가 없고, 댐 건설을 통해 홍수를 조절하거나 수자원을 확보할 수 있는 부수적인 효과를 얻을 수 있다. 하지만 댐 건설로 자연을 훼손하고 생태계를 변형시키는 문제가 발생할 수 있다.

함께 생각해 보기

'우리 동네에서 신재생 에너지 찾기'

최근 몇 년간 우리나라뿐만 아니라 전 세계적으로 신재생 에너지의 이용을 늘리기 위해 여러 가지 정책을 시행하고 있다. 이에 따라 우리 생활 주변에서도 신재생 에너지 관련 시설이 점차 늘어나고 있다. 우리 동네에 설치된 신재생 에너지 관련 시설에는 어떤 것이 있는지 두 가지만 찾아 조사하여 발표해 보자(내가 사는 지역에서 찾을 수 없다면, 인터넷이나 서적을 참조하여 다른 지역의 사례를 조사해 보자.).

예

구분	조사 내용	
신재생 에너지 종류	해양 에너지 중 조력 발전	태양광 에너지
위치	경기도 안산시 단원구 대부황금로 1927	대전시 유성구 북유성대로 일대
사진		

교과서 뛰어넘기

에너지 소비 효율 등급 표시제

에너지 소비 효율 등급 표시제는 제품의 에너지 소비 효율 또는 에너지 사용량에 따라 1~5등급으로 구분하여 표시한 것을 말한다. 1등급에 가까울수록 에너지 절약형 제품이고, 5등급보다 약 30~40%의 에너지를 절감할 수 있다.

에너지 소비 효율 등급을 표시한 라벨에서 소비자들의 관심이 높은 에너지 비용에 대한 표기는 연령층에 관계없이 누구나 쉽게 인식할 수 있도록 크게 표기되어 있다. 주요 가전제품에 대해서는 에너지 비용에 관한 구체적 산출 근거를 명시하여 소비자들이 제품 사용 시간 등을 조절하여 에너지를 절감할 수 있도록 하였다.

※ 주요 가전제품 에너지 비용 산출 근거
- 냉장고: 표준 시험 환경에서 일 24시간 가동 기준
- 에어컨: 표준 시험 환경에서 일 7, 8시간 가동 기준
- 세탁기: 표준 시험 환경에서 월 17.5회 가동 기준
- 텔레비전: 표준 시험 환경에서 일 6시간 가동 기준
- 전기밥솥: 표준 시험 환경에서 월 36.5회 가동 기준

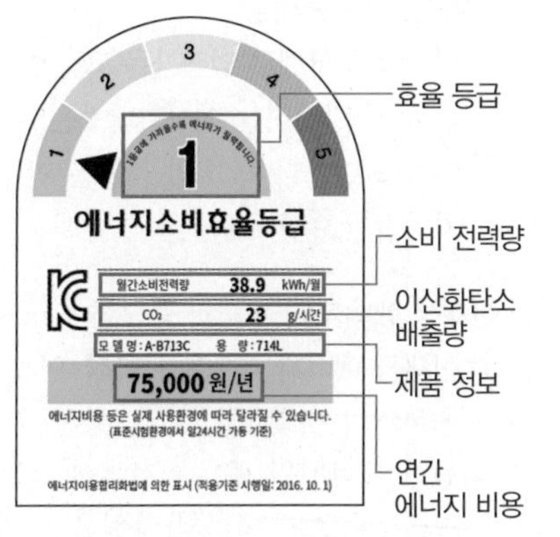

▲ 에너지 소비 효율 등급 라벨

주제 활동 효율적인 에너지 활용 방안 찾아보기

1. 일과 중 우리가 사용하고 있는 에너지는 무엇이 있는지 써 보자.

상황	사용 제품이나 수단	제품에 사용된 에너지
아침에 요리할 때	가스레인지	LNG(화석 연료)
학교로 이동할 때	버스	경유(화석 연료)
학교에서 수업할 때	컴퓨터, 텔레비전	전기 에너지
친구와 연락할 때	스마트폰	전기 에너지

2. 새로운 수송 수단의 도입이 사회에 미칠 영향을 살펴보면서 느낀 점을 써 보자.

사용된 에너지	장점	단점
LNG	• 열량이 높다. • 공해 물질이 거의 없다.	• 폭발의 위험성이 있다. • 매장량이 제한적이다.
전기 에너지	• 전기를 사용할 때 공해 물질이 발생하지 않는다. • 사용하기 편리하다.	• 감전의 위험이 있다. • 누전 시 화재의 위험이 있다.
경유	• 휘발유보다 저렴하다. • 휘발유보다 폭발력이 강해서 더 큰 힘을 낼 수 있다.	• 휘발유보다 더 많은 대기 오염 물질을 발생시킨다. • 매장량이 한정되어 있다.

3. 에너지를 효율적으로 사용하기 위해 우리가 실천할 방안은 무엇인지 찾아보자.

예 에너지 효율 등급이 높은 제품을 사용한다. 사용하지 않는 가전제품의 플러그를 뽑아서 대기 전력이 발생하지 않도록 한다. 실내 냉난방 시 창문이나 문을 닫아 외부와의 단열을 통해 냉난방의 효율을 높인다.

4. 우리가 사용하는 에너지의 장단점을 살펴보면서 느낀 점을 써 보자.

예 효율이 아무리 높아도 환경 오염의 주범이 되는 에너지 사용을 자제해야겠다는 생각이 들었다.

내용 정리

1 신재생 에너지의 이해

(1) 화석 연료의 문제점

① 매장량의 한계로 언젠가는 고갈될 수 있는 자원임.

② 연소 시 발생하는 이산화탄소는 지구 온난화, 기상 이변을 일으키며, 오염 물질은 인류 건강을 해치는 치명적인 요인이 됨.

(2) 신재생 에너지의 개념과 중요성

① **신재생 에너지** 기존의 화석 연료를 전환시켜 이용하거나 햇빛, 물, 지열, 생물 유기체 등 재생 가능한 에너지원 또는 이로부터 얻는 에너지

② **종류** 새로운 에너지 자원을 뜻하는 신에너지와 재생을 할 수 있는 에너지 자원을 뜻하는 재생 에너지로 나뉨.

③ **특징**
- 초기 투자 비용이 많이 들고, 에너지 효율이 낮음.
- 화석 연료 사용으로 발생하는 문제점을 해결할 수 있음.

2 신재생 에너지의 이용

(1) 재생 에너지의 활용

① **태양광 에너지**
- 태양 전지를 이용하여 빛 에너지를 전기 에너지로 변화시키는 기술
- 태양 전지는 구조가 간단하고, 유지, 보수가 쉬워 건축물이나 각종 시설에 널리 사용됨.

② **태양열 에너지**
- 태양의 열에너지를 직접 이용하거나, 태양열을 모아 물을 데워 발생시킨 수증기를 이용하는 기술
- 가정이나 농가의 난방용, 공장이나 발전소의 동력원으로 사용함.

③ **풍력 에너지**
- 바람의 힘으로 터빈을 돌려 전기를 생산하는 기술
- 공해가 없으며, 무한정 사용할 수 있음.
- 평균 3~4m/s의 바람이 지속해서 불어야 하므로 설치 지역이 제한적임.

④ **해양 에너지**
- 바닷물을 이용하여 전기를 생산하는 기술
- 파력 에너지, 해수 또는 해양 온도 차 에너지, 조력 에너지, 조류 에너지 등이 있음.

⑤ **지열 에너지**
- 지하 깊은 곳에 뜨거운 물과 마그마를 포함하는 땅이 가지고 있는 에너지를 이용하는 기술
- 지열로 물을 끓여 발생시킨 뜨거운 증기로 터빈을 돌려서 전기를 생산함.

⑥ **수력 에너지**
- 물의 힘을 이용하여 전기를 생산하는 기술
- 수력 발전소나 소수력 발전소 등에서 물의 힘으로 발전기에 연결된 수차를 돌려 전기를 생산함.

⑦ **바이오 에너지**
- 생물체로부터 생겨나는 에너지를 이용하는 기술
- 동물의 분뇨를 분해해 가스 연료로 만들거나 식물에서 기름을 추출하여 액체 연료로 만들어 사용함.

⑧ **폐기물 에너지**
- 사용하고 쓰지 못하게 되어 버린 제품이나 쓰레기 등을 재활용하여 에너지를 얻는 기술
- 에너지 함량이 높은 폐기물을 고체, 액체, 가스 연료로 만들어 이용함.

(2) 신에너지의 활용

① **연료 전지**
- 연료를 태우지 않고 화학 반응으로 직접 전기 에너지를 생산하는 기술
- 수소와 산소의 산화 · 환원 반응을 통해 전자의 이동이 일어나고, 이를 통해 전기가 발생함.
- 반응의 결과로 물이 생성되어 환경을 오염시키지 않으며, 반응 중 발생한 열을 이용할 수 있음.

② **수소 에너지**
- 수소 형태로 에너지를 저장하고 사용할 수 있도록 한 에너지
- 수소의 원료인 물이 무한정 존재하며, 유해 물질을 배출하지 않음.
- 수소를 추출하는 데 많은 비용이 소요됨.

③ **석탄 액화 및 가스화**
- 석탄을 액체 연료나 기체 연료로 전환시켜 고부가 가치를 지닌 에너지를 얻는 기술
- 액화나 가스화시킨 연료는 환경 오염 물질을 적게 배출함.

개념 꽉꽉 다지기

01. (　　　　)(이)란 기존의 화석 연료를 전환해 이용하거나, 재생 가능한 에너지원 또는 이로부터 얻는 에너지를 말한다.

02. 다음은 신재생 에너지에 대한 설명이다. 맞으면 ○, 틀리면 ×표를 하시오.

(1) 신재생 에너지에는 재생 에너지와 신에너지가 있다. (　　　)

(2) 신에너지란 고갈될 염려가 없고, 지속해서 재생을 할 수 있는 무공해 에너지이다. (　　　)

(3) 풍력 발전소는 연간 평균 풍속이 1~2 m/s 정도 이상이 되는 장소에 설치해야 한다. (　　　)

(4) 수소 에너지는 신에너지에 해당된다. (　　　)

03. 다음 설명에 해당하는 에너지로 옳은 것은?

> 물의 힘을 이용하여 전기를 생산하는 기술로, 주로 수력 발전소나 소수력 발전소 등에서 물의 힘으로 발전기에 연결된 수차를 돌려 전기를 생산한다.

① 수력 에너지　② 해양 에너지
③ 지열 에너지　④ 조력 에너지
⑤ 파력 에너지

04. 태양광 에너지는 (　　　　)을/를 이용하여 빛 에너지를 전기 에너지로 변환시키는 기술이다.

05. 다음 중 에너지의 종류가 다른 한 가지는?

① 풍력　② 수력
③ 태양광　④ 천연가스
⑤ 석탄 액화 및 가스화

Helper

01. 신재생 에너지를 이용하면 화석 에너지로 발생하는 문제점을 해결할 수 있다.

02. 일반적으로 풍력 발전을 위해서는 연간 평균 3~4m/s 이상의 풍속으로 바람이 불어야 한다.

03. 해양 에너지에는 조력 에너지, 파력 에너지, 조류 에너지, 해수 또는 해양 온도 차 에너지가 있다.

04. 태양 전지는 구조가 간단하고 유지, 보수가 쉬워 건축물이나 각종 시설물에 널리 활용하고 있다.

05. 화석 연료에는 석탄, 석유, 천연가스 등이 있다.

차곡차곡 실력 쌓기

01~02 다음 글을 읽고 물음에 답하시오.

> (　　　) 연료는 지구 지각에 파묻힌 동식물이 오랜 시간 동안 높은 압력과 열을 받아 땅속에서 형성된 연료이며, 이 연료로 얻어진 에너지를 (　　　) 에너지라고 한다.

01 (　　　) 안에 공통적으로 들어갈 알맞은 말로 옳은 것은?

① 재생　② 탄소
③ 화석　④ 유기체
⑤ 신재생

02 밑줄 친 연료에 해당하는 것을 모두 고르면? (정답 2개)

① 석탄　② 석유
③ 수소 연료　④ 바이오 연료
⑤ 성형 고체 연료

03 다음 설명에 해당하는 에너지를 쓰시오.

> 고갈될 염려가 없고, 지속해서 재생할 수 있는 무공해 에너지이다. 태양광 에너지, 태양열 에너지, 풍력 에너지, 해양 에너지, 지열 에너지 등이 있다.

(　　　　　　　　)

04 화석 연료의 문제점으로 옳지 않은 것은?

① 매장량에 한계가 있다.
② 미세 먼지 발생의 원인이 된다.
③ 사용할 때 각종 오염 물질이 발생한다.
④ 재생 에너지보다 실생활에 이용하기 어렵다.
⑤ 연소 시 이산화탄소가 발생하여 지구 온난화를 가속화한다.

05 신재생 에너지의 종류가 아닌 것은?

① 수력　② 지열
③ 풍력　④ 천연가스
⑤ 연료 전지

06~08 다음 그림을 보고 물음에 답하시오.

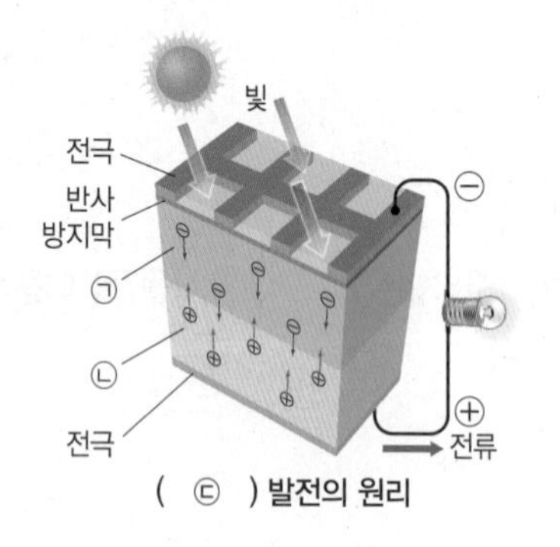

(㉢) 발전의 원리

06 주어진 그림과 같이 에너지를 만들어 내는 장치로 옳은 것은?

① 태양 전지　② 태양광 반사판
③ 태양광 집열판　④ 태양열 반사판
⑤ 태양열 집열판

07 ㉠과 ㉡에 들어갈 명칭을 옳게 짝지은 것은?

	㉠	㉡
①	n형 실리콘	s형 실리콘
②	n형 실리콘	p형 실리콘
③	p형 실리콘	n형 실리콘
④	p형 실리콘	s형 실리콘
⑤	s형 실리콘	n형 실리콘

08 ㉢에 들어갈 에너지에 대한 설명으로 옳은 것은?

① 태양광 에너지이다.
② 신에너지의 한 종류이다.
③ 태양의 온도 차를 이용하여 전기를 생산한다.
④ 전극에서 수소와 산소가 결합해 물이 생성된다.
⑤ 수소나 산소 등의 화학 반응을 이용하여 에너지를 얻는다.

09 풍력 발전기에서 다음 설명에 해당하는 부분은?

> 천천히 불규칙하게 돌아가는 날개의 회전 속도를 발전기가 전기를 생산할 수 있을 정도의 속도로 빠르게 바꾸어 주는 장치이다.

① 날개 ② 회전자
③ 풍속계 ④ 풍향계
⑤ 기어 박스

10 다음 설명에 해당하는 에너지로 옳은 것은?

> 생물체로부터 생겨나는 에너지를 이용하는 기술로, 주로 동물의 분뇨를 분해시켜 가스 연료를 만들거나 식물에서 기름을 추출해 액체 연료로 만들어 이용한다.

① 화석 에너지 ② 지열 에너지
③ 바이오 에너지 ④ 폐기물 에너지
⑤ 석탄 액화 및 가스화 에너지

11 다음 에너지에 대한 설명으로 옳은 것은?

> 수소 형태로 에너지를 저장한 후 사용하는 대체 에너지이다.

① 미래의 무공해 에너지원으로 주목받고 있다.
② 석탄을 휘발유나 디젤과 같은 액체 연료로 전환한다.
③ 수소나 산소 등의 화학 반응을 이용하여 에너지를 얻는다.
④ 연소할 때 발생하는 수소 가스가 대기 오염의 원인이 된다.
⑤ 수소의 원료가 되는 물이 무한정 존재하기 때문에 적은 비용으로 얻을 수 있다.

12 보기 는 연료 전지가 에너지를 만들어 내는 과정을 나열한 것이다. 순서대로 바르게 나열한 것은?

> 보기
> ㄱ. 전자는 외부 회로를 거치면서 전류를 발생시킨다.
> ㄴ. 연료 극에서 수소가 수소 이온과 전자로 분해된다.
> ㄷ. 수소 이온이 전해질을 거쳐 공기 극으로 이동한다.
> ㄹ. 공기 극에서 수소 이온과 전자, 산소가 결합해 물이 된다.

① ㄱ → ㄴ → ㄷ → ㄹ ② ㄱ → ㄷ → ㄴ → ㄹ
③ ㄴ → ㄱ → ㄷ → ㄹ ④ ㄴ → ㄷ → ㄱ → ㄹ
⑤ ㄹ → ㄷ → ㄴ → ㄱ

13 ( ) 안에 들어갈 알맞은 말을 쓰시오.

> (   )은/는 연료를 태우지 않고 수소나 산소의 화학 반응을 이용하여 전자의 이동이 일어나고, 이를 통해 전기가 발생한다.

(   )

5 태양광 디딜방아 만들기

「주제 열기」

- 이 활동은 복잡한 과정 없이 전기를 생산할 수 있고, 환경 오염이 발생되지 않는 태양 전지를 이용하여 문제를 해결해 보는 활동이다.

개념 더하기+

반도체
전기가 흐르는 도체와 전기가 흐르지 않는 부도체의 중간적인 성질을 띠는 물질이다.

진성 반도체
실리콘(Si), 게르마늄(Ge) 등이 결합된 순수한 반도체이다. 안정된 상태라 전기가 잘 흐르지 않는데, 여기에 첨가하는 불순물의 종류에 따라 p형 반도체와 n형 반도체로 나뉜다.

p형 반도체
순수한 반도체에 인듐(In), 알루미늄(Al), 갈륨(Ga) 등을 첨가한 반도체로, 전자가 부족하여 생기는 정공에 의해 (+) 극성을 가진다.

n형 반도체
순수한 반도체에 인(P), 비소(As), 안티모니(Sb) 등을 첨가한 반도체로, 전자가 남아서 (–) 극성을 가진다.

1/ 문제 확인하기

주어진 재료를 이용하여 달나라 옥토끼를 도와줄 수 있는 태양광 디딜방아를 만들어 보자.

(1) 문제 해결 조건

① **제작 기준**
- 햇빛을 받을 때 생성되는 전기로 전동기를 작동시켜 자동으로 방망이가 상하로 움직이는 방아 모형을 제작한다.
- 여러 가지 기계요소를 자율적으로 선택하여 방아 찧는 방법을 구현한다.

② **설계 및 제작 제한 시간** 4시간

③ **재료 및 공구** 우드락 600mm×450mm×5mm 1장, 풀리, 기어, 캠, 고무줄 5개, 대나무 꼬치 3Ø 3개, 태양 전지 1장, 태양 전지용 전동기 1개, 와이어 스트리퍼, 가는 전선 50cm, 글루건, 글루건 심 3개, 기타 필요 재료는 개별 준비

(2) 평가 기준

① 방아가 제대로 작동하는가?
② 방아를 작동시키기 위해 기계요소의 원리를 적절히 이용하였는가?
③ 디자인이 창의적인가?
④ 조립 상태와 내구성이 양호한가?

2/ 계획하기

(1) 정보 수집하기

① **태양 전지의 원리** 햇빛을 전기로 직접 바꿔 주는 장치인 태양 전지는 햇빛이 비치면 그 속의 전자가 움직이고, 전자가 도선을 따라 흘러가 전기가 만들어지는 원리를 이용한다.

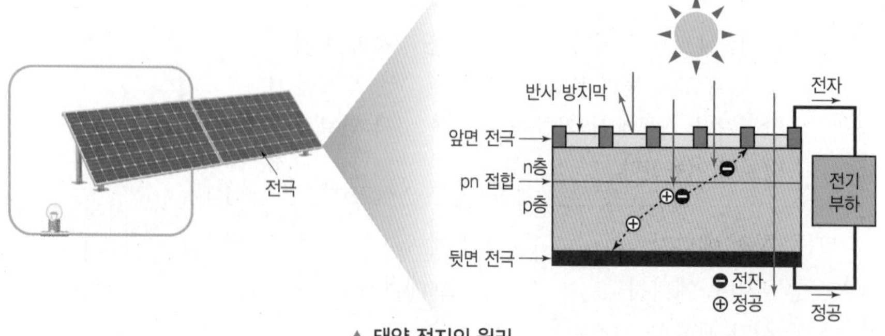

▲ 태양 전지의 원리

② 운동 물체에 적용되는 기계요소

- 링크: 여러 개의 막대가 연결되어 주동절의 움직임에 따라 종동절이 일정하게 운동하는 기계요소로, 피스톤과 크랭크를 연결한 내연 기관이나 좌우로 왕복하는 선풍기의 회전 장치 등에 활용된다.

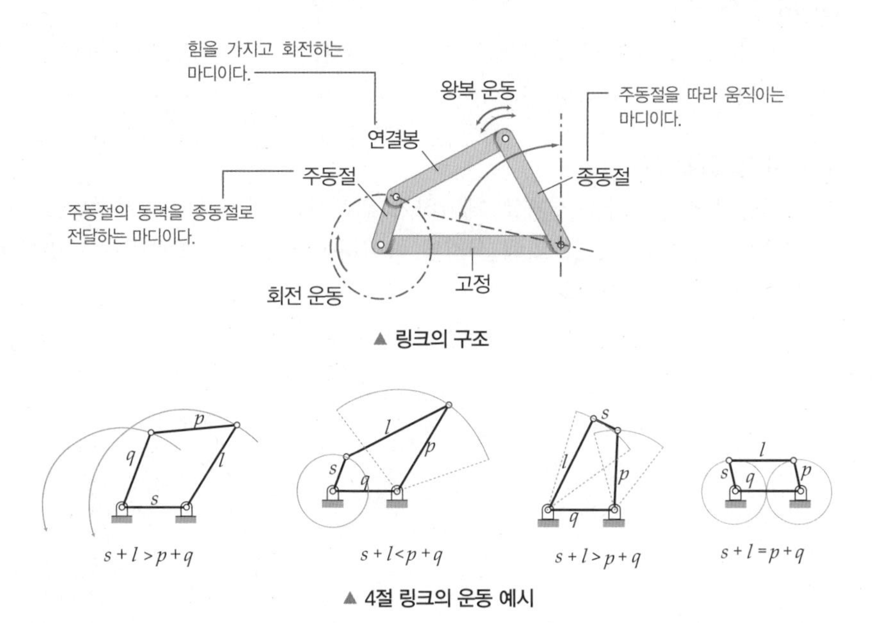

▲ 링크의 구조

▲ 4절 링크의 운동 예시

- 캠: 동력 장치의 회전 운동을 직선이나 왕복 운동으로 바꾸는 동력 전달 장치로서, 불규칙하고 복잡한 운동을 한다.

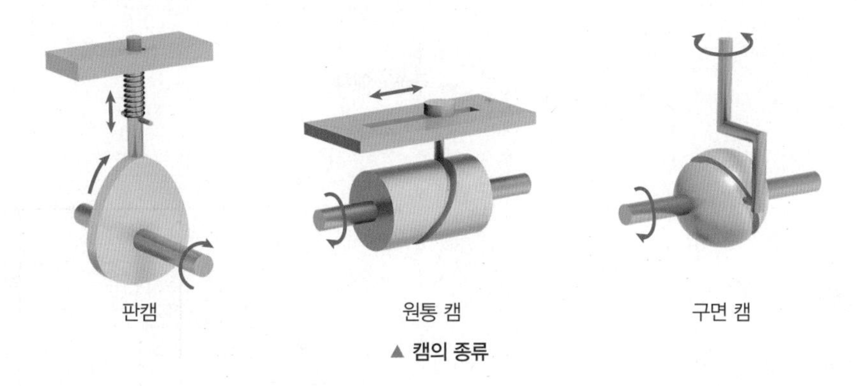

▲ 캠의 종류

- 축: 회전하는 물체의 중심에서 회전력을 전달하거나, 왕복 운동을 회전 운동으로 바꿔 준다. 크랭크축은 왕복 운동을 회전 운동으로 바꾸어 주는 동력 전달 장치이다.

차축
축은 고정되어 있고 바퀴만 회전한다.

전동축
축과 바퀴가 함께 회전한다.

크랭크축
피스톤의 왕복 운동을 회전 운동으로 바꿔 준다.

개념 더하기+

기계요소
기계요소란 여러 가지 기계에 공통으로 사용되는 부품으로, 목적에 따라 크게 결합용, 전동용, 축용, 제어용으로 나눌 수 있다.

여러 가지 기계요소
- 전동용 기계요소: 동력을 전달하는 기계요소이다. 기어, 캠, 벨트와 풀리, 체인과 스프로킷 등이 있다.
- 결합용 기계요소: 두 개 이상의 부품을 결합할 때 사용하는 기계요소이다. 나사(볼트와 너트), 핀(평행 핀, 분할 핀), 키 등이 있다.
- 축용 기계요소: 회전체의 중심을 고정하거나 회전체의 축을 받쳐 주는 기계요소이다. 축(차축, 전동축, 크랭크축), 베어링(볼, 롤러 베어링) 등이 있다.
- 제어용 기계요소: 기계의 움직임을 제어하는 기계요소이다. 스프링(코일 스프링, 판스프링), 브레이크(블록 브레이크, 원판 브레이크) 등이 있다.

자동차의 크랭크축
자동차는 엔진의 회전 운동을 크랭크축을 통해 직선 왕복 운동으로 변환하고, 이 직선 왕복 운동을 다시 회전 운동으로 바꾸어 바퀴로 전달해 준다.

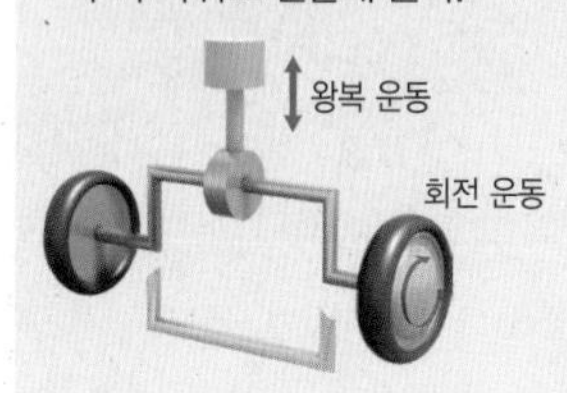

개념 더하기+

카드 브레인스토밍 기법

이 기법은 브레인스토밍의 여러 단점을 극복하기 위해 고안된 기법으로, 일본의 다카하시 마코토가 고안했다. 브레인스토밍의 4가지 규칙인 비판 엄금, 자유분방, 질보다 양, 결합 개선 등은 카드 브레인스토밍에서도 똑같이 사용된다.

- 카드 브레인스토밍은 동등한 발언 기회를 준다.
- 침묵하며 사고하는 시간을 갖는다.
- 발표자 자신이 직접 카드에 아이디어를 기재하는 방식을 취한다.
- 침묵 사고와 말로 하는 브레인스토밍을 병행하여, 개인 발상과 집단 발상을 융합하였다.

(2) 아이디어 탐색하기

태양광 디딜방아 관련 지식이나 정보를 바탕으로 모둠별로 확산적 사고 기법을 이용하여 문제 해결을 위한 다양한 아이디어를 탐색한다.

(3) 아이디어 선정하기

아이디어 탐색을 통해 얻은 아이디어를 수렴적 사고 기법을 이용하여 평가한 후 최적의 아이디어를 선정한다.

(4) 구체적 계획하기

태양광 디딜방아를 실제로 제작하기 위해서는 최종적으로 선정된 아이디어를 구체화해야 한다. 이를 위해 선정된 아이디어가 반영된 태양광 디딜방아의 구상도, 부품도 등을 그린다.

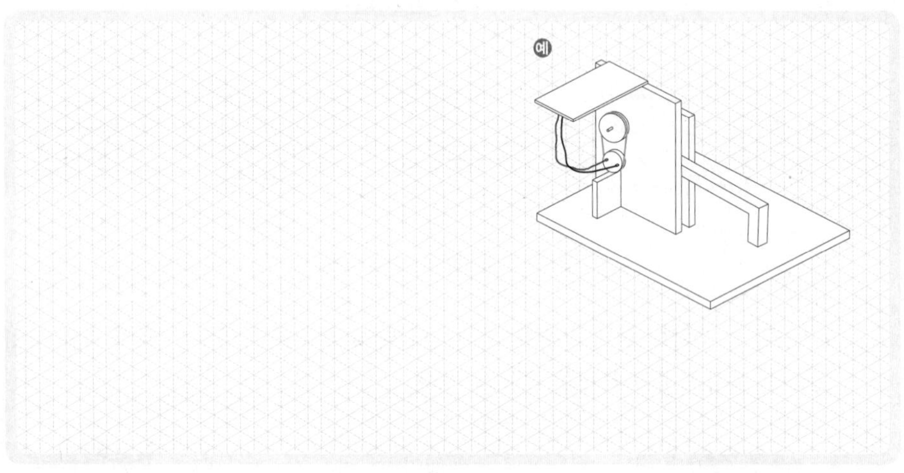

▲ 구상도 예시

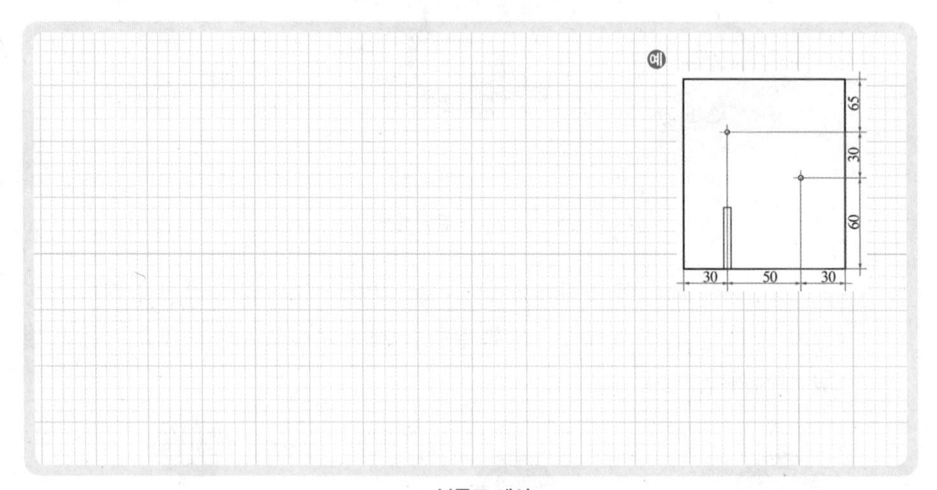

▲ 부품도 예시

3/ 실행하기

최종적으로 선정된 아이디어의 구상도와 부품도를 이용하여 태양광 디딜방아를 실제로 만든다.

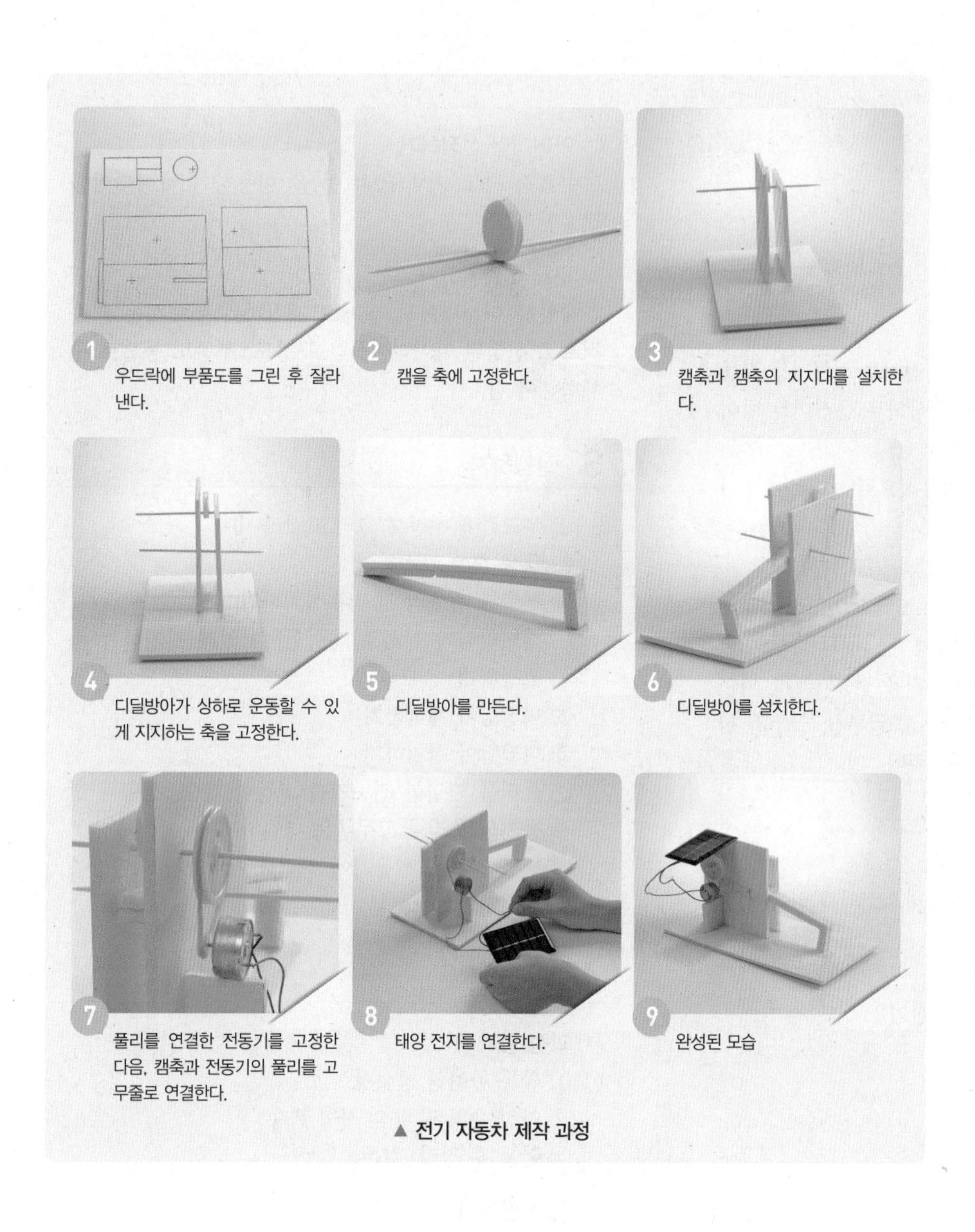

▲ 전기 자동차 제작 과정

개념 더하기+

공정표
공정표는 작업의 계획이나 작업 과정을 기재한 표로, 공정표를 작성하면 효율적으로 작업을 할 수 있다.

4. 평가하기

완성된 결과물의 작품 설명서를 모둠별로 만들어 발표해 보고, 기계요소와 태양 전지판의 원활한 작동으로 방아가 제대로 움직이는지를 평가해 본다.

(1) 과정 평가

① 활동에 성실히 참여하였는가?
② 활동 시 안전 수칙과 유의 사항은 지켰는가?
③ 활동 후 정리·정돈하였는가?

(2) 결과 평가

① 방아의 상하 운동이 제대로 이루어졌는가?
② 기계요소의 원리를 적용하여 만들었는가?
③ 디자인이 창의적인가?
④ 조립 상태와 내구성이 양호한가?

내용 정리

태양광 디딜방아 만들기

1 문제 확인하기

(1) 문제 해결 조건

① 제작 기준

- 햇빛을 받을 때 생성되는 전기로 전동기를 작동시켜 자동으로 방망이가 상하로 움직이는 방아 모형을 제작할 것
- 여러 가지 기계요소를 자율적으로 선택하여 방아 찧는 방법을 구현할 것

② 설계 및 제작 제한 시간 4시간

③ 재료 및 공구 우드락 600mm×450mm×5mm 1장, 풀리, 기어, 캠, 고무줄 5개, 대나무 꼬치 3Ø 3개, 태양 전지 1장, 태양 전지용 전동기 1개, 와이어 스트리퍼, 가는 전선 50cm, 글루건, 글루건 심 3개, 기타 필요 재료는 개별 준비

(2) 평가 기준

① 방아가 제대로 작동하는가?

② 방아를 작동시키기 위해 기계요소의 원리를 적절히 이용하였는가?

③ 디자인이 창의적인가?

④ 조립 상태와 내구성이 양호한가?

2 계획하기

(1) 정보 수집하기

① **태양 전지의 원리** 햇빛을 전기로 직접 바꿔 주는 장치인 태양 전지는 햇빛이 비치면 그 속의 전자가 움직이고, 전자가 도선을 따라 흘러가 전기가 만들어지는 원리를 이용함.

② **운동 물체에 적용되는 기계요소**

- 링크: 여러 개의 막대가 연결되어 주동절의 움직임에 따라 종동절이 일정하게 운동하는 기계요소
- 캠: 동력 장치의 회전 운동을 직선이나 왕복 운동으로 바꾸는 기계요소
- 크랭크축: 왕복 운동을 회전 운동으로 바꾸어 주는 기계요소

(2) 아이디어 탐색하기

확산적 사고 기법을 이용하여 아이디어를 탐색함.

(3) 아이디어 선정하기

수렴적 사고 기법(PMI 등)을 이용하여 아이디어를 선정함.

(4) 구체적 계획하기

태양광 디딜방아를 실제로 제작하기 위해서는 최종적으로 선정된 아이디어들을 구상도, 부품도 등으로 구체화해야 함.

3 실행하기

① 우드락에 부품도 그리고 잘라 내기

② 캠을 축에 고정하기

③ 캠축과 캠축의 지지대 설치하기

④ 디딜방아가 상하로 운동할 수 있게 지지하는 축 고정하기

⑤ 디딜방아 제작하기

⑥ 디딜방아 설치하기

⑦ 풀리를 연결한 전동기를 고정한 다음, 캠축과 전동기의 풀리를 고무줄로 연결하기

⑧ 태양 전지를 전동기에 연결하여 태양광 디딜방아 완성하기

4 평가하기

(1) 과정 평가

① 활동 참여의 성실성

② 안전 수칙 및 유의 사항 준수

③ 활동 후 정리·정돈

(2) 결과 평가

① 디딜방아의 상하 운동 여부

② 기계요소의 원리 적용 여부

③ 디자인의 창의성

④ 조립 상태와 내구성

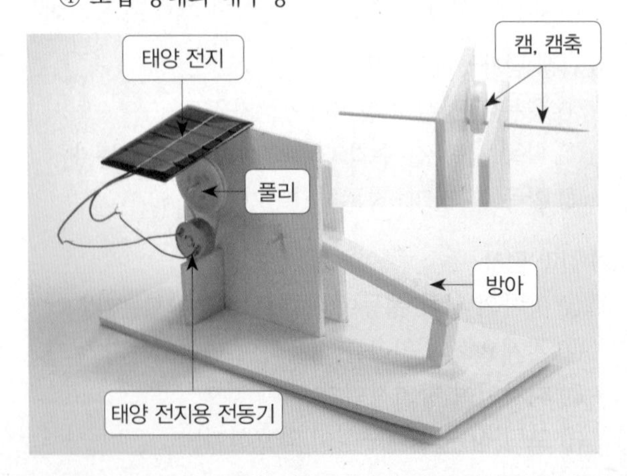

개념 꽉꽉 다지기

01. (   )은/는 햇빛을 전기로 직접 바꿔 주는 장치이다.

02. 다음은 운동 물체에 적용되는 기계요소에 대한 설명이다. 맞으면 ○, 틀리면 ×표를 하시오.

(1) 링크에서 주동절은 힘을 가지고 회전하는 마디이다. (   )

(2) 링크는 종동절의 움직임에 따라 주동절이 일정하기 움직인다. (   )

(3) 크랭크축은 왕복 운동을 회전 운동으로 바꾸어 주는 동력 전달 장치이다. (   )

03. (   )은/는 동력 장치의 회전 운동을 직선이나 왕복 운동으로 바꾸는 동력 전달 장치이다.

04. 태양광 디딜방아를 만들 때 가장 먼저 해야 하는 단계는?

① 실행하기　② 정보 수집하기
③ 문제 확인하기　④ 아이디어 선정하기
⑤ 아이디어 탐색하기

05. 태양광 디딜방아를 만들기 위해 다양한 아이디어를 탐색할 때 사용하는 사고 기법은?

① 조직적 사고 기법　② 수렴적 사고 기법
③ 전통적 사고 기법　④ 확산적 사고 기법
⑤ 비판적 사고 기법

Helper

01. 태양 전지는 태양광을 받아 전기를 만든다.

02. 종동절은 주동절을 따라 움직이는 마디이다.

03. 운동 물체에 적용되는 기계요소에는 링크, 캠, 크랭크축 등이 있다.

04. 문제 해결 활동에서 가장 먼저 해야 하는 것은 해결해야 할 문제를 정확히 확인하는 것이다.

05. 확산적 사고 기법은 주어진 문제를 해결하기 위한 다양한 아이디어를 창출하는 사고 기법이다.

차곡차곡 실력 쌓기

01 다음과 같은 우드락을 재료표에 바르게 작성한 것은?

> 세로 길이 300mm, 가로 길이 200mm,
> 두께 20mm,

① 10mm×300mm×200mm
② 20mm×200mm×300mm
③ 300mm×200mm×20mm
④ 300mm×200mm 두께 20T
⑤ 200mm×300mm 두께 20T

02 동력을 전달하는 기계요소로 옳은 것은?

① 캠　② 볼트
③ 너트　④ 스프링
⑤ 브레이크

03 ㉠, ㉡, ㉢에 들어갈 알맞은 말을 바르게 나열한 것은?

> (㉠)은/는 전기가 잘 흐르는 (㉡)와/과 전기가 흐르지 않는 (㉢)의 중간적인 성질을 띠는 물질이다.

	㉠	㉡	㉢
①	도체	반도체	부도체
②	도체	부도체	반도체
③	반도체	도체	부도체
④	반도체	부도체	도체
⑤	부도체	반도체	도체

04 보기 1 은 반도체의 명칭을 나타낸 것이고, 보기 2 는 반도체에 대한 설명이다. 보기 1 의 명칭과 보기 2 의 설명이 바르게 짝지어진 것은?

> 보기 1
> ㉠ 진성 반도체　㉡ p형 반도체　㉢ n형 반도체

> 보기 2
> ⓐ 전자가 남아서 (−) 극성을 가진다.
> ⓑ 전자가 부족하여 생기는 정공에 의해 (+) 극성을 가진다.
> ⓒ 순수한 반도체로 안정된 상태라 전기가 잘 흐르지 않는다.

① ㉠ − ⓒ　② ㉠ − ⓐ
③ ㉡ − ⓑ, ⓒ　④ ㉡ − ⓐ, ⓑ
⑤ ㉢ − ⓐ, ⓑ, ⓒ

05~07 다음 그림을 보고 물음에 답하시오.

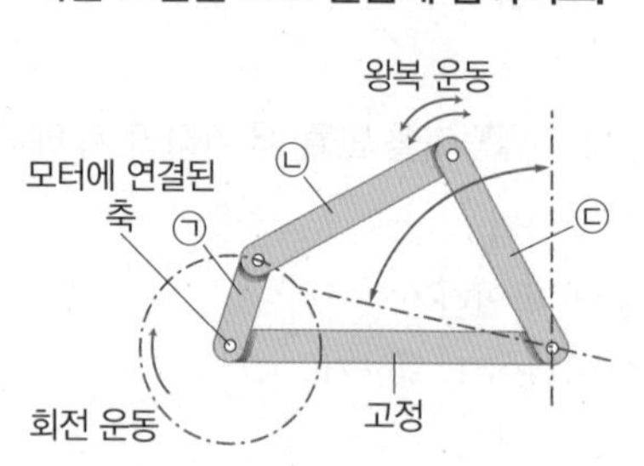

05 주어진 그림에 해당하는 기계요소의 기능으로 옳은 것은?

① 동력을 전달할 때 사용한다.
② 기계의 충격을 흡수할 때 사용한다.
③ 두 개 이상의 부품을 결합할 때 사용한다.
④ 기계의 움직이는 속도를 조절할 때 사용한다.
⑤ 회전체의 중심을 고정하거나 회전체의 축을 받쳐줄 때 사용한다.

06 ㉠, ㉡, ㉢에 들어갈 알맞은 말을 바르게 나열한 것은?

	㉠	㉡	㉢
①	주동절	종동절	연결봉
②	주동절	연결봉	종동절
③	종동절	주동절	연결봉
④	종동절	연결봉	주동절
⑤	연결봉	주동절	종동절

07 주어진 그림에 해당하는 기계요소의 명칭으로 옳은 것은?

① 캠 ② 핀
③ 풀리 ④ 링크
⑤ 롤러

08~09 다음은 태양광 디딜방아 만들기의 단계이다. 물음에 답하시오.

> 문제 확인하기 → (　　　)㉠ → 실행하기㉡ → 평가하기

08 밑줄 친 ㉠의 단계로 옳은 것은?

① 계획하기
② 정보 수집하기
③ 구체적 계획하기
④ 아이디어 탐색하기
⑤ 아이디어 선정하기

09 밑줄 친 ㉡의 단계에 대한 설명으로 옳은 것은?

① 태양광 디딜방아를 제작한 과정과 결과를 평가한다.
② 구상도와 부품도대로 태양광 디딜방아를 제작한다.
③ 태양광 디딜방아를 만들기 위한 다양한 아이디어를 탐색한다.
④ 태양광 디딜방아를 만들기 위한 최적의 아이디어를 선정한다.
⑤ 태양광 디딜방아의 움직임을 위한 링크와 캠의 움직임을 조사한다.

10 다음 그림과 같이 동력 장치의 회전 운동을 직전이나 왕복 운동으로 바꾸는 동력 전달 장치로 옳은 것은?

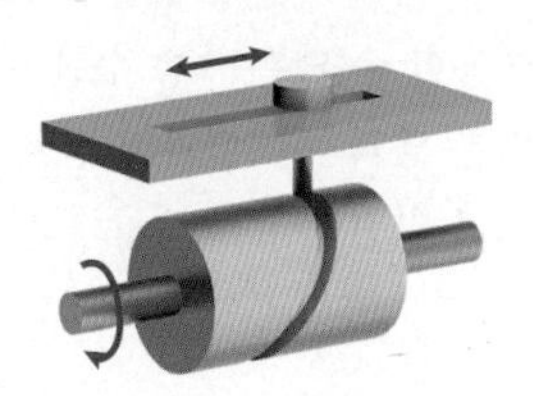

① 캠 ② 핀
③ 풀리 ④ 링크
⑤ 롤러

11 (　　) 안에 들어갈 알맞은 말을 쓰시오.

> 태양광 디딜방아를 실제로 제작하기 위해서는 최종적으로 선정된 아이디어를 구체화해야 하는데, 이때 구상도와 (　　　)을/를 그려야 한다.

(　　　　　　　　)

대단원 마무리 1회

중요

01 다음 설명에 해당하는 기술로 옳은 것은?

> 더 빠르고 효율적으로 사람, 동물, 물건 등을 한 장소에서 다른 장소로 이동시키기 위한 수단이나 방법이다.

① 제조 기술 ② 건설 기술
③ 수송 기술 ④ 생명 기술
⑤ 정보 통신 기술

중요

02 수송 기술의 특성으로 옳은 것을 보기 에서 있는 대로 고른 것은?

> 보기
> ㄱ. 이동 경로가 필요하다.
> ㄴ. 수송 대상의 가치를 높인다.
> ㄷ. 지원 시설과 인력이 필요하다.
> ㄹ. 이용할 수 있는 수송 수단이 제한적이다.
> ㅁ. 다른 영역의 기술과 밀접한 상호 관련성을 가지고 발전한다.

① ㄱ, ㄴ, ㄷ
② ㄱ, ㄴ, ㄷ, ㄹ
③ ㄱ, ㄴ, ㄷ, ㅁ
④ ㄱ, ㄴ, ㄹ, ㅁ
⑤ ㄱ, ㄴ, ㄷ, ㄹ, ㅁ

03 수송 기술 시스템 중 다음 설명에 해당하는 단계를 쓰시오.

> 수송 대상의 재배치에 문제가 생기면 이를 해결하기 위해 투입이나 과정으로 돌아간다.

( )

출제 예감

04~05 다음은 수송 기술 시스템의 체계도이다. 물음에 답하시오.

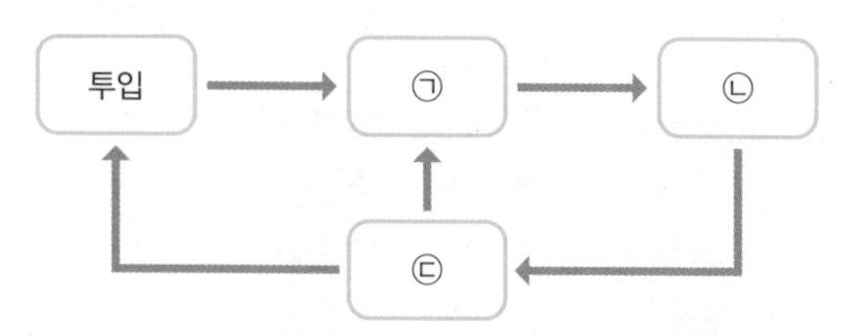

04 ㉠, ㉡, ㉢에 들어갈 알맞은 말을 바르게 나열한 것은?

	㉠	㉡	㉢
①	과정	산출	되먹임
②	과정	되먹임	산출
③	산출	과정	되먹임
④	산출	되먹임	과정
⑤	되먹임	산출	과정

05 ㉡에 대한 설명으로 옳은 것은?

① 짐 싣기, 짐 내리기, 이동, 관리 등의 과정이 이루어진다.
② 수송이 원활하게 이루어지기 위해 다양한 요소를 투입한다.
③ 지정된 장소로 사람이나 물건의 이동을 완료하여 재배치한다.
④ 수송이 이루어지는 데 필요한 다양한 활동들을 체계화한 것이다.
⑤ 수송 대상의 재배치에 문제가 생기면 이를 해결하기 위해 투입이나 과정으로 돌아간다.

06 수송이 원활하게 이루어지기 위해 필요한 수송 기술 시스템의 투입 요소로 옳지 않은 것은?

① 배달 ② 인력
③ 공항 ④ 도로
⑤ 선박

07 다양한 형태의 동력원을 동시에 사용하는 자동차로 옳은 것은?

① 증기 자동차 ② 디젤 자동차
③ 가솔린 자동차 ④ 자율 주행 자동차
⑤ 하이브리드 자동차

08 (   ) 안에 공통으로 들어갈 알맞은 말을 쓰시오.

> (   ) 자동차는 내연 기관이 아닌 모터를 동력원으로 하는 자동차이다. 최초 (   ) 자동차는 가솔린 자동차보다 먼저 개발되었으나, 배터리의 효율이 낮아 생산이 중지되었다.
> 그러나 오늘날 기술의 발달로 이러한 문제점이 해결되면서 내연 기관 자동차를 대체할 수송 수단으로 다시 주목받고 있다.

(   )

중요

09 수송 기술 발달과 관련된 내용으로 옳지 않은 것은?

① 바퀴는 초기 육상 수송 기술의 발달에 큰 영향을 주었다.
② 초기 선박은 사람이나 사연의 힘으로 추진력을 얻었다.
③ 증기 기관은 오늘날까지 다양한 수송 수단의 주요 동력원으로 사용되고 있다.
④ 최근 화석 연료의 사용을 줄이는 하이브리드나 전기 자동차의 보급이 늘고 있다.
⑤ 장기간 외부 연료 보급이 어려운 항공 모함이나 잠수함 등에 원자력 기관을 동력원으로 사용했다.

출제 예감

10 다음 사진과 같은 수송 수단에 대한 설명으로 옳은 것은?

① 호버크라프트이다.
② 증기 기관을 동력원으로 이용한다.
③ 연료의 보급 없이도 장기간 항해하거나 잠수할 수 있다.
④ 선체 밑으로 고압의 공기를 쏘아 선체를 물 위로 띄운다.
⑤ 물 위를 빠른 속도로 치고 나가는 초고속 선박 기술과 수면에서 뜬 상태로 이동하는 항공 기술이 접목된 수송 수단이다.

11 연료의 보급 없이도 장기간 항해하거나 잠수할 수 있도록 하기 위해 도입한 동력원으로 옳은 것은?

① 바람 ② 디젤
③ 가솔린 ④ 증기 기관
⑤ 원자력 기관

12 다음 중 가장 먼저 등장한 항공 우주 수송 수단으로 옳은 것은?

① 로켓 ② 열기구
③ 인공 위성 ④ 릴리엔탈 글라이더
⑤ 가솔린 기관 비행기

대단원 마무리 1회

출제 예감

13 다음 기관에 대한 설명으로 옳은 것은?

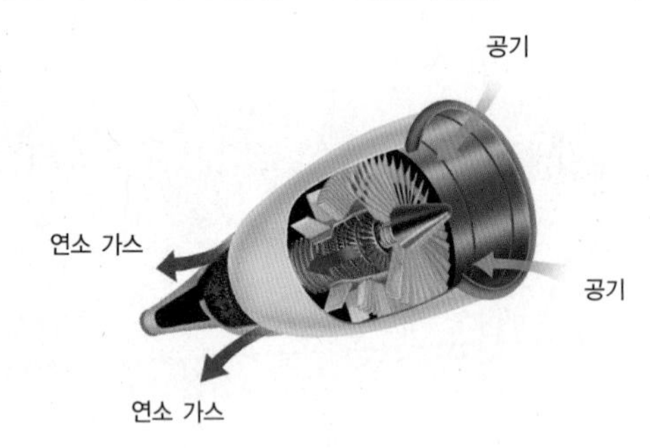

① 로켓 기관이다.
② 우주 왕복선에 이용한다.
③ 기관 내 산화제가 탑재되어 있다.
④ 공기의 밀도가 적은 곳에서 사용한다.
⑤ 기관 내에서 발생한 고온, 고압의 가스를 뿜어서 추진력을 만들어 낸다.

출제 예감

14~15 다음 그림은 동력 기관 중 한 가지의 작동 모습이다. 그림을 보고 물음에 답하시오.

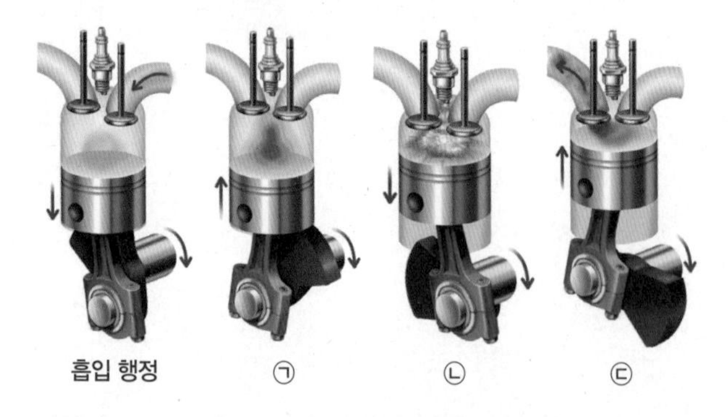

14 그림과 같은 과정으로 동력을 만들어 내는 기관은?

① 증기 기관　② 내연 기관
③ 외연 기관　④ 로켓 기관
⑤ 원자력 기관

15 ㉠, ㉡, ㉢에 들어갈 단계를 바르게 나열한 것은?

	㉠	㉡	㉢
①	압축 행정	배기 행정	폭발 행정
②	압축 행정	폭발 행정	배기 행정
③	배기 행정	압축 행정	폭발 행정
④	배기 행정	폭발 행정	압축 행정
⑤	폭발 행정	압축 행정	배기 행정

16 자전거 교통 법규 관련 내용으로 옳지 않은 것은?

① 횡단보도를 건널 때에는 자전거에서 내려 끌고 가야 한다.
② 자전거를 타고 횡단보도를 이동할 경우 범칙금이 부과될 수 있다.
③ 자전거 전용 도로에서도 인도와 같이 자전거를 타지 않고 끌고 다닐 수 있다.
④ 자전거는 자전거 도로에서 타야 하며, 인도에서는 자전거에서 내려 끌고 가야 한다.
⑤ 자전거 도로가 없는 경우 차도의 우측 가장자리로 주행해야 하고, 다른 차들과 같은 방향으로 주행해야 한다.

중요

17 ㉠, ㉡에 들어갈 저항과 전원의 연결 방법을 쓰시오.

> 저항의 (㉠)연결에서 각 저항에 걸리는 전압은 전체 전압과 같다. 또한, 꼬마전구를 연결한 전기 회로에서 전원을 (㉡)연결하면 전압이 높아져 전구의 밝기가 밝아진다.

(㉠: 　　　　㉡: 　　　　)

출제 예감

18~19 다음은 신재생 에너지에 대한 설명이다. 글을 읽고 물음에 답하시오.

> 신재생 에너지란 ㉠ 기존의 화석 연료를 전환해 이용하거나 햇빛, 물, 지열, 생물 유기체 등 ㉡ 재생 가능한 에너지원 또는 이로부터 얻는 에너지를 말한다.

18 ㉠과 ㉡에 해당하는 에너지를 바르게 나열한 것은?

	㉠	㉡
①	신에너지	재생 에너지
②	신에너지	자연 에너지
③	전환 에너지	재생 에너지
④	전환 에너지	자연 에너지
⑤	화석 에너지	재생 에너지

19 ㉡에 해당하는 것으로 옳은 것은?

① 천연가스 ② 연료 전지
③ 해양 에너지 ④ 수소 에너지
⑤ 석탄 액화 및 가스화

20 다음 설명에 해당하는 에너지로 옳은 것은?

> • 쓰지 못하게 된 제품이나 쓰레기 등을 재활용하여 에너지를 얻는 기술이다.
> • 고체나 액체, 또는 가스 연료로 만들어 이용한다.

① 연료 에너지 ② 폐기물 에너지
③ 재활용 에너지 ④ 바이오 에너지
⑤ 생화학 에너지

서술형 평가

21 자전거 운전자의 안전 수칙을 세 가지 이상 서술하시오.

22 전기 회로 내에서 전류, 저항, 전압의 관계를 전류를 기준으로 서술하고 수식으로 표현하시오.

23 발광 다이오드를 연결할 때 주의할 점을 서술하시오.

대단원 마무리 2회

출제 예감

01 수송 기술 시스템의 과정 단계에 대한 설명으로 옳은 것은?

① 수송 수단, 인력, 정보 등을 투입한다.
② 짐 싣기, 짐 내리기, 배달, 이동, 관리 등이 이루어진다.
③ 지정된 장소로 사람이나 물건의 이동을 완료하여 재배치한다.
④ 수송이 이루어지는 데 필요한 다양한 활동들을 체계화하는 것이다.
⑤ 수송 대상의 재배치에 문제가 생기면 이를 해결하기 위해 문제가 생긴 단계로 돌아간다.

02 보기 의 육상 수송 수단을 먼저 개발된 순서대로 나열한 것은?

보기

ㄱ. 바퀴	ㄴ. 증기 자동차
ㄷ. 디젤 자동차	ㄹ. 하이브리드 자동차

① ㄱ → ㄴ → ㄷ → ㄹ
② ㄱ → ㄷ → ㄴ → ㄹ
③ ㄴ → ㄱ → ㄷ → ㄹ
④ ㄴ → ㄷ → ㄱ → ㄹ
⑤ ㄹ → ㄷ → ㄴ → ㄱ

중요

03 ( ) 안에 공통으로 들어갈 수송 수단을 쓰시오.

> ( )은/는 초기 육상 수송 기술 발달에 큰 영향을 준 도구로, ( )을/를 이용한 수레, 마차의 발달로 인류는 효율적으로 작업하거나 이동할 수 있었다.

( )

04 오늘날 출시되고 있는 다음과 같은 자동차의 동력을 발생시키는 데 사용되는 것은? (정답 2개)

① 모터 ② 내연 기관
③ 증기 기관 ④ 외연 기관
⑤ 원자력 기관

05 다음과 같은 해양 수송 수단에 대한 설명으로 옳지 않은 것은?

① 범선이다.
② 바람의 힘으로 항해한다.
③ 추진력을 얻기 위해 돛을 이용하였다.
④ 바람의 세기와 방향에 큰 영향을 받는다.
⑤ 연료의 보급 없이도 장기간 항해하거나 잠수할 수 있다.

중요

06 전기 자동차와 하이브리드 자동차가 등장한 배경으로 옳은 것은?

① 자동차의 자율 주행을 위해 등장하였다.
② 운전자의 피로를 줄이기 위해 등장하였다.
③ 기존 자동차의 환경 오염 문제를 해결하기 위해 등장하였다.
④ 가솔린 엔진보다 더 높은 엔진의 출력을 얻기 위해 등장하였다.
⑤ 디젤 엔진보다 더 빨리 달리는 자동차를 만들기 위해 등장하였다.

출제 예감

07~08 다음 그림은 항공 우주 수송 수단 중 하나의 기관 구조를 나타낸 것이다. 그림을 보고 물음에 답하시오.

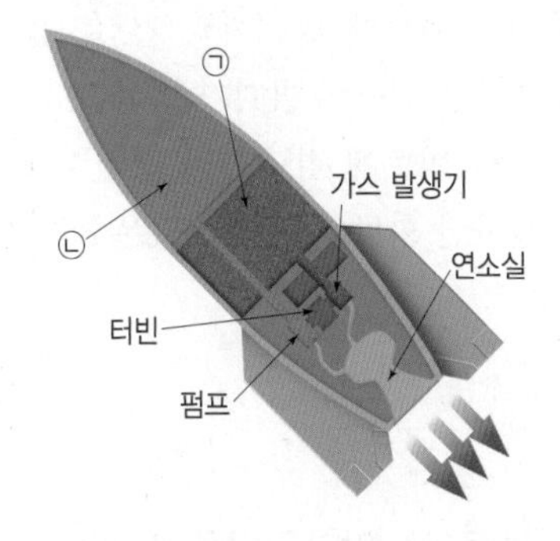

07 주어진 그림의 기관에 대한 설명으로 옳은 것은?

① 제트 기관이다.
② 여객기에 이용한다.
③ 대기권 밖에서 비행하는 데 어려움이 있다.
④ 연료뿐만 아니라 산소도 함께 탑재하고 있다.
⑤ 자동차의 엔진과 같은 원리로 추진력을 얻는다.

08 ㉠과 ㉡에 들어갈 알맞은 말을 바르게 나열한 것은?

	㉠	㉡
①	연료	산화제
②	연료	연소 가스
③	산화제	연소 가스
④	산화제	연료
⑤	연소 가스	산화제

09 (   ) 안에 들어갈 수송 수단을 쓰시오.

> (   )은/는 배 밑으로 고압의 공기를 쏘아 배를 물 위로 띄우고 이동할 때에는 별도로 설치된 프로펠러와 방향타를 이용한다.

(   )

출제 예감

10~12 다음은 내연 기관의 작동 과정을 나열한 것이다. 그림을 보고 물음에 답하시오.

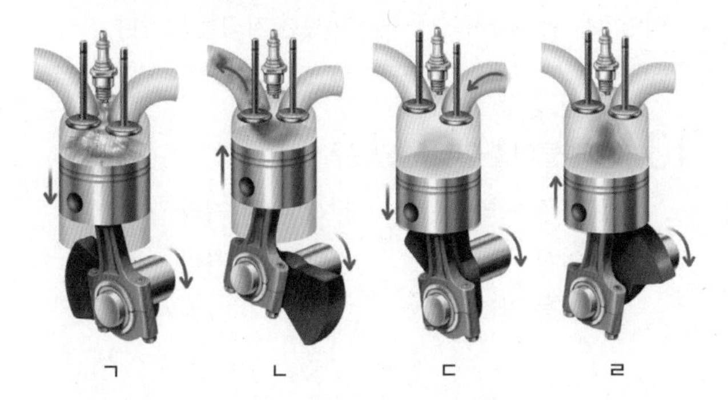

10 내연 기관의 작동 순서로 옳은 것은?

① ㄱ → ㄷ → ㄹ → ㄴ
② ㄱ → ㄹ → ㄷ → ㄴ
③ ㄷ → ㄹ → ㄱ → ㄴ
④ ㄷ → ㄴ → ㄱ → ㄹ
⑤ ㄹ → ㄷ → ㄱ → ㄴ

11 ㄴ 단계의 명칭으로 옳은 것은?

① 흡입 행정 ② 압축 행정
③ 폭발 행정 ④ 배기 행정
⑤ 동력 행정

12 ㄷ 단계에 대한 설명으로 옳은 것은?

① 실제로 동력이 만들어지는 단계이다.
② 피스톤이 위로 올라가 연소 가스를 내보낸다.
③ 피스톤이 위로 올라가 실린더 내부를 압축시킨다.
④ 압축된 분무 상태의 연료에 불꽃을 튀겨 폭발시킨다.
⑤ 피스톤이 아래로 내려가며 분무 상태의 연료가 실린더 내부로 들어온다.

13~14 다음 글을 읽고 물음에 답하시오.

(㉠)(이)란 운전자가 운전 중 위험을 인지해 브레이크를 밟기까지 자동차가 이동한 거리를 말한다.

13 ㉠에 들어갈 알맞은 말은?

① 공주 거리 ② 운전 거리
③ 인지 거리 ④ 위험 거리
⑤ 이동 거리

14 ㉠이 4m이고 정지 거리가 6m일 때 제동 거리는?

① 1m ② 2m
③ 6m ④ 8m
⑤ 10m

15~16 다음 전기 회로 그림을 보고 물음에 답하시오.

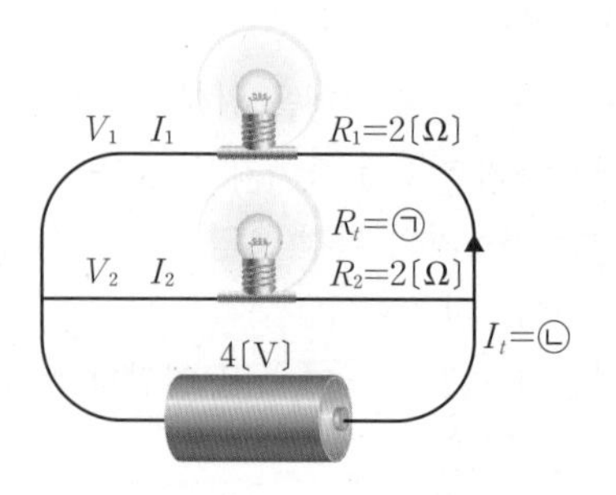

15 ㉠과 ㉡에 들어갈 값이 바르게 나열된 것은?

	㉠	㉡
①	1[Ω]	1[A]
②	1[Ω]	4[A]
③	4[Ω]	1[A]
④	4[Ω]	4[A]
⑤	4[Ω]	16[A]

16 주어진 회로에 대한 설명으로 옳지 않은 것은?

① I_1 값은 2[A]이다.
② I_2 값은 2[A]이다.
③ V_1과 V_2의 전압값은 같다.
④ 주어진 회로에 4[V]짜리 건전지를 병렬로 추가 연결하면 전구의 밝기가 밝아진다.
⑤ 주어진 회로에 4[V]짜리 건전지를 병렬로 추가 연결하면 회로의 전체 전압은 8[V]가 된다.

17 ㉠, ㉡에 들어갈 알맞은 말을 쓰시오.

발광 다이오드는 전류를 한쪽으로 흐르게 하는 특성이 있으므로, 극성에 유의하여 긴 다리는 (㉠)극에, 짧은 다리는 (㉡)극에 연결한다.

(㉠: , ㉡:)

출제 예감

18~19 다음 신재생 에너지에 대한 그림을 보고 물음에 답하시오.

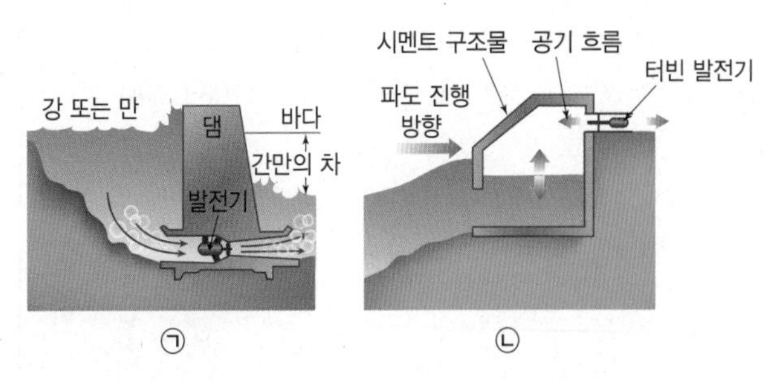

18 ㉠과 ㉡에 해당하는 발전 방식이 바르게 나열된 것은?

	㉠	㉡
①	조류 발전	파력 발전
②	조류 발전	조력 발전
③	조력 발전	파력 발전
④	조력 발전	조류 발전
⑤	파력 발전	조력 발전

19 주어진 그림에 대한 설명으로 옳은 것은?

① ㉠은 해양 에너지 발전이고, ㉡은 수력 발전이다.
② ㉡은 파도가 직접 터빈을 돌려서 전기를 생산한다.
③ ㉠은 조수 간만의 차를 이용하여 전기를 생산한다.
④ ㉡은 유속이 빠른 곳에 수차를 설치하여 전기를 생산한다.
⑤ ㉠에서 해수가 이동하는 것은 해수의 온도 차이 때문이다.

20 다음 중 에너지의 종류가 다른 한 가지는?

① 수소 에너지 ② 풍력 에너지
③ 지열 에너지 ④ 폐기물 에너지
⑤ 태양광 에너지

서술형 평가

21 자동차의 안전거리에 대해 서술하시오.

22 버스에서 지켜야 할 안전 수칙을 네 가지 서술하시오.

23 전기 회로에서 저항과 전원을 직렬연결했을 때와 병렬연결했을 때의 특징을 서술하시오.

읽기 자료 드론! 이것만 알면 안전해요!

드론 세계에 오신 여러분, 환영합니다! 이제부터 당신은 드론 조종사입니다. 드론을 조종하는 동안 당신의 소중한 기체와 주변 사람들의 안전은 여러분 두 손에 달려 있습니다. 다음의 준수 사항을 꼭 지키면서, 안전하고 즐겁게 비행하세요.

드론 비행은 항공법의 적용을 받으며 자세한 내용은 국토교통부 홈페이지(www.molit.go.kr)에서 확인할 수 있습니다 (홈페이지 접속 → 정책 마당 → 정책 Q&A → 무인 비행 장치 Q&A).

드론 조종사 체크리스트

사고나 분실에 대비해 장치에는 소유자 이름, 연락처를 기재하도록 합니다.

항상 육안 거리 내에서 비행합니다.

야간에 비행하지 않습니다. (야간: 일몰 후부터 일출 전까지)

사람이 많은 곳 위로 비행을 자제합니다. (인구 밀집 지역 위 위험한 방식으로 비행 금지)

음주 상태에서 조종하지 않습니다.

비행 중 위험한 낙하물을 투하하지 않습니다.

항공 촬영시 관할 기관의 사전 승인이 필요합니다.

비행하기 전 해당 제품의 메뉴얼을 숙지합니다.

전파 인증을 받은 제품인지 확인합니다.

비행하기 전 반드시 승인받아야 하는 경우

비행장 주변 관제권에서 비행 (반경 9.3km)

비행 금지 구역에서 비행 (서울 강북 지역, 휴전선 · 원전 주변)

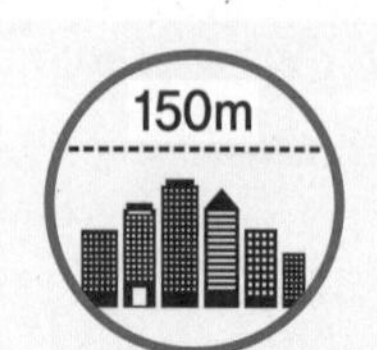

지상 고도 150m 이상에서 비행 (지면, 수면, 장애물 기준 150m 이상)

※ 위 준수 사항을 위반할 경우 200만 원 이하의 벌금 또는 과태료 처분 등 불이익을 받을 수 있습니다.

미디어와 정보 통신 기술

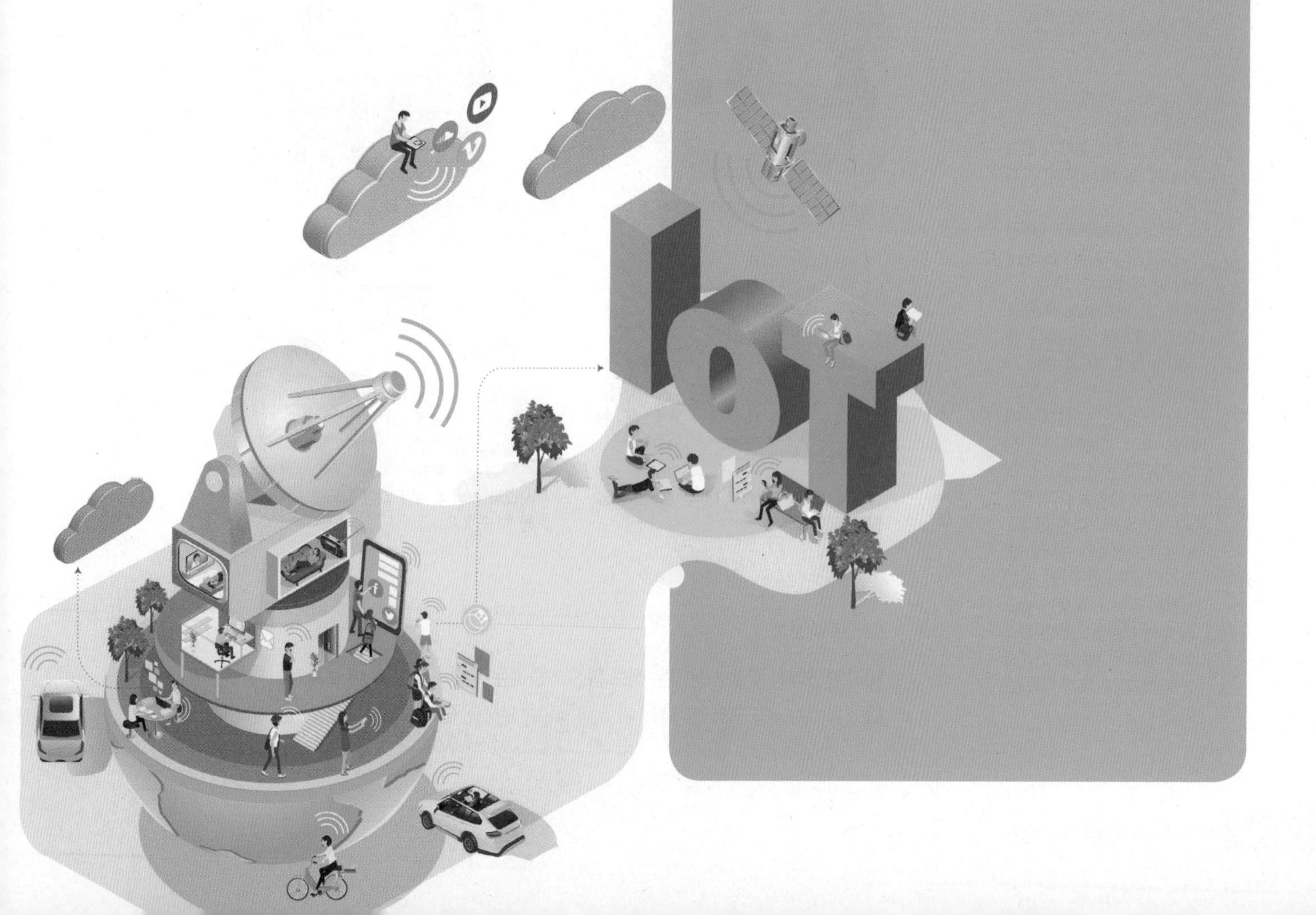

1 세상과 소통하는 정보 통신 기술

「주제 열기」

● 스마트폰이 없던 과거에는 어떤 점이 불편했을지 생각하여 써 보자.

→ 친구들과 사진이나 여러 콘텐츠를 빠르게 공유할 수 없다.

● 스마트폰이 현재 생활에 도움을 주는 점은 무엇이 있는지 써 보자.

→ 컴퓨터가 없어도 길 찾기, 인터넷 검색, 음악 감상, 전자책 읽기, 메신저 등을 할 수 있다.

개념 더하기+

⊕ 자료와 정보

- 자료: 단순한 관찰이나 측정을 통해 수집한 사실 또는 값을 의미한다.
- 정보: 자료를 사용 목적에 맞게 가공한 것이다.
- 자료와 정보의 예시

자료	정보
과목별 시험 점수	성적표
온도, 강수량 등의 기상 자료	일기 예보

⊕ 정보의 특성

- 무형성: 정보는 형태가 없고 사실에 관한 내용만 존재한다.
- 보편성: 정보는 어느 곳에서나 발생하고 그 정보는 누구에게나 제공될 수 있다.
- 매체 의존성: 정보 자체는 형태가 없지만, 신문이나 텔레비전 등의 매체를 통해 제공된다.
- 다양성: 정보는 수록하는 매체에 따라 신문의 문자 정보, 라디오 음성 정보, TV의 영상 정보 등으로 나타난다.
- 교환성: 정보가 다른 매체로 변환되면 정보의 형태도 변하지만, 정보가 가진 뜻은 변하지 않는다. 정보는 필요로 하는 사람이 적절한 장소에서 알맞은 형태로 이용하였을 때 그 가치가 더욱 높아진다.

1 / 정보 통신 기술은 우리 생활 곳곳에서 사용되고 있다

(1) 정보 통신 기술의 의미 먼 거리에 있는 사람에게 정보를 전하기 위해 발달한 정보 통신 기술은 더 많은 정보를 빠르고 정확하게 전달하기 위해 다양하게 개발되어 이용되고 있다.

① **정보 통신** 정보를 생산·가공하여 저장하고 송수신하는 과정이다.

② **정보 통신 기술** 정보 통신 과정에 사용되는 여러 가지 기술이다.

② **다양한 정보 통신 기술** 신문이나 방송을 통해 새로운 소식을 접하는 일, 친구들과 메시지를 주고받는 일, 음악을 듣고 영화를 감상하는 일 등 우리는 일생생활에서 다양한 형태의 정보 통신을 하고 있다.

(2) 정보 통신 기술의 특징

다양한 정보를 여러 사람이 공유할 수 있다.

송신자와 수신자가 서로 약속한 신호를 이용해 정보를 교환할 수 있다.

정보의 형태에 따라 다양하게 정보를 전달할 수 있다.

시간과 거리의 제약 없이 필요한 의사소통을 할 수 있다.

스스로 해 보기

우리 주변에서 주로 사용하는 정보 통신 기술에는 무엇이 있는지 써 보자.

예 스마트폰, 버스 도착 안내 시스템, 내비게이션, 인터넷, 도서관 도서 대출 시스템 등이 있다.

2 정보 통신 기술의 발달로 의사소통이 더 원활해진다

(1) 문자의 등장

① 문자가 발생한 초기에는 나무나 바위 등에 그림을 그려서 표현한 그림 문자를 사용했다.

② 이후 물체의 모양을 본떠 만든 상형 문자가 만들어지면서, 점차 정보를 정확하게 전달하고 보존하는 것이 가능해졌다.

상형 문자: 초기의 한자와 고대 이집트 문자가 이에 해당된다. 단순히 그림으로 표현한 그림 문자보다 발전된 형태의 문자이다.

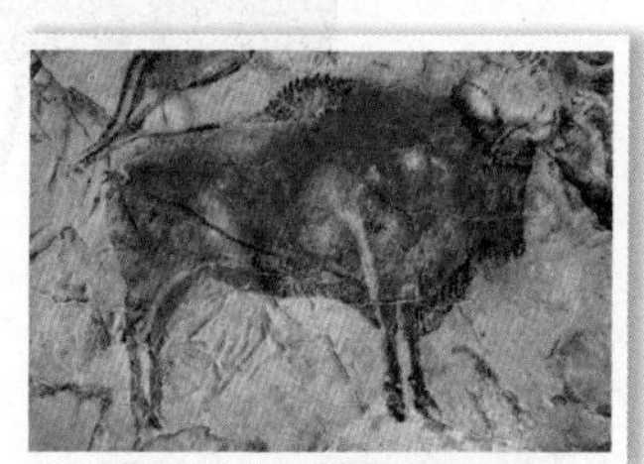
바위 위에 그린 그림 문자

상형 문자

(2) 인쇄술의 발명

인쇄술: 인쇄(印刷)란 판면(版面)에 잉크를 묻혀 판면의 문자나 그림 등을 종이나 천 같은 데에 눌러 문질러서 박아 내는 일이며, 인쇄술(printing)은 인쇄를 하는 기술을 말한다.

빠른 속도로 발달한 인쇄술로 인해 신문, 책 등의 정보를 대량으로 인쇄할 수 있게 되었고, 사람들의 지식 수준이 향상되었다.

① **목판 인쇄술** 중세 후기 구텐베르크(J. Gutenberg)에 의해 보급되었다.
- 글자를 새긴 목판에 잉크를 칠해 종이에 찍어 내는 인쇄술이다.
- 한 번 새긴 목판으로 여러 권의 책을 인쇄할 수 있으나 목판이 습기에 의해 변형될 수 있고, 화재에 약하다는 단점이 있다.

목판: 한 면에 책 한 면을 조각하므로 중간에 한 글자만 틀려도 처음부터 다시 시작해야 하는 번거로움이 있어 목판 제작이 어렵다.

② **금속 활자를 이용한 활판 인쇄술** 중세 후기 구텐베르크(J. Gutenberg)에 의해 보급되었다.
- 금속으로 만든 활자를 활판으로 만들어 여기에 잉크를 칠해 종이에 찍어 내는 인쇄술이다.
- 목판보다 변형의 염려가 적으며, 활판을 해체할 수 있어 여러 종류의 판을 만들기 용이하다는 장점이 있다.

활판: 활자로 짜 맞춘 인쇄판이다.

활자: 네모 기둥 모양의 금속 윗면에 문자나 기호를 볼록 튀어나오게 새긴 것이다.

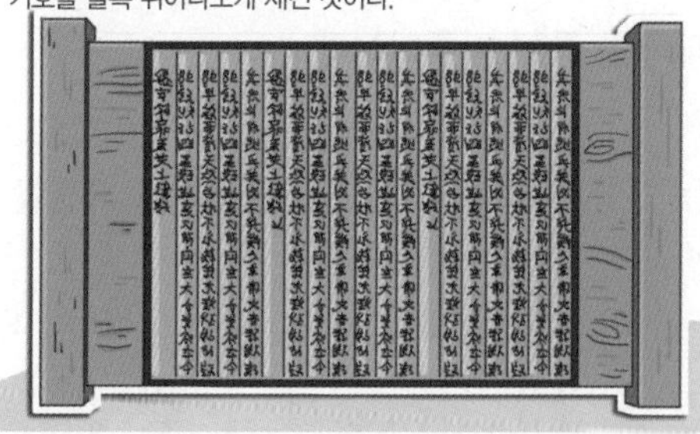
목판 인쇄

구텐베르크의 인쇄기

(3) 전기를 이용한 통신 기술

① 미국의 모스(S. F. B. Morse)가 전기를 이용하여 신호를 보낼 수 있는 전신기를 발명하였다.

S. F. B. Morse: Samuel Finley Breese Morse

전신기: 무선 전신기는 1837년 모스가 발명하였고, 유선 전신기는 1895년 마르코니가 발명하였다. 무선 전신기는 선 없이도 전기 신호를 주고받을 수 있었기 때문에 당시 운행 중인 선박 및 기차와의 통신에 널리 사용되었다.

② 1871년에는 안토니오 무치(A. S. G. Meucci)가 최초로 전화기를 발명하였다.

개념 더하기+

무구정광대다라니경
1966년 불국사 석가탑에서 발견된 무구정광대다라니경(국보 126호)은 세계 최초의 목판 인쇄물로, 700～751년 사이에 만들어진 것으로 추정하고 있다. 무구정광대다라니경이 발견되기 전까지 세계 최초의 목판 인쇄물로 알려진 것은 영국의 고고학자 스타인(M.A.Stein)이 중국의 동황에서 발견한 금강반야바라밀경으로, 그 발행 시기는 서기 868년으로 추정하고 있다.

직지심체요절
1377년에 우리나라에서 간행된 현존하는 세계 최초의 금속 활자본으로, 구텐베르크의 성서보다 약 70여 년 먼저 인쇄되었다.

상정고금예문
세계 최초의 금속 활자로 인쇄된 책이나, 이규보의 동국이상국집에 1234년 인쇄되었다고 기록만 되어 있고 현존하지 않는다.

전화기의 최초 발명
많은 사람들이 알렉산더 그레이엄 벨(A.G.Bell)이 최초로 전화기를 발명했다고 알고 있지만, 사실은 1871년 안토니오 무치가 전화기를 먼저 발명하였다. 하지만 안토니오 무치는 전화기에 대한 특허를 등록하지 못했고, 이후 1876년 벨이 전화기에 대한 특허를 등록하여 벨이 전화기에 대한 특허권을 얻게 되었다.

개념 더하기+

노트북 컴퓨터
노트북용으로 만들어진 별도의 소형 하드웨어를 장착하며, 입력 장치도 별도의 공간이 필요 없는 터치패드나 트랙볼 등을 사용한다. 화면도 부피가 얇은 LCD(액정 영상 표시 장치)로 하고, 모뎀도 전화 카드 크기 정도이다. 또한 이동 중에 전원이 없는 곳에서도 사용할 수 있도록 축전지(battery)를 내장하고 있다. 노트북 컴퓨터 제작에는 이렇듯 소형화 · 경량화 · 정밀화 작업이 필요하기 때문에 같은 성능의 데스크톱 컴퓨터에 비해 가격이 훨씬 비싸고, 업그레이드 비용도 많이 든다.

팩시밀리
사진, 지도, 선화(線畵) 등의 여러 문서들을 전기 신호로 바꾸어 전송하고 재생하는 통신 방식이다. 팩스(fax), 텔레팩스(telefax)라고도 한다. 팩시밀리는 저렴한 비용, 신뢰성, 속도, 작동의 간편성 등으로 인해 업무용이나 개인용 통신에 혁명을 가져왔다. 팩시밀리는 사실상 전신(電信)을 대체했으며, 정부나 민간이 운영하는 우편 제도나 배달 업무의 대체 수단이 되었다.

③ 소리를 전기 신호로 바꾸는 기술이 발달하면서 라디오와 텔레비전 등 전파를 이용한 방송이 가능해졌다.

모스가 발명한 모스 전신기

초기의 텔레비전

(4) 현대 정보 통신 기술

① 인터넷과 스마트폰 등의 휴대 기기의 발달로 정보를 주고받을 때 시간과 거리의 제약이 없어지게 되었다.

② 스마트폰은 초기의 휴대 전화와는 다르게 통화 기능 외에도 인터넷 접속, 길 안내, 멀티미디어 감상, 사진 및 동영상 촬영 등 다양한 기능을 할 수 있는 정보 통신 기기이다.

③ 컴퓨터, 태블릿 PC 등 다양한 통신 기기의 개발로 인류의 생활이 더욱 편리해지고, 빠르고 정확하게 정보를 전달하게 되었다.

노트북
휴대 전화

더 들여다보기

오른쪽 그림의 모스 부호를 사용하여 친구에게 전달하고 싶은 문장을 만들어 보자.

예 Good morning: – – • – – – – – – – – – • – – – – – – – – – – – • • – – – – – •

3/ 정보 통신 기술은 다양한 통신 매체를 통해 이루어진다

(1) 미디어

① **미디어란** 문자, 소리, 영상 등 다양한 형태의 정보를 전송하고 저장할 수 있는 매체를 말한다.

② **미디어의 종류** 미디어에는 통신 미디어, 인쇄 미디어, 방송 미디어, 저장 미디어 등이 있다.

- 통신 미디어: 통신 미디어는 전기 신호를 이용하여 정보를 주고받는 수단으로, 사용자 간의 의사소통을 가능하게 한다.

전화기

팩시밀리

휴대 전화

전자 우편

- 인쇄 미디어: 인쇄 미디어는 문자나 사진 등의 정보를 종이나 화면상에 인쇄하여 전달하는 수단으로, 사용자가 인쇄물을 읽음으로써 정보가 전달된다.

책

신문

인터넷 신문

전자책

- 방송 미디어
  - 방송 미디어는 전파를 통해 특정 주파수를 이용하는 사용자에게 정보가 전달되는 수단이다.
  - 방송국에서 전파를 보내면 사용자는 수신기를 사용해 방송을 시청할 수 있다.

텔레비전

라디오

IPTV

DMB

- 저장 미디어
  - 저장 미디어는 정보가 디지털 신호로 변환되어 물리적으로 저장하는 데 사용하는 수단이다.
  - 저장된 정보는 여러 사람과 공유할 수 있고, 오래 보존될 수 있다.

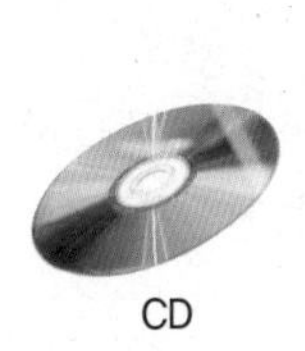
CD

DVD

플래시 메모리

외장 하드 디스크

(2) 정보 통신 기기

① **정보 통신 기기** 정보의 수집, 가공, 저장, 전달 및 공유에 활용되는 기기를 말한다.

② **이동 통신 기기** 정보 통신 기기 중 휴대 전화처럼 휴대하기 간편하고 이동하면서 무선으로 통신할 수 있는 기기를 말한다.

함께 해 보기

일상생활에서 자신이 가장 많이 사용하는 미디어의 특성을 조사하고 친구들과 이야기해 보자.

예
- 통신 미디어(스마트폰): 일상생활에서 정보를 주고받는 데 주로 사용되는 미디어로, 글, 사진, 영상, 소리 등 여러 가지 형태의 정보를 주고받을 수 있다.
- 방송 미디어(텔레비전): 방송국에서 정보를 받을 때, 수신기를 이용한다.
- 저장 미디어(하드 디스크): 컴퓨터의 보조 기억 장치로, 전원이 끊기더라도 저장된 내용이 지워지지 않는다. 속도는 느리지만 저장 공간이 크다.

개념 더하기+

멀티미디어
두 가지 이상의 미디어를 사용하여 정보를 표현하는 것으로, 여러 가지 정보를 동시에 전달한다.

IPTV
초고속 인터넷망을 활용하여 인터넷 검색, 영화 감상 등의 다양한 콘텐츠를 이용하는 양방향 텔레비전 서비스이다.

플래시 메모리
플래시 메모리는 전원을 끄면 저장된 정보가 사라지는 D램이나 S램과는 달리 전원이 끊겨도 저장된 정보가 지워지지 않는 비휘발성 기억 장치로, USB, HDD(하드 디스크), SD card 등이 있다.

개념 더하기+

③ **정보 통신 기기의 종류** 정보 통신 기기에는 라디오, 컴퓨터, 휴대 전화, 텔레비전, 디지털카메라, 태블릿 PC 등이 있다.

구분	내용
라디오	• 전파를 통해 어디서나 음성 방송을 들을 수 있는 통신 기기이다. • 최근에는 듣기만 하는 라디오에서 화상 기술을 융합한 보이는 라디오 서비스가 제공되고 있다.
컴퓨터	• 숫자, 문자, 그림, 소리, 동영상 등의 다양한 정보를 유용하게 가공하고 빠르게 전달·저장하는 정보 통신 기기이다.
휴대 전화	• 이동 통신을 이용하기 위한 수단으로 개발된 무선 전화기이다. • 전화 기능 외에도 메시지, 전자 우편, 인터넷, 게임, 동영상 및 사진 촬영 등 다양한 기능을 제공하고 있다.
텔레비전	• 영상과 음성으로 방송이 제공되는 기기이다. • 최근에는 디지털 방송이 시작되어 가정마다 IPTV와 스마트 TV를 통해 다양한 서비스를 이용할 수 있게 되었다.
디지털카메라	• 렌즈를 통과한 빛을 저장하는 반도체 소자를 이용하여 만든 카메라이다. • 사진을 그림 파일 형식으로 메모리 카드에 저장한다.
태블릿 PC	• 개인용 컴퓨터(PC)용 운영 체제가 내장된 기기이다. • 별도의 키보드나 마우스 없이 터치 스크린에 전자펜 또는 손가락으로 정보를 입력할 수 있다.

4/ 사물과 대화하는 세상, 사물 인터넷(IoT, Internet of Things)

4차 산업 혁명
사물 인터넷, 빅 데이터, 클라우드, 모바일 인터넷 등의 정보 통신 기술과 인공 지능(AI)을 활용하여 모든 사물과 산업을 제어할 수 있다. 4차 산업 혁명 시기에는 사물 인터넷으로 빅 데이터를 얻고, 그것을 클라우드에 저장해 인공 지능으로 분석하고 활용하게 된다.

(1) 사물 인터넷의 이해

① **사물 인터넷** 인터넷을 기반으로 모든 사물을 연결하여 사람과 사물, 사물과 사물 간의 정보를 상호 소통하는 지능형 기술 및 서비스를 말한다.

② **사물 인터넷을 구현하기 위해 필요한 기술**

- 사물과 주위 환경으로부터 정보를 얻는 센서
- 모든 사물을 인터넷에 연결하기 위한 네트워크 기술
- 수집된 정보를 서비스 분야와 형태에 적합하게 가공 및 처리하거나 각종 기술을 융합하는 서비스 인터페이스 기술

사물 인터넷의 활용
사물 인터넷은 오늘날 보편화된 자동차의 하이패스 시스템, 자동차 원격 시동 및 블루투스 통화, 스마트폰으로 조정하는 가전제품 등 각종 무선 장치 등에 이용된다. 사물 인터넷은 모바일 인터넷, 빅 데이터, 클라우드, 인공 지능 등과 함께 4차 산업 혁명을 이끌어 갈 매우 중요한 기술이다.

(2) 집 안에서의 사물 인터넷

① **환경 센서** 집 안의 온도와 공기 정화 정도를 측정해 보고한다.

② **조명 센서** 최적의 조명을 알려 주고, 집 안의 밝기를 조절한다.

③ **창문 센서** 햇빛을 스스로 측정해 실내로 들어오는 빛의 양을 자동으로 조절한다.

④ **환기 센서** 실내 공기가 쾌적하도록 공기의 순환을 조절한다.

⑤ **보안 센서** 집에 사람이 없을 때 외부 침입자를 감시한다.

⑥ **출입문 센서** 가족, 외부인, 침입자를 스스로 구분한다.

⑦ **모션 센서** 사람의 움직임을 점검해 전원 등의 장치를 조절한다.

⑧ **셋톱 박스** 사용자가 선호하는 채널과 방송을 녹화하거나 틀어 준다.

교과서 뛰어넘기

금속 활자를 이용한 활판 인쇄 가상 체험하기

청주 고인쇄박물관 홈페이지(http://jikjiworld.cheongju.go.kr)에 접속하여 상단에 '정보 마당 – 박물관 가상 체험' 메뉴를 누르면 금속 활판 인쇄로 책 만드는 과정을 가상으로 체험할 수 있다.

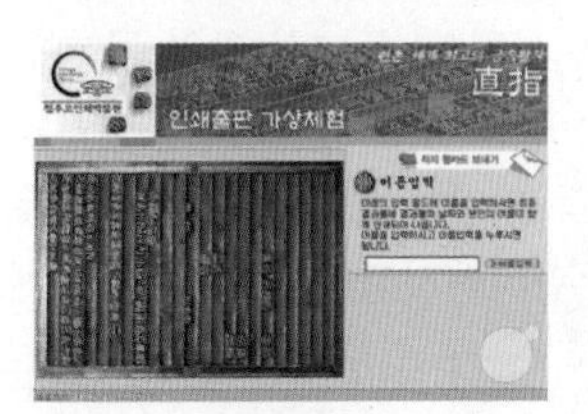

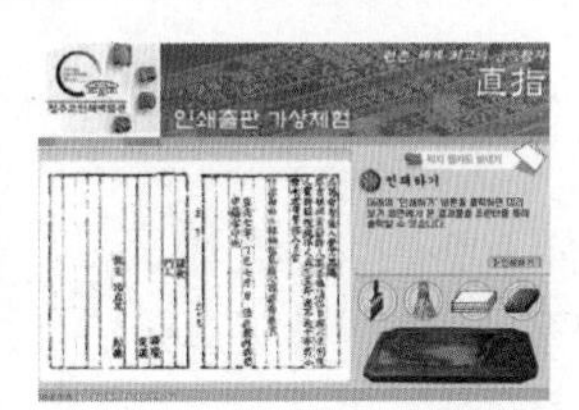

개념 더하기+

주제 활동 빅 데이터 활용 서비스 만들기

글을 읽고 물음에 답해 보자.

빅 데이터란 다양한 형태와 많은 양의 데이터를 수집하고 분석하여 새로운 가치를 추출하는 기술을 말한다. 인터넷과 모바일 기기의 발달과 사용자의 폭발적인 증가로 데이터는 더욱 빠르고 다양하게 축적되고 있으며, 데이터 분석은 더욱 어렵고 복잡해지고 있다.

최근 현대 사회에서 빅 데이터 분석이 다양하게 활용되고 있는데, 서울특별시의 올빼미 심야 버스가 대표적인 사례이다. 서울특별시는 시민들의 심야 택시 승하차 데이터 500만 건과 통신사의 통화량 데이터 30억 건을 결합하여 심야 시간에 시민들의 주요 이동 경로를 파악하였다. 이를 통해 서울시는 시민들이 자주 이용할 수 있는 심야 버스의 노선을 마련할 수 있었다.

1. 우리 주변에서 볼 수 있는 빅 데이터 활용 서비스에는 어떤 것이 있는지 조사해 보자

예 포털 사이트의 검색 서비스, 음악 감상 애플리케이션이나 사이트에서 제공되는 음악 순위, 자주 방문하는 인터넷 쇼핑몰 사이트에 접속했을 때 그동안 내가 검색한 제품과 가격 등의 각종 정보가 화면에 뜨는 것 등이 있다.

2. 새로운 분야에 빅 데이터를 활용하는 방안을 생각하여 써 보자.

예 상급 학교 진학 및 취업을 위한 탐색, 범죄를 예방하기 위해 범죄 관련 빅 데이터(범죄가 자주 일어나는 시간대, 날씨, 공간, 지역별 인구 통계, 유동 인구 등의 정보)를 수집하여 장소와 시간대별 범죄 발생 가능성을 도출하는 범죄 예방 시스템 구축, 인터넷에 산재한 다양한 웹 문서, 댓글 등을 통해 특정 이슈에 대한 시민의 의견을 분석해 대응책을 마련하는 오피니언 마이닝(opinion mining) 서비스 등이 있다.

내용 정리

1/ 정보 통신 기술

(1) 정보 통신 기술의 의미

① **정보 통신** 정보를 생산·가공하여 저장하고 송수신하는 과정

② **정보 통신 기술** 기술 정보 통신 과정에서 사용되는 여러 가지 기술

③ **다양한 정보 통신 기술** 신문이나 방송을 통해 새로운 소식을 접하는 일, 친구들과 메시지를 주고받는 일, 음악을 듣고 영화를 감상하는 일 등

(2) 정보 통신 기술의 특징

① 다양한 정보를 여러 사람이 공유할 수 있음.

② 송신자와 수신자가 서로 약속한 신호를 이용해 정보를 교환할 수 있음.

③ 다양한 방법으로 정보를 전달할 수 있음.

④ 시간과 거리의 제약 없이 쉽게 이용할 수 있음.

2/ 정보 통신 기술의 발달

(1) 문자의 등장

① 문자 발생 초기에 나무나 바위 등에 그림을 그려 표현한 그림 문자를 사용함.

② 이후 상형 문자가 만들어지면서 점차 정확한 정보 전달과 보존이 가능해짐.

(2) 인쇄술의 발명

① 문자 사용 이후 빠르고 효과적인 정보 전달을 위해 인쇄술이 발달함.

② 목판 인쇄술이 처음 등장하였고, 이후 금속 활자를 이용한 활판 인쇄술이 등장함.

③ 인쇄술의 발달로 신문, 책 등의 정보가 대량으로 인쇄되어 사람들의 지식 수준이 크게 향상됨.

(3) 전기를 이용한 통신 기술

① 근대 후기에 전기 신호를 이용하여 정보를 전달하는 전기 통신 기술이 사용되기 시작함.

② 미국의 모스가 전기를 이용하여 신호를 보낼 수 있는 전신기를 발명함.

③ 1871년 안토니오 무치가 최초의 전화기를 발명함.

④ 텔레비전과 라디오 등 전파를 이용한 방송이 가능해짐.

(4) 현대 정보 통신 기술

① 인터넷과 스마트폰 등의 휴대 기기의 발달로 정보를 주고받을 때 시간과 거리의 제약이 없어지게 됨.

② 스마트폰은 통화 기능 외에도 인터넷 접속, 길 안내, 멀티미디어 감상, 사진 및 동영상 촬영 등 다양한 기능을 할 수 있는 정보 통신 기기임.

③ 컴퓨터, 태블릿 PC 등 다양한 통신 기기의 개발로 인류의 생활이 더욱 편리해지고, 빠르고 정확하게 정보를 전달하게 됨.

3/ 다양한 통신 매체

(1) 미디어

① **미디어** 문자, 소리, 영상 등 다양한 형태의 정보를 전송하고 저장할 수 있는 매체

② **통신 미디어** 전기 신호를 이용하여 정보를 주고받는 수단으로, 사용자 간의 의사소통을 가능하게 함(예 전화기, 팩시밀리, 휴대 전화, 전자 우편 등).

③ **인쇄 미디어** 문자나 사진 등의 정보를 종이나 화면상에 인쇄하여 전달하는 수단으로, 사용자가 인쇄물을 읽음으로써 정보가 전달됨(예 책, 신문, 인터넷 신문, 전자책 등).

④ **방송 미디어** 전파를 통해 특정 주파수를 이용하는 사용자에게 정보가 전달되는 수단으로, 방송국에서 전파를 보내면 사용자는 수신기를 사용하여 방송을 시청할 수 있음(예 텔레비전, 라디오, IPTV, DMB 등).

⑤ **저장 미디어** 정보를 디지털 신호로 변환하여 물리적으로 저장하는 데 사용하는 수단으로, 저장된 정보는 여러 사람과 공유할 수 있고, 오래 보존될 수 있음(예 CD, DVD, 플래시 메모리, 외장 하드 디스크 등).

(2) 정보 통신 기기의 종류

① **정보 통신 기기**
- 정보의 수집·가공·저장·전달 및 공유에 활용되는 기기
- 라디오, 디지털카메라, 컴퓨터, 태블릿 PC, 휴대 전화, 텔레비전 등이 있음.

② **이동 통신 기기** 휴대 전화처럼 휴대하기 간편하고 이동하면서 무선으로 통신 가능한 기기

개념 꽉꽉 다지기

Helper

01. (   )(이)란 정보를 생산 · 가공하여 저장하고 송수신하는 과정에 사용되는 여러 가지 기술이다.

02. 다음은 정보 통신 기술의 발달에 대한 설명이다. 맞으면 ○, 틀리면 ×표를 하시오.

(1) 가장 초기에 사용된 문자는 상형 문자이다. (   )

(2) 전신기는 전기를 이용하여 신호를 보내는 정보 통신 장비이다. (   )

(3) 전신기는 모스 부호를 이용하여 정보를 주고받았다. (   )

(4) 금속 활자는 목판보다 화재에 약하다는 단점이 있다. (   )

02. 문자가 발생한 초기에는 나무나 바위 등에 그림을 그려서 표현한 그림 문자를 사용했다.

03. (   )(이)란 문자, 소리, 영상 등 다양한 형태의 정보를 전송하고 저장할 수 있는 매체를 말한다.

03. 미디어에는 통신 미디어, 인쇄 미디어, 방송 미디어, 저장 미디어 등이 있다.

04. 미디어의 종류가 다른 하나는?

① CD
② DVD
③ 전자 우편
④ 플래시 메모리
⑤ 외장 하드 디스크

04. 저장 미디어에는 CD, DVD, 플래시 메모리, 외장 하드 디스크 등이 있다.

05. 다음 설명에 해당하는 미디어로 옳은 것은?

> 전기 신호를 이용하여 정보를 주고받는 수단으로, 사용자 간의 의사소통을 가능하게 한다.

① 통신 미디어
② 인쇄 미디어
③ 방송 미디어
④ 수신 미디어
⑤ 저장 미디어

05. 통신 미디어에는 전화기, 팩시밀리, 휴대 전화, 전자 우편 등이 있다.

차곡차곡 실력 쌓기

01 (　　) 안에 들어갈 알맞은 말로 옳은 것은?

> (　　　　)은/는 정보를 생산·가공하여 저장하고 송수신하는 과정을 말한다.

① 자료 통신　　② 정보 통신
③ 정보 수송　　④ 정보 전달
⑤ 정보 통신 기술

02 정보 통신 기술의 특성으로 옳지 <u>않은</u> 것은?

① 다양한 정보를 여러 사람이 공유할 수 있다.
② 정보의 형태에 따라 다양하게 정보를 전달할 수 있다.
③ 다른 기술에 영향을 받지 않고 독자적으로 발전해 왔다.
④ 시간과 거리의 제약 없이 필요한 의사소통을 할 수 있다.
⑤ 송신자와 수신자가 서로 약속한 신호를 이용해 정보를 교환할 수 있다.

03 (　　) 안에 들어갈 알맞은 말을 쓰시오.

> (　　　　)은/는 물체의 모양을 본떠 만든 문자로, 초기의 한자, 고대 이집트 문자가 이에 해당된다.

(　　　　　　　　　　)

04~05 다음 그림을 보고 물음에 답하시오.

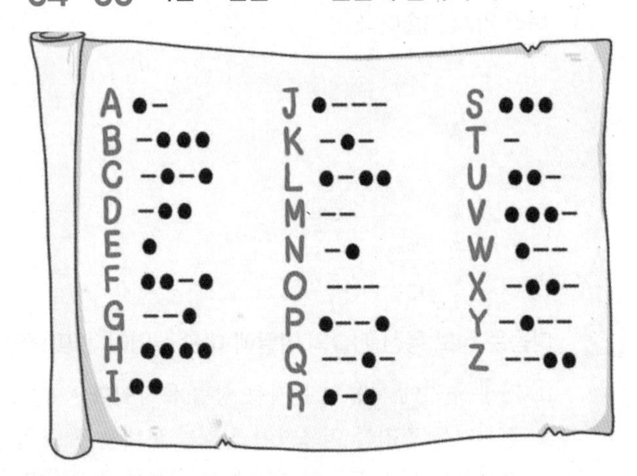

04 주어진 그림에 대한 설명으로 옳지 <u>않은</u> 것은?

① 모스 부호라고 한다.
② 인쇄술 이후에 등장한 통신 방법이다.
③ 전신기를 이용한 통신을 위해 만들어졌다.
④ 전화기 발명 이후에 등장한 통신 방법이다.
⑤ 전기 신호의 길이를 달리하여 정보를 표현하는 방식이다.

05 다음과 같은 신호를 수신하였을 때 이를 바르게 해석한 것은?

> -●-●　●-　●●●　-

① ACTS　　② CTSA
③ CATS　　④ CAST
⑤ SATC

06 세계 최초의 목판 인쇄물로 옳은 것은?

① 동의보감　　② 훈민정음
③ 상정고금예문　　④ 직지심체요절
⑤ 무구정광대다라니경

07 정보 통신 기술의 발달 순서를 보기 에서 순서대로 나열한 것은?

보기

ㄱ. 인쇄술　　ㄴ. 라디오
ㄷ. 전신기　　ㄹ. 전화기

① ㄱ → ㄴ → ㄷ → ㄹ
② ㄱ → ㄷ → ㄴ → ㄹ
③ ㄱ → ㄷ → ㄹ → ㄴ
④ ㄷ → ㄱ → ㄴ → ㄹ
⑤ ㄷ → ㄱ → ㄹ → ㄴ

08 저장 미디어에 해당하지 않는 것은?

① CD　　② USB
③ DVD　　④ 라디오
⑤ 하드 디스크

09~10 다음 글을 읽고 물음에 답하시오.

전파를 통해 특정 주파수를 이용하는 사용자에게 정보가 전달되는 수단이다.

09 주어진 설명에 해당하는 미디어로 옳은 것은?

① 저장 미디어　　② 방송 미디어
③ 전자 미디어　　④ 인쇄 미디어
⑤ 통신 미디어

10 주어진 설명이 해당하는 미디어의 예로 옳은 것은?

① 책　　② 신문
③ 전자책　　④ 텔레비전
⑤ 플래시 메모리

11 다음 설명에 해당하는 정보 통신 기기로 옳은 것은?

- 개인용 컴퓨터(PC)용 운영 체제가 내장된 기기이다.
- 별도의 키보드나 마우스 없이 터치스크린에 전자펜 또는 손가락으로 정보를 입력할 수 있다.

① 태블릿 PC　　② IPTV
③ 휴대 전화　　④ 라디오
⑤ 데스크탑 컴퓨터

12 (　　) 안에 들어갈 알맞은 말을 쓰시오.

(　　　　　)(이)란 인터넷을 기반으로 모든 사물을 연결하여 사람과 사물, 사물과 사물 간의 정보를 상호 소통하는 지능형 기술 및 서비스를 말한다.

(　　　　　　　　)

2 빠르고 정확한 정보 통신 기술의 원리

「주제 열기」

- 현재 생활 속에서 정보 통신 기술을 사용하는 모습을 찾아보자.

→ 스마트 워치로 엄마와 전화를 하고 있다. 스마트폰으로 해외에 있는 친구와 영상 통화를 하고 있다. 스마트폰 앱을 이용해 집의 가스를 밖에서 잠그고 있다.

- 위에서 찾은 정보 통신 기술이 이루어지려면 무엇이 필요할지 써 보자.

→ 정보 통신 기기, 정보 통신망, 정보 통신 시스템 등이 필요하다.

1/ 정보 통신 시스템은 투입, 과정, 산출, 되먹임의 단계로 구성된다

(1) 정보 통신 시스템

① 정보 통신 기술은 일반적으로 정보를 주고받는 것과 관련하여 투입, 과정, 산출, 되먹임을 거치는 정보 통신 시스템에 의해 이루어진다.

② 정보 통신 시스템은 정보 처리 시스템과 정보 전송 시스템으로 나뉜다.

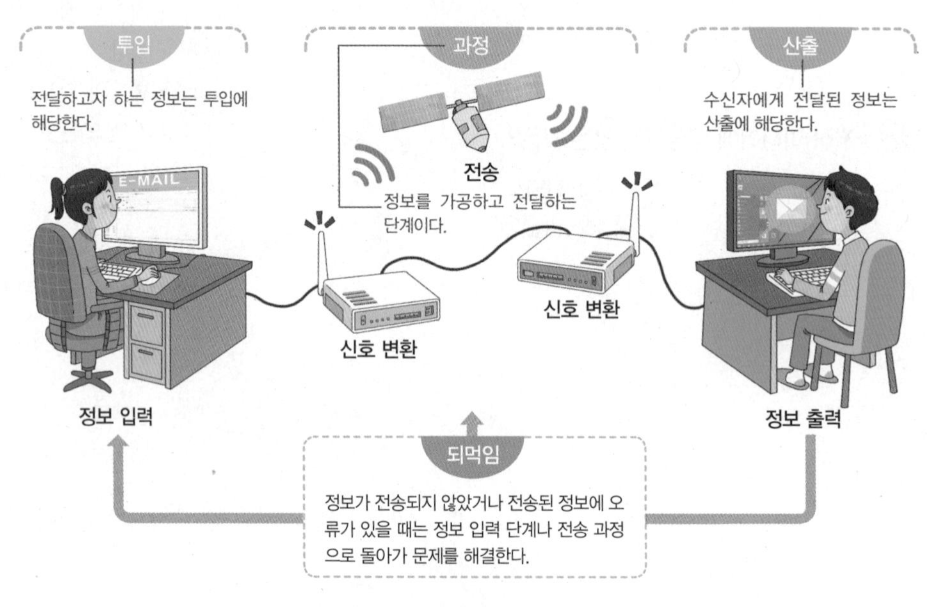

▲ 정보 통신 시스템

채널 e

이외에 다른 장치는 무엇이 있고, 어떤 역할을 하는지 인터넷을 통해 검색해 보자.

예 입력 장치로부터 자료를 받아서 처리한 후 그 결과를 출력 장치로 보내는 모든 과정을 조정하는 중앙 처리 장치에는 제어 장치, 연산 장치, 주기억 장치가 포함된다. 명령을 입력하는 입력 장치, 결과를 보여 주는 출력 장치, 주기억 장치의 보조 역할로 처리가 끝난 데이터나 명령을 보관하는 보조 기억 장치가 있다.

개념 더하기+

하드웨어

- 컴퓨터를 구성하는 기계적인 장치이다.
- 중앙 처리 장치(CPU), 주기억 장치(RAM 등), 보조 기억 장치(CD/DVD, USB, 하드 디스크 등), 입력 장치(키보드, 마우스, 마이크 등), 출력 장치(모니터, 프린터, 스피커 등), 통신 장치(랜 카드 등) 등이 있다.

소프트웨어

컴퓨터가 특정한 일을 할 수 있도록 작동시키는 프로그램으로, 시스템 소프트웨어와 응용 소프트웨어가 있다.

- 시스템 소프트웨어: 컴퓨터 하드웨어가 효과적으로 움직이도록 지시, 제어, 관리하는 역할을 하는 소프트웨어이다(예 운영 체제, 드라이버, 유틸리티 프로그램 등).
- 응용 소프트웨어: 컴퓨터 사용자가 특정 목적을 위해 운영 체제 위에 설치하여 사용하는 소프트웨어이다(예: 문서 작성 프로그램, 영상 편집 프로그램 등).

(2) **정보 처리 시스템**

① 정보를 수집 · 가공하여 필요한 형태로 만들어 저장 · 출력하는 시스템이다.

② 대표적인 정보 처리 시스템인 컴퓨터 시스템은 입력 장치로 받아들인 정보를 가공하여 저장하거나 출력 장치를 이용하여 출력한다.

(3) **정보 전송 시스템**

① 송신자로부터 정보를 받아 수신자에게 정보를 전달하는 시스템이다.

② 컴퓨터 통신 시스템은 단말 장치인 컴퓨터에 입력된 정보를 전기 신호로 변환하여 유선 또는 무선으로 다른 컴퓨터에 정보를 전달한다.

• 아날로그 방식: 시간에 따라 변화하는 모든 신호를 연속적인 값으로 표현한 것이다.
• 디지털 방식: 1초에서 2초로 시간이 갑자기 바뀌는 전자시계처럼 신호를 단계적인 값으로 표현한 것이다.

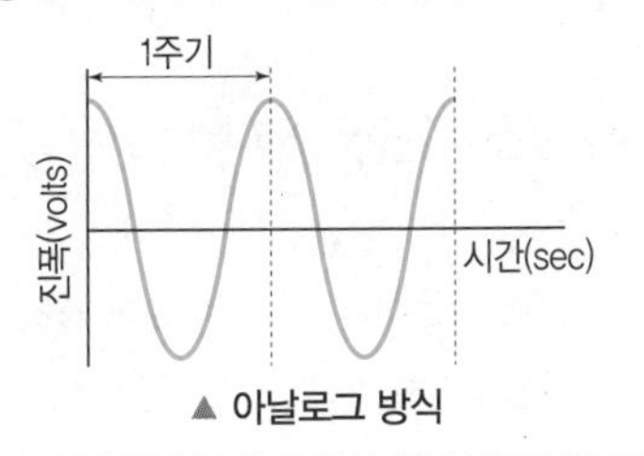

▲ 아날로그 방식

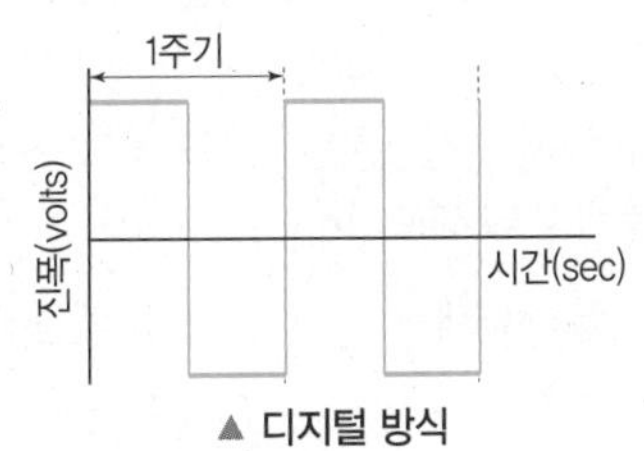

▲ 디지털 방식

함께 해 보기

자신이 주로 이용하는 정보 처리 활동과 정보 전송 활동에는 무엇이 있는지 써 보고, 친구들과 이야기해 보자.

예 • 학교 숙제 처리(정보 처리 활동): 컴퓨터를 이용하여 워드 작업을 하고 저장하여 파일 형태 또는 인쇄물로 제출한다.
• 생일 축하 영상 전송(정보 전송 활동): 친구의 생일을 축하하는 메시지를 담은 동영상을 만들어 친구에게 보낸다.

개념 더하기+

변조와 복조
• 변조: 컴퓨터에 의해 발생한 디지털 신호를 아날로그 신호로 변환시키는 것이다.
• 복조: 아날로그 신호를 다시 디지털 신호로 환원시키는 것이다.

아날로그 신호가 디지털 신호로 변환되는 원리
• 표본화: 아날로그 오디오 신호에서 일정한 구간마다 표본 신호를 선택한다.
• 양자화: 표본화에서 선택된 신호의 Y축값을 결정하는 것 즉, 표본화된 신호의 크기를 몇 비트의 크기로 표현할 것인가를 결정하는 단계이다.
• 부호화: 저장 공간을 줄이기 위해서 표본값을 암호화하는 것이다.

2 정보 통신 기술의 원리는 무엇일까

(1) 정보 통신 형태

① **유선 통신** 동축 케이블과 광케이블과 같은 전선을 이용하여 통신하는 방법으로, 전화, 전신, 컴퓨터 통신 등에 사용된다.

② **무선 통신** 전파를 통해 신호, 부호, 영상 등의 정보를 주고받는 방법으로, 무선 인터넷, 휴대 전화, 방송, 위성 통신 등에 사용된다.

(2) 정보 통신망

① **정보 통신망** 정보 통신 시스템에서 정보를 효율적으로 전송하기 위해 정보 통신 기기를 서로 연결하여 그물처럼 망을 형성한 것으로, 네트워크라고도 한다.

② **종류** 정보를 주고받는 범위에 따라 근거리 통신망과 원거리 통신망으로 나뉜다.

- 근거리 통신망(LAN, local area network): 비교적 가까운 거리나 집, 사무실 안과 같은 한정된 공간에서 각종 정보 통신 기기를 연결하여 정보를 주고받는 소규모 통신망이다.
- 원거리 통신망(WAN, wide area network): 멀리 떨어진 지역이나 국가 간에 컴퓨터를 연결하여 이루어진 통신망이다.

(3) 정보 통신 방식

① **단방향 통신** 정보가 한 방향으로만 이동하는 방식으로, 수신자는 송신자가 보내는 정보를 일방적으로 받기만 하는 통신 방식이다(예 라디오 방송, 텔레비전 방송 등).

② **양방향 통신**

- 반이중 통신: 송신자와 수신자 사이에서 시간 차를 두고 교대로 전송이 이루지는 통신 방식이다(예 휴대용 무전기, 팩시밀리 등).
- 전이중 통신: 송신자와 수신자 사이에서 동시에 양방향으로 통신이 가능한 통신 방식이다(예 전화, 인터넷, IPTV 등).

함께 해 보기

자신이 주로 사용하는 통신 매체의 정보 통신 형태, 정보 통신망, 정보 통신 방식 등을 써 보고 친구들과 이야기해 보자.

예

통신 매체	정보 통신 형태	정보 통신망	정보 통신 방식
라디오	무선 통신	원거리 통신망	단방향 통신
휴대 전화	무선 통신	원거리 통신망	양방향 통신
전화기	유선 통신	원거리 통신망	양방향 통신

더 들여다보기

생활 속에서 인터넷 서비스를 유용하게 활용하는 것에는 무엇이 있을까?

예 정보 검색, 이메일 송수신 등

개념 더하기+

동축 케이블
고주파 전기 신호를 전송할 수 있는 전송 선로로, 데이터 통신에 사용된다.
케이블에 초의 심지와 같이 도체가 있고, 그 주변을 둘러싸는 높은 유전 상수를 갖는 유전체와 다시 이를 감싸는 도체 망으로 구성된 케이블을 말한다.

광케이블
전기 신호를 빛으로 변환하여 유리 섬유를 통해 매우 빠른 속도로 전송할 수 있는 전송 선로이다.
구리선을 사용하는 방식보다 자료 전송 속도가 수십 배나 빠르지만 네트워크를 새로 구축해야 한다는 단점이 있다.

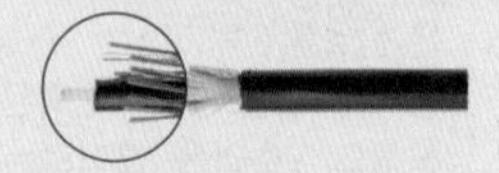

무선 통신
위성 통신이 대표적이며, 대기권 밖 상공에 쏘아 올린 인공위성에서 통신을 중계하게 하는 방법이다. 인공위성 중에는 지구의 자전 시간과 같은 속도로 지구를 공전하여 마치 지구 궤도 위에 정지해 있는 것처럼 보이는 정지 궤도 위성이 있는데, 위성 통신은 주로 이 위성을 이용한다.

교과서 뛰어넘기

현대의 정보 통신 기술에는 어떤 것이 있을까?

- 클라우드 컴퓨팅: 클라우드라고 불리는 공간에서 데이터를 읽고 쓰고, 정보를 분석 · 처리하여 저장 · 관리하는 컴퓨팅 시스템을 말한다. 클라우드 컴퓨팅은 스마트폰, 스마트 패드, 노트북, 컴퓨터 등과 같이 인터넷이 가능한 기기를 통해 사용할 수 있다. 즉, 인터넷만 연결되면 언제든지 접속할 수 있는 클라우드 서버에 각종 소프트웨어와 프로그램, 데이터 등을 저장하여 다양한 IT 기기를 통해 필요할 때마다 이용할 수 있다.
- 소셜 미디어: 데이터의 소유자나 독점자 없이 누구나 데이터를 생산하고 인터넷에서 공유할 수 있는 환경에 의해 생긴 온라인 플랫폼이다. 블로그(blog), 소셜 네트워크 서비스(SNS), 위키(wiki), 사용자 제작 콘텐츠(UCC), 마이크로 블로그(micro-blog) 등이 있으며, 스마트폰의 발달로 쉽게 접근할 수 있게 되었다.
- 가상 현실(VR, Virtual Reality): 어떤 특정한 환경이나 상황을 컴퓨터로 만들어서 그것을 사용하는 사람이 마치 실제 주변 환경과 상호 작용하는 것처럼 만드는 인터페이스를 말한다. 만들어진 가상의 환경이나 상황 등은 사용자의 오감을 자극하며, 실제와 유사한 공간적 · 시간적 체험을 하게 한다. 가상 현실 기술은 비행 훈련 시뮬레이션이나 게임 등에 적용하며, 최근에는 과학 연구, 보안, 의료, 예술 등 폭넓은 분야에서 응용하고 있다.
- 증강 현실(AR, Augmented Reality): 실제 환경에 가상의 사물이나 정보를 합성하여 실물처럼 보이도록 만든 컴퓨터 그래픽 기법이다. 완전한 가상 세계를 전제로 하는 가상 현실과 달리 현실 세계의 환경 위에 가상의 대상을 결합해 현실의 효과를 더욱 증가시킨다. 증강 현실 기술을 적용하기 위해 지리나 위치 정보를 송수신하는 GPS 장치 및 중력 센서, 그 상세 정보를 수신하여 현실 배경에 표시하는 증강 현실 앱, 정보를 출력할 수 있는 IT 기기 등이 필요하다.

개념 더하기+

대중 매체와 소셜 미디어의 특성

- 대중 매체
  - 주요 언론사가 뉴스, 정보, 엔터테인먼트를 생산(소수 독점)한다.
  - 불특정 다수, 수동적 독자층에 공적, 일방적, 간접적으로 전달한다.
- 소셜 미디어
  - 참여 · 공유 · 개방의 웹 2.0 정신에 기반을 두어 누구나 생산(다수 생산)한다.
  - 관계 혹은 친분 중심의 쌍방향 소통, 피라미드식으로 전달한다.

주제 활동 빅 데이터 활용 서비스 만들기

최근 증강 현실은 여러 서비스에 적용되어 사용되고 있다. 현재 증강 현실은 어떤 분야에 적용되고 있을까? 우리 생활에도 증강 현실 기술을 활용할 수 있을까?

1. 현재 증강 현실을 사용하는 앱은 무엇이 있는지 조사해 보자.

이름	앱에서 제공하는 서비스 내용
포켓몬 GO	증강 현실을 이용하여 몬스터를 잡는 게임
천체 관찰 앱	스마트 기기의 화면을 하늘을 향하게 하고 앱을 실행시키면 별자리를 찾을 수 있음.

2. 우리 생활에 증강 현실이 필요한 부분을 찾아 앱을 설계해 보자.

㉮ 책을 읽을 때 입체 영상을 통해 책의 내용을 더 쉽게 이해할 수 있도록 도와주는 앱

- 스포츠 중계를 할 때 등장하는 선수가 소속한 나라의 국기나 선수의 정보를 보여 주는 앱
- 화장품을 살 때 화장한 모습을 미리 볼 수 있는 앱
- 옷을 살 때 가상으로 입어 보고 살 수 있는 앱

내용 정리

1. 정보 통신 시스템

(1) 정보 통신 시스템

① 정보 통신 기술은 투입, 과정, 산출, 되먹임을 거치는 정보 통신 시스템에 의해 이루어짐.
- 투입: 전달하고자 하는 정보 입력
- 과정: 정보를 가공하고 전달
- 산출: 수신자에게 전달된 정보
- 되먹임: 정보가 전송되지 않았거나 전송된 정보에 오류가 있을 때 정보 입력 단계나 전송 과정으로 돌아가 문제를 해결하는 것

② 정보 통신 시스템은 정보 처리 시스템과 정보 전송 시스템으로 나뉨.

(2) 정보 처리 시스템

① 정보를 수집·가공하여 필요한 형태로 만들어 저장·출력하는 시스템

② 대표적인 정보 처리 시스템인 컴퓨터 시스템은 입력 장치로 받아들인 정보를 가공하여 저장하거나 출력 장치를 이용하여 출력함.

③ 정보 처리 시스템은 투입, 과정, 산출의 단계를 거침.
- 투입: 입력 장치를 통하여 정보 처리 기기에 자료를 입력함.
- 과정: 정보 처리 기기 내에서 자료를 가공하여 정보를 생산함.
- 산출: 생산된 정보를 저장하거나 출력함.

(3) 정보 전송 시스템

① 송신자로부터 수신자에게 정보를 전달하는 시스템

② 컴퓨터 통신 시스템은 단말 장치인 컴퓨터에 입력된 정보를 전기 신호로 변환하여 유선 또는 무선으로 다른 컴퓨터에 정보를 전달함.

③ 정보 전송 시스템은 투입, 과정, 산출의 단계를 거침.
- 투입: 송신자 측에서 단말 장치에 정보를 입력함.
- 과정: 정보를 전기 신호로 변환하여 수신자 측 단말 장치로 전송함.
  - 아날로그 방식: 시간에 따라 변화하는 모든 신호를 연속적인 값으로 표현한 것
  - 디지털 방식: 1초에서 2초로 시간이 갑자기 바뀌는 전자시계처럼 단계적인 값으로 표현한 것
- 산출: 수신자 측의 단말 장치에서 수신된 정보를 저장하거나 출력함.

2. 정보 통신 기술의 원리

(1) 정보 통신 형태

① **유선 통신** 동축 케이블이나 광케이블과 같이 정보를 전송할 수 있는 전선을 이용하여 통신하는 방법(예 전화, 전신, 컴퓨터 통신 등)

② **무선 통신** 전파를 통해 신호, 부호, 영상 등의 정보를 주고받는 방법(예 휴대 전화, 무선 인터넷, 방송, 위성 통신 등)

(2) 정보 통신망

① **정보 통신망** 정보 통신 시스템에서 정보를 효율적으로 전송하기 위해 정보 통신 기기를 서로 연결하여 그물처럼 망을 형성한 것으로, 네트워크라고도 함.

② **종류**
- 근거리 통신망: 비교적 가까운 거리나 집, 사무실 안처럼 한정된 공간에서 각종 정보 통신 기기를 연결하여 정보를 주고받는 소규모 통신망
- 원거리 통신망: 멀리 떨어진 지역, 국가 간에 컴퓨터를 연결하여 이루어진 통신망

(3) 정보 통신 방식

① **단방향 통신** 정보가 한 방향으로만 이동하는 방식(예 라디오 방송, 텔레비전 방송 등)

② **양방향 통신**
- 반이중 통신: 송신자와 수신자가 시간 차를 두고 교대로 전송이 이루어지는 통신 방식(예 휴대용 무전기, 팩시밀리 등)
- 전이중 통신: 송신자와 수신자 사이에서 동시에 양방향으로 통신이 가능한 통신 방식(예 전화, 인터넷, IPTV 등)

개념 꽉꽉 다지기

01. 정보 통신 기술은 일반적으로 정보를 주고받는 것과 관련하여 투입, 과정, 산출, 되먹임을 거치는 (   )에 의해 이루어진다.

02. 다음은 정보 통신 시스템에 대한 설명이다. 맞으면 ○, 틀리면 ×표를 하시오.

(1) 정보 통신 시스템은 정보 처리 시스템과 정보 전송 시스템으로 나뉜다. (   )

(2) 전기 신호에는 디지털 방식과 아날로그 방식이 있다. (   )

(3) 컴퓨터는 하드웨어와 소프트웨어로 구성되어 있다. (   )

(4) 정보 통신 시스템의 과정 단계는 전달하고자 하는 정보를 입력하는 것이다. (   )

03. (   ) 통신은 동축 케이블과 광케이블 같은 전선을 이용하여 통신하는 방법이다.

04. 다음 중 전이중 통신으로 옳은 것은?

① 무전기　　② 인터넷

③ 텔레비전　　④ 팩시밀리

⑤ 라디오 방송

05. 다음 설명에 해당하는 정보 통신 기술로 옳은 것은?

> 데이터의 소유자나 독점자 없이 누구나 데이터를 생산하고 인터넷에서 공유할 수 있는 환경에 의해 생긴 온라인 플랫폼이다.

① 가상 현실　　② 증강 현실

③ 빅 데이터　　④ 소셜 미디어

⑤ 클라우드 컴퓨팅

Helper

01. 정보 통신 시스템은 투입, 과정, 산출, 되먹임을 거친다.

02. 정보 통신 시스템의 과정 단계는 정보를 가공하고 전달하는 단계이다.

03. 유선 통신은 전화, 전신, 컴퓨터 통신 등에 사용된다.

04. 전이중 통신은 송신자와 수신자 사이에서 동시에 양방향으로 통신이 가능한 방식이다.

05. 블로그(blog), 소셜 네트워크 서비스(SNS), 위키(wiki) 등이 대표적인 사례이다.

차곡차곡 실력 쌓기

01~02 다음은 정보 전송 시스템의 단계이다. 물음에 답하시오.

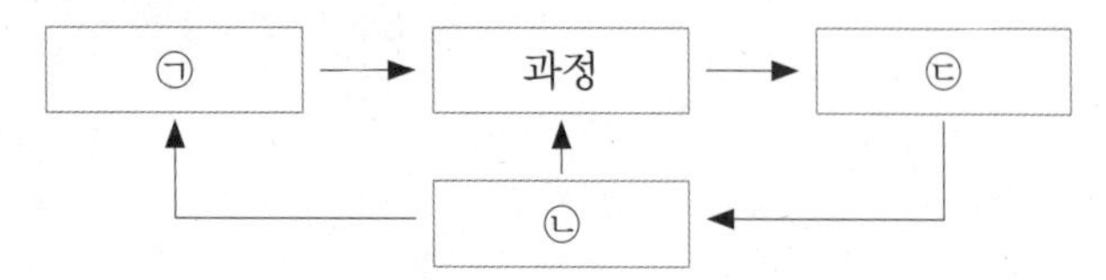

01 ㉠, ㉡, ㉢에 들어갈 알맞은 말을 바르게 나열한 것은?

	㉠	㉡	㉢
①	투입	산출	되먹임
②	투입	되먹임	산출
③	산출	투입	되먹임
④	산출	되먹임	투입
⑤	되먹임	산출	투입

02 ㉠ 단계에 대한 설명으로 옳은 것은?

① 전달하고자 하는 정보를 입력한다.
② 정보가 수신자에게 전달된 것이다.
③ 정보를 가공하고 전달하는 단계이다.
④ 신호 변환 과정을 거쳐 정보가 전달된다.
⑤ 전송된 정보에 오류가 있을 때 문제를 해결하는 단계이다.

03 (　　) 안에 들어갈 알맞은 말을 쓰시오.

> 컴퓨터의 구성 요소 중 (　　　　　　)은/는 컴퓨터 시스템 전체를 제어하는 장치로서, 다양한 입력 장치로부터 자료를 받아 처리한 후 그 결과를 출력 장치로 보내는 일련의 과정을 제어하고 조정하는 일을 한다.

(　　　　　　　　　　)

04~05 다음은 컴퓨터의 구성 요소를 나타낸 것이다. 물음에 답하시오.

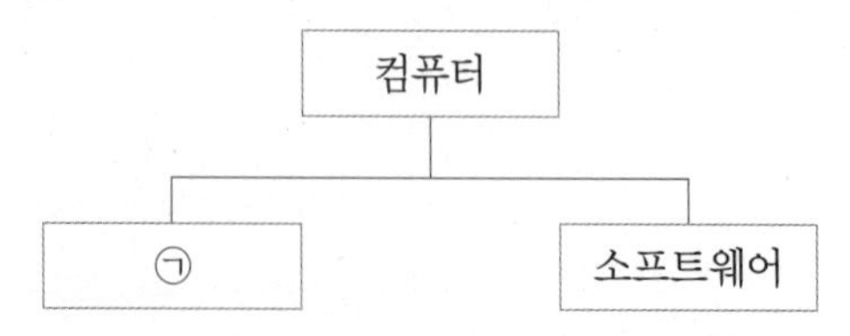

04 ㉠에 들어갈 컴퓨터의 구성 요소로 옳은 것은?

① 하드웨어
② 랜섬웨어
③ 중앙 처리 장치
④ 응용 소프트웨어
⑤ 시스템 소프트웨어

05 ㉠의 구성 요소에 해당하지 않는 것은?

① CPU　② 드라이버
③ 출력 장치　④ 입력 장치
⑤ 하드 디스크

06~08 다음은 정보 통신 시스템에 대한 내용이다. 글을 읽고 물음에 답하시오.

> 정보 통신 시스템은 (　㉠　) 시스템과 정보 전송 시스템(㉡)으로 나뉜다.

06 ㉠에 들어갈 알맞은 말로 옳은 것은?

① 정보 가공　② 정보 관리
③ 정보 수신　④ 정보 출력
⑤ 정보 처리

07 ㉠의 산출 단계에 대한 설명으로 옳은 것은?

① 생산된 정보를 저장하거나 출력한다.
② 송신자 측에서 단말 장치에 정보를 입력한다.
③ 입력 장치를 통하여 정보 처리 기기에 자료를 입력한다.
④ 정보 처리 기기 내에서 자료를 가공하여 정보를 생산한다.
⑤ 수신자 측의 단말 장치에서 수신된 정보를 저장하거나 출력한다.

08 ㉡의 과정 단계에 대한 설명으로 옳은 것은?

① 생산된 정보를 저장하거나 출력한다.
② 송신자 측에서 단말 장치에 정보를 입력한다.
③ 입력 장치를 통하여 정보 처리 기기에 자료를 입력한다.
④ 정보 처리 기기 내에서 자료를 가공하여 정보를 생산한다.
⑤ 정보를 전기 신호로 변환하여 수신자 측 단말 장치로 전송한다.

09 다음 그림과 같이 시간에 따라 변화하는 모든 신호를 연속적인 값으로 표현한 전기 신호 방식을 쓰시오.

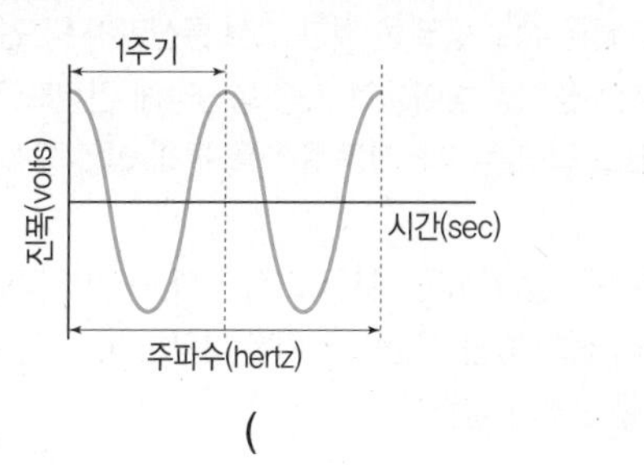

( )

10 다음 그림에 대한 설명으로 옳은 것은?

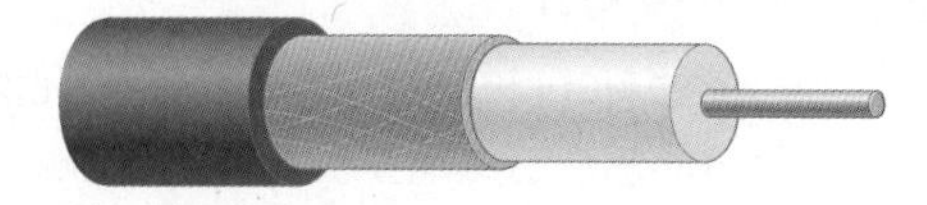

① 광케이블이다.
② 유선 통신에 사용된다.
③ 휴대 전화, 위성 통신 등에 이용한다.
④ 전파를 통해 신호, 부호, 영상 등의 정보를 주고받는 통신의 형태에 활용한다.
⑤ 전기 신호를 빛으로 변환하여 유리 섬유를 통해 매우 빠른 속도로 전송할 수 있다.

11 다음과 같은 통신 방식에 해당하는 것은?

> 휴대용 무전기, 팩시밀리

① 단방향 통신 ② 양방향 통신
③ 전이중 통신 ④ 반이중 통신
⑤ 전방향 통신

12 정보가 한 방향으로만 이동하는 방식으로, 수신자는 송신자가 보내는 정보를 일방적으로 받기만 하는 통신 방식의 예로 옳은 것은?

① IPTV ② 인터넷
③ 팩시밀리 ④ 라디오 방송
⑤ 휴대용 무전기

3 통화에서 문화로 가는 이동 통신

「주제 열기」

● 그림이 나타내는 상황에 대해 상상하여 써 보자.

→ 이동 통신을 이용할 수 없어서 직접 주문자를 찾아다녀야 한다.

● 생활 속에서 이동 통신이 꼭 필요했던 자신의 경험을 써 보자.

→ • 해외 여행 가신 부모님과 연락이 꼭 필요했던 일
• 도로에 로드킬 당한 동물을 보았을 때 등

1/ 이동 통신으로 어디서나 정보 교환이 이루어진다

(1) 이동 통신

① **이동 통신** 고정되지 않은 장소에서 이동 중에 무선으로 통신하는 기술을 말한다.
(무선: 정보 전달에 전자파나 무선 설비를 이용함.)

② **이동 통신의 구성 요소** 이동체(항공기, 선박, 열차, 자동차, 사람 등)와 기지국, 제어국으로 구성된다.
(제어국: 통신망의 제어 과정을 관리하는 지국을 말한다.)

• 이동체: 이동 통신 기기를 이용하여 통신을 한다.
• 기지국: 이동체와 무선으로 접속할 수 있도록 한다.
• 제어국: 여러 기지국을 연결하고 통제하며, 유선 통신망과의 접속을 담당한다.

▲ 이동 통신의 구성 요소

개념 더하기+

⊕ 기지국
휴대 전화가 보낸 무선 신호를 받아들여 유선 통신망에 연결해 주는 역할을 한다. 기지국은 반경 500 m 내의 휴대 전화 신호를 받아들인다.

교과서 뛰어넘기

이동 통신의 원리

휴대 전화는 '셀룰러 폰(cellular phone)'이라고 하는데, 이것은 모든 휴대 전화가 적어도 하나의 기지국의 영향권, 즉 하나의 '셀(cell)'에 들어 있다는 뜻이다. 휴대 전화로 쉽고 빠르게 통화할 수 있게 만든 것은 기지국과 제어국, 빠른 정보 전달을 위한 고정 통신망이 중요한 역할을 하고 있다. 기지국은 휴대 전화가 보낸 무선 신호를 받아들여 고정 통신망에 연결해 주는 역할을 하며, 반경 500 m 내의 휴대 전화 신호를 받아들인다. 다음 순서를 통해 이동 통신이 이루어지는 원리를 확인할 수 있다.

휴대 전화로 전화를 건다. → 신호는 가장 가까운 기지국으로 간다. → 기지국은 신호를 제어국으로 보낸다. → 제어국은 순식간에 전화 받을 사람의 위치를 파악한다. → 전화 받을 사람과 가장 가까운 기지국을 통해 휴대 전화 신호가 울린다.

(2) **이동 통신의 발달**

① **이동 통신의 발달 과정** 전파를 사용하는 무선 통신이 발달하면서, 이동 중에도 정보를 주고받을 수 있는 이동 통신이 크게 발달하였다.

	1세대 1980년대	2세대 1990년대	3세대 2000년대	4세대 2010년대	5세대 2020년대
특징	음성	음성 + 문자	음성 + 데이터	데이터 + 영상	초고화질 영상
서비스	통화	디지털 음성 통화, 단문자(SMS)	영상 통화, 인터넷 검색	위치 기반 서비스	홀로그램 영상 전송, 사물 인터넷
모양					?

② **미래의 이동 통신** 가까운 미래에 이동 통신은 홀로그램 영상 전송이 가능하고, 사물 인터넷 서비스가 가능해질 것이다.

(3) **이동 통신의 활용**

이동 통신의 수요는 점점 증가하고 있으며, 새로운 이동 통신 기술의 등장으로 더욱 편리한 생활이 가능해지고 다양한 정보를 쉽고 빠르게 주고받을 수 있게 되었다.

① **와이파이(wi-fi)**

- 무선 접속 장치가 설치된 곳의 일정 거리 안에서 초고속 인터넷을 할 수 있는 근거리 통신망이다.
- 사용자가 소형 기지국 영역 안에 있어야 하는 단점이 있지만, 무료로 데이터를 사용할 수 있다는 장점 때문에 많은 사람이 유용하게 사용하고 있다.

② **NFC**

- 근거리 무선 통신을 말하며, 두 대 이상의 단말기를 10cm 이내로 접근시켜 양방향 데이터를 송수신하는 기술이다.
- 비접촉 근거리 무선 통신이지만 암호화 기술이 적용되어 정보가 외부로 유출되지 않기 때문에 다양한 분야에서 활용할 수 있다.

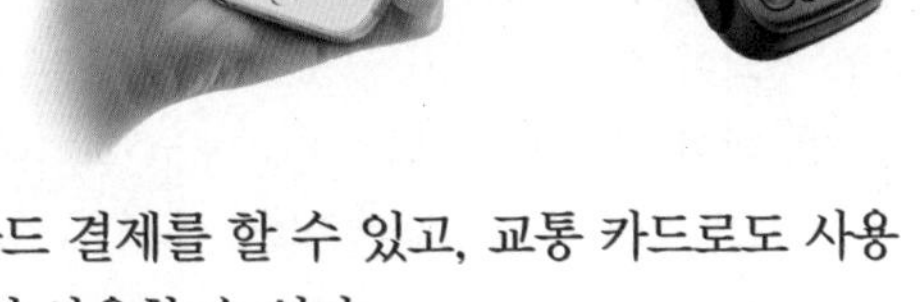

- NFC를 활용하면 스마트폰으로 카드 결제를 할 수 있고, 교통 카드로도 사용할 수 있으며, 가전제품과 연결하여 사용할 수 있다.

③ **VoLTE(voice over LTE)**

- LTE 인터넷망 위에서 이루어지는 음성 통화 서비스로, 목소리를 압축해 데이터망으로 통화하는 기술이다.
- 뛰어난 음질의 통화가 가능하며, 안정된 통화 연결성을 위해 계속 개발 중에 있다.

개념 더하기+

⊕ 블루투스
보통 10 m 안에 있는 여러 전자 기기와 서로 데이터를 주고받을 수 있는 무선 통신 기술이다. 블루투스 기능이 있는 두 개의 기기가 서로 통신을 해 사진이나 주소록, 음악을 주고받게 된다.

⊕ VoLTE
VoLTE의 특징 중 하나는 인터넷을 이용하기 때문에 전화를 끊지 않고 음성과 영상 통화를 오가며 쓸 수 있다는 것이다.

⊕ VoLTE와 m-VoIP의 차이
음성 통화를 패킷화해서 통화를 한다는 점에서 m-VoIP와 VoLTE는 기술적으로 같은 서비스라 할 수 있지만, 서비스 품질의 차이가 있다. m-VoIP는 앱에서 제공하는 음성 통화 서비스를 사용하므로 통화료가 무료지만 데이터를 소모하고, 트래픽 혼잡 시 통화 품질이 급격히 저하되는 한계가 발생한다. VoLTE는 인터넷을 이용하기 때문에 빠르게 양질의 음성 통화가 가능하다.

개념 더하기+

정보 사회의 특징
- 정보 교환이 손쉽고, 인간의 의사 결정을 합리화하며, 이에 따른 조치를 신속히 함으로써 경제 활동의 효율성을 높인다.
- 시간과 장소의 제약 없이 필요한 의사소통을 할 수 있다.
- 개성이 중시되고 창의성이 존중된다.
- 정보의 평가 및 판단력이 중시된다.

정보 사회의 문제점
- 정보 과잉 현상이 야기되고, 이 때문에 정보에 의해 지배되는 수동적 인간이 창출될 우려가 있다.
- 컴퓨터와 뉴 미디어 등이 결합하여 막대한 양의 정보 저장이 가능해지면서 때에 따라 개인 정보도 컴퓨터에 입력되어 자신도 모르는 사이에 공개될 수 있는 개인 정보 피해가 두드러진다.

I-PIN
웹 사이트에서 회원 가입이나 주요 서비스를 이용할 때 개인의 주민 등록 번호를 수집하고 이용하는 일이 많아지면서 주민 등록 번호의 대규모 유출, 주민 등록 번호의 도용 및 악용 등의 부작용이 나타났다. 이를 해결하기 위해 2006년 지식 경제부와 한국 인터넷 진흥원에서 아이핀을 도입하였다.

스스로 해 보기

생활 속에서 다양하게 활용되고 있는 스마트폰의 앱을 알아보자. 자신이 자주 사용하는 앱의 활용 방법과 이용 시 개선할 사항은 없는지 생각하여 써 보고, 친구들에게 발표해 보자.

예

이름	이용 영역	활용 방법	개선할 사항
예 ○○○톡	채팅	PC의 메신저와 같은 기능을 함.	
페이스북	SNS	메신저 및 일상생활 공유	
캔디캠	카메라	보정된 사진을 찍고 싶을 때 사용	
네이버 밴드	온라인 모임	공통된 주제를 공유하는 사람들의 모임	

2 정보 사회에서 발생하는 윤리 문제를 해결해야 한다

(1) 정보 통신 윤리

① **정보 통신 윤리** 정보 사회에서 발생하는 윤리적 문제를 해결하기 위해 지켜야 할 규범이나 행동 양식을 말한다.

정보 사회: 정보와 지식이 중요한 자원이 되고, 정보 산업이 경제의 주축을 이루는 사회를 말한다.

② 정보 통신 윤리는 정보 사회에서 옳고 그름을 판단하기 위한 기준이 된다.

③ 정보 통신 윤리의 기본 원칙에는 책임, 정의, 존중, 해악 금지 등이 있다.

책임
자신이 올린 글이나 정보에 의해 발생할 일에 책임을 진다.

정의
옳고 그름을 판단하여 옳지 않은 행동은 하지 않는다.

존중
직접 얼굴을 보고 대화하는 것처럼 상대방을 존중한다.

해악 금지
남에게 해를 끼치거나 불쾌감을 주는 행동을 하지 않는다.

▲ 정보 통신 윤리 원칙

(2) 개인 정보 보호

① **개인 정보 보호** 개인 정보가 원래의 목적과 다르게 사용되거나, 무단으로 유출되어 손해를 입지 않도록 보호하는 것을 말한다.

② 개인 정보의 공개를 막는다는 의미에서 사생활 보호와도 밀접한 관계가 있다.

③ **개인 정보 보호를 위한 방법**
- 개인 정보 처리 방침 및 이용 약관을 꼼꼼하게 살피기
- 비밀번호는 타인이 유추하기 어렵게 설정하고 주기적으로 변경하기
- 회원 가입은 주민 등록 번호 대신 I-PIN과 같은 대체 수단을 이용하기
- 금융 거래는 공용 컴퓨터에서 이용하지 않기
- P2P 공유 폴더에 개인 정보를 저장하지 않기
- 출처가 불명확한 자료는 내려받지 않기

스스로 생각해 보기

자신이 인터넷을 사용할 때 표 V-1에 있는 내용을 잘 지키고 있는지 생각해 보자.

예 나는 인터넷에서 다른 사람을 비난하는 말과 글을 쓰지 않고, 다른 사람을 따돌리는 행동을 하지 않는다.

(3) 저작권 보호

① **저작권** 생각이나 감정을 표현한 글, 그림, 음악, 소프트웨어 등의 저작물에 대하여 이를 창작한 사람에게 주는 권리이다.

② **저작권 침해** 저작권자의 저작물을 허락없이 복제하여 이용하거나 블로그나 카페 게시판 등에 올려 공유하는 등의 행위를 말한다.

③ **저작권 침해 사례**

- 소셜 미디어에 저작권자의 허락없이 음원 파일을 올리는 행위
- 불법 사이트에서 무료로 영화 파일을 내려받는 행위
- 방송 프로그램 등의 화면을 캡처하여 인터넷에 올리는 행위 등

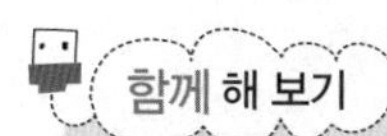

그밖에 저작권 침해 사례에는 무엇이 있는지 찾아보고, 친구들과 이야기해 보자.

예 학교 과제를 할 때 인터넷에 있는 자료를 그대로 옮겨서 자기가 작성한 것처럼 제출하기, 공유 사이트와 웹하드 등에서 영화, 음악, 도서, 프로그램 등 자료 주고받기 등

교과서 뛰어넘기

5세대 이동 통신

- 최대 다운로드 속도가 20 Gbps, 최저 다운로드 속도는 100 Mbps인 이동 통신 기술이다.
- 1 km 반경 안의 100만 개 기기에 사물 인터넷(IoT) 서비스를 제공할 수 있고, 시속 500 km 고속열차에서도 자유로운 통신이 가능해야 한다.
- 일반 LTE에 비해 280배 빠른 수준이다. 영화 1GB 영화 한 편을 10초 안에 내려받을 수 있는 속도이다. 사람이 많이 모이는 장소에서도 끊김 없이 문자 메시지나 데이터가 잘 전송되고, UHD 영상 화질보다 4배 높은 UHD 영상도 쉽게 즐길 수 있으며, 가상 현실(VR) 콘텐츠를 내려받지 않고 인터넷에서 바로 즐길 수 있게 만들어 줄 것으로 예상하고 있다.

개념 더하기+

저작권
지식 재산권은 보통 산업 분야의 창작물과 관련된 산업 재산권 또는 공업 소유권, 문화·예술 분야의 창작물과 관련된 저작권으로 나누어진다.

주제 활동 나만의 NFC 태그 만들기

1. 생활 속에서 NFC를 활용한 사례를 찾아보자.

- 체중계: 스마트폰에 연동해 체중 관리 프로그램까지 이용 가능하다.
- 결제 수단: NFC 태그가 설치된 스마트폰을 이용하고 있다면 신용 카드를 대기만 하면 결제가 된다(교통 카드 결제 포함).
- 전시관에서의 작품 설명, 스마트 프린터 등

2. NFC 스티커를 이용하여 나만의 NFC 태그를 만들어 보자.

Smart Touch, NFC smart Q, NFC TOOL 등을 이용하여 NFC 기능을 입력할 수 있다.

내용 정리

1 정보 교환이 이루어지는 이동 통신

(1) 이동 통신

① **이동 통신** 고정된 위치가 아닌 장소에서 이동 중에 무선으로 통신하는 기술

② **이동 통신의 구성 요소**
- 이동체: 이동 통신 기기를 이용하여 통신함.
- 기지국: 이동체와 무선으로 접속함.
- 제어국: 여러 기지국을 연결하고 통제, 유선 통신망과의 접속을 담당함.

(2) 이동 통신 기술의 발달

① **이동 통신 발달 과정**
- 1세대(1980년대): 음성, 통화
- 2세대(1990년대): 음성+문자, 디지털 음성 통화, 단문자
- 3세대(2000년대): 음성+데이터, 영상 통화, 인터넷 검색
- 4세대(2010년대): 데이터+영상, 위치 기반 서비스
- 5세대(2020년대): 초고화질 영상, 홀로그램 영상 전송, 사물 인터넷

② **미래의 이동 통신** 가까운 미래에 이동 통신은 홀로그램 영상 전송이 가능하고, 사물 인터넷 서비스가 가능해질 것

(3) 이동 통신 기술의 활용

이동 통신의 수요 증가로 인해 새로운 이동 통신 기술이 등장함.

① **와이파이** 무선 접속 장치가 설치된 곳의 일정 거리 안에서 초고속 인터넷을 할 수 있는 근거리 통신망

② **NFC** 근거리 무선 통신, 두 대 이상의 단말기를 10 cm 이내로 접근시켜 양방향 데이터를 송수신하는 기술

③ **VoLTE** LTE 인터넷망 위에서 이루어지는 음성 통화 서비스

2 내가 먼저 실천하는 행복한 정보 사회

(1) 정보 통신 윤리

① 정보 사회에서 발생하는 윤리적 문제를 해결하기 위해 지켜야 할 규범이나 행동 양식

② **정보 통신 윤리 원칙**
- 책임: 자신이 올린 글이나 정보에 의해 발생할 일에 책임을 짐.
- 정의: 옳고 그름을 판단하여 옳지 않은 행동은 하지 않음.
- 존중: 직접 얼굴을 보고 대화하는 것처럼 상대방을 존중함.
- 해악 금지: 남에게 해를 끼치거나 불쾌감을 주는 행동을 하지 않음.

(2) 개인 정보 보호

① **개인 정보** 개인을 식별할 수 있는 부호, 문자, 음성, 영상 등의 정보

② **개인 정보 보호** 개인 정보가 원래의 목적과 다르게 사용되거나 무단으로 유출되어 손해를 입지 않도록 보호하는 것

③ **개인 정보 보호 방법**
- 개인 정보 처리 방침 및 이용 약관을 꼼꼼하게 살피기
- 비밀번호는 타인이 유추하기 어렵게 설정하고 주기적으로 변경하기
- 회원 가입은 주민 등록 번호 대신 I-PIN과 같은 대체 수단을 이용하기
- 금융 거래는 공용 컴퓨터에서 이용하지 않기
- P2P 공유 폴더에 개인 정보 저장하지 않기
- 출처가 불명확한 자료는 내려받지 않기

(3) 저작권 보호

① **저작권** 사람의 생각이나 감정을 표현한 결과물인 글, 그림, 음악, 소프트웨어 등 저작물에 대하여 이를 창작한 사람에게 주는 권리

② **저작권 침해** 저작물을 저작권자의 허락 없이 복제하여 이용하거나 인터넷상에 올려 공유하는 등의 행위

③ **저작권 침해 사례**
- 소셜 미디어에 저작권자의 허락 없이 음원 파일을 올리는 행위
- 불법 사이트에서 무료로 영화 파일을 내려받는 행위
- 방송 프로그램 등의 화면을 캡처하여 인터넷에 올리는 행위 등

개념 꽉꽉 다지기

01. 이동체와 기지국 간의 무선 통신망 및 기지국과 제어국 간의 유선 통신망으로 이루어진 것을 (   )(이)라고 한다.

02. (   )은/는 무선 접속 장치가 설치된 곳의 일정 거리 안에서 초고속 인터넷을 할 수 있는 근거리 통신망이다.

03. 다음은 정보 통신 윤리에 대한 설명이다. 맞으면 ○, 틀리면 ×표를 하시오.

(1) 정보 통신 윤리의 기본 원칙에는 책임, 정의, 존중, 해악 금지 등이 있다. (   )

(2) 온라인상에서는 자신이 올린 글이나 정보에 의해 발생할 일에 책임지지 않는다. (   )

(3) 정보 통신 윤리란 정보 사회에서 발생하는 윤리적인 문제를 해결하기 위해 지켜야 할 규범이나 행동 양식을 말한다. (   )

04. 개인 정보를 보호하기 위한 방법으로 옳은 것은?

① 어떤 자료든지 필요에 따라 다운받을 수 있다.
② 공용 컴퓨터에서 금융 거래는 이용하지 않는다.
③ 회원 가입은 반드시 주민 등록 번호를 이용한다.
④ P2P 공유 폴더에 개인 정보를 저장하면 편리하다.
⑤ 비밀번호는 잘 기억하기 위해 변경하지 않는 것이 좋다.

05. 다음에서 설명하고 있는 것으로 옳은 것은?

> 생각이나 감정을 표현한 글, 그림, 음악, 소프트웨어 등의 저작물에 대하여 이를 창작한 사람에게 주는 권리

① 특허권　② 저작권
③ 상표권　④ 디자인권
⑤ 신지식재산권

Helper

01. 이동 통신은 고정되지 않은 장소에서 이동 중에 무선으로 통신하는 기술이다.

02. 이동 통신의 발달로 다양한 정보를 쉽고 빠르게 주고받을 수 있게 되었다.

03. 인터넷에서 다른 사람을 비난하는 말과 글을 쓰지 않는다.

04. 개인 정보가 원래의 목적과 다르게 사용되거나, 무단으로 유출되어 손해를 입지 않도록 보호하는 것을 개인 정보 보호라 한다.

05. 저작권을 보호하기 위해 저작권을 정확하게 이해해야 한다.

차곡차곡 실력 쌓기

01 (　　) 안에 해당하는 이동 통신의 구성 요소로 옳은 것은?

> 기지국: 이동체와 무선으로 접속할 수 있도록 한다.
> 제어국: 여러 기지국을 연결하고 통제하며, 유선 통신망과의 접속을 담당한다.
> (　　　): 이동 통신 기기를 이용하여 통신을 한다.

① 유선망　② 무선망　③ 이동체　④ 접속망　⑤ 광대역

02 이동 통신의 발달 과정에서 1세대에서 2세대로 넘어가면서 달라진 특징으로 옳은 것은?

① 인터넷 검색이 가능해졌다.
② 위치 기반 서비스가 가능해졌다.
③ 영상 통화 서비스가 가능해졌다.
④ 문자 전송 서비스가 가능해졌다.
⑤ 홀로그램 영상 전송이 가능해졌다.

03 이동 통신에 대한 설명으로 옳은 것은?

① 한정된 정보만을 주고받을 수 있다.
② 대용량 데이터는 전송하기가 어렵다.
③ 현재 1세대에서 3세대까지 발전해 왔다.
④ 시간과 장소의 제약없이 이용할 수 있다.
⑤ 이동 통신의 수요는 점점 감소 추세이다.

04 스마트폰으로 카드 결제를 가능하게 하는 이동 통신의 활용 기술을 쓰시오.

(　　　　　　　　　　)

05 특정한 장소에서 무료로 데이터를 사용할 수 있는 이동 통신의 활용 기술로 옳은 것은?

① NFC　② LTE　③ VoLTE　④ 와이파이　⑤ 와이브로

06 LTE 통신망 위에서 이루어지는 음성 통화 서비스로, 목소리를 압축해 데이터망으로 통화하는 기술로 옳은 것은?

① NFC　② LTE　③ VoLTE　④ 와이파이　⑤ 와이브로

07 인터넷 사용 시 지켜야 할 규범으로 옳지 않은 것은?

① 인터넷에서는 검증되지 않았어도 함께 공유한다.
② 사이버 괴롭힘에 관해 바로 알고 예방에 힘쓴다.
③ 인터넷에서는 사람들과 건강하게 소통하도록 노력한다.
④ 인터넷에서는 다른 사람을 비난하는 말과 글을 쓰지 않는다.
⑤ 인터넷에서는 다른 사람의 명예를 훼손하는 행동을 하지 않는다.

08 정보 통신 윤리의 기본 원칙을 4가지 쓰시오.

( )

09 다음과 같은 상황을 예방하기 위한 방법으로 알맞은 것은?

> 영아는 오래전에 가입한 사이트에서 가입자의 개인 정보가 유출되었다는 기사를 보았다.

① 비밀번호는 주기적으로 변경한다.
② 회원 가입은 주민 등록 번호를 이용한다.
③ 출처가 불분명한 자료는 내려받지 않는다.
④ P2P 공유 폴더에 개인 정보를 저장하지 않는다.
⑤ 개인 정보 처리 방침 및 이용 약관을 꼼꼼하게 살펴봐야 한다.

10 다음 중 저작권을 침해한 사람은?

> 나영: 게임 CD를 선물받았어! 내 컴퓨터에만 깔아서 쓰려구.
> 선영: 나는 음악 파일을 다운받으려고 결제를 했어.
> 영수: 좋은 음악이 있어서 블로그에 올렸어.
> 예진: 읽고 싶은 소설이 있어서 전자책으로 보고 있어.
> 현진: 다른 사람 블로그에 좋은 글이 있어서 주인의 허락을 받아 내 블로그에 올렸어.

① 나영 ② 선영
③ 영수 ④ 예진
⑤ 현진

11 정보의 가공·처리에 의한 가치의 생산이 중심이 되어 사회나 경제가 운영되고 발전하는 사회를 나타내는 말로 옳은 것은?

① 기술 사회 ② 산업 사회
③ 지식 사회 ④ 정보 사회
⑤ 경제 사회

12 인터넷에서 주민 등록 번호를 사용하지 않고 아이디와 비밀번호를 이용하여 본인 확인을 할 수 있는 수단으로 사용되는 것을 쓰시오.

( )

13 저작권을 보호하는 자세로 옳지 않은 것은?

① 정당한 비용을 내고 저작물을 정식 구매하여 사용한다.
② MP3 파일은 개인의 소유이므로 블로그나 카페에 올려도 된다.
③ 저작물을 다른 곳에 이용할 때는 반드시 저작권자의 허락을 받는다.
④ 만화책이나 소설책 등을 무단으로 스캔하여 인터넷에 올리지 않는다.
⑤ 구입한 저작물은 개인적인 용도로만 사용하고, 다른 사람과 공유하지 않는다.

4 내 손으로 만드는 가상 현실 안경

「주제 열기」

● 이 활동은 가상 현실을 체험할 수 있는 전용 안경을 제작하는 활동이다. 가상 현실 안경의 원리가 반영이 되어야 하고, 형태에 특별한 제한이 없으므로 사용하기 편리하면서도 심미적으로 만들어야 한다.

개념 더하기+

가상 현실
어떤 특정한 환경이나 상황을 컴퓨터로 만들어 그것을 사용하는 사람이 마치 실제 주변 상황 및 환경과 상호 작용을 하는 것처럼 만들어 주는 인간과 컴퓨터 간의 인터페이스를 말한다. 가상 현실을 사용하면 평소에 경험하기 어려운 환경을 간접적으로 체험하게 된다. 그 환경에 있는 것처럼 느끼고, 조작할 수 있게 하는 것이다.

가상 현실 활용 사례
가상 현실은 교육, 고급 프로그래밍, 원격 조작, 원격 위성 표면 탐사, 탐사 자료 분석, 과학적 시각화 등의 분야에서 응용될 수 있다. 또한, 탱크나 항공기의 조종법 훈련, 가구의 배치 설계, 수술 실습, 게임 등에서 다양하게 사용되고 있다. 가상 현실 시스템에서는 참여자와 실제 및 가상 작업 공간이 하드웨어를 통해 상호 연결된다. 가상 현실 참여자는 가상 환경에서 일어나는 일을 주로 시각으로 느끼며, 보조적으로 청각 · 촉각 등을 사용한다.

1/ 문제 확인하기

스마트폰으로 편하게 가상 현실 영상을 보기 위해 아래에 주어진 재료를 이용하여 나만의 개성이 드러나는 가상 현실 안경을 만들어 보자.

(1) 문제 해결 조건

① 최근에 많이 제공되는 가상 현실을 체험할 수 있는 전용 안경을 제작한다.

② 기존의 제품과는 차별화되도록 창의성을 발휘한다.

③ 가상 현실 안경의 원리를 이해하고 반영해야 한다.

(2) 설계 및 제작 제한 시간 2시간

(3) 준비물 도면, 골판지 또는 우드락, 볼록 렌즈 2개(일반적으로 지름이 25 mm인 렌즈 사용), 가상 현실 앱이 설치된 스마트폰, 글루건, 색종이, 칼, 자, 양면테이프

2/ 계획하기

가상 현실 안경에 관한 정보를 수집하고, 다양한 아이디어를 탐색 및 선정한 후 이를 실천하기 위해 구체적으로 계획해 보자.

(1) 정보 수집하기 서적이나 인터넷을 통해 가상 현실 안경을 만들기 위해 필요한 정보를 수집해 보자.

① **자이로 센서** 물체가 회전할 때 얼마나 회전하는지를 감지하는 장치이다.

- 스마트폰으로 영상을 볼 때 스마트폰이 움직이는 동작을 감지하여 화면의 방향이 바뀔 때 사용한다.
- 자이로 센서의 원리는 자이로스코프라는 팽이 구조에서 얻는 물리적인 힘을 전기적 신호로 바꾸는 것이다.
- 자이로스코프는 어떠한 방향으로도 회전이 일어날 수 있도록 만든 장치로, 방향을 측정하고 유지하는 데 사용하는 기구이다.

▲ 자이로스코프

- 자이로 센서를 이용하면 스마트폰에서 다양한 동작을 인식하는 게임 등의 앱 개발이 가능하다.

② **가상 현실 안경의 원리**

6～6.5 cm 정도 떨어져 있어 두 눈이 보는 같은 사물의 각도와 거리가 달라진다.

- 우리의 두 눈은 좌우로 간격을 두고 떨어져 있어서 양쪽 눈은 서로 다른 이미지를 보게 된다. 서로 다른 이미지는 우리의 뇌에서 합쳐질 때 입체감을 느끼게 된다. 3D 영상을 볼 때도 이러한 원리가 적용되어 두 개의 카메라로 찍은 두 개의 영상을 3D 안경을 통해 분리하여 입체 영상을 볼 수 있다.
- 가상 현실 안경도 두 영상을 분리하기 위해 중앙에 가림판이 위치한다. 이 가림판이 있어서 왼쪽 눈에는 왼쪽 영상만 보이게 되고, 오른쪽 눈에는 오른쪽 영상만 보이게 되는 것이다.
- DIY로 만드는 가상 현실 안경은 영상과 눈의 거리가 너무 가까워서 영상이 제대로 보이지 않으므로 볼록 렌즈를 가상 현실 안경에 부착하면 눈 뒤에 맺히던 상의 위치를 조절하여 가상 현실 영상을 편하게 즐길 수 있다.

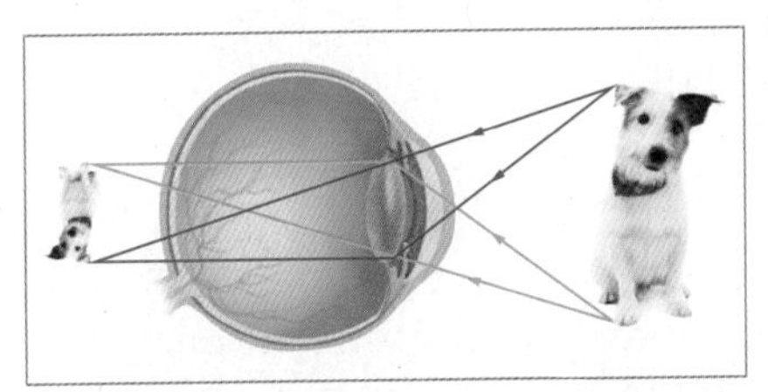

▲ 볼록 렌즈를 사용하지 않았을 때 생기는 현상

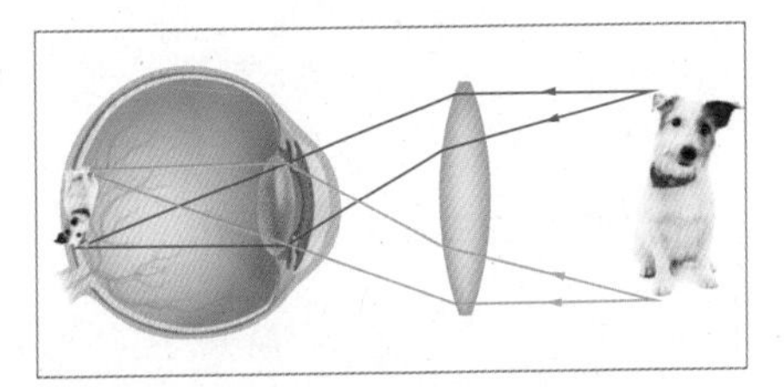

▲ 볼록 렌즈를 사용했을 때 시야 확보 가능

(2) **아이디어 탐색하기** 관련 지식이나 정보를 바탕으로 모둠별로 확산적 사고 기법을 이용하여 문제 해결을 위한 다양한 아이디어를 탐색해 보자.

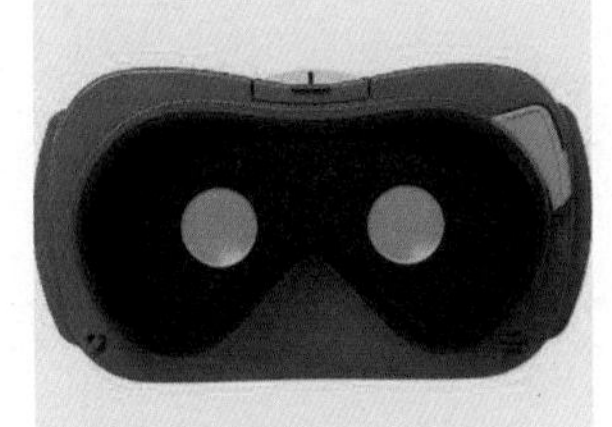

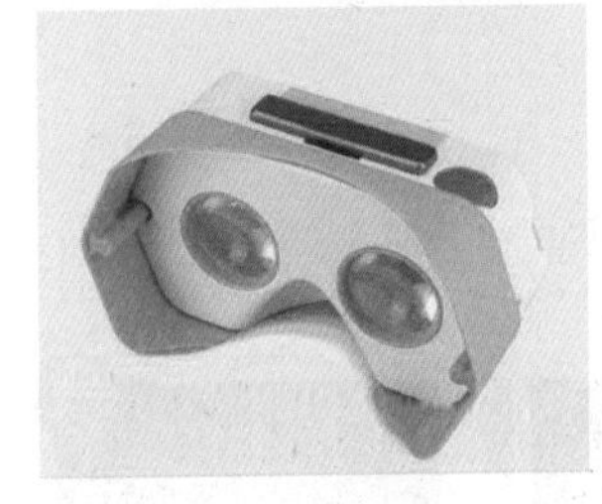

▲ 다양한 모양의 가상 현실 안경

(3) **아이디어 선정하기** 탐색한 아이디어를 수렴적 사고 기법으로 평가해 최적의 아이디어를 선정해 보자.

가상 현실 안경을 제작하기 위해서는 최종적으로 선정된 아이디어를 그림이나 글 등으로 구체화해야 한다.

(4) **구체적 계획하기** 선정한 아이디어의 내용이 반영된 가상 현실 안경의 구상도와 제작도를 그려 보자.

개념 더하기+

PMI 기법
아이디어 평가를 위한 수렴적 사고 기법의 하나로, 장점(plus), 단점(minus), 흥미로운 점(interesting)을 찾아 아이디어를 평가한다.

ALU 기법
강점(advantage), 제한점(linitation), 독특한 점(unique qualities)을 찾아 아이디어를 평가한다.

① 구상도 그리기

예

개념 더하기+

등각 투상법

물체의 3면을 하나의 투상면 위에서 동시에 볼 수 있도록 각이 서로 120°를 이루는 3개의 기본 축에 물체의 높이, 너비, 안쪽 길이를 각각 옮겨서 나타낸다.

② 제작도 그리기

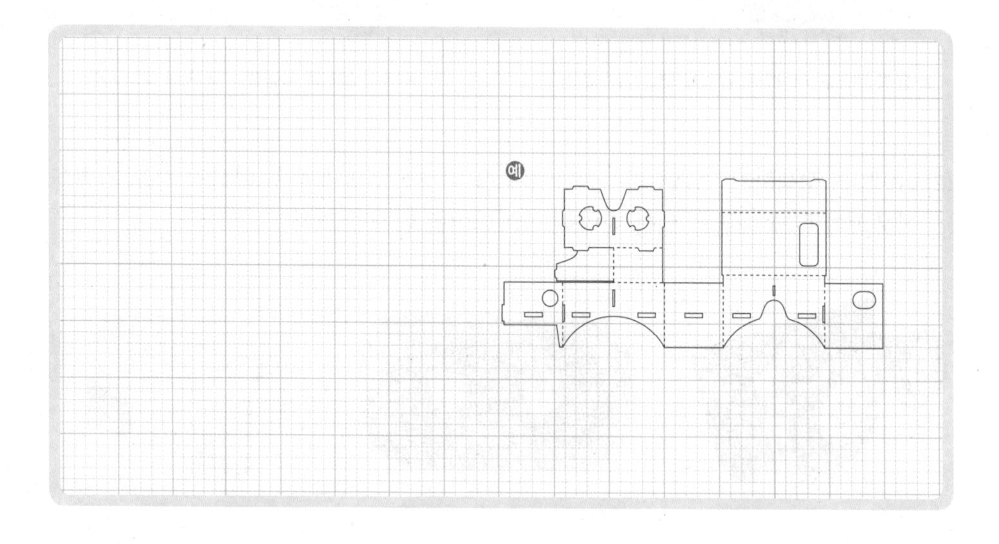

사투상법

기준선(수평선) 위에 물체의 정면도를 나타낸 다음, 각 꼭짓점에서 기준선과 45°를 이루는 사선을 긋고, 이 선 위에 물체의 안쪽 길이를 그대로 옮겨서 나타낸다.

3/ 실행하기

구상도와 제작도를 바탕으로 창의적인 가상 현실 안경을 제작해 보자.

1 재료를 준비한다.

2 자신이 그린 제작도를 토대로 도면을 그린다.

3 도면을 잘라 골판지 혹은 검정 우드락에 붙인 뒤 칼로 자른다. 칼을 사용할 때 손을 다치지 않도록 조심한다.

4 골판지 혹은 검정 우드락에 붙인 도면을 떼어 낸다.

5 볼록 렌즈를 붙인다. 글루건을 사용할 때 화상을 입지 않도록 조심한다.

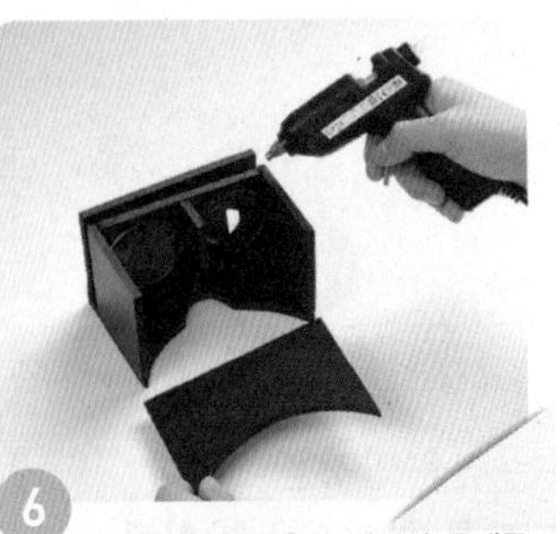

6 잘라 놓은 판들을 조립하여 몸체를 완성한다.

7 제작한 가상 현실 안경을 창의적으로 디자인한다.

8 완성한다.

4/ 평가하기

완성된 가상 현실 안경을 이용해 가상 현실을 체험해 보고, 평가표에 맞춰 평가해 보자.

문제 해결 평가표

구분	평가 항목	평가
과정 평가	활동에 성실히 참여하였는가?	☐ 잘함 ☐ 보통 ☐ 미흡
	활동 시 안전 수칙과 유의 사항을 잘 지켰는가?	☐ 잘함 ☐ 보통 ☐ 미흡
	활동 후 정리·정돈을 하였는가?	☐ 잘함 ☐ 보통 ☐ 미흡
결과 평가	가상 현실을 제대로 체험할 수 있게 만들어졌는가?	☐ 잘함 ☐ 보통 ☐ 미흡
	창의적인 가상 현실 안경이 만들어졌는가?	☐ 잘함 ☐ 보통 ☐ 미흡
	가상 현실 안경의 원리를 반영하였는가?	☐ 잘함 ☐ 보통 ☐ 미흡

교과서 뛰어넘기

가상 현실 전문가

게임, 비행, 관광, 훈련 및 교육 등 가상 현실에 대한 사용자의 요구, 사용 목적 등을 파악하고, 이에 따라 가상 현실 콘텐츠와 시스템을 기획하고 개발한다. 가상 현실에 등장할 모델(사람, 동식물, 사물 등)을 정하고 이들의 외부 형상을 모델링하며, 가상 현실 각 모델들이 존재하는 배경 환경(숲, 바다, 하늘, 바닥 등)을 설정하고 배경 환경을 형상으로 모델링한다.

개념 더하기+

구글 카드보드
구글이 규격을 정해 놓은 저가의 가상 현실 플랫폼이다. 규격대로 카드보드를 접고 렌즈를 부착하고 스마트폰을 끼워 넣어 만들 수 있다.

Cardbord 카메라
자신만의 가상 현실을 만들 수 있는 애플리케이션이다. 스마트폰 카메라로 피사체를 파노라마 형태로 촬영하면 카드보드에서 즐길 수 있는 3D가 탄생한다.

내용 정리

가상 현실 안경 만들기

1/ 문제 확인하기

(1) 문제 해결 조건

① 가상 현실을 체험할 수 있는 전용 안경을 제작함.
② 기존의 제품과는 차별화되도록 창의성을 발휘해야 함.
③ 가상 현실 안경의 원리를 이해하고 반영해야 함.

(2) 설계 및 제한 시간 2시간

(3) 재료 및 공구 도면, 골판지 또는 검정 우드락, 볼록 렌즈 2개, 가위, 칼, 풀, 글루건, 자, 양면테이프, 가상 현실 앱이 설치된 스마트폰

2/ 계획하기

(1) 정보 수집하기

① **자이로 센서** 물체가 회전할 때 얼마나 회전하는지를 감지하는 장치로, 자이로 센서를 이용하여 스마트폰에서 다양한 동작을 인식하는 게임 등의 앱 개발이 가능함.

② **가상 현실 안경의 원리**

- 양쪽 눈이 서로 다른 이미지를 보게 되고, 서로 다른 이미지가 뇌에서 합쳐지며 입체감을 느끼게 됨.
- 중앙에 가림판을 위치하게 하여 양쪽 눈에 보이는 영상을 분리함.
- 영상과 눈의 거리가 짧아 영상이 보이지 않으므로 볼록 렌즈를 이용하여 눈 뒤에 맺히던 상의 위치를 조절함.

(2) 아이디어 탐색하기

수집된 정보를 바탕으로 확산적 사고 기법을 이용하여 다양한 아이디어를 탐색함.

(3) 아이디어 선정하기

탐색한 아이디어를 수렴적 사고 기법을 이용하여 평가 및 최적의 아이디어를 선정함.

(4) 구체적 계획하기

선정된 아이디어를 실현하기 위해 구상도와 제작도를 그림.

3/ 실행하기

구상도와 제작도를 바탕으로 창의적인 가상 현실 안경을 제작함.

① 재료를 준비함.
② 자신이 그린 제작도를 토대로 도면을 그림.
③ 도면을 잘라 골판지 혹은 검정 우드락에 붙인 뒤 칼로 자름. 칼을 사용할 때 손을 다치지 않도록 조심함.
④ 골판지 혹은 검정 우드락에 붙인 도면을 떼어 냄.
⑤ 볼록 렌즈를 붙이는데, 이때 글루건을 사용할 때 화상을 입지 않도록 조심함.
⑥ 잘라 놓은 판들을 조립하여 몸체를 완성함.
⑦ 제작한 가상 현실 안경을 창의적으로 디자인하여 완성함.

4/ 평가하기

완성된 제품이 제대로 작동하는지 확인하고, 평가표에 맞춰 평가함.

(1) 과정 평가

① 활동에 성실히 참여하였는가?
② 활동 시 안전 수칙과 유의 사항을 잘 지켰는가?
③ 활동 후 정리·정돈을 하였는가?

(2) 결과 평가

① 가상 현실을 제대로 체험할 수 있게 만들어졌는가?
② 창의적으로 가상 현실 안경을 만들었는가?
③ 가상 현실 안경의 원리를 반영하였는가?

개념 꽉꽉 다지기

01. 가상 현실 안경 만들기의 계획하기 단계에서는 필요한 (   )을/를 가장 먼저 한다.

02. 다음은 가상 현실 안경 만들기에 대한 설명이다. 맞으면 ○, 틀리면 ×표를 하시오.

(1) 자이로 센서의 원리는 자이로스코프라는 팽이 구조에서 얻은 물리적인 힘을 전기적 신호로 바꾸는 것이다. (   )

(2) DIY로 만드는 가상 현실 안경은 영상과 눈의 거리가 가까워서 영상이 제대로 보인다. (   )

(3) 가상 현실은 일반 안경으로는 볼 수 없다. (   )

03. 물체가 회전할 때 얼마나 회전하는지를 감지하는 장치를 (   )(이)라고 한다.

04. 가상 현실 안경에 대한 설명으로 옳은 것은?

① 원근 조절이 가능하다.
② 오목 렌즈를 이용하여 제작한다.
③ 두 개의 이미지가 겹쳐서 보이게 하는 것이다.
④ 증강 현실과 가상 현실 체험이 동시에 가능하다.
⑤ 전용 의자에 앉아 이용해야 가상 현실을 체험할 수 있다.

05. 다음과 같은 도면을 그리는 방법으로 옳은 것은?

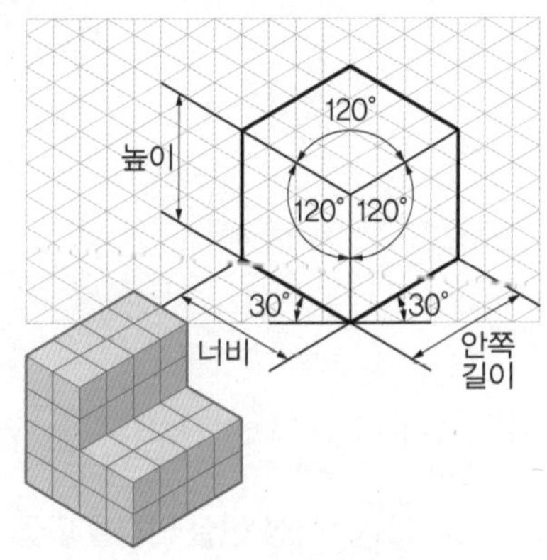

① 스케치
② 사투상법
③ 정투상법
④ 등각 투상법
⑤ 정면투상법

Helper

01. 문제 확인하기 → 계획하기 → 실행하기 → 평가하기 단계로 문제를 해결할 수 있다.

02. DIY로 만드는 가상 현실 안경은 영상과 눈의 거리가 너무 가까워서 영상이 제대로 보이지 않으므로 볼록 렌즈를 사용한다.

03. 가상 현실을 구현하기 위해서 필요한 센서이다.

05. 구상도를 그릴 때는 등각 투상법과 사투상법을 사용할 수 있다.

차곡차곡 실력 쌓기

01 문제 해결을 위해 구상도와 제작도를 그리는 단계로 옳은 것은?

① 문제 확인하기
② 계획하기
③ 실행하기
④ 평가하기
⑤ 체험하기

02 문제를 해결하기 위해 아이디어를 탐색하는 방법으로 옳은 것은?

① PMI 기법
② ALU 기법
③ 체크리스트
④ 평가 행렬법
⑤ 브레인스토밍

03 다음과 같은 상황을 해결할 수 있는 방법으로 옳은 것은?

> 미경이는 가상 현실을 체험해 보고 싶어서 정보를 얻어 가상 현실 안경을 제작하였다. 그런데 영상과 눈의 거리가 너무 가까워서 영상이 제대로 보이지 않았다.

① 안경에 거울을 부착한다.
② 안경에 볼록 렌즈를 부착한다.
③ 안경에 LED 조명을 설치한다.
④ 왼쪽과 오른쪽을 구분할 수 있는 가림막을 만든다.
⑤ 왼쪽과 오른쪽을 차례로 가릴 수 있는 가림막을 만든다.

04 다음과 같은 도면을 그려야 하는 단계는?

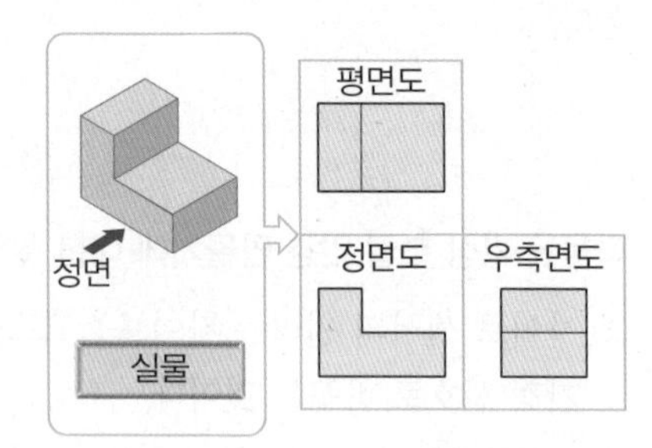

① 계획하기　② 실행하기
③ 평가하기　④ 체험하기
⑤ 문제 확인하기

05 (　　) 안에 들어갈 알맞은 말을 쓰시오.

> (　　　)은/는 어떤 특정한 환경이나 상황을 컴퓨터로 만들어 그것을 사용하는 사람이 마치 실제 주변 상황 및 환경과 상호 작용을 하는 것처럼 만들어 주는 인간과 컴퓨터 간의 인터페이스를 말한다.

(　　　　　　　　)

06 가상 현실 안경을 만들 때 재료로 옳지 않은 것은?

① 골판지　② 볼록 렌즈
③ 전자 버저　④ 검정 우드락
⑤ 가상 현실 앱

07 가상 현실 안경의 재료를 선택할 때 고려할 사항을 보기 에서 모두 고른 것은?

보기
ㄱ. 견고한 재질이어야 한다.
ㄴ. 유연성 있는 재료여야 한다.
ㄷ. 자르기 쉬운 재료여야 한다.
ㄹ. 빛이 새어 들어오지 않아야 한다.

① ㄱ, ㄴ
② ㄱ, ㄷ
③ ㄴ, ㄷ
④ ㄴ, ㄹ
⑤ ㄷ, ㄹ

08 다음과 같은 사고 기법이 필요한 단계로 옳은 것은?

브레인 라이팅 결점 열거법
희망 열거법 브레인스토밍

① 정보 수집하기
② 실행 및 평가하기
③ 아이디어 선정하기
④ 아이디어 탐색하기
⑤ 아이디어 구체화하기

09 ( ) 안에 들어갈 알맞은 말을 쓰시오.

PMI 기법은 탐색한 아이디어 중 최적의 아이디어를 선정할 때 사용할 수 있는 수렴적 사고 기법으로, 아이디어의 장점, 단점, ( )을/를 찾아내는 기법이다.

( )

10 자이로 센서와 자이로스코프에 대한 설명으로 옳지 않은 것은?

① 자이로스코프는 방향을 측정하고 유지하는 데 사용하는 기구이다.
② 자이로스코프는 한쪽 방향으로만 회전이 일어날 수 있도록 만든 장치이다.
③ 자이로 센서는 물체가 회전할 때 얼마나 회전하는지를 감지하는 장치이다.
④ 자이로 센서의 원리는 자이로스코프라는 팽이 구조에서 얻는 전기적 신호를 물리적인 힘으로 바꾸는 것이다.
⑤ 자이로 센서는 스마트폰으로 영상을 볼 때 스마트폰이 움직이는 동작을 감지하여 화면의 방향이 바뀔 때 사용한다.

11 가상 현실 안경을 만들 때 재료를 자르기 위해 필요한 도면으로 옳은 것은?

① 제작도
② 구상도
③ 스케치
④ 상세도
⑤ 배치도

12 가상 현실 안경을 만드는 과정을 보기 에서 순서대로 나열한 것은?

보기
ㄱ. 자신이 그린 제작도를 토대로 도면을 그린다.
ㄴ. 볼록 렌즈를 붙인다.
ㄷ. 도면을 잘라 골판지 혹은 검정 우드락에 붙인 뒤 자른다.
ㄹ. 잘라 놓은 판들을 조립하여 몸체를 완성한다.

① ㄱ－ㄴ－ㄷ－ㄹ
② ㄱ－ㄷ－ㄴ－ㄹ
③ ㄴ－ㄱ－ㄷ－ㄹ
④ ㄴ－ㄱ－ㄹ－ㄷ
⑤ ㄷ－ㄱ－ㄴ－ㄹ

중요

01 (　　) 안에 들어갈 알맞은 말로 옳은 것은?

> 정보 통신 기술이란 (　　　)을/를 생산·가공하여 저장하고 송수신하는 과정에 사용되는 여러 가지 기술을 말한다.

① 자료　② 정보
③ 문자　④ 소식
⑤ 데이터

02 정보 통신 기술의 특성으로 옳은 것을 보기 에서 있는 대로 고른 것은?

> 보기
> ㄱ. 다양한 정보를 여러 사람이 공유할 수 있다.
> ㄴ. 정보의 형태에 따라 다양하게 정보를 전달할 수 있다.
> ㄷ. 시간과 거리의 제약 없이 필요한 의사소통을 할 수 있다.
> ㄹ. 송신자와 수신자가 서로 약속한 신호를 이용해 정보를 교환할 수 있다.

① ㄱ, ㄴ　② ㄴ, ㄷ
③ ㄱ, ㄴ, ㄷ　④ ㄴ, ㄷ, ㄹ
⑤ ㄱ, ㄴ, ㄷ, ㄹ

03 (　　) 안에 들어갈 알맞은 말을 쓰시오.

> 문자가 발생한 초기에는 나무나 바위 등에 그림을 그려서 표현한 (　　　)을/를 사용했다. 이후 물체의 모양을 본떠 만든 상형 문자가 만들어지면서, 점차 정보를 정확하게 전달하고 보존하는 것이 가능해졌다.

(　　　　　　　　)

출제 예감

04 다음 그림에 해당하는 문자로 옳은 것은?

① 그림 문자　② 갑골 문자
③ 고대 문자　④ 상형 문자
⑤ 특수 문자

05 정보 통신 기술의 발달 순서를 보기 에서 순서대로 나열한 것은?

> 보기
> ㄱ. 상형 문자　ㄴ. 그림 문자
> ㄷ. 목판 인쇄술　ㄹ. 금속 활자

① ㄱ → ㄴ → ㄷ → ㄹ
② ㄱ → ㄷ → ㄴ → ㄹ
③ ㄴ → ㄱ → ㄷ → ㄹ
④ ㄴ → ㄱ → ㄹ → ㄷ
⑤ ㄷ → ㄴ → ㄱ → ㄹ

06 모스가 발명한 전기 신호를 이용한 정보 통신 수단으로 옳은 것은?

① 전신기　② 전화기
③ 인쇄술　④ 라디오
⑤ 텔레비전

07 정보 통신 기술의 발달에 대한 내용으로 옳지 않은 것은?

① 전신기를 이용하여 정보를 주고받기 위해 모스 부호를 만들었다.
② 인쇄술이 발명되면서 책 등의 정보를 대량 생산할 수 있게 되었다.
③ 금속 활자가 제작이 어렵다는 단점을 보완하기 위해 목판 인쇄술이 등장하였다.
④ 인터넷이 개발되면서 정보를 주고받을 때 시간과 거리의 제약이 없어지게 되었다.
⑤ 문자가 발생한 초기에는 나무, 바위 등에 그림을 그려서 표현한 그림 문자를 사용했다.

08 다음 설명에 해당하는 알맞은 말을 쓰시오.

> 초고속 인터넷망을 활용하여 인터넷 검색, 영화 감상 등의 다양한 콘텐츠를 이용하는 양방향 텔레비전 서비스이다.

( )

출제 예감

09~10 보기 1 은 미디어 종류를 나타낸 것이고, 보기 2 는 미디어에 대한 설명이다. 다음 물음에 답하시오.

보기 1

ㄱ. 통신 미디어 ㄴ. 인쇄 미디어
ㄷ. 방송 미디어 ㄹ. 저장 미디어
ㅁ. 멀티 미디어

보기 2

a. 전기 신호를 이용하여 정보를 주고받는 수단이다.
b. 두 가지 이상의 미디어를 사용하여 정보를 표현하는 것이다.
c. 문자나 사진 등의 정보를 종이나 화면상에 인쇄하여 전달하는 수단이다.
d. 정보가 디지털 신호로 변환되어 물리적으로 저장하는 데 사용하는 수단이다.
e. 전파를 통해 특정 주파수를 이용하는 사용자에게 정보가 전달되는 수단이다.

09 보기 1 의 미디어의 종류와 보기 2 의 그에 따른 설명이 바르게 짝지어진 것은?

① ㄱ－b ② ㄴ－a
③ ㄷ－e ④ ㄹ－b
⑤ ㅁ－d

10 보기 1 에서 다음 사례에 해당하는 미디어에 해당하는 것은?

> CD, DVD, 플래시 메모리

① ㄱ ② ㄴ
③ ㄷ ④ ㄹ
⑤ ㅁ

중요

11 ( ) 안에 공통으로 들어갈 말로 옳은 것은?

> ( )(이)란 다양한 형태와 많은 양의 데이터를 수집하고 분석하여 새로운 가치를 추출하는 기술을 말한다. 인터넷과 모바일 기기의 발달과 사용자의 폭발적인 증가로 데이터는 더욱 빠르고 다양하게 축적되고 있으며, 데이터 분석은 더욱 어렵고 복잡해지고 있다.
> 최근 현대 사회에서 ( ) 분석이 다양하게 활용되고 있는데, 서울특별시의 올빼미 심야 버스가 대표적인 사례이다. 서울특별시는 시민들의 심야 택시 승하차 데이터 500만 건과 통신사의 통화량 데이터 30억 건을 결합하여 심야 시간에 시민들의 주요 이동 경로를 파악하였다. 이를 통해 서울시는 시민들이 자주 이용할 수 있는 심야 버스의 노선을 마련할 수 있었다.

① 증강 현실 ② 빅 데이터
③ 사물 인터넷 ④ 소셜 미디어
⑤ 클라우딩 컴퓨터

12 다음은 이동 통신의 구성 요소이다. (   ) 안에 해당하는 요소에 대한 설명으로 옳은 것은?

> (   ), 제어국, 이동체

① 유선 통신망과의 접속을 담당한다.
② 여러 기지국을 연결하고 통제한다.
③ 이동 통신 기기를 이용하여 통신을 한다.
④ 이동체와 무선으로 접속할 수 있도록 한다.
⑤ 항공기, 선박, 열차, 자동차, 사람 등이 해당된다.

13 이동 통신의 발달 과정 중 데이터 전송이 가능해진 시기로 옳은 것은?

① 1세대, 1980년대
② 2세대, 1990년대
③ 3세대, 2000년대
④ 4세대, 2010년대
⑤ 5세대, 2020년대

중요

14 수진이는 도서관에서 남은 데이터 양이 없지만 정보 검색을 해야 한다. 이때 필요한 서비스로 옳은 것은?

① NFC ② 와이파이
③ VoLTE ④ 빅 데이터
⑤ 가상 현실

출제 예감

15 다음의 대화에서 인터넷을 사용하는 모습이 잘못된 친구는?

> 해원: 채팅에서 계속 욕을 하는 사람이 있어서 경고를 하고 퇴장했어.
> 동준: 지난번에 들은 친구의 험담을 학교 홈페이지에 올려버렸어.
> 영우: 검증되지 않은 자료는 게시하지 않는게 좋다고 생각해.
> 희주: 반 친구들과 채팅하던 중 친구 한 명을 따돌리는 것 같아 모두 조심하자고 이야기했어.
> 수진: 친구가 기분 나쁠 수 있는 이야기를 얼굴이 안 보인다고 함부로 해서는 안 되지.

① 해원 ② 동준
③ 영우 ④ 희주
⑤ 수진

중요

16 개인 정보 보호를 위한 방법으로 옳은 것을 보기 에서 있는 대로 고른 것은?

> 보기
> ㄱ. 회원 가입은 주민 등록 번호를 이용하기
> ㄴ. 금융 거래는 공용 컴퓨터에서 하지 않기
> ㄷ. 되도록 많은 사이트에 회원 가입하기
> ㄹ. 비밀번호는 유추하기 어렵게 설정하고 주기적으로 변경하기

① ㄱ, ㄴ ② ㄱ, ㄷ
③ ㄴ, ㄷ ④ ㄴ, ㄹ
⑤ ㄷ, ㄹ

17 저작권 침해 사례로 옳은 것은?

① 게임 CD는 정식으로 구입하였다.
② 다운받은 노래는 혼자 감상하였다.
③ SNS에 좋아하는 노래 파일을 올렸다.
④ 영화 다운로드는 정식 사이트에서 결제하고 이용하였다.
⑤ 블로그에 올릴 좋은 글귀를 저작자의 허락을 받은 후 출처를 밝히고 게시하였다.

18 다음은 가상 현실 안경을 만드는 과정이다. (　　　) 안에 들어갈 단계로 옳은 것은?

> (　　　) → 계획하기 → 실행하기 → 평가하기

① 문제 확인하기
② 정보 수집하기
③ 구체적 계획하기
④ 아이디어 탐색하기
⑤ 아이디어 선정하기

중요

19 가상 현실 안경이 제대로 작동하지 않았을 때 살펴볼 내용으로 옳은 것은?

① 안경이 견고한지 검사한다.
② 모양이 창의적인지 살핀다.
③ 빛이 새어 들어오는지 살핀다.
④ 오목 렌즈가 잘 붙어 있는지 살핀다.
⑤ 양쪽 렌즈 사이에 가리는 것이 없는지 살핀다.

서술형 평가

20 빅 데이터가 우리 생활에서 활용되고 있는 사례를 세 가지 서술하시오.

21 인터넷 사용 시 지켜야 할 규범을 세 가지 서술하시오.

22 정투상도법으로 도면 그리는 방법을 서술하시오.

대단원 마무리 2회

출제 예감

01~02 다음은 정보 전송 시스템의 단계이다. 물음에 답하시오.

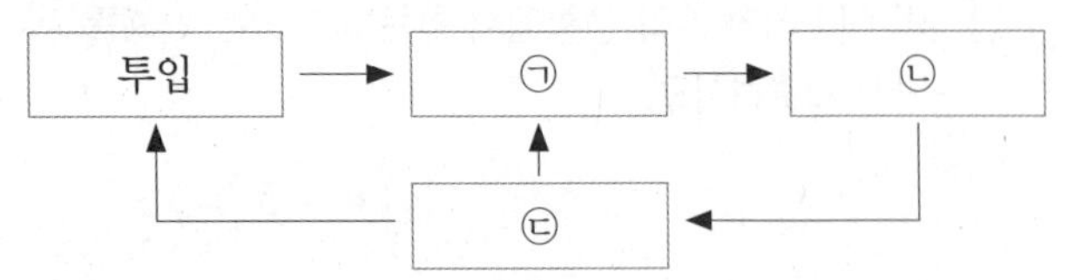

01 ㉠, ㉡, ㉢에 들어갈 알맞은 말을 바르게 나열한 것은?

	㉠	㉡	㉢
①	과정	산출	되먹임
②	과정	되먹임	산출
③	산출	과정	되먹임
④	산출	되먹임	투입
⑤	되먹임	산출	과정

02 ㉠ 단계에 대한 설명으로 옳은 것은?

① 생산된 정보를 저장하거나 출력한다.
② 송신자 측에서 단말 장치에 정보를 입력한다.
③ 전송된 정보에 오류가 있을 때 문제를 해결한다.
④ 정보 처리 기기 내에서 자료를 가공하여 정보를 생산한다.
⑤ 정보를 전기 신호로 변환하여 수신자 측 단말 장치로 전송한다.

03 다음 그림과 같이 1초에서 2초로 시간이 갑자기 바뀌는 전자시계처럼 신호를 단계적인 값으로 표현한 전기 신호 방식을 쓰시오.

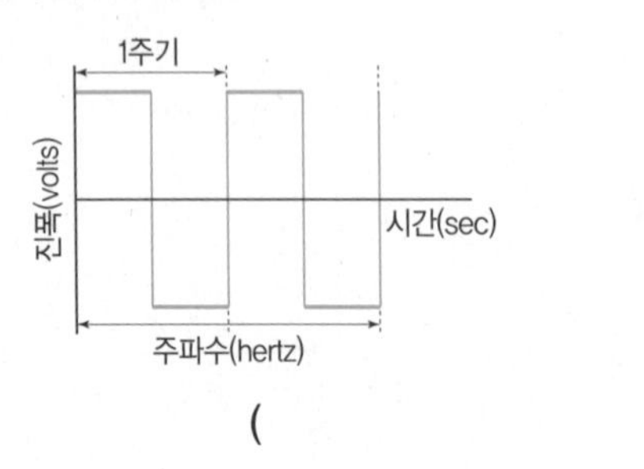

( )

04 다음 그림에 대한 설명으로 옳은 것은?

① 동축 케이블이다.
② 무선 통신에 사용된다.
③ 휴대 전화, 위성 통신 등에 이용한다.
④ 전파를 통해 신호, 부호, 영상 등의 정보를 주고받는 통신의 형태에 활용한다.
⑤ 전기 신호를 빛으로 변환하여 유리 섬유를 통해 매우 빠른 속도로 전송할 수 있다.

05 다음 설명에 해당하는 것으로 옳은 것은?

> 실제 환경에 가상의 사물이나 정보를 합성하여 실물처럼 보이도록 만든 컴퓨터 그래픽 기법이다.

① 홀로그램
② 증강 현실
③ 가상 현실
④ 소셜 미디어
⑤ 클라우드 컴퓨팅

06 ( ) 안에 알맞은 말을 쓰시오.

> ( )은/는 클라우드라고 불리는 공간에서 데이터를 읽고 쓰고 정보를 분석 · 처리하여 저장 · 관리하는 컴퓨팅 시스템을 말한다.

( )

중요

07 다음 설명에 해당하는 통신 방식의 사례로 옳은 것은?

> 송신자와 수신자가 서로 동시에 정보를 주고받을 수 있는 통신 방식이다.

① 전화　② 라디오
③ 팩시밀리　④ 텔레비전
⑤ 휴대용 무전기

출제 예감

08 다음은 이동 통신의 발달 과정을 나타낸 것이다. 옳지 않은 것은?

구분	2세대	3세대	4세대
특징	㉠ 음성	㉡ 음성+데이터	㉢ 데이터+영상
서비스	㉣ 디지털 음성 통화, 단문자(SMS)	㉤ 영상 통화, 인터넷 검색 등	위치 기반 서비스 등

① ㉠　② ㉡
③ ㉢　④ ㉣
⑤ ㉤

09 이동 통신의 발달로 등장한 4세대 이후 새로운 이동 통신 기술로 옳지 않은 것은?

① NFC　② LTE
③ VoLTE　④ 와이파이
⑤ 문자 서비스

10 미래의 이동 통신에 대한 예상으로 가장 적절한 것은?

① 영상 통화가 가능해진다.
② 인터넷 검색이 가능해진다.
③ 디지털 음성 통화가 가능해진다.
④ 위치 기반 서비스가 가능해진다.
⑤ 사물 인터넷 서비스가 가능해진다.

11 다음과 같은 서비스를 가능하게 하는 기술로 옳은 것은?

① NFC　② LTE
③ VoLET　④ 와이파이
⑤ 블루투스

12 이동 통신을 이용해 통화할 때 통화 음질을 높여 깨끗하고 정확한 통화를 할 수 있도록 개선된 서비스는 무엇인지 쓰시오.

(　　　　　　　　　　)

13 다음과 같은 상황에 필요한 정보 통신 윤리 원칙으로 옳지 않은 것은?

> 영수는 소풍 가서 같은 반 친구 준서가 넘어지는 사진을 찍어 인터넷 게시판에 준서의 허락 없이 게시했다.

① 경쟁 ② 정의
③ 존중 ④ 책임
⑤ 해악 금지

14 다음 중 개인 정보에 해당하지 않는 것은?

① 주소 ② 이름
③ 가족 관계 ④ 친구 관계
⑤ 진료 기록

15 인터넷상에서 주민 등록 번호를 사용하지 않고 아이디와 비밀번호를 이용하여 본인 확인을 하는 수단으로 옳은 것은?

① P2P ② OTP
③ URL ④ I-PIN
⑤ 공인인증서

16 다음 설명에 해당하는 정보 통신 윤리 원칙으로 옳은 것은?

> 옳고 그름을 판단하여 옳지 않은 행동은 하지 않는다.

① 책임 ② 존중
③ 정의 ④ 배려
⑤ 해악 금지

출제 예감

17 다음 선영이의 행동을 올바르게 개선한 것은?

> 선영이는 PC방의 컴퓨터를 자주 이용한다. 성능도 좋고 집 가까운 곳에 위치해 있기 때문이다. 어제는 선영이 언니의 부탁으로 인터넷 뱅킹을 해 주었다.

① 비밀번호는 주기적으로 변경하기
② 출처가 불명확한 자료는 내려받지 않기
③ 개인 정보 처리 방침을 꼼꼼하게 살피기
④ 금융 거래는 공용 컴퓨터에서 이용하지 않기
⑤ P2P 공유 폴더에 개인 정보를 저장하지 않기

18 (   ) 안에 들어갈 알맞은 말을 쓰시오.

> (   )은/는 생각이나 감정을 표현한 글, 그림, 음악, 소프트웨어 등의 저작물에 대하여 이를 창작한 사람에게 주는 권리이다.

(   )

19 저작권의 보호 대상으로 옳지 않은 것은?

① 구전 동요
② 가수의 노래
③ 게임 프로그램
④ 개인이 작성한 일기
⑤ 인터넷에 작성한 댓글

20 가상 현실 안경에 볼록 렌즈를 사용하는 이유로 옳은 것은?

① 영상에 입체감을 주려고
② 안경의 무게 중심을 잡아주려고
③ 양쪽 눈에 보이는 영상을 분리하려고
④ 서로 다른 두 개의 이미지를 합치려고
⑤ 눈 뒤에 맺히는 상의 위치를 조절하려고

중요

21 스마트폰으로 영상을 볼 때 스마트폰이 움직이는 동작을 감지하여 화면의 방향이 바뀔 때 사용되는 장치는 무엇인지 쓰시오.

(　　　　　　　　　　)

서술형 평가

22 컴퓨터 사용 시 개인 정보를 보호하기 위한 방법을 네 가지 서술하시오.

23 저작권을 보호하기 위해 지켜야 할 행동을 세 가지 서술하시오.

24 아이디어 평가에 사용할 수 있는 사고 기법을 세 가지 서술하시오.

읽기 자료

'저작권 사냥꾼'에 제동…고소해도 '각하'한다

앞으로 합의금을 받아 내기 위한 목적 등으로 불특정 다수인을 저작권 침해 상대로 고소하는 상습적인 '저작권 사냥꾼'들에 대해서는 수사가 이루어지지 않을 가능성이 크다. 문화체육관광부(이하 문체부)와 대검찰청은 최근 '저작권 사냥꾼'들의 고소에 대해 공익적 측면에 부합되지 않는다고 판단되면 이를 각하하기로 결정했다.

현재 온라인상에서는 저작권을 미끼로 합의금 장사를 벌이는 '저작권 사냥꾼'들에 대한 원성이 높은 실정이다. 심지어는 아예 '사냥용'으로 만든 서체나 디자인을 인터넷상에 띄워 놓고 무심코 이를 다운로드 받도록 하는 악질적 수법도 목격되고 있는 실정이다. 실제로 네티즌들 간에는 이같은 수법으로 수많은 저작권 관련 고소를 반복적으로 제기하고 있는 몇몇 특정 업체의 명단이 나돌고 있다.

'저작권' 혹은 '저작권 위반' 등의 검색어를 치면, 이들 저작권 사냥꾼들의 행적이 그대로 드러나는 경우도 많다. 네티즌들은 이들에 대해 '온라인에 저작권 사냥을 위한 거미줄을 치고 있는 업체들'이라며 비판의 목소리를 높이고 있다. '저작권 사냥꾼'들은 디자인 사업은 허울뿐이고, 실제로는 별도 법무팀과 저작권 전문가를 두고 고소를 본업으로 하는 경우가 많다. 그래서 저작권 보호를 통한 창작 활동의 장려와 진흥이란 저작권법 본래의 취지를 악용한 사례라는 비판이 날로 높아가고 있다.

문체부와 대검찰청의 이번 조치는 이런 현실을 감안한 것으로 보인다. 합의금을 목적으로 이처럼 불특정 다수인을 저작권 침해 상대로 고소한 사안에 대해서는 공익적 관점에서 수사의 필요성이 인정되지 않는다고 판단되는 경우 '각하 제도'를 적극 활용하기로 한 것이다.

이에 앞서 정부는 저작권 대행사 등의 고소 남발로 인한 청소년 저작권 침해 사범이 양산되는 것을 방지하기 위해 2009년부터 1년 단위로 '청소년 저작권 침해 고소 사건 각하 제도'를 시행해 왔다. 지난 3월 1일부터는 아예 이 제도에 시한을 두지 않고, 무기한 연장하기로 했다. 이에 따르면 '저작권법' 위반 전력이 없는 청소년이 우발적으로 저작권을 침해한 경우, 1회에 한해 조사 없이 각하 처분을 할 수 있도록 한 제도이다.

당초 각하 제도 활용으로 저작권 보호가 소홀해질 것을 우려하여 한시적으로 시행하였으나, 시행 후 저작권 인식에 별다른 부작용이 없었던 것으로 평가되었다. 반면에 여전히 청소년들이 인터넷과 스마트 기기 등을 이용한 저작권 침해 환경에 광범위하게 노출되어 있는 실정이다. 이를 감안해 정부는 각하 제도를 계속적으로 시행할 필요가 있다고 판단했다.

실제로 이 제도는 '저작권 사냥꾼' 억제 효과가 큰 것으로 나타났다. 2009년에 도입된 후 시행 초기 22,533건에 이르던 저작권 관련 청소년 고소 건수가 2017년에는 532건으로 현저히 감소하여 청소년 전과자 양산 방지에 긍정적인 효과가 있었던 것으로 나타났다.

'저작권 사냥꾼'을 견제하는 이번 조치는 이같은 청소년을 위한 각하 제도를 성인에게도 확대 적용한 결과이다.

[출처: 애플 경제, 2018. 03.09]

VI. 생명 기술과 미래 기술

1 삶을 풍요롭게 하는 생명 기술

「주제 열기」

● 위의 그림 중 생명 기술이 이용된 것을 찾아보고, 그렇게 생각하는 까닭을 써 보자.

→ 된장찌개: 콩을 발효시킨 메주로 된장을 만든다.

→ 유조선 기름 유출: 유출된 기름을 특수 미생물로 분해한다.

→ 인슐린: 유전자 재조합을 이용해 대량 생산한다.

→ 애플 수박: 기존 수박의 품종을 개량하여 수박을 생산한다.

● 우리가 생명 기술을 이용하는 까닭은 무엇인지 이야기해 보자.

→ 먹거리 제공, 생명 연장, 질병 치료 등을 위해 이용한다.

1/ 생명 기술은 인간의 생활을 풍요롭게 한다

오늘날 인류가 직면한 식량 자원 부족, 새로운 질병 발생, 환경 오염과 에너지 고갈 등 여러 영역의 문제를 해결하는 방안으로 생명 기술이 주목받고 있다.

(1) **생명 기술**

① **생명 기술이란** 살아 있는 생물체의 구조와 기능 등 생명 현상을 분석하고, 생명체의 다양한 기능을 활용하여 인간에게 유용한 물질을 만드는 수단이나 방법을 말한다.

(생물체: 스스로 생명 현상을 유지하여 나가는 생명체를 의미한다. 동물, 식물, 미생물로 나뉜다.)

② **생명 기술의 특징**

- 잠재력이 무궁무진하기 때문에 부가 가치가 매우 높다.
- 질병 퇴치, 식량 증산, 환경 보존, 에너지 대체 등 우리 생활에 직접 영향을 미친다.
- 의학, 약학, 생물학, 생화학, 농·축산학 등 관련 학문 분야가 매우 다양하다.
- 농업, 식품, 바이오 에너지, 생물 정화 기술 등에 널리 이용될 수 있다.

개념 더하기+

생명 기술의 이용

- 식물 생명 기술: 병충해에 강한 대두, 옥수수, 목화 생산 등
- 동물 생명 기술: 효소와 박테리아를 이용한 치즈, 와인, 김치, 된장 등 발효 식품 생산, 인공 수정 기술로 가축 개량 등
- 의학: 인슐린, 백신 등의 대량 생산, 난치병 및 유전병 치료, 불임 치료, 인공 장기, 유전자 변형 치료 등
- 환경: 해변의 폐기물 처리, 기름 분해 박테리아, 식물 환경 정화, 에너지 자원 생산 등

교과서 뛰어넘기

생명 기술의 분류

생명 기술은 생체 이용 기술과 생체 모방 기술로 나눌 수 있다. 생체 이용 기술은 생물체를 직접 이용하고, 생체 모방 기술은 생물체의 다양한 기능을 이용하는 기술이다.

생체 이용 기술	생체 모방 기술
• 미생물 이용: 식품, 의약품, 효소·환경친화 등 • 유전자 조작: 유전자 재조합, 형질 전환, 세포 융합 등 • 대량 배양: 세포 배양, 배 배양과 꽃밥 배양, 조직 배양	• 시스템 기술: 생물 반응기, 바이오센서, 바이오 컴퓨터 등 • 생물 소재: 인공 효소, 생분해성 고분자, 인공 장기·치아·혈관 등

(2) **생명 기술 시스템** ─ 생명 기술을 이용한 제품은 일련의 단계를 거쳐 생산된 최종 산출물이다.

① **생명 기술 시스템이란** 사람, 기술, 에너지, 자본, 시간 등을 투입하여 증식, 성장, 유지, 수확, 적응, 처리, 변환 등의 과정을 얻는데, 예상 밖의 산출물을 얻게 되면 수정, 보완하는 되먹임을 통하여 원하는 산출물을 만들어 낸다. 이러한 시스템을 말한다.

② **생명 기술 시스템 사례(벼의 생장)**

개념 더하기+

생명 기술 시스템의 되먹임
밥을 지었을 때 맛이 없거나 이물질이 나오는 등의 생산된 쌀에 문제가 발생할 수 있다. 이럴 경우 이전 단계에서 문제의 원인을 파악하고 이를 수정하게 되는데, 이와 같은 수정·보완을 되먹임이라 한다.

함께 생각해 보기

우리 생활에서 접할 수 있는 생명 기술 관련 제품을 찾아보고, 이야기해 보자.

예
- 의: 누에고치를 이용한 모시옷
- 식: 발효 기술을 이용한 김치
- 주: 품종 개량 나무를 이용한 방문

2 생명 기술은 끊임없이 발전한다

오래전부터 인간은 더 많은 식량을 얻고, 질병을 예방하고 치료하기 위해 생명 기술을 이용하고 발달시켜 왔다.

(1) **고대의 생명 기술**

① 고대 이집트에서는 효모를 이용하여 빵과 술을 만들어 먹었다.

② 여기서 시작된 발효 기술은 각 나라의 문화와 특성에 맞게 개발되면서 오늘날까지 이어지고 있다.

발효: 미생물을 이용하여 유기물을 분해시키는 과정으로, 치즈, 포도주, 요구르트, 된장, 김치, 젓갈 등이 대표적인 발효 식품이다.

(2) **근대의 생명 기술**

① **현미경 개발과 세포 발견**

세포: 세포는 생명의 기본 단위이며, 생존에 필요한 구조와 기능을 갖추고 있다.

- 영국의 로버트 훅 (R. Hooke)은 자신이 개발한 현미경으로 코르크 단면을 관찰하던 중 작은 단면을 보게 되었고, 다른 식물들도 같은 형태로 구성되어 있음을 발견하였다.
- 이후 여러 학자에 의해 동물과 식물의 다양한 세포 구조가 알려졌다.

② **백신 개발** 영국의 외과 의사 에드워드 제너(E. Jenner)는 급성 전염병인 천연두를 치료할 수 있는 백신을 개발하였다.

③ **멘델의 유전 법칙** 그레고어 멘델(G. J. Mendel)은 완두콩 실험을 통하여 우성 인자와 열성 인자에 의하여 유전이 이루어진다는 것을 밝혀냈다.

- 우열의 법칙: 순종의 대립 형질끼리 교배시켰을 때 잡종 제1대에서는 우성 형질만 발현된다.
- 분리의 법칙: 우성만이 발현된 잡종 제1대를 자화 수분하여 얻은 잡종 제2대에서는 $\frac{1}{4}$의 확률로 열성이 분리된다.
- 독립의 법칙: 서로 다른 형질은 독립적으로 우열의 법칙과 분리의 법칙을 만족한다.

④ **페니실린 발견** 알렉산더 플레밍(A. Fleming)은 자신이 연구하던 박테리아 배양 접시 중 하나가 페니실리움에 오염되어, 그 곰팡이 근처에서 박테리아가 자라지 않는 것을 보았다. 이를 통해 첫 항생 물질인 페니실린을 발견하였다.

(자신이: 박테리아로 인해 발생하는 병을 치료하는 데 효과적인 페니실린이라는 항생제를 만들게 되었다.)

개념 더하기+

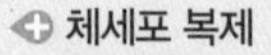

체세포 복제
1996년 7월 영국의 이언 윌멋과 키스 캠벨은 6년생 양의 체세포에서 얻은 유전자와 핵을 제거한 다른 암양의 난자를 결합시켰다. 이를 대리모 양의 자궁에 이식하여 돌리를 탄생시켰다.

게놈(genome, 유전체)
한 생물체가 지닌 모든 유전 정보를 말하며, 부모로부터 자손에 전해지는 유전 물질의 단위이다.

유전자 치료
태어날 때부터 물질 대사에 장애가 있거나 특정 유전자에 이상이 생겼을 때, 이 유전자를 제거하고 정상 유전자로 대체 및 재조합하여 치료하는 것이다.

(3) 현대의 생명 기술

① **DNA 이중 나선 구조**

(DNA: deoxyribonucleic acid의 약자로, 유전 정보가 담긴 유전자의 창고이다.)

- 1953년 제임스 왓슨과 프렌시스 크릭이 DNA 이중 나선 구조를 규명하였다.
- 이를 통해 DNA에 유전 정보가 있으며, 이 유전 정보가 복제되어 다음 세대로 전달된다는 것이 밝혀졌다.
- 이 발견은 한 생물체의 유전 정보를 대상 생물체에 이식하여 필요한 형질을 발현시키는 유전 공학의 발단이 되었다.

(형질: 동식물의 모양, 크기, 성질 따위의 고유한 특징. 유전하는 것과 유전하지 않는 것이 있다.)

② **복제 양 돌리**

- 체세포 복제를 통하여 세계 최초의 복제 양 돌리가 탄생하였고, 2003년 노화에 따른 폐 질환으로 안락사하였다.
- 복제 양 돌리의 탄생은 생명 윤리의 문제로 세계적 논란을 불러일으켰다.

③ **인간 게놈 프로젝트**

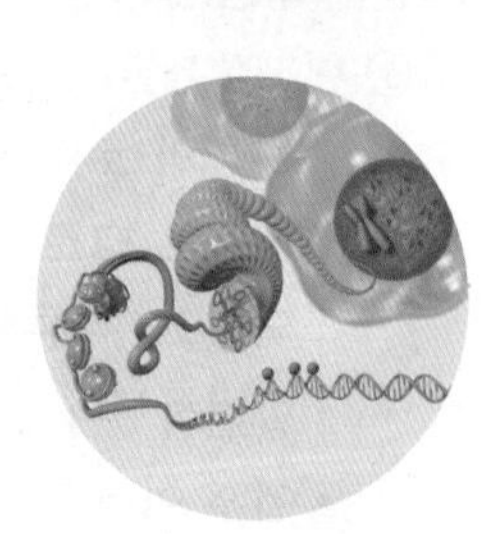

- 1990년부터 시작된 인간 게놈 프로젝트를 통해 2001년 인간이 가진 유전자 30억 개를 분석한 인간 유전자 지도가 완성되었다.
- 이 연구는 염색체상에서 질병의 원인이 되는 유전자의 위치를 파악함으로써 앞으로 암이나 난치병을 치료하는 데 큰 도움이 될 것이다.

(유전자 지도: 유전 물질을 담고 있는 염색체 안에 어떤 유전자가 어느 위치에 있는지를 나타낸 것이다.)

세계 속의 발효 식품

독일	사우어크라우트	잘게 썬 양배추를 발효시켜 만든 시큼한 맛이 나는 독일식 양배추 절임
스웨덴	수르스트뢰밍	청어를 발효시켜 만든 것으로, 썩은 달걀이나 하수도 냄새가 나는 음식
인도네시아	템페	콩을 쪄서 어묵 모양으로 굳혀서 발효시킨 후 튀기거나 구워서 먹는 음식
일본	낫토	콩을 불려 삶아서 발효시킨 후 먹는 일본 전통 식품
	스케모노	채소를 소금, 식초 등에 절여 장기간 숙성시킨 절임 식품
인도	라시	걸쭉한 인도식 요구르트에 물과 소금, 향신료 등을 섞어서 만든 전통 음료
	도사	발효시킨 쌀과 검은 렌틸콩 반죽을 넓고 얇게 부쳐 만든 전통 빵
중국	자 초이	싱싱한 겨자 줄기를 고추장에 버무려 발효시켜, 짜고 매콤한 맛이 나는 음식

개념 더하기+

우리나라 발효 식품

- 장류: 콩이나 탄수화물을 발효시켜 만드는 전통 조미료로, 된장, 간장, 고추장 등이 있다.
- 김치: 무 · 배추 · 오이 등과 같은 채소를 소금에 절이고 고추 · 파 · 마늘 · 생강 등 여러 가지 양념을 버무려 담근 염장 발효 식품이다.
- 젓갈류: 어패류의 살, 알, 창자 등을 다량의 소금에 절여 상온에서 일정 기간 발효시켜 만든 수산 발효 식품이다.

주제 활동 미래의 생명 기술 상상하기

1. 다음 그림들은 현재 일어날 수 있는 상황을 보여 주고 있다. 각각의 상황에 맞는 미래의 모습을 상상하여 그림으로 그려 보자.

상황 1

- 인공 장기가 실제 장기와 같은 기능을 할 수 있게 되어 인공 장기를 이식한다.
- 생명 기술의 발달로 바이오 장기의 공급이 많아져 바로 이식 수술을 할 수 있게 된다.

상황 2

- 농작물의 품종을 개량하여 병충해에 강한 내성을 갖도록 만든다.
- 농작물에서 벌레가 싫어하는 향이 나도록 만든다.

2. 생명 기술의 미래를 상상하면서 느낀 점을 써 보자.

생명 기술의 발달로 현재에는 해결하지 못했던 많은 일들을 미래에는 해결할 수 있을 것 같다.

내용 정리

1/ 인간의 생활을 풍요롭게 하는 생명 기술

(1) **생명 기술**

① **생명 기술이란** 살아 있는 생물체의 구조와 기능 등 생명 현상을 분석하고 생명체의 다양한 기능을 활용하여 인간에게 유용한 물질을 만드는 수단

② **생명 기술의 특징**

- 잠재력이 무궁무진하므로 부가 가치가 높음.
- 우리 생활에 직접적으로 영향을 미침.
- 관련 학문 분야가 매우 다양함.
- 생명 기술의 적용 대상 범위가 넓음.

(2) **생명 기술 시스템**

사람, 기술, 에너지, 자본, 시간 등을 투입하여 증식, 성장, 유지, 수확, 적응, 처리, 변환 등의 과정을 거쳐 산출물을 얻는데, 예상 밖의 산출물을 얻게 되면 수정, 보완하는 되먹임을 통하여 원하는 산출물을 만들어 내는 시스템

(3) **현대의 생명 기술**

① **DNA 이중 나선 구조**

- 1953년 제임스 왓슨과 프렌시스 크릭이 DNA 이중 나선 구조를 규명함.
- DNA에 유전 정보가 있으며, 이 유전 정보가 복제되어 다음 세대로 전달된다는 것이 밝혀짐.

② **복제 양 돌리**

- 체세포 복제를 통하여 세계 최초의 복제 양 돌리가 탄생하였고, 2003년 노화에 따른 폐 질환으로 안락사함.
- 생명 윤리의 문제로 세계적 논란을 불러일으켰음.

③ **인간 게놈 프로젝트**

- 1990년부터 시작된 인간 게놈 프로젝트를 통해 2001년 인간이 가진 유전자 30억 개를 분석한 인간 유전자 지도가 완성됨.
- 염색체상에서 질병의 원인이 되는 유전자의 위치를 파악함으로써 앞으로 암이나 난치병을 치료하는 데 큰 도움이 될 것임.

2/ 끊임없이 발전하는 생명 기술

(1) **고대의 생명 기술**

① 발효 기술을 개발하여 빵, 와인, 치즈 등을 만듦.

② 발효 기술은 각 나라의 문화와 특성에 맞게 개발되면서 오늘날까지 이어지고 있음.

(2) **근대의 생명 기술**

① **현미경 개발과 세포 발견** 영국의 로버트 훅 (R. Hooke)은 자신이 개발한 현미경으로 코르크 단면을 관찰하던 중 작은 단면을 보게 되었고, 다른 식물들도 같은 형태로 구성되어 있음을 발견함.

② **백신 개발** 영국의 외과 의사 에드워드제너 (E. Jenner)는 급성 전염병인 천연두를 치료할 수 있는 백신을 개발함.

③ **멘델의 유전 법칙** 그레고어 멘델 (G. J. Mendel)은 완두콩 실험을 통하여 우성 인자와 열성 인자에 의하여 유전이 이루어진다는 것을 밝혀냄.

④ **페니실린 발견** 알렉산더 플레밍(A. Fleming)은 박테리아 배양 접시 중 하나가 페니실리움에 오염되어, 그 곰팡이 근처에서 박테리아가 자라지 않는 것을 보고, 첫 항생 물질인 페니실린을 발견함.

교과서 뛰어넘기

※ 10년 이내 상용화가 유망한 보건 의료 기술

- 체내 이식형 초정밀 약물 전달 기기: 인체 내에 이식하여 환자의 건강 상태를 모니터링하고 최적 양의 약물을 방출하는 기기
- 체액을 통한 암 조기 진단: 혈액 등으로 조직 검사 없이 암을 조기에 진단
- 인공 지능 재활 치료: 환자의 재활 데이터를 연계하여 인공 지능으로 치료를 최적화
- 실시간 신체 정보를 활용한 헬스 케어 서비스: 신체 변화를 실시간 모니터링하여 개인 맞춤형 서비스 제공
- 항노화 요법: 노화를 억제하여 건강을 유지하도록 도와주는 기술
- 생체 친화형 심혈관계 나노 바이오 소재: 관상 동맥의 협착을 막기 위해 바이오 소재에 나노 기술 접목
- 다중 병원체 신속 진단: 감염병을 일으키는 다양한 병원체를 단시간에 확인하고 진단
- 3세대 면역 항암제: 환자의 면역 체계를 이용하여 완치가 가능한 암 치료제

개념 꽉꽉 다지기

01. 살아 있는 생물체의 구조와 기능 등 생명 현상을 분석하고, 생명체의 다양한 기능을 활용하여 인간에게 유용한 물질을 만드는 수단이나 방법을 (　　　　　)(이)라 한다.

Helper

02. 생명 기술 시스템은 투입 → 과정 → 산출의 과정을 거친다. 예상 밖의 산출물을 얻게 되면 수정, 보완하는 (　　　　　)을/를 통하여 원하는 산출물을 만들어 낸다.

02. 투입과 과정을 지나 산출물을 얻고 나면 되먹임(피드백)을 통해 수정, 보완한다.

03. 다음은 생명 기술의 발달에 대한 설명이다. 맞으면 ○, 틀리면 ×표를 하시오.

(1) 17세기 로버트 훅은 현미경을 개발하고 세포를 발견하였다. (　　　)
(2) 에드워드 제너는 천연두를 치료할 수 있는 페니실린을 개발하였다. (　　　)
(3) DNA의 이중 나선 구조의 발견은 한 생물체의 유전 정보를 대상 생물체에 이식하여 필요한 형질을 발현시키는 유전 공학의 발단이 되었다. (　　　)

03. 17세기에는 현미경의 개발을 통해 세포의 존재를 알게 되었고, 19세기에는 유전 법칙을 발견하였다. 에드워드 제너는 천연두 백신을 개발하였다.

04. 인간의 유전 정보 위치를 알려주는 유전자 지도를 완성하는 프로젝트는?

① 유전 법칙 발견
② 페니실린 프로젝트
③ 인간 게놈 프로젝트
④ 복제 양 돌리 프로젝트
⑤ DNA 이중 나선 구조 프로젝트

04. 1990년부터 시작된 인간 게놈 프로젝트를 통해 2001년 인간이 가진 유전자 30억 개를 분석한 인간 유전자 지도가 완성되었다.

05. 다음에서 설명하고 있는 발효 식품은?

> 일본의 대표적인 발효 식품으로, 콩을 불려 삶아서 발효시킨 후 먹는 일본 전통 식품

① 낫토　　② 템페
③ 라시　　④ 스케모노
⑤ 자 초이

05. 일본의 발효 식품으로는 낫토와 스케모노가 있다.

차곡차곡 실력 쌓기

01 생명 기술의 영역으로 옳은 것은?

① 질병 예방
② 이동 수단
③ 석유 정제
④ 자동화 생산
⑤ 이동 통신 발달

02 생명 기술의 특징으로 옳은 것은?

① 부가 가치가 낮다.
② 다양한 분야에 영향을 미친다.
③ 적용 대상 범위가 한정적이다.
④ 관련 학문 분야의 범위가 작다.
⑤ 생명 기술의 결과물은 잠재력이 없다.

03 벼의 생장 과정 중 생명 기술 시스템 중 '과정'에 대한 설명으로 옳지 않은 것은?

① 벼가 성숙한다.
② 볍씨가 발아한다.
③ 물, 비료 등을 주며 기른다.
④ 농부, 농기구, 볍씨, 토지, 비료 등을 투입한다.
⑤ 다 자란 벼를 수확하고, 수확한 벼를 도정한다.

04 ㉠에 들어갈 알맞은 말로 옳은 것은?

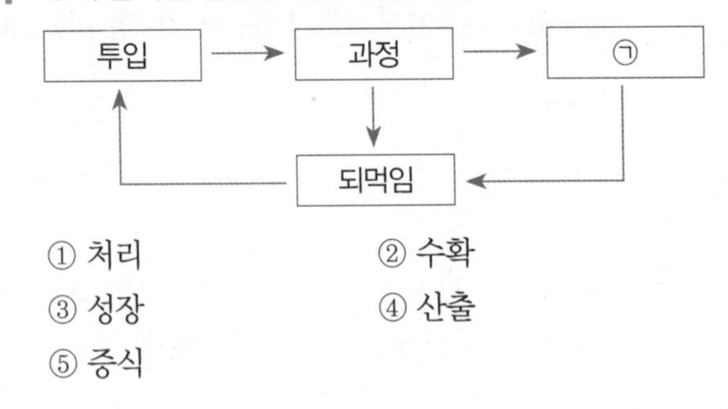

① 처리
② 수확
③ 성장
④ 산출
⑤ 증식

05 19세기 멘델에 의해 알려진 것으로, 우성 인자와 열성 인자에 의하여 유전이 이루어진다는 내용의 이론을 쓰시오.

( )

06 생명 기술의 발전 과정에 대한 설명으로 옳지 않은 것은?

① 19세기에는 유전 법칙을 발견하였다.
② 20세기 중반에는 백신이 개발되었다.
③ 발효 기술을 개발하여 빵, 와인, 치즈 등을 만들었다.
④ 17세기에는 현미경의 개발을 통해 세포가 발견되었다.
⑤ 21세기 초에는 인간 게놈 프로젝트를 통해 인간 유전자 지도를 완성되었다.

07 다음 설명에 해당하는 것으로 옳은 것은?

> 한 생물체의 유전 정보를 대상 생물체에 이식하여 필요한 형질을 발현시키는 유전 공학의 발단이 되었다.

① 페니실린 발견
② 유전 법칙 발견
③ 복제 양 돌리 성공
④ 인간 게놈 프로젝트 완성
⑤ DNA 이중 나선 구조 발견

08 (　　　) 안에 들어갈 알맞은 말을 쓰시오.

> (　　　)은/는 유전 물질을 담고 있는 염색체 안에 어떤 유전자가 어느 위치에 있는지를 나타낸 것이다.

(　　　　　　　　)

09 다음 보기 1 의 과학자와 보기 2 의 발견이 바르게 짝지어진 것은?

보기 1
ㄱ. 멘델　　ㄴ. 제너　　ㄷ. 플레밍
ㄹ. 제임스 왓슨　　ㅁ. 돌리

보기 2
㉠ 페니실린　　㉡ 유전 법칙
㉢ 백신 개발　　㉣ DNA 이중 나선 구조
㉤ 체세포 복제

① ㄱ－㉤　　② ㄴ－㉣
③ ㄷ－㉠　　④ ㄹ－㉡
⑤ ㅁ－㉢

10 우리나라 전통 발효 음식으로, 어패류의 살, 알, 창자 등을 다량의 소금에 절여 상온에서 일정 기간 발효시켜 만든 수산 발효 식품을 쓰시오.

(　　　　　　　　)

11 다음 중 발효 식품이 아닌 것은?

① 템페
② 자 초이
③ 스케모노
④ 탄두리 치킨
⑤ 수르스트뢰밍

12 다음 설명에 해당하는 발효 식품과 나라가 바르게 짝지어진 것은?

> 싱싱한 겨자 술기를 고추장에 버무려 발효시켜, 짜고 매콤한 맛이 나는 음식

① 낫토－일본
② 라시－인도
③ 도사－인도
④ 자 초이－중국
⑤ 스케모노－일본

2 건강한 삶을 유지하는 생명 기술의 원리

「주제 열기」

- **새로운 약의 개발로 우리 사회가 과거와 어떻게 달라졌는지 이야기해 보자.**

→ 불치병의 치료가 가능해짐으로써 인간의 생명이 연장될 것이다.

→ 수명 연장으로 인한 고령화 사회에 따른 사회적 구조의 변화가 생길 것이다.

- **인간의 질병 치료를 위해 인간 복제 기술이 개발된다면 어떤 문제가 생길지 이야기해 보자.**

→ 영화 '아일랜드'에서처럼 장기를 이식하기 위한 복제 인간을 만들어 낼 수도 있을 것 같다.

→ 인간 복제는 성공을 논하기에 앞서 과정에서의 윤리적인 문제가 발생하기 때문에 충분한 논의가 필요하다.

1/ 생명 기술은 우리 생활 속에 있다

(1) 유전자 재조합

① **유전자 재조합이란** 한 생명체에서 추출한 유전자를 그 유전자를 가지고 있지 않은 다른 생명체에 넣고 인위적으로 조합하는 기술을 말한다.

② 인간에게 필요한 특성이 있는 새로운 생물을 만들 수 있는 기술이다.

③ 유전자 재조합 생물은 필요한 특정 유전자를 선택적으로 재조합하므로 외형 변화가 거의 일어나지 않는다.

냉해에 강한 성질의 유전자를 추위에 약한 농작물에 넣고 조합하여, 추운 겨울에도 재배할 수 있는 농작물을 만들 수 있다.

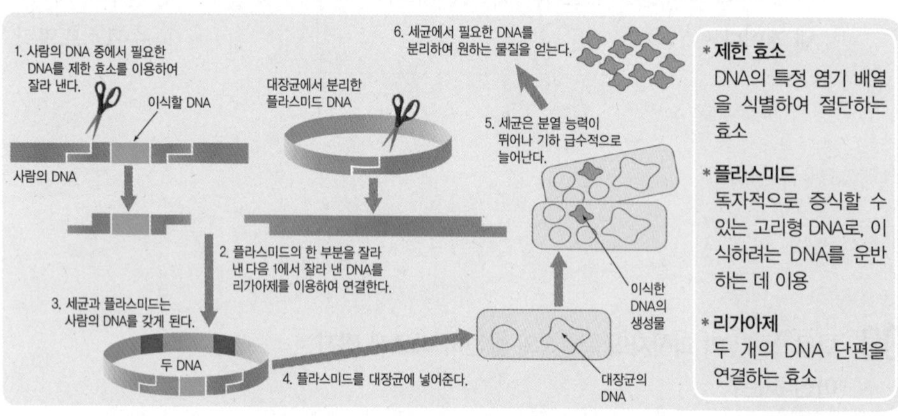

▲ 대장균을 이용하여 인슐린을 만드는 유전자 재조합 과정

* **제한 효소**
DNA의 특정 염기 배열을 식별하여 절단하는 효소

* **플라스미드**
독자적으로 증식할 수 있는 고리형 DNA로, 이식하려는 DNA를 운반하는 데 이용

* **리가아제**
두 개의 DNA 단편을 연결하는 효소

개념 더하기+

⊕ 유전자 재조합 과정
① DNA의 절단
② DNA의 분리
③ DNA의 접합
④ 숙주를 이용한 복제
⑤ 재조합 DNA의 생성

⊕ 유전자 재조합 식품 (GMO)
유전자 재조합 기술을 이용하여 개발된 작물을 이용하여 만든 식품을 말한다. GMO 사용에 대한 찬반 논쟁은 계속 진행 중이다.

스스로 해 보기

우리 생활 속에서 유전자 재조합 기술이 적용된 예를 찾아보자.

예 특정한 영양소가 강조되어 함유된 쌀, 의약품의 대량 생산, 병충해에 저항성이 있는 작물, 육질이 좋은 작물, 난치병 치료 약 개발 등

더 들여다보기

크리스퍼 가위가 우리에게 어떤 영향을 미칠지 생각해 보자.

예 말라리아를 퍼뜨리지 않는 모기 생성 연구는 말라리아 전염을 제어할 수 있지만 오용될 위험이 있다.

생명 기술에서 가장 기초가 되는 기술이다.

(2) **조직 배양**

미생물이나 동식물의 조직을 배양하는 데 필요한 영양 물질 등이 들어 있는 혼합물

① **조직 배양이란** 생물체의 세포, 조직, 기관 등의 일부를 분리하여 시험관이나 배지 등의 환경에서 무균 상태로 생물체를 재생 또는 증식하는 기술이다.

② 한 개의 세포에서 유전 형질이 같은 개체를 많이 얻을 수 있어 인간에게 필요한 생물을 대량으로 증식시킬 때 활용된다.

③ 멸종 위기의 희귀 동식물 번식 및 인간의 질병과 염색체 이상을 발견하는 데 활용된다.

보호 식물이나 약재용 식물을 비교적 저렴한 가격으로 대량 생산하여 공급하는 것이 가능하다.

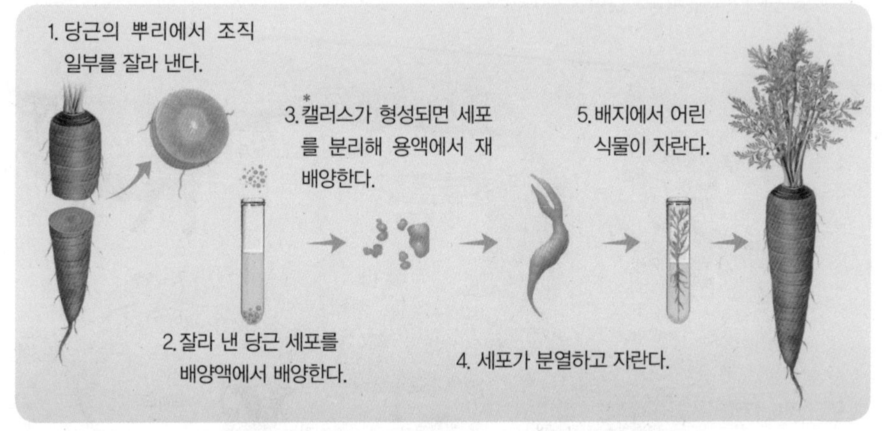

▲ 대장균을 이용하여 인슐린을 만드는 유전자 재조합 과정

(3) **세포 융합**

① **세포 융합이란** 서로 다른 종자의 세포를 하나로 융합시켜 새로운 생물을 만드는 기술이다.

② 두 생물의 우수한 성질을 모두 갖춘 새로운 생물을 만드는 데 사용된다(토감, 무추 등).

③ 유전자 재조합 기술보다 안정성이 높지만, 새로운 생물에 원래 두 생물에 있던 단점이 나타날 수 있고, 번식에 문제가 발생하는 등 해결해야 할 과제가 있다.

세포 융합으로 만든 식물은 그 형질이 다음 세대로 유전되지 않기 때문에 실용적인 작물로는 한계가 있다.

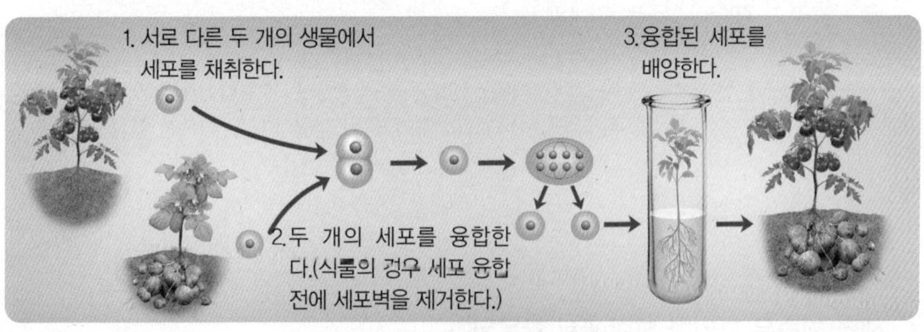

▲ 세포 융합 기술에 의한 토감의 생성 과정

함께 생각해 보기

세포 융합을 통해 얻을 수 있는 유용한 생물체를 상상해서 이야기해 보자.

예 생물 1: 토마토, 생물 2: 당근, 결과: 뿌리에서는 당근이, 줄기에서는 토마토가 열린다.

개념 더하기+

조직 배양
유전적으로 동일한 개체를 대량 생산하고자 하는 데 목적이 있다. 백혈구를 교체 배양하여 태아의 유전 질환을 확인하거나 이식자와 피이식자 사이의 이식 적합성을 검사하기도 하며, 심장 판막이나 인간 장기의 배양에 대한 많은 연구도 활발히 진행 중이다. 또한 멸종된 생물의 복원 사업에도 활용 중이다.

희귀 동식물 복원
종 복원 기술원(전남 구례군)에서는 반달가슴곰, 산양, 여우 등 멸종 위기종의 복원 사업을 진행하고 있다.

세포 융합 작물
- 토감(토마토+감자)
- 가자(가지+감자)
- 무추(무+배추)
- 양무추(무+양배추)
- 오레타치(오렌지+탱자)

(4) **핵 치환** ─ 유전자를 조작하는 것이 아니라 세포를 다룬다는 점에서 차이가 있음.

① **핵 치환이란** 세포에서 원래 생물의 핵을 제거하고 우수한 유전 형질을 지닌 다른 생물의 세포핵을 이식하는 기술이다. (핵: 생명체의 유전 물질인 DNA가 들어 있고, 세포의 모든 활동을 조절하는 세포 내 기관이다.)

② 세포핵을 이식받은 생물은 우수한 형질을 제공한 생물과 같은 형질을 갖는다.

③ 핵 치환 기술은 1996년 세계 최초로 포유동물 중 양의 핵 이식에 성공하면서 시작되었다. (핵 이식: 체세포 복제에 성공함.)

④ 핵 치환 기술은 우수한 동식물의 복제나 대량 생산, 멸종 위기에 처한 동식물 보존에 이용되고 있다.

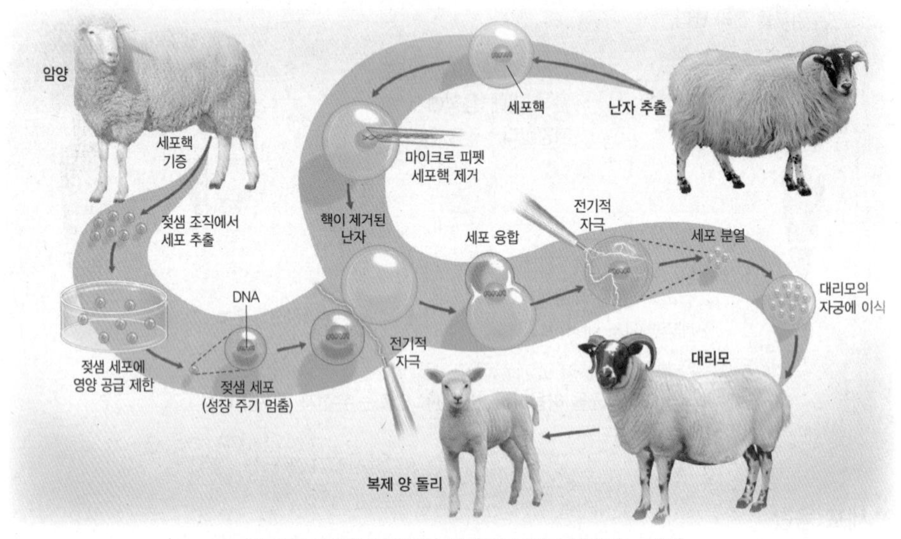

▲ 핵 치환 기술을 이용하여 복제 양 돌리가 태어나는 과정

개념 더하기+

핵 치환

핵 치환 기술은 우수한 형질을 가진 동물의 대량 복제, 멸종 위기 동물의 종족 보존 및 멸종 동물의 복원에 이용되며, 이미 복제 개구리, 복제 소(영롱이) 등의 동물 복제에 이용된 바 있다. 핵 치환 기술의 단점으로는 무분별한 클론 형성이 가능하므로 인간에게 적용하게 될 경우 커다란 사회 문제가 야기될 수도 있다는 것이다.

동물 복제의 필요성

- 유전적 우월성 이용: 한 개체의 유전적 우수성을 이용한 유전자 개량이 가능하다.
- 동물과 생산물의 동일성 유지: 동물 관리 기술들이 균일하게 이루어져 수월하며, 생산물도 일정한 규격을 유지할 수 있다.
- 멸종 위기종 보존: 멸종 위기에 처한 많은 종들이 보존될 수 있다.

우리나라 복제 동물에는 무엇이 있는지 검색해 보고, 우리나라 복제 기술은 어느 정도 수준인지 조사해 보자.

예
- 복제 소 '영롱이' – 우리나라에서 체세포 복제 방식으로 처음 태어난 젖소
- 복제 개 '스너피' – 우리나라에서 최초로 복제되어 탄생한 개
- 2005년에 세계 최초 복제 개 '스피너', 2017년 희귀 토종견 얼룩삽살개(천연기념물 368호) 복제 등을 이루었으나, 우리나라는 동물 복제에 사용할 자원이 매우 부족한 실정이다.

2 생명 기술은 다양한 분야에서 활용된다

생명 기술은 식품 및 산업 분야, 에너지 분야, 환경 분야, 의료 분야에서 다양한 제품을 만드는 데 활용된다.

(1) **생명 기술의 활용**

① 우리가 먹는 식품의 영양가를 더 풍부하게 만듦으로써 인간을 더 건강하게 살 수 있도록 해 준다.

② 화석 연료를 대체할 에너지를 생산하거나 지구의 환경을 정화하는 데도 이용된다.

(2) 생명 기술의 분야

① 식품 분야

- 미생물의 발효 작용으로 빵, 된장, 김치 등의 발효 식품을 만든다.
- 유전자 조작 기술을 이용하여 비타민 A의 함량을 높인 황금 쌀을 만든다.
- 가축의 육질과 크기 개선, 유전자 변형 어류 등을 만드는 데 활용하고 있다.

② 의료 분야

- 의약품을 대량 생산하고, 새로운 바이러스 치료를 위한 백신 개발에 활용한다.
- 각막, 연골, 피부, 혈관, 심장 등의 바이오 장기 개발에 이용한다.

바이오 장기: 생명 공학을 응용해 각막·연골·피부·혈관·간·심장·폐·췌장 등 인간 생체의 장기와 같은 기능을 갖는 기기를 인공적으로 만든 것

황금 쌀

치즈

▲ 식품 분야

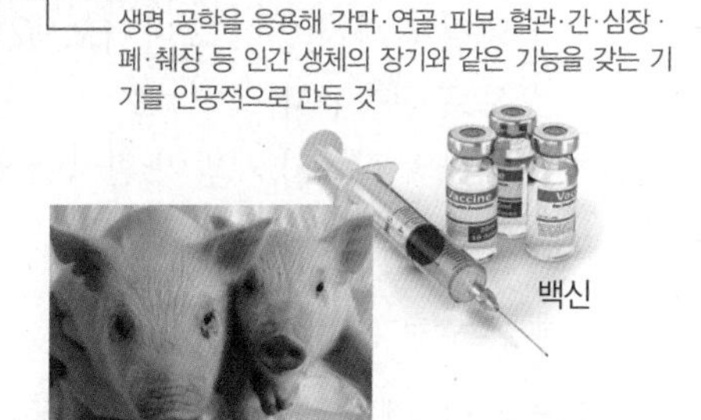
백신

장기 이식용 복제 돼지

▲ 의료 분야

③ 환경 분야

- 독성 화합물과 유해 폐기물에서 나오는 해로운 물질을 미생물을 이용하여 제거 및 감소시킴으로써 오염된 지역을 정화할 수 있다.
- 오염된 토양, 하천 및 지하수, 해수 등을 정화하는 데 이용한다.

④ 에너지 분야 음식물 쓰레기, 분뇨, 목재, 식물 등을 가공하면 바이오에탄올, 바이오디젤, 바이오메탄과 같은 연료를 생성하는데, 이를 바이오매스 에너지라고 한다.

부레옥잠

생분해성 비닐봉지

▲ 환경 분야

나무 펠릿

씨앗으로 만든 바이오디젤

▲ 에너지 분야

3/ 생명 기술은 우리의 미래를 변화시킨다

미래 생명 기술은 다양한 기술 분야와 융합하여 우리 생활을 크게 변화시킬 것이다. 특히 의료 분야에서 눈부신 변화가 예상된다.

(1) 생명 기술로 인한 변화

① 의료용 나노 로봇의 등장으로 큰 질병을 수술 없이 치료할 수 있다.

② 각종 바이오센서의 개발로 유비쿼터스 건강 관리가 이루어짐으로써 병원에 가지 않아도 실시간으로 의사의 진료와 처방을 받을 수 있다.

③ 인간 게놈 분석을 통한 맞춤형 유전자 치료가 대중화됨으로써 유전적 결함이나 각종 질병, 장애를 예방하고 치료할 수 있을 것이다.

개념 더하기+

⊕ 식물 공장

빛, 온습도, 이산화탄소 농도 및 배양액 등의 환경을 인위적으로 조절해 농작물을 계획 생산한다. 계절, 장소 등과 관계없이 자동화를 통한 공장식 생산이 가능하다. 식물 공장은 주로 LED와 분무 장치에 의한 실내 식물 재배 시스템을 이용한 전형적인 저탄소 녹색 사업을 가능하게 한다.

⊕ 바이오 연료

현재 가장 많이 생산되고 있는 생물 연료는 바이오에탄올과 바이오디젤이다. 바이오에탄올은 효모나 박테리아를 이용하여 생산하고, 바이오디젤은 식물이나 조류가 생산하는 기름을 화학적·생물학적 변환 과정을 거쳐 생산한다.

개념 더하기+

바이오칩
바이오칩은 정보 통신 기술과 생명 기술을 융합하여 만든 반도체 제품이다. 작은 반도체 기판 위에 단백질, DNA, 세포 등과 같은 생체 유기물을 조합한 후 반도체 칩 형태로 만들어 질병을 진단하거나 유전적 정보 등을 파악할 수 있게 한 생물학적 반도체를 말한다.

유비쿼터스
사용자가 네트워크나 컴퓨터를 의식하지 않고 장소에 상관없이 자유롭게 네트워크에 접속할 수 있는 정보 통신 환경이다.

(2) 미래 생명 기술 사례

① **나노 로봇**

- 사람의 혈관에 주입하여 세균이나 바이러스를 퇴치하거나 세포의 손상된 부위를 복구할 수 있다.
- 혈관 청소가 가능해 뇌출혈이나 심혈관 질환 예방이 가능하다.

② **바이오칩** DNA, 단백질 등을 작은 기판 위에 결합해 놓은 바이오칩으로 유전자 결함이나 각종 질병 진단이 가능하다.
바이오 소자 또는 생물 소자라고도 한다.

③ **유비쿼터스 건강 관리**

- 병원에 가지 않아도 바이오센서를 통해 환자의 건강 상태가 실시간으로 병원으로 전송된다.
- 의사의 진료와 처방이 환자에게 직접 전달된다.

함께 생각해 보기

그 밖에 미래에 등장하게 될 생명 기술에는 어떤 것들이 있을지 써 보고, 미래에 어떤 영향을 끼칠지 이야기해 보자.

예 줄기 세포 치료의 성공과 효율적 이용, 바이오 장기 혹은 인공 장기의 성공률 증가, 슈퍼 바이러스의 예방 등으로 우리 생활을 크게 변화시킬 것이다.

4 생명 기술의 부적절한 활용은 여러 가지 문제를 불러온다

생명 기술은 잘못 활용하면 여러 가지 부작용이 발생할 수 있으므로 올바른 생명 윤리와 가치관을 바탕으로 생명 기술이 개인과 사회에 미칠 영향을 고려하여 이루어져야 한다.

(1) 생명 기술의 부작용

① 생명 윤리 문제, 생태계 파괴 등의 부작용이 발생할 수 있다.
② 복제 기술은 인간 복제 가능성 때문에 인간의 존엄성 논란을 불러일으킨다.

(2) 생명 기술이 초래할 수 있는 문제점

① 동식물 복제 과정에서 나타난 기형이나 돌연변이가 생태계에 위협을 줄 수 있다.
② 유전자 조작 과정에서 예기치 못한 사고로 질병에 걸릴 수 있다.
③ 기술이 상업적 목적으로 사용되어 빈부 격차가 커진다.
④ 복제 인간의 탄생, 의도적으로 유전자가 조작된 생명체의 탄생으로 생명의 존엄성에 혼란이 발생한다.

들여다보기

우리가 평소에 먹고 있는 유전자 재조합 식품에는 어떤 것들이 있을까?

예 특정한 영양소(비타민 A)가 강조되어 함유된 쌀, 수확량이 증가하는 옥수수, 병충해에 저항성이 있는 작물, 육질이 좋은 작물 등

교과서 뛰어넘기

인간 복제의 윤리적 문제

인간 복제는 인간의 체세포를 떼어 내 착상시키는 방법으로, 유전적으로 동일한 또 다른 인간을 만드는 것을 말한다. 『뉴욕 타임스』가 1993년 10월 24일 처음 보도한 인간 복제 관련 기사는 세계적인 이슈로 퍼졌다. 인간 복제와 관련하여 이 신문이 사용한 용어는 '인간 배아의 복제 기술(cloning of humanembryos)'이다. 배아 줄기세포를 이용한 세포 복제는 기술이 가져다 줄 희망도 있지만, 인간 복제가 불러올 비윤리적인 사실에 혼란과 우려를 표하는 의견도 많다.

생명 기술은 꼭 필요한 기술이다. 그러나 기술의 발달을 위한 노력과 더불어 기술의 개발 및 적용 과정에서 발생할 수 있는 문제점과 부정적인 영향을 최소화하기 위한 끊임없는 노력과 생명 존중의 자세가 필요하다.

개념 더하기+

주제 활동 생명 기술의 영향 살피기

1. 생명 기술의 발달이 우리 사회에 미친 영향을 생각해 보자.

긍정적인 면

예
- 신약 개발로 인한 수명 연장
- 불치병 치료
- 식량 자원 공급 증대
- 의료 기술 개발
- 환경 오염 물질 제거
- 멸종 동식물 보존

부정적인 면

예
- 줄기 세포 복제의 생명 윤리 분쟁
- 유전자 재조합 식품의 유해성 미검증
- 돌연변이 생물의 탄생 위험
- 고령화 사회의 도래

2. 1의 사회적 현상을 생각했을 때 생명 기술의 발달에 따라 새롭게 등장하거나 더욱 관심을 가져야 할 직업에는 어떤 것이 있을까? 또 그 까닭은 무엇일까?

직업	까닭
예 바이오 물류 전문가	예 바이오 관련 물류 수송이 많아지면 온도나 시간, 통관 절차 등에 있어 주의해야 할 부분이 많으므로 제반 사항을 꼼꼼하게 살펴 물류 계약을 체결하는 전문가가 필요하다.

3. 생명 기술이 우리 사회에 미친 영향을 살펴보면서 느낀 점을 써 보자.

수명 연장이나 식량의 원활한 공급 등에 좋은 영향을 미치겠지만, 모든 개발과 발전은 인간이 중심이 되어야 윤리적으로 안정이 될 것이다.

내용 정리

1 생활 속 생명 기술

(1) 유전자 재조합

① 원래 가지고 있지 않은 유전자를 다른 생명체에서 추출한 후 유전자를 인위적으로 재조합하는 기술
② 인간에게 필요한 특성이 있는 새로운 생물을 만들 수 있는 기술
③ 특정한 목적을 가진 작물 개발, 의약품 개발 등에 사용됨.

(2) 조직 배양

① 생물체의 세포, 조직, 기관 등의 일부를 분리하여 무균 상태로 시험관이나 배지 등의 환경에서 생물체를 재생 또는 증식하는 기술
② 한 개의 세포에서 유전 형질이 같은 개체를 많이 얻을 수 있어 인간에게 필요한 생물을 대량으로 증식시킬 때 활용됨.
③ 멸종 위기에 처한 희귀 동식물 번식, 인간의 질병과 염색체 이상을 발견하는 데 활용됨.

(3) 세포 융합

① 서로 다른 종자의 세포를 하나로 융합시켜 새로운 생물을 만드는 기술
② 두 생물의 우수한 성질을 모두 갖춘 새로운 생물을 만드는 데 사용됨.

(4) 핵 치환

① 세포에서 원래 생물의 핵을 제거하고 우수한 유전 형질을 지닌 다른 생물의 세포핵을 이식하는 기술
② 우수한 동식물의 복제나 대량 생산, 멸종 위기에 처한 동식물 보존에 이용됨.

2 다양한 분야에 활용되는 생명 기술

(1) 생명 기술 활용

① 우리가 먹는 식품의 영양가를 더 풍부하게 만듦으로써 인간을 더 건강하게 살 수 있도록 해 줌.
② 화석 연료를 대체할 에너지를 생산하거나 지구의 환경을 정화하는 데도 이용됨.

(2) 생명 기술의 분야

① **식품 분야** 발효 식품, 유전자 조작 기술을 이용한 황금 쌀, 육질의 크기를 개선한 가축, 유전자 변형 어류 등을 만드는 데 활용함.
② **의료 분야** 의약품 대량 생산, 백신 개발, 바이오 장기 개발 등에 이용함.
③ **환경 분야** 미생물을 이용한 환경 정화, 생분해성 비닐, 바이오 플라스틱 등을 개발함.
④ **에너지 분야** 바이오매스 에너지, 나무 펠릿 연료 등을 활용함.

3 우리의 미래를 변화시키는 생명 기술

(1) 생명 기술로 인한 변화

① 의료용 나노 로봇 등장으로 수술 없이 치료 가능함.
② 각종 바이오센서의 개발로 병원에 가지 않아도 실시간으로 의사의 진료와 처방을 받을 수 있음.
③ 인간 게놈 분석을 통한 맞춤형 유전자 치료가 대중화됨으로써 유전적 결함이나 각종 질병, 장애를 예방하고 치료할 수 있을 것임.

(2) 미래 생명 기술 사례

① **나노 로봇** 작은 크기의 나노 로봇을 이용하여 세균이나 바이러스 퇴치, 심혈관 질환을 방지함.
② **바이오칩** 작은 기판 위에 DNA, 단백질 등을 결합시켜 유전자 결함이나 각종 질병 진단이 가능함.
③ **유비쿼터스 건강 관리** 정보 통신 기술과의 융합으로 병원에 가지 않고도 건강 상태를 전송하고 진료를 받을 수 있음.

4 생명 기술의 부적절한 활용

(1) 생명 기술의 부작용

① 생명 윤리 문제, 생태계 파괴 등 부작용이 발생함.
② 복제 기술은 인간 복제 가능성 때문에 인간의 존엄성 논란을 불러일으킴.

(2) 생명 기술이 초래할 수 있는 문제점

① 동식물 복제 과정에서 나타난 기형 또는 돌연변이가 생태계에 위협을 줌.
② 유전자 조작 과정에서 예기치 못한 사고로 질병에 걸림.
③ 기술의 상업적 이용으로 빈부 격차가 커짐.
④ 복제 인간, 의도적 유전자 변형 조작으로 인한 생명의 존엄성에 혼란이 발생함.

개념 꽉꽉 다지기

01. 한 생명체에서 추출한 유전자를 그 유전자를 가지고 있지 않은 다른 생명체에 넣고 인위적으로 조합하는 기술을 (   )(이)라고 한다.

02. 다음은 유전자 재조합 기술에 대한 설명이다. 맞으면 ○, 틀리면 ×표를 하시오.

(1) 유전자 재조합을 통해 인간에게 필요한 특성이 있는 새로운 생물을 만들 수 있다. (   )

(2) 대장균을 이용하여 인슐린을 만들 때 유전자 재조합 기술을 활용한다. (   )

03. 한 개의 세포로부터 유전 형질이 같은 개체를 한꺼번에 많이 얻기 위해 활용되는 생명 기술로 옳은 것은?

① 핵 치환
② 핵 융합
③ 세포 융합
④ 조직 배양
⑤ 유전자 재조합

04. 다음 설명에 해당하는 생명 기술로 옳은 것은?

> 토감(토마토+감자)처럼 두 생물의 우수한 성질을 모두 갖춘 새로운 생물을 만드는 데 사용된다.

① 핵 치환
② 핵 융합
③ 세포 융합
④ 조직 배양
⑤ 유전자 재조합

05. 생명 기술이 다양하게 활용된 사례로 옳지 않은 것은?

① 무추
② 나무 펠릿
③ 황금 쌀
④ 복제 돼지
⑤ 유비쿼터스

Helper

01. 유전자 재조합 기술을 이용하면 인간에게 필요한 특성이 있는 새로운 생물을 만들 수 있다.

02. 유전자 재조합 기술을 통해 냉해에 강한 성질의 유전자를 추위에 약한 농작물에 넣고 조합하여, 추운 겨울에도 재배할 수 있는 농작물을 만들 수 있다.

03. 생물체의 세포, 조직, 기관 등의 일부를 분리하여 시험관이나 배지 등의 환경에서 무균 상태로 생물체를 재생 또는 증식하는 기술을 조직 배양이라고 한다.

04. 서로 다른 종자의 세포를 하나로 융합시켜 새로운 생물을 만드는 기술을 세포 융합이라고 한다.

05. 생명 기술은 식품, 의료, 환경, 에너지 분야에서 다양한 제품을 만드는 데 활용된다.

차곡차곡 실력 쌓기

01 유전자 재조합 기술로 생산이 가능한 것으로 옳은 것은?

① 토감
② 무추
③ 나노 로봇
④ 복제 동물
⑤ 대량의 인슐린

02 다음과 같은 과정으로 이루어지는 생명 기술로 옳은 것은?

> 1. 사람의 DNA 중에서 필요한 DNA를 제한 효소를 이용하여 잘라 낸다.
> 2. 플라스미드의 한 부분을 잘라낸 다음 1에서 잘라 낸 DNA를 리가아제를 이용하여 연결한다.
> 3. 세균과 플라스미드는 사람의 DNA를 갖게 된다.
> 4. 플라스미드를 대장균에 넣어 준다.
> 5. 세균에서 필요한 DNA를 분리하여 원하는 물질을 얻는다.

① 육종
② 핵 치환
③ 세포 융합
④ 조직 배양
⑤ 유전자 재조합

03 조직 배양 기술을 활용하여 얻을 수 있는 효과로 옳은 것은?

① 필요한 생물 대량 생산
② 친환경적인 에너지 생산
③ 오염된 지역의 환경 정화
④ 추운 겨울에도 재배할 수 있는 농작물 생산
⑤ 두 생물의 우수한 성질을 모두 갖는 생물 생산

04 세포 융합을 통해 얻을 수 있는 새로운 생물로 옳은 것은?

① 오레타치
② 복제 동물
③ 질 좋은 당근
④ 병충해에 강한 쌀
⑤ 냉해에 강한 식물

05 세포에서 원래 생물의 핵을 제거하고 우수한 유전 형질을 지닌 다른 생물의 세포핵을 이식하는 기술을 쓰시오.

( )

06 다음 설명에 해당하는 생명 기술의 이용으로 옳은 것은?

> 1996년 세계 최초로 포유동물 중 양의 핵 이식에 성공하였다.

① 오염된 지역을 정화시켰다.
② 맞춤형 치료가 대중화되었다.
③ 멸종 위기에 처한 동식물을 보존하였다.
④ 인간의 염색체 이상 발견에 사용하였다.
⑤ 식품의 영양가를 더 풍부하게 만들었다.

07 **식품 분야에서 활용된 생명 기술로 옳은 것은?**

① 황금 쌀
② 식물 공장
③ 바이오매스
④ 바이오 장기
⑤ 바이오에탄올

08 **㉠, ㉡에 들어갈 알맞은 말을 쓰시오.**

> 음식물 쓰레기, 분뇨, 목재, 식물 등을 가공하면 (㉠), (㉡), 바이오메탄 등과 같은 연료를 생성할 수 있는데, 이를 바이오매스 에너지라고 한다.
> (㉠)은/는 효모나 박테리아를 이용하여 생산하고, (㉡)은/는 식물이나 조류가 생산하는 기름을 화학적·생물학적 변환 과정을 거쳐서 생산한다.

(㉠: , ㉡:)

09 **생명 기술을 활용한 생활의 모습이 아닌 것은?**

① 장기 이식을 위해 복제 돼지를 개발하였다.
② 미생물을 이용하여 오염된 토양을 정화시킨다.
③ 화석 연료를 이용해 생성된 에너지를 활용한다.
④ 새로운 바이러스에 대항할 수 있는 백신 주사를 맞는다.
⑤ 일반 쌀에는 부족한 비타민 A의 함량을 높인 쌀을 이용한다.

10 **미래 생명 기술의 모습을 잘 설명한 사람은?**

> 수영: 미래에는 모든 질병이 사라져서 아픈 사람이 없을 거야.
> 찬희: 그렇지는 않을 거야. 다만 맞춤형으로 유전자 치료를 받을 수 있어서 질병을 예방할 수 있겠지.
> 종민: 그리고 새로운 의약품이 많이 생산되겠지. 하지만 장기 이식이 필요한 환자들은 여전히 치료가 어려울 거야.
> 선아: 새로운 치료법이 등장하면 병원에 진료받으러 오는 환자들이 더 많아지겠어.
> 서진: 그렇지. 모든 진료나 치료가 의사가 필요하니 병원이 더 많이 필요하겠네.

① 수영 ② 찬희
③ 종민 ④ 선아
⑤ 서진

11 **다음 설명에 해당하는 미래 생명 기술의 사례로 옳은 것은?**

> 사람의 혈관에 주입하여 세균이나 바이러스를 퇴치하거나 세포의 손상된 부위를 복구할 수 있다. 또한 혈관을 청소해 뇌출혈이나 심혈관 질환을 사전에 방지할 수 있다.

① 바이오칩
② 나노 로봇
③ 바이오센서
④ 바이오매스
⑤ 유비쿼터스 건강 관리

3 지구를 지속 가능하게 하는 착한 기술

「주제 열기」

● **가난한 나라 사람에게 가장 필요한 것은 무엇이고, 어떻게 해결할 수 있을지 이야기해 보자.**

→ • 먹을 것, 입을 것, 잠자리에 대한 해결이 되지 않는 나라들은 의식주 해결이 먼저이다. 구호 물품은 소모품이므로 스스로 얻어 낼 수 있는 원천적인 해결이 필요하다.
• 병에 걸려도 치료를 받을 수 없는 경우는 백신이나 치료진 등이 필요하다. 의료 기관이 전혀 없으므로 급한 경우 스스로 치료할 수 있는 간단한 키트 등이 필요하다.

● **우리 인류가 지구에서 지속적으로 살아갈 수 있는 방법에는 무엇이 있을지 생각해 보자.**

→ 혼자서 살아갈 수 없는 시대가 되었으므로 스스로 살아갈 수 있는 도움을 주고받으며 살아야 한다.

개념 더하기+

⊕ 적정 기술이 주목받는 이유
• 개발 도상국과 더불어 많은 사람들에게 이익을 주게 된다.
• 오염 물질 배출이 없고 에너지 자원의 소비를 최소화할 수 있다.
• 적정 기술을 첨단 기술에 접목이 가능하다.
• UN의 새천년 개발 목표 달성에 중요한 발판이 되었다.
• 개발 도상국의 빈곤 해소와 경제 발전을 통해 나라 간 개발 격차를 완화시킬 수 있다.
• 사회적 기업을 창간하고 빈곤층에게 경제 능력을 키워 줄 수 있다.

1/ 착한 기술이 세상을 바꾼다

(1) 적정 기술

① **적정 기술이란** 사회 공동체의 정치, 경제, 환경 조건을 고려해 현지에서 지속적인 생산과 소비를 할 수 있게 만든 기술을 말한다.

② 적정 기술은 기술 제품을 생산하고 사용하는 과정에서 최소한의 자원을 소비하므로 생태적인 성격을 띤다.

③ 적정 기술의 궁극적 목표는 인간 삶의 질 향상에 있다.

④ 적정 기술은 사용자들이 그 기술로부터 소득을 얻을 수 있고, 그 기술에 담긴 가치를 다시 사회에 되돌려 줄 수 있다.

(2) 적정 기술의 특징

① 적정 기술의 사용자 대다수는 개발 도상국의 저소득층으로, 공공 시설이 없는 환경에서 살고 있다.

② 대규모 사회 기반 시설이 필요하지 않으며, 신재생 에너지원을 활용하거나 화석 연료의 사용을 줄여 준다는 점에서 친환경적이다.

③ 사용자의 필요를 바탕으로 현지 환경에 기반을 두고 개발이 이루어지므로 실제 이용 가능성이 크다.

▲ 적정 기술의 조건

가난한 국가를 위해 소수의 시민 운동가나 대안 운동가에 의해 시작된 적정 기술은 우리나라에서도 관심이 커지고 있다.

2 적정 기술은 소박하지만 삶의 질을 높인다

(1) 항아리 냉장고

① 기온이 높은 아프리카 국가에서 전기 없이 낮은 온도를 유지하여 채소나 과일을 쉽게 상하지 않게 할 수 있다.

② 항아리 냉장고에 보관한 농작물은 20일 이상 신선함을 유지한다.

▲ 항아리 냉장고의 원리

(2) 사탕수수 숯

① 사탕수수를 추출하고 난 후에 남은 찌꺼기를 이용하여 숯을 만든다.

② 농업 쓰레기를 연료로 사용하므로 나무 연료 사용으로 발생하는 환경 문제를 해결하고, 나무보다 연기가 적고, 화력이 좋다.

③ 사탕수수를 재배하여 소득을 얻는 여러 개발 도상국에서 사용하고 있다.

함께 생각해 보기

적정 기술이 성공한 사례와 실패한 사례를 찾아보고, 그 원인을 알아보자.

예 • 성공 사례: 큐드럼, 라이프스트로, 사탕수수 숯, 항아리 냉장고, 지세이버, 페트병 전구 등
• 실패 사례: 플레이 펌프, 넷북, 에너지 세이빙 스토브 등

(3) 우리나라의 적정 기술

① 우리나라 적정 기술 현황

- 석유가 나지 않는 우리나라의 경우, 겨울철 난방비를 비롯한 에너지 사용 비용이 많으므로 에너지와 관련한 적정 기술이 등장하고 있다.
  - 짚과 흙을 이용한 생태 단열로 겨울철 연료비를 줄인다.
  - 태양열 온풍기와 태양열 건조기로 과일이나 작물 건조를 하고, 난방용으로도 사용한다.
- 최근 우리나라는 과학 기술 전문가들을 중심으로 한 모임과 민간단체, 대학 내 기관 및 교육 프로그램 등이 생기면서 크고 작은 적정 기술 개발이 진행되고 있다.
- 정부의 지원도 점차 늘어나고 있어 앞으로 개발 도상국에 도움을 줄 수 있는 다양한 기술이 개발될 예정이다.

개념 더하기+

적정 기술의 사례

- 케어스틱: 케어스틱은 칫솔의 모양과 같은 구성인 칫솔대와 칫솔모를 갖는다. 대나무는 칫솔대, 림나무 또는 구아바 가지는 칫솔모의 재료가 된다. 대나무 앞부분에 구멍을 뚫어 림나무를 넣는다. 림나무 자체적으로 구강 치료 성분을 가지며, 가지의 껍질을 벗겼을 때 하얀 가지 심은 브러시 형태로 갈라져 칫솔모 형태로 쓰일 수 있다.
- 시력 교정용 액체 안경 : 안경의 렌즈 부분에 투입하는 실리콘 오일의 양으로 렌즈 두께를 조절해 스스로 자신에게 맞는 안경을 만들 수 있는 주사기 형태의 안경을 개발했다. 개발 도상국의 시력을 위한 센터를 통해 20달러 미만에 판매되고 있어 남녀노소 누구나 쉽게 시력을 고정할 수 있게 되었다.

플레이 펌프의 실패

널리 알려진 대표적 적정 기술인 플레이 펌프는 아이들이 놀면서 물을 퍼 올리는 아이디어로 희망의 아이콘이 되었으나, 갖가지 고장이나 사용 시 체력 부담 등으로 인해 사람들은 원래의 핸드 펌프로 돌아가는 현상이 발생하였다.

② **태양열 온풍기와 태양열 건조기**

- 태양열 온풍기: 햇빛을 이용하여 알루미늄 주름관을 데우고 공기가 그 관을 통해 실내로 유입되도록 순환을 시켜 주는 기기이다. 태양열 에너지를 다른 에너지로 변환하여 사용하는 것보다 태양열을 바로 이용하는 것이 효율적이다.
- 태양열 건조기: 태양열 건조기는 간단한 장치를 이용하여 공기를 뜨겁게 만들어서 이용한다. 연료비나 오염 물질의 배출 등을 걱정할 필요가 없다. 건조 시간도 줄이고, 쥐나 벌레, 비의 피해를 막을 수 있다.

함께 생각해 보기

우리나라의 적정 기술 사례는 어떤 것이 있는지 찾아보고, 우리 생활에서 필요한 적정 기술 아이디어를 구상해 보자.

예 지세이버, 태양열 건조기, 태양열 온풍기, 안구 마우스 등 화석 연료 사용으로 인한 에너지 절약 차원의 기술 등이 필요하다.

더 들여다보기

간디의 적정 기술을 위한 활동이나 노력을 조사해 보자.

예 마하트마 간디는 월든 호숫가에서 2년간 채식을 하며 자연과 교감했던 미국의 사상가 헨리 소로(H.D.Thoreau)의 무소유 삶의 철학으로부터 큰 영향을 받았다. 마하트마 간디의 운동은 인도를 넘어 전 세계에 영향을 끼쳤는데, 그의 영향을 받은 에른스트 슈마허(E.F.Schumacher)는 적정 기술 운동을 펼치며, 적정 기술의 중요성을 강조하기 위해 '작은 것이 아름답다'라는 말을 남겼다.

3 지속 가능 발전으로 우리의 미래가 존재한다

(1) 지속 가능한 발전

① 현세대와 미래 세대 모두 자신의 필요를 충족하며 살아갈 수 있어야 한다.

② 이를 위해 경제의 성장, 환경의 보존, 사회의 정의가 조화를 이루며, 지속 가능성을 지향하는 지속 가능 발전이 이루어져야 한다.

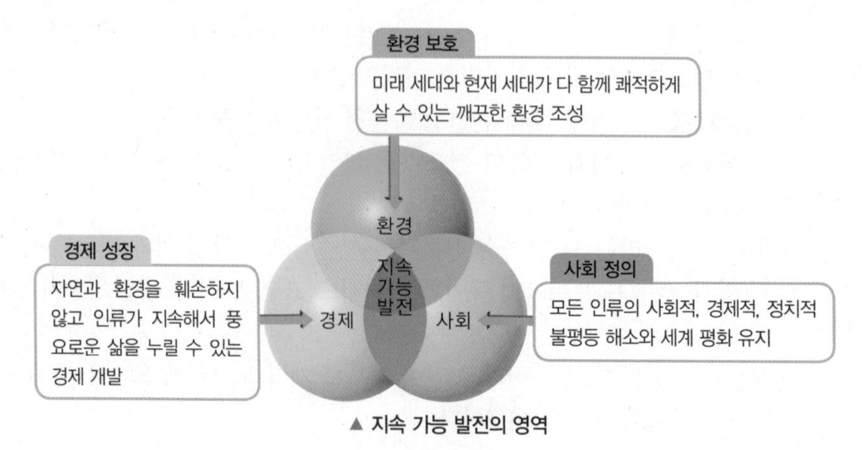

▲ 지속 가능 발전의 영역

개념 더하기+

아이캔
아이라이터라는 눈의 움직임을 이용해 의사소통을 할 수 있도록 한 제품에 감명받아 삼성이 만든 '아이캔'은 몸을 움직일 수 없는 환자들이 눈으로 컴퓨터를 조작할 수 있도록 한 일종의 안구 마우스이다.

지속 가능 발전 종합 목표(SDGs)
새천년개발목표(MDGs)의 후속 의제로서, MDGs의 가시적인 성과가 크지 않았음은 물론 원조 감소 추세에 따라 유엔에서는 새천년개발목표라는 공동의 목표를 통해 전 세계가 빈곤 종식을 위한 대대적인 노력을 촉구하고자 설정한 발전 계획을 말한다.

생태 통로
도로 개설, 관광 단지 건설로 인해 발생할 수 있는 야생 동물의 서식지 파괴 방지를 위한 이동 통로로서, 야생 동물이 차에 치여 죽거나 서식지가 분리되는 것을 방지한다.

(2) **지속 가능한 발전을 위한 기술 사례**

① **바이오플라스틱** 땅속에서 분해가 되어 환경을 오염시키지 않는 친환경 소재이다.

- 바이오매스 플라스틱: 생물체에서 얻을 수 있고, 재생 가능한 물질인 바이오매스를 원료로 한다.
- 생분해성 플라스틱: 일정한 조건의 환경에서 미생물에 의해 분해된다.

② 미래 식량 문제로 인해 식물 줄기나 목재의 주성분인 셀룰로스를 원료로 한 바이오플라스틱이 주목받고 있다.

개념 더하기⁺

⊕ 자연형 하천 복원
콘크리트 제방이나 물길의 직선화로 인한 수질 오염을 개선하기 위해 나무, 풀, 돌, 흙 등의 자연 재료를 이용하여 습지와 식물 군집을 조성하고, 수질 정화 시설을 설치하며 물길을 자연스럽게 틔워 준다.

스스로 생각해 보기

지속 가능한 발전을 위해 개인적인 차원에서 할 수 있는 일을 찾아보자.

예 • 에너지: 에너지를 절약할 수 있는 태양광 에너지를 활용한다.
• 자원: 환경 오염을 방지하기 위해 분리수거 철저히 하기, 과대 포장 구입하지 않기 등을 한다.
• 교통: 대기 오염 방지를 위해 친환경 버스를 이용한다.

교과서 뛰어넘기

흰개미집의 원리

흰개미의 크기는 0.5 cm 정도에 불과하지만 흰개미들은 집을 지을 때 1~10 cm에 달할 정도로 높게 짓는다. 흰개미집 안에는 많은 흰개미가 살고 있어 자체적으로 많은 열이 발생되고, 그 안에서 먹이를 섭취함으로써 분해열이 발생한다. 이 열은 공기를 데워 위로 밀어 올리게 되는데, 이때 하부는 압력이 낮아지면서 외부의 시원한 공기가 들어온다. 즉 차가운 공기는 아래로 내려가고, 더운 공기는 위로 올라가는 대류의 원리를 이용하여 공기를 지속적으로 순환시킴으로써 내부의 온도를 조절하게 된다. 아프리카는 한낮의 기온이 40℃에 가까울 정도로 뜨겁지만, 흰개미집은 항상 30~31℃ 정도를 유지한다.

주제 활동 지구를 위한 착한 기술 활용하기

1. 모둠별로 페트병을 다른 용도로 재활용할 수 있는 아이디어를 내 보자.

예 페트병 전구, 수납용품, 페트병 옷걸이 등

2. 선정된 아이디어를 스케치해 보자.

예 페트병 옷걸이

3. 스케치한 내용을 토대로 실제 제품을 만들어 보자.

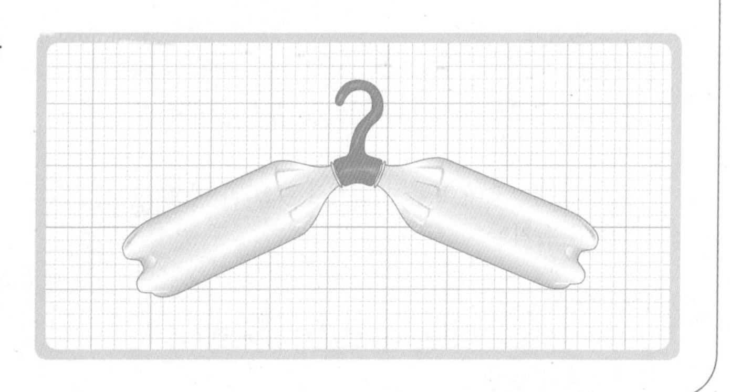

내용 정리

1/ 세상을 바꾸는 착한 기술

(1) **적정 기술**

① 사회 공동체의 정치, 경제, 환경 조건을 고려해 현지에서 지속적인 생산과 소비를 할 수 있게 만든 기술

② 기술 제품을 생산하고 사용하는 과정에서 최소한의 자원을 소비하므로 생태적인 성격을 띰.

③ 적정 기술의 궁극적 목표는 인간 삶의 질 향상에 있음.

(2) **적정 기술의 특징**

① 적정 기술의 사용자 대다수는 개발 도상국의 저소득층으로, 공공 시설이 없는 환경에서 살고 있음.

② 대규모 사회 기반 시설이 필요하지 않으며, 신재생 에너지원을 활용하거나 화석 연료의 사용을 줄여 준다는 점에서 친환경적임.

③ 사용자의 필요를 바탕으로 현지 환경에 기반을 두고 개발이 이루어지므로 실제 이용 가능성이 큼.

④ **적정 기술의 조건**

- 적은 비용이 듦.
- 가능한 한 현지에서 나는 재료를 사용함.
- 현지 기술과 노동력으로 일자리를 창출함.
- 제품 크기는 비교적 작고 사용 방법이 간단함.
- 특정 분야의 지식 없이도 이용 가능함.
- 지역 주민 스스로 만들 수 있음.
- 협동 작업을 이끌어 내며, 지역 사회 발전에 공헌함.
- 재생 에너지 자원을 활용함.
- 기술을 사용하는 사람들이 해당 기술을 이해할 수 있음.
- 상황에 맞게 바꿀 수 있음.

2/ 적정 기술

(1) **항아리 냉장고**

① 기온이 높은 아프리카 국가에서 전기 없이 낮은 온도를 유지하여 채소나 과일을 쉽게 상하지 않게 할 수 있음.

② 항아리 냉장고에 보관한 농작물은 20일 이상 신선함을 유지함.

(2) **사탕수수 숯**

① 사탕수수를 추출하고 난 후에 남은 찌꺼기를 이용하여 숯을 만듦.

② 나무 연료 사용으로 발생하는 환경 문제를 해결하고, 나무보다 연기가 적고, 화력이 좋음.

(3) **우리나라의 적정 기술**

① **우리나라 적정 기술의 현황**

- 우리나라의 경우, 겨울철 난방비를 비롯한 에너지 사용 비용이 많으므로 에너지와 관련한 적정 기술이 등장함(짚과 흙을 이용한 생태 단열, 태양열 온풍기와 태양열 건조기).
- 최근 우리나라는 과학 기술 전문가들의 모임과 민간단체, 대학 내 기관 및 교육 프로그램 등이 생기면서 적정 기술 개발이 진행되고 있음.
- 앞으로 개발 도상국에 도움을 줄 수 있는 다양한 기술이 개발될 예정임.

② **태양열 온풍기와 태양열 건조기**

- 태양열 온풍기: 햇빛을 이용하여 알루미늄 주름관을 데우고 공기가 그 관을 통해 실내로 유입되도록 순환을 시켜 주는 기기
- 태양열 건조기: 간단한 장치를 이용하여 공기를 뜨겁게 만들어서 이용함.

3/ 지속 가능 발전

(1) **지속 가능한 발전**

① 현세대와 미래 세대 모두 자신의 필요를 충족하며 살아갈 수 있어야 함.

② 이를 위해 경제의 성장, 환경의 보존, 사회의 정의가 조화를 이루며, 지속 가능성을 지향하는 지속 가능 발전이 이루어져야 함.

(2) **지속 가능한 발전을 위한 기술 사례**

① **바이오플라스틱**

- 땅속에서 분해가 되어 환경을 오염시키지 않는 친환경 소재임.
- 바이오매스 플라스틱: 생물체에서 얻을 수 있고 재생 가능한 물질인 바이오매스를 원료로 함.
- 생분해성 플라스틱: 일정한 조건의 환경에서 미생물에 의해 분해됨.

② 미래 식량 문제로 인해 식물 줄기나 목재의 주성분인 셀룰로스를 원료로 한 바이오플라스틱이 주목받고 있음.

개념 꽉꽉 다지기

01. 사회 공동체의 정치, 경제, 환경 조건을 고려해 현지에서 지속적인 생산과 소비를 할 수 있게 만든 기술을 (   )(이)라고 한다.

02. 적정 기술은 기술 제품을 생산하고 사용하는 과정에서 (   )의 자원을 소비하므로 생태적인 성격을 띤다.

03. 다음은 적정 기술 대한 설명이다. 맞으면 ○, 틀리면 ×표를 하시오.

(1) 적정 기술의 사용자 대다수는 선진국의 고소득층이다. (   )
(2) 적정 기술의 궁극적 목표는 인간 삶의 질 향상이다. (   )
(3) 적정 기술은 화석 연료의 사용을 줄여 주므로 친환경적이다. (   )

04. 적정 기술의 사례로 옳은 것은?

① 태블릿 PC
② 얼음 정수기
③ 사탕수수 숯
④ 전기 자동차
⑤ 휴대용 게임기

05. 다음에서 설명하고 있는 것으로 옳은 것은?

> 기온이 높은 아프리카 국가에서는 채소나 과일이 쉽게 상하기 때문에 농작물을 팔아 생활하는 농부들은 어려움이 많다. 이를 해결하기 위해 큰 항아리 속에 작은 항아리를 넣어 만들어 전기 없이 낮은 온도를 유지할 수 있다.

① 사탕수수 숯
② 라이프스트로
③ 태양열 온풍기
④ 항아리 냉장고
⑤ 교육용 컴퓨터

Helper

02. 적정 기술의 궁극적인 목표는 인간 삶의 질 향상에 있다.

03. 적정 기술의 사용자 대다수는 개발 도상국의 저소득층이고, 대규모 사회 기반 시설이 필요하지 않으며, 신재생 에너지원을 활용하거나 화석 연료의 사용을 줄여 준다.

04. 대표적인 적정 기술 제품으로 라이프스트로와 같은 구호 제품, 수동식 물 공급 펌프와 같은 농업 관련 기술, 교육용 컴퓨터 등이 있다.

05. 항아리 냉장고에 보관한 농작물은 20일 이상 신선함을 유지한다.

차곡차곡 실력 쌓기

01 다음 설명에 해당되는 것은?

> 사회 공동체의 정치, 경제, 환경 조건을 고려해 현지에서 지속적인 생산과 소비를 할 수 있게 만든 기술을 말한다.

① 큐드럼 ② 소화전
③ 자동차 ④ 냉장고
⑤ 휴대 전화

02 적정 기술의 특징으로 옳은 것은?

① 최대한의 자원을 소비한다.
② 화석 연료를 사용하여 개발한다.
③ 대규모 사회 기반 시설이 필요하다.
④ 전 세계에 일반화할 수 있도록 제작된다.
⑤ 적정 기술의 사용자 대다수는 개발 도상국이다.

03 적정 기술의 조건으로 옳은 것은?

① 상황에 맞게 바꿀 수 없다.
② 외부인의 도움을 받아 만든다.
③ 화석 에너지 자원을 활용한다.
④ 가능한 한 현지에서 나는 재료를 사용한다.
⑤ 특정 분야의 지식을 가지고 이용할 수 있다.

04 다음 설명에서 밑줄 친 부분에 해당하는 적정 기술의 조건으로 옳은 것은?

> 델마는 우물까지 한 번 다녀오는 데 1시간이 걸리는데, 이 일을 하루 5~6번을 해야 한다. 큐드럼을 이용하면 무겁지도 않고, 많은 양의 물을 담을 수 있어서 이제 하루에 한 번만 물을 길어오면 된다. 지름 50 cm, 높이 36 cm, 물을 가득 채웠을 때의 무게가 54.5 kg이나 되지만 상황에 맞는 적절한 디자인을 선택하여 <u>아이들도 쉽게 옮길 수 있는 드럼통이 탄생하였다.</u>

① 많은 비용이 든다.
② 재생 에너지 자원을 활용한다.
③ 가능한 한 현지에서 나는 재료를 사용한다.
④ 특정 분야의 지식이 없이도 이용할 수 있다.
⑤ 기술을 사용하는 사람들이 해당 기술을 이해할 수 없다.

05 항아리 냉장고의 특징으로 옳은 것은?

① 환경 문제를 해결할 수 있다.
② 전기를 이용하여 낮은 온도를 유지한다.
③ 큰 항아리와 작은 항아리 사이에 얼음을 채운다.
④ 작은 항아리 안에 과일, 채소를 넣고 비닐로 덮는다.
⑤ 증기가 빠져나가면서 작은 항아리 속은 낮은 온도가 유지된다.

06 다음과 같은 조건의 지역에 적절한 적정 기술의 사례를 쓰시오.

• 개발 도상국
• 사탕수수를 재배
• 연료 제조 과정으로 인해 환경 피해 심각

(   )

07 우리나라 적정 기술의 모습으로 옳지 않은 것은?

① 겨울철 난방비를 줄여야 한다.
② 개발 도상국으로부터 도움을 받고 있다.
③ 태양 에너지를 이용한 건조기를 개발했다.
④ 태양 에너지를 이용한 온풍기를 개발했다.
⑤ 여러 기관에서 적정 기술 개발이 진행되고 있다.

08 다음에서 설명하고 있는 것으로 옳은 것은?

우리나라 적정 기술 1호로 몽골 유목민을 위해 만들었다. 몽골에서 돌을 이용하여 장작을 땔 때 뜨겁게 달군 뒤, 이것에 넣어 열기를 오랫동안 잡아 두는 원리를 이용하였다.

① 온돌
② 지세이버
③ 항아리 냉장고
④ 태양열 온풍기
⑤ 태양열 건조기

09 (   ) 안에 들어갈 알맞은 말을 쓰시오.

현세대와 미래 세대 모두가 자신들의 필요를 충족하면서 살아갈 수 있어야 하기 때문에 이를 위해 경제의 성장, 환경의 보존, 사회의 정의가 조화를 이루며 지속 가능성을 지향하는 (   ) 이/가 이루어져야 한다.

(   )

10 지속 가능 발전 목표에 해당하지 않는 것은?

① 빈곤 퇴치
② 깨끗한 물과 위생
③ 급속도의 경제 성장
④ 건강하고 질 좋은 삶
⑤ 우리가 구할 수 있는 깨끗한 에너지

11 지속 가능한 발전을 위한 기술 사례로 옳은 것은?

① 나일론
② 사탕수수 숯
③ 형상 기억 합금
④ 바이오플라스틱
⑤ 엔지니어링 플라스틱

4 친환경 벌레 퇴치제 만들기

「주제 열기」

- 이 활동은 미생물을 이용하여 벌레 퇴치제로 활용해 보는 활동이다. 생명 기술의 연구 대상 중 하나인 미생물이 어떻게 이용되는지 알아보고, 몸에 해롭지 않은 벌레 퇴치제를 만들어야 한다.

개념 더하기+

발효 vs 부패

- 발효는 미생물이 유기물을 분해하는 과정에서 이로운 균이 생성된다.
- 부패는 발효와 달리 해로운 균을 생성한다.

미생물

육안의 가시 한계를 넘어선 0.1 mm 이하의 크기인 미세한 생물로, 주로 단일 세포 또는 균사로 몸을 이루며, 생물로서 최소 생활 단위를 영위한다.

1/ 문제 확인하기

공기를 오염시키지 않고 피부에 닿거나 우리 몸에 해롭지 않은 물질로 벌레 퇴치제를 만들어 보자.

(1) 문제 해결 조건

① 인체와 환경에 해롭지 않은 미생물을 이용해야 한다.
② 휴대하기 편한 상태로 완성해야 한다.
③ 해충을 쫓아내는 효과가 있어야 한다.

(2) 설계 및 제작 제한 시간 2시간

(3) 준비물 정제수(40 mL), 쌀, 볼, 물(1 L), 에탄올(50 mL), 설탕, 라벤더 오일(10 방울), 티트리 오일(5 방울), 시트로넬라 오일(5 방울), 전자저울, 비커(250 mL), 빈 페트병(1.5 L), 스프레이 용기(50 mL), 약숟가락

시트로넬라: 스리랑카 주변에서 자라는 외떡잎식물로, 벼목 화본과의 여러해살이풀이다.

2/ 계획하기

수집한 정보를 바탕으로 문제 해결을 위한 아이디어를 탐색 및 선정하고 구체적으로 계획해 보자.

(1) 정보 수집하기

친환경 미생물을 이용하여 벌레 퇴치제를 만들기 위해서 필요한 다양한 정보를 수집해 보자.

① 우리 몸에 해롭지 않은 유익한 미생물

- 유용 미생물
  - 미생물 중에서 인간과 자연에 이로운 미생물 수십 종을 조합하여 배양한 것을 말한다.
  - 유용 미생물은 강력한 항산화 작용을 하고, 고분자 물질의 분해를 촉진하며 친환경적이다.
  - 초기에는 농업용으로 많이 사용하였으나, 살균, 소독, 악취를 제거하는 환경 정화원으로 활용할 수 있다는 사실이 알려지면서 환경 정화나 공중위생, 공업 등으로 사용 분야를 확대하고 있다.

▲ 유용한 미생물로 만든 제품

② 유용 미생물을 이용한 발효 기술

- 발효: 미생물이 식물 또는 동물을 분해하는 과정에서 미생물이 가지고 있는 효소로, 유기물을 분해하여 각기 특유의 최종 산물을 만들어 내는 현상을 말한다.
- 발효 기술은 아주 오랜 옛날부터 인간이 자연에서 찾아낸 유용한 친환경 가공 기술로, 곰팡이를 이용해 치즈를 만들고, 젖산균으로 발효 유제품을 만드는 것이 그 예이다.
- 우리가 즐겨 먹는 김치, 된장, 젓갈, 식초 등도 발효를 이용해 만든 식품들이다.

▲ 발효로 만든 식품

③ 유용 미생물을 얻을 수 있는 생활 속 물질

- 다양한 재료로 유용 미생물을 얻을 수 있고, 이를 이용하여 벌레 퇴치제를 만들 수 있다.
- 일상생활에서 쉽게 접할 수 있고, 주식으로 이용하는 쌀, 잡곡, 밀가루 등을 발효시키면 손쉽게 유용 미생물을 얻을 수 있다.

▲ 유용 미생물을 얻을 수 있는 곡식

④ 쌀뜨물로 유용 미생물 만들기

- 쌀을 씻을 때 나오는 쌀뜨물에 설탕을 섞어 따뜻한 곳에 일정 기간 보관하면 쌀뜨물이 발효하면서 유용 미생물이 생성된다.
- 쌀뜨물에 있는 영양소들이 여러 가지 효소에 의해 아미노산, 유기산, 당류, 항산화 물질로 전환되는 과정에서 유용한 미생물인 효모, 젖산균, 광합성 세균 등이 증가하기 때문이다.

개념 더하기+

발효가 잘 되게 하려면

- 설탕을 충분히 넣는다.
- 설탕이 잘 녹게 충분히 흔들어 준다.
- 천일염 1ts 정도 혼합하면 부패되지 않고 발효가 잘된다.
- 35℃ 안팎에서 가장 발효가 잘된다.
- EM 원액을 첨가하면 안정적으로 발효가 잘된다.

유용 미생물은 항산화 작용을 통해 자연계의 산화와 파괴를 방지하고, 악취를 제거할 뿐만 아니라 해충의 접근을 막는다.

⑤ 유용 미생물 활용 분야

가정	산업
발효 식품 만들기 벌레 퇴치 음식 찌꺼기 처리 실내 공기 정화 친환경 세제 만들기(비누, 샴푸, 주방 세제 등)	친환경 농작물 생산 공기 악취 제거 오·폐수 처리 유기 발효 퇴비 생산 무항생제 사료 생산

(2) **아이디어 탐색하기** 관련 지식이나 정보를 바탕으로 모둠별로 확산적 사고 기법을 이용하여 문제 해결을 위한 다양한 아이디어를 탐색해 보자.

(3) **아이디어 선정하기** 아이디어 탐색을 통해 얻은 대안들은 수렴적 사고 기법을 이용하여 평가한 후 최적의 아이디어를 선정해 보자.

개념 더하기+

PMI 기법
아이디어 평가를 위한 수렴적 사고 기법의 하나로, 장점(plus), 단점(minus), 흥미로운 점(interesting)을 찾아 아이디어를 평가한다.

ALU 기법
강점(advantage), 제한점(limitation), 독특한 점(unique qualities)을 찾아 아이디어를 평가한다.

3 실행하기

가장 알맞은 아이디어를 선정하였다면, 실행에 필요한 재료들을 준비하여 친환경 벌레 퇴치제를 만들어 보자.

(1) **쌀뜨물로 발효액 얻기**

준비물
정제수(40mL), 쌀, 볼, 물(1L), 에탄올(50mL), 설탕, 라벤더 오일(10방울), 티트리 오일(5방울), 시트로넬라 오일(5방울), 전자저울, 비커(250mL), 빈 페트병(1.5L), 스프레이 용기(50mL), 약숟가락

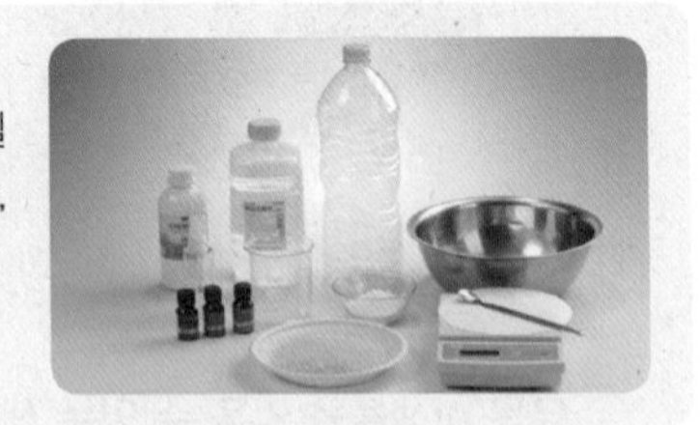

쌀뜨물로 발효액 얻기

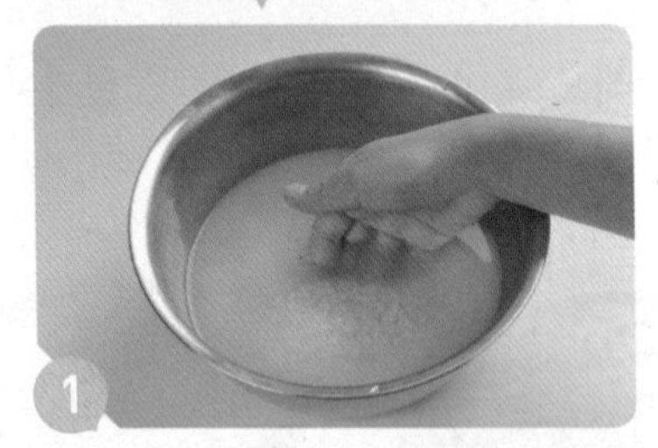

1 쌀을 물에 씻어 쌀뜨물을 낸다.

2 페트병 입구로부터 5cm 정도의 공간을 남기고 쌀뜨물을 담는다.

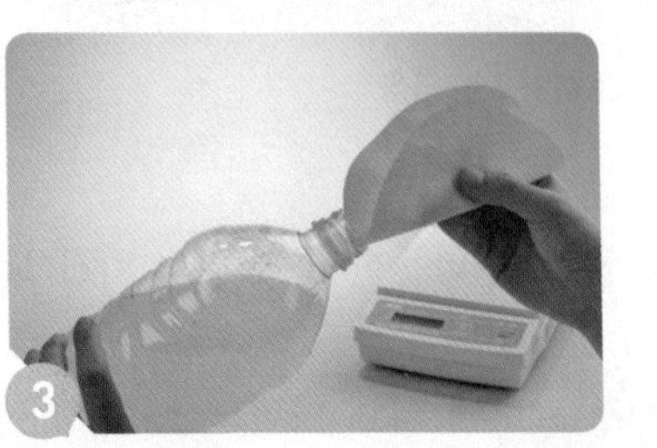

3 쌀뜨물에 설탕을 15~20g 정도 넣고 충분히 흔든다.

4 뚜껑을 단단히 잠근 후 직사광선을 피해 따뜻한 곳에서 7~10일간 보관한다.

(2) 벌레 퇴치제 완성하기

벌레 퇴치제 완성하기

1 발효된 쌀뜨물 10 mL를 비커에 담고 정제수 40 mL, 에탄올 50 mL를 넣는다.

2 1의 내용물에 라벤더 오일 10방울, 티트리 오일 5방울, 시트로넬라 오일 5방울을 넣고 잘 섞는다.

3 완성된 벌레 퇴치제를 스프레이 용기에 담는다.

함께 생각해 보기

완성된 벌레 퇴치제를 서로 비교해 보고, 어느 것이 더 효과가 좋을지 함께 생각해 보자.

예 완성된 벌레 퇴치제의 색과 향, 벌레 퇴치 기능을 서로 비교하고, 친환경 재료를 이용해 단점을 보완하거나 개선할 수 있는 방법을 생각해 본다.

4 평가하기

우리 모둠의 완성품과 다른 모둠의 완성품을 서로 비교 평가하여 좋은 점과 개선할 점을 써 보자.

구분	평가 항목	평가
과정 평가	모둠 구성원 전체가 아이디어의 탐색과 선정 과정에 참여하였는가?	□ 잘함 □ 보통 □ 미흡
	쌀뜨물을 적당한 장소에서 충분한 시간 동안 발효하였는가?	□ 잘함 □ 보통 □ 미흡
	쌀뜨물, 정제수, 에탄올을 정확한 비율로 잘 혼합하였는가?	□ 잘함 □ 보통 □ 미흡
결과 평가	벌레 퇴치제는 인체와 환경에 해롭지 않은가?	□ 잘함 □ 보통 □ 미흡
	벌레 퇴치제를 휴대하기 편한 용기에 담았는가?	□ 잘함 □ 보통 □ 미흡
	벌레 퇴치제는 벌레 퇴치의 효능이 있는가?	□ 잘함 □ 보통 □ 미흡

교과서 뛰어넘기

EM 흙공 만들기

최근 EM을 이용한 수질 정화 작업을 위해 시민 단체 위주로 흙공을 만들어 던지는 캠페인이 활발하다.

10 kg의 점토질 흙에 EM 발효균강과 활성액을 골고루 혼합하여 야구공 크기의 공을 만든다. 상온의 그늘에서 1주일 가량 발효 및 건조시켜 수심이 깊고 물 흐름이 빠른 하천 바닥에 투척하거나 바다 양식장 저층부에 투척하면 수질 정화 및 퇴적 오니층을 분해할 수 있다.

개념 더하기+

방충 에센셜 오일

방충 효과가 있는 에센셜 오일은 인체에 해가 없으면서 탈취 기능, 심리 작용도 겸비해 효과적인 벌레 퇴치가 가능하다.

- 시트로넬라: 벌레들이 싫어하는 레몬과 비슷한 향이 난다.
- 제라늄: 생허브를 두어도 방충 효과가 있다.
- 레몬그라스: 레몬향이 나고, 항균 효과와 항박테리아 효과가 있다.
- 시더우드: 나무향이 나고, 방충제로 많이 판매된다.
- 파촐리: 다른 에센셜 오일과 섞어 주로 이용한다.
- 라벤더: 모기를 쫓고, 좀벌레가 생기는 것을 막는다.

오니층

하천이나 호수 바닥에 쌓여 있는, 오염되어 있는 흙의 층으로, 상당한 중금속을 함유하고 있다.

내용 정리

친환경 벌레 퇴치제 만들기

1/ 문제 확인하기

(1) 문제 해결 조건

① 인체와 환경에 해롭지 않은 미생물을 이용할 것
② 휴대하기 편한 상태로 완성할 것
③ 해충을 쫓아내는 효과가 있을 것

(2) 설계 및 제작 제한 시간 2시간

(3) 준비물 정제수(40 mL), 쌀, 볼, 물(1 L), 에탄올(50 mL), 설탕, 라벤더 오일(10 방울), 티트리 오일(5 방울), 시트로넬라 오일(5 방울), 전자저울, 비커(250 mL), 빈 페트병(1.5 L), 스프레이 용기(50 mL), 약숟가락

2/ 계획하기

(1) 정보 수집하기

① 우리 몸에 해롭지 않은 유익한 미생물

- 유용 미생물: 인간과 자연에 이로운 미생물 수십 종을 조합하여 배양한 것
- 강력한 항산화 작용을 하고, 고분자 물질의 분해를 촉진하며 친환경적임.
- 초기에는 농업용으로 많이 사용하였으나, 살균, 소독, 악취를 제거하는 환경 정화원으로 활용할 수 있다는 사실이 알려지면서 환경 정화나 공중위생, 공업 등으로 사용 분야를 확대함.

② 유용 미생물을 이용한 발효 기술

- 발효: 미생물이 식물 또는 동물을 분해하는 과정에서 미생물이 가지고 있는 효소로 유기물을 분해하여 각기 특유의 최종 산물을 만들어 내는 현상
- 곰팡이를 이용해 치즈를 만들고, 젖산균으로 발효 유제품을 만듦.
- 우리가 즐겨 먹는 김치, 된장, 젓갈, 식초 등도 발효를 이용해 만든 식품임.

③ 유용 미생물을 얻을 수 있는 생활 속 물질 일상생활에서 쉽게 접할 수 있고, 주식으로 이용하는 쌀, 잡곡, 밀가루 등을 발효시키면 손쉽게 유용 미생물을 얻을 수 있음.

④ 쌀뜨물로 유용 미생물 만들기 쌀뜨물에 설탕을 섞어 따뜻한 곳에 보관하면 쌀뜨물이 발효하면서 유용 미생물이 생성됨.

⑤ 유용 미생물 활용 분야

- 가정: 발효 식품 만들기, 벌레 퇴치, 음식 찌꺼기 처리, 실내 공기 정화, 친환경 세제 만들기(비누, 샴푸, 주방 세제 등)
- 산업: 친환경 농작물 생산, 공기 악취 제거, 오·폐수 처리, 유기 발효 퇴비 생산, 무항생제 사료 생산

(2) 아이디어 탐색하기

관련 지식이나 정보를 바탕으로 모둠별로 확산적 사고 기법을 이용하여 문제 해결을 위한 다양한 아이디어를 탐색함.

(3) 아이디어 선정하기

아이디어 탐색을 통해 얻은 대안들은 수렴적 사고 기법을 이용하여 평가한 후 최적의 아이디어를 선정함.

3/ 실행하기

(1) 쌀뜨물로 발효액 얻기

① 쌀을 물에 씻어 쌀뜨물을 냄.
② 페트병 입구로부터 5 cm 정도의 공간을 남기고 쌀뜨물을 담음.
③ 쌀뜨물에 설탕을 15~20 g 정도 넣고 충분히 흔듦.
④ 뚜껑을 단단히 잠근 후 직사광선을 피해 따뜻한 곳에서 7~10일간 보관함.

(2) 벌레 퇴치제 완성하기

① 발효된 쌀뜨물 10 mL를 비커에 담고 정제수 40 mL, 에탄올 50 mL를 넣음.
② ①의 내용물에 천연 오일을 넣고 잘 섞음.
③ 완성된 벌레 퇴치제를 스프레이 용기에 담음.

4/ 평가하기

완성된 제품을 서로 비교·평가하여 좋은 점과 개선할 점을 써 보고 평가함.

개념 꽉꽉 다지기

01. 미생물 중에서 인간과 자연에 이로운 미생물 수십 종을 조합하여 배양한 것을 (   )(이)라고 한다.

> **Helper**
>
> 01. 유용 미생물은 강력한 항산화 작용을 하고, 고분자 물질의 분해를 촉진하며 친환경적이다.

02. 다음은 유용 미생물에 대한 설명이다. 맞으면 ○, 틀리면 ×표를 하시오.

(1) 유용 미생물은 고분자 물질의 분해를 촉진하며 친환경적이다. (   )

(2) 벌레 퇴치제는 인체에도 해로울 수 밖에 없다. (   )

(3) 발효와 부패는 같은 결과물을 얻는다. (   )

(4) 유용 미생물은 항산화 작용을 한다. (   )

> 02. 유용 미생물을 이용한 벌레 퇴치제는 인체에 해가 없게 만들 수 있다. 미생물이 유기물을 분해하는 과정에서 이로운 균을 만들어 내는 발효와 달리 부패는 해로운 균을 생성한다.

03. 미생물이 가지고 있는 효소로 유기물을 분해해 각각 특유의 최종 산물을 만들어 내는 현상을 (   )(이) 라고 한다.

> 03. 발효 기술은 아주 오랜 옛날부터 인간이 자연에서 찾아낸 유용한 친환경 가공 기술이다.

04. 발효를 이용하여 만든 식품으로 옳은 것은?

① 커피　　② 마늘
③ 치즈　　④ 우유
⑤ 딸기잼

> 04. 곰팡이를 이용해 치즈를 만들고, 젖산균으로 유제품을 만드는 것이 발효이다.

05. 유용 미생물이 활용되는 분야가 아닌 것은?

① 방향제 만들기
② 발효 식품 만들기
③ 친환경 세제 만들기
④ 공기 악취 제거하기
⑤ 음식 찌꺼기 처리하기

> 05. 유용 미생물은 항산화 작용을 통해 자연계의 산화와 파괴를 방지하고, 악취를 제거할 뿐만 아니라 해충의 접근을 막는다.

차곡차곡 실력 쌓기

01 유용 미생물이 활용되고 있는 분야로 옳지 않은 것은?

① 공업용
② 농업용
③ 공중 위생
④ 환경 정화
⑤ 고분자 물질 생성

02 다음 식품에 대한 설명으로 옳은 것은?

> 김치, 된장, 젓갈, 식초

① 젖산균으로 발효 유제품을 만든다.
② 최근에 개발된 식품 가공 기술이다.
③ 인공적으로 만들어 낸 가공 기술이다.
④ 미생물이 유기물을 분해하는 과정에서 해로운 균을 생성한다.
⑤ 미생물이 가지고 있는 효소로 유기물을 분해하는 과정에서 이로운 균을 생성한다.

03 다음과 같은 상황을 해결하고자 할 때 반드시 필요한 재료로 옳은 것은?

> • 인체와 환경에 해롭지 않은 미생물을 이용할 것
> • 휴대하기 편한 상태로 완성되어야 할 것
> • 해충을 쫓아내는 효과가 있을 것

① 치즈 ② 소금
③ 식초 ④ 쌀뜨물
⑤ 요구르트

04 쌀뜨물로 유용 미생물을 만드는 방법이 옳은 것은?

① 쌀뜨물에 설탕을 섞어 따뜻한 곳에 보관한다.
② 쌀뜨물에 소금을 넣어 시원한 곳에 보관한다.
③ 쌀뜨물에 설탕을 섞어 시원한 곳에 보관한다.
④ 쌀뜨물에 소금을 넣어 따뜻한 곳에 보관한다.
⑤ 쌀뜨물에 미생물을 넣어 시원한 곳에 보관한다.

05 (   ) 안에 공통으로 들어갈 알맞은 말을 쓰시오.

> 쌀뜨물에 설탕을 섞어 따뜻한 곳에 보관하면 쌀뜨물이 발효하면서 (   )이 생성된다. 그 이유는 쌀뜨물에 있는 영양소들이 여러 가지 효소에 의해 아미노산, 유기산, 당류, 항산화 물질로 전환되는 과정에서 (   )인 효모, 젖산균, 광합성 세균 등이 증가하기 때문이다.

(   )

06 가정에서 활용할 수 있는 유용 미생물의 분야로 옳지 않은 것은?

① 벌레 퇴치하기
② 발효 식품 만들기
③ 실내 습도 조절하기
④ 친환경 세제 만들기
⑤ 음식 찌꺼기 처리하기

07 ( ) 안에 들어갈 알맞은 말을 쓰시오.

> 유용 미생물은 (   )을/를 통해 자연계의 산화와 파괴를 방지하고, 악취를 제거할 뿐만 아니라 해충의 접근을 막는다.

(   )

08 다음의 사고 기법과 유사한 기능을 하는 사고 기법으로 옳은 것은?

> PMI 기법은 탐색한 아이디어 중 최적의 아이디어를 선정할 때 사용할 수 있는 수렴적 사고 기법으로, 아이디어의 장점, 단점, 흥미로운 점을 찾아내는 기법이다.

① ALU 기법　② 희망 열거법
③ 브레인스토밍　④ 육색사고모법
⑤ 브레인 라이팅

09 문제 상황에서 아이디어를 탐색할 수 있는 사고 기법으로 옳은 것은?

① PMI 기법　② ALU 기법
③ 체크리스트　④ 평가 행렬법
⑤ 브레인 라이팅

10 친환경 벌레 퇴치제를 만들기 위해 사용할 수 있는 천연 오일을 보기 에서 있는 대로 고른 것은?

> 보기
> ㄱ. 라벤더 오일　ㄴ. 티트리 오일
> ㄷ. 장미향 오일　ㄹ. 시트로넬라 오일

① ㄱ, ㄷ　② ㄷ, ㄹ
③ ㄱ, ㄴ, ㄹ　④ ㄱ, ㄷ, ㄹ
⑤ ㄴ, ㄷ, ㄹ

11 친환경 벌레 퇴치제가 제대로 기능을 수행하지 못한다면 점검해 보아야 하는 부분으로 옳은 것은?

① 벌레 퇴치제의 양이 적당한가?
② 벌레 퇴치제의 향이 향기로운가?
③ 벌레 퇴치제의 색이 아름다운가?
④ 쌀뜨물이 충분히 발효가 되었는가?
⑤ 벌레 퇴치제를 휴대하기가 편리한가?

12 쌀뜨물로 발효액을 만드는 과정을 순서대로 나열하시오.

> ㄱ. 페트병 입구로부터 5 cm 정도의 공간을 남기고 쌀뜨물을 담는다.
> ㄴ. 쌀뜨물에 설탕을 15~20 g 정도 넣고 충분히 흔든다.
> ㄷ. 쌀을 물에 씻어 쌀뜨물을 낸다.
> ㄹ. 뚜껑을 잠근 후 직사광선을 피해 따뜻한 곳에서 7~10일간 보관한다.

(   )

01 다음 설명에 해당하는 것으로 옳은 것은?

> 살아 있는 생물체의 구조와 기능 등 생명 현상을 분석하고 생명체의 다양한 기능을 활용하여 인간에게 유용한 물질을 만드는 수단이나 방법

① 제조 기술 ② 건설 기술
③ 수송 기술 ④ 생명 기술
⑤ 첨단 기술

02 다음 중 생명 기술 시스템의 '과정' 단계에 해당하는 것이 아닌 것은?

① 벼가 성숙한다.
② 볍씨가 발아한다.
③ 물, 비료 등을 주며 기른다.
④ 생산된 쌀을 생활에 이용한다.
⑤ 다 자란 벼를 수확하고, 쌀로 도정한다.

중요

03 다음 설명에 해당하는 생명 기술로 옳은 것은?

> 염색체상에서 질병의 원인이 되는 유전자의 위치를 파악함으로써 앞으로 암이나 난치병을 치료하는 데 큰 도움이 될 것이다.

① 신약 개발
② 유전 법칙 발견
③ 복제 동물 실험
④ DNA 구조 발견
⑤ 인간 게놈 프로젝트

중요

04 다음 보기 를 시간의 흐름에 맞게 바르게 나열한 것은?

> 보기
> ㄱ. 페니실린 발견 ㄴ. 복제 양 돌리
> ㄷ. 인간 게놈 프로젝트 ㄹ. 백신 개발

① ㄱ－ㄴ－ㄷ－ㄹ ② ㄱ－ㄷ－ㄴ－ㄹ
③ ㄴ－ㄱ－ㄷ－ㄹ ④ ㄷ－ㄴ－ㄱ－ㄹ
⑤ ㄹ－ㄱ－ㄴ－ㄷ

05 우리나라의 전통 발효 음식을 보기 에서 있는 대로 고른 것은?

> 보기
> ㄱ. 라시 ㄴ. 자 초이
> ㄷ. 고추장 ㄹ. 젓갈
> ㅁ. 낫토

① ㄱ, ㄴ ② ㄷ, ㄹ
③ ㄴ, ㄷ ④ ㄹ, ㅁ
⑤ ㄱ, ㅁ

06 다음 설명에 해당하는 생명 기술로 만들 수 있는 것은?

> 한 생명체에서 추출한 유전자를 그 유전자를 가지고 있지 않은 다른 생명체에 넣고 인위적으로 조합하는 기술이다.

① 치즈 ② 토감
③ 인슐린 ④ 무추
⑤ 복제 동물

중요

07 조직 배양 기술이 가져올 수 있는 좋은 점으로 옳은 것은?

① 번식력이 약한 동식물을 번식시킨다.
② 우수한 형질을 가진 동물의 복제가 가능하다.
③ 인간에게 필요한 특성이 있는 새로운 생물을 만들 수 있다.
④ 두 생물의 우수한 성질을 모두 갖는 새로운 생물을 만들 수 있다.
⑤ 외형과 연관된 유전자가 아니면 외형 변화가 거의 일어나지 않는다.

출제 예감

08 우수한 형질을 가진 동물의 복제를 위해 필요한 생명 기술로 옳은 것은?

① 육종
② 핵 치환
③ 조직 배양
④ 세포 융합
⑤ 유전자 재조합

09 생명 기술로 인한 변화의 모습으로 옳지 않은 것은?

① 화석 연료를 생산한다.
② 지구 환경을 정화시킨다.
③ 많은 양의 식량을 생산할 수 있다.
④ 인간을 더 건강하게 살 수 있게 한다.
⑤ 식품의 영양가를 더 풍부하게 만든다.

중요

10 다음 설명에 해당하는 미래의 생명 기술의 사례로 옳은 것은?

> DNA, 단백질 등을 작은 기판 위에 결합해 놓은 것으로, 유전자 결합이나 각종 질병을 진단할 수 있다.

① 나노 로봇 ② 바이오칩
③ 유비쿼터스 ④ 바이오 센서
⑤ 인간 게놈 분석

11 기온이 높은 아프리카 국가에서 채소나 과일 보관을 위해 적정 기술은?

① 사탕수수 숯 ② 라이프스트로
③ 항아리 냉장고 ④ 교육용 컴퓨터
⑤ 수동식 물 공급 펌프

12 다음과 같은 과정으로 만들어지는 적정 기술 제품에 대한 설명으로 옳은 것은?

> 가. 드럼통에 사탕수수 찌꺼기를 넣고 아래서 불을 지핀다.
> 나. 사탕수수 숯가루와 카사바라는 식물 뿌리를 가루 내어 잘 섞어 준다.
> 다. 반죽을 동그란 그릇에 찍어 내이 완성한다.

① 화력이 약하다.
② 연기가 많이 난다.
③ 사탕수수를 수입하는 국가이다.
④ 친환경적으로 기존의 숯을 만들어 냈다.
⑤ 쓰레기를 연료로 사용하기 때문에 환경 문제가 해결된다.

13 우리 나라에 적용 가능한 적정 기술의 분야로 등장하고 있는 것은?

① 식수 문제
② 에너지 절약
③ 농업 관련 기술
④ 교육의 기회 부족
⑤ 자원 자급자족 문제

14~15 다음 글을 읽고 질문에 답하시오.

> 우물까지 한 번 다녀오는 데 1시간이 걸리는데, 하루 5~6번을 가야 해요. 그래서 학교도 못 가고, 친구들과 놀 시간도 별로 없어요.

14 위의 상황에서 필요한 기술은 무엇인가?

① 제조 기술 ② 건설 기술
③ 생명 기술 ④ 적정 기술
⑤ 통신 기술

15 위의 상황에서 필요한 기술의 특징으로 옳지 않은 것은?

① 신재생 에너지원을 활용한다.
② 화석 연료의 사용을 줄여 준다.
③ 사용자의 필요를 바탕으로 한다.
④ 대규모 사회 기반 시설이 필요하다.
⑤ 현지 환경에 기반을 두고 개발이 된다.

16 태양열을 이용한 우리 나라의 적정 기술 사례로 옳은 것은?

① 태양열 건조기
② 태양열 습도기
③ 태양열 가습기
④ 태양열 냉장고
⑤ 태양열 세탁기

17 유용한 미생물을 사용한 사례로 볼 수 있는 것은?

① 즉석식품
② 화학 살충제
③ 항생제 사료 생산
④ 친환경 농산물 생산
⑤ 계면 활성제가 첨가된 비누

출제 예감

18 친환경 벌레 퇴치제를 만들 때 쌀뜨물 발효를 위해 필요한 재료는?

① 효모
② 소금
③ 설탕
④ 밀가루
⑤ 베이킹파우더

19 다음 식품들을 제조하는 방식으로 옳은 것은?

김치, 된장, 젓갈, 식초, 간장

① 발효 ② 부패
③ 숙성 ④ 찌기
⑤ 조리기

20 문제 해결 과정에서 아이디어를 선정하기 위해서 필요한 사고 기법으로 옳은 것은?

① 스캠퍼
② PMI 기법
③ 희망 열거법
④ 육색사고모법
⑤ 브레인 라이팅

출제 예감

21 친환경 벌레 퇴치제를 만들 때 필요한 재료가 아닌 것을 보기 에서 있는 대로 고른 것은?

보기
ㄱ. 쌀 ㄴ. 설탕
ㄷ. 소금 ㄹ. 티트리 오일
ㅁ. 정제수 ㅂ. 메탄올

① ㄱ, ㄴ ② ㄷ, ㄹ
③ ㄴ, ㄷ ④ ㄹ, ㅂ
⑤ ㄷ, ㅂ

서술형 평가

22 생명 기술로 인해 발생할 수 있는 문제점을 세 가지 서술하시오.

23 적정 기술의 조건을 세 가지 이상 서술하시오.

24 지속 가능한 발전의 세 가지 영역을 서술하시오.

01 다음과 같은 특징을 갖는 기술의 영역으로 옳은 것은?

- 부가 가치가 높다.
- 우리 생활에 직접 영향을 미친다.
- 의학, 약학, 생물학 등 관련 학문 분야가 매우 다양하다.
- 농업, 식품, 의약품 등에 널리 이용될 수 있다.

① 제조 기술 ② 생명 기술
③ 건설 기술 ④ 통신 기술
⑤ 수송 기술

02 생명 기술이 적용 가능한 영역으로 옳은 것은?

① 바이오 에너지
② 주상 복합 건물
③ 차세대 이동 통신
④ 맞춤형 제작 공정
⑤ 새로운 섬유 제작

출제 예감

03 생명 기술에 대한 내용 중 옳은 것을 보기 에서 있는 대로 고른 것은?

보기
ㄱ. 발효 기술을 개발하여 빵, 와인, 치즈를 만들었다.
ㄴ. 17세기 현미경의 개발을 통해 세포의 존재를 알게 되었다.
ㄷ. 20세기에는 유전 법칙을 발견하였다.
ㄹ. DNA 이중 나선 구조의 발견이 유전 공학의 발단이 되었다.

① ㄱ, ㄴ ② ㄴ, ㄹ
③ ㄷ, ㄹ ④ ㄱ, ㄴ, ㄹ
⑤ ㄴ, ㄷ, ㄹ

중요

04 인간이 본격적으로 질병을 치료하고, 예방이 가능해진 계기로 옳은 것은?

① 17세기 백신 개발
② 17세기 현미경 개발
③ 18세기 유전 법칙 발견
④ 20세기 DNA 구조 발견
⑤ 19세기 후반 병원균 발견

05 다음 설명에 해당하는 생명 기술의 발달 모습으로 옳은 것은?

영국의 로버트 훅은 자신이 개발한 제품으로 코르크 단면을 관찰하던 중 작은 단면을 보게 되었다. 그리고 다른 식물들도 같은 형태로 구성되어 있음을 발견하였고, 이후 여러 학자에 의해 동물과 식물의 다양한 세포 구조가 알려졌다.

① 백신 개발
② 발효 이용
③ 현미경 개발
④ 유전 법칙 발견
⑤ 멘델의 유전 법칙

06 발효 식품 중 채소를 발효시켜 만든 것은?

① 템페 ② 도사
③ 라시 ④ 수르스트뢰밍
⑤ 사우어크라우트

중요

07 다음 설명에 해당하는 생명 기술로 옳은 것은?

냉해에 강한 성질의 유전자를 추위에 약한 농작물에 넣고 조합하여, 추운 겨울에도 재배할 수 있는 농작물을 만들 수 있다.

① 핵 치환
② 조직 배양
③ 세포 융합
④ 동물 복제
⑤ 유전자 재조합

08 당근 뿌리의 조직 배양 과정을 순서대로 바르게 나열한 것은?

ㄱ. 배지에서 어린 식물이 자란다.
ㄴ. 당근의 뿌리에서 조직 일부를 잘라 낸다.
ㄷ. 잘라 낸 당근 세포를 배양액에서 배양한다.
ㄹ. 캘러스가 형성되면 세포를 분리해 용액에서 재배양한다.

① ㄱ-ㄴ-ㄷ-ㄹ
② ㄴ-ㄷ-ㄹ-ㄱ
③ ㄷ-ㄱ-ㄴ-ㄹ
④ ㄷ-ㄹ-ㄱ-ㄴ
⑤ ㄹ-ㄱ-ㄴ-ㄷ

09 다음과 같은 식물을 만들어 낼 수 있는 생명 기술을 쓰시오.

무추, 토감, 오레타치, 무추

( )

중요

10 생물 기술의 활용 분야와 사례가 바르게 연결된 것은?

① 수송 분야-바이오매스
② 환경 분야-바이오디젤
③ 식품 분야-유전자 변형 어류 개발
④ 에너지 분야-하천 및 지하수 정화
⑤ 의료 분야-육질과 크기 개선한 가축

11 생명 기술로 인한 미래의 변화된 모습으로 옳지 <u>않은</u> 것은?

① 큰 질병에 대한 인간의 수술 실력이 더욱 강조된다.
② 인간 게놈 분석으로 맞춤형 유전자 치료가 가능하다.
③ 바이오칩으로 유전자 결함이나 각종 질병을 진단할 수 있다.
④ 나노 로봇이 혈관에 주입되어 세균이나 바이러스를 퇴치한다.
⑤ 집에서 환자의 상태가 실시간으로 전송되고 바로 진료가 이루어진다.

출제 예감

12 생명 기술로 인한 문제점으로 볼 수 <u>없는</u> 것은?

① 유전자 재조합 식품을 안심하고 먹을 수 있다.
② 기술의 상업적 사용으로 인해 빈부 격차가 커진다.
③ 유전자 조작으로 인해 생명의 존엄성에 혼란이 발생할 수 있다.
④ 유전자 조작 과정에서 예기치 못한 사고로 질병에 걸릴 수 있다.
⑤ 동식물 복제 과정에서 나타난 기형이나 돌연변이가 생태계에 위협을 줄 수 있다.

중요

13 적정 기술에 대한 설명으로 옳은 것은?

① 화석 연료의 사용이 많아질 수 밖에 없다.
② 적정 기술의 사용자 대다수는 선진국 국민이다.
③ 최대한 많은 자원을 소비하므로 소비적 성격을 띤다.
④ 적정 기술로 제공되는 물품 수명이 끝나면 의미가 없다.
⑤ 현지에서 지속적인 생산과 소비를 할 수 있게 만든 기술이다.

중요

14 라이프스트로에 해당하는 적정 기술의 조건을 보기에서 있는 대로 고른 것은?

보기
ㄱ. 지역 주민 스스로 만들 수 있다.
ㄴ. 제품의 크기는 비교적 작고, 사용 방법이 간단하다.
ㄷ. 상황에 맞게 바꿀 수 있다.
ㄹ. 특정 분야의 지식 없이도 이용할 수 있다.

① ㄱ, ㄴ ② ㄱ, ㄷ
③ ㄴ, ㄷ ④ ㄴ, ㄹ
⑤ ㄷ, ㄹ

15 개발 도상국에서 적용되는 적정 기술로 옳지 않은 것은?

① 큐드럼
② 김치 냉장고
③ 사탕수수 숯
④ 라이프스트로
⑤ 항아리 냉장고

16 다음과 같은 상황에서 필요한 적정 기술로 옳은 것은?

우리나라는 석유가 나지 않으므로 여름이나 겨울에는 에너지 사용을 절약해야 하는 문제가 발생한다.

① 수동 물 펌프
② 태양열 온풍기
③ 휴대용 정수기
④ 바이오 플라스틱
⑤ 자율 주행 자동차

17 (　　) 안에 들어갈 알맞은 말을 쓰시오.

지속 가능 발전의 영역은 환경 보호, 경제 성장, (　　) 등으로 이루어진다.

(　　　　　　　　)

18 다음 설명에 해당하는 생명 기술의 결과물로 옳은 것은?

미생물이 식물 또는 동물을 분해하는 과정에서 미생물이 가지고 있는 효소로 유기물을 분해해 각기 특유의 최종 산물을 만들어 내는 현상

① 치즈 ② 팝콘
③ 치약 ④ 조미료
⑤ 과일 잼

19 친환경 벌레 퇴치제를 만들 때 유용 미생물을 얻을 수 있는 물질이 아닌 것은?

① 쌀 ② 잡곡
③ 소금 ④ 밀가루
⑤ 율무가루

20 ㉠, ㉡에 들어갈 알맞은 말을 쓰시오.

> 쌀을 씻을 때 나오는 쌀뜨물에 설탕을 섞어 따뜻한 곳에 일정 기간 보관하면 쌀뜨물이 발효하면서 유용 미생물이 생성된다. 그 이유는 쌀뜨물에 있는 영양소들이 여러 가지 효소에 의해 (㉠), (㉡), 당류, 항산화 물질로 전환되는 과정에서 유용한 미생물인 효모, 젖산균, 광합성 세균 등이 증가하기 때문이다.

(㉠: , ㉡:)

21 문제 해결 과정에서 아이디어를 창출하기 위해서 필요한 사고 기법으로 옳은 것은?

① PMI 기법
② ALU 기법
③ 체크리스트
④ 평가 행렬법
⑤ 브레인스토밍

서술형 평가

22 생명 기술이 활용되는 사례를 세 가지 서술하시오.

23 적정 기술의 특징을 세 가지 서술하시오.

24 항아리 냉장고의 원리를 설명하시오.

실력을 높여 주는

정답 및 해설

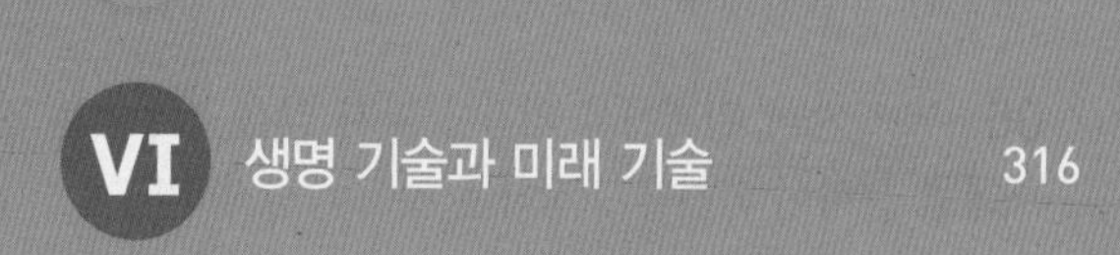

정답 및 해설

I 건강한 가족

1 변화하는 사회 속 건강한 가족

개념 꽉꽉 다지기 p. 11

01 가족 **02** (1) ○, (2) ×, (3) ×, (4) ○ **03** 가족 가치관
04 ③ **05** ④

차곡차곡 실력 쌓기 p. 12

01 ③ **02** ④ **03** ④ **04** ⑤ **05** 성 및 자녀 출산의 기능
06 ⑤ **07** ④ **08** ⑤ **09** 가부장제 **10** ⑤ **11** ① **12** ④

02 오늘날 핵가족화 및 저출산 현상으로 인해 평균 가족 구성원 수가 줄어들고, 1인 가구의 비율이 증가하는 등 가족 규모가 축소되고 있다. 또한 2세대 이상의 가구는 계속 감소하고 있다.

04 **| 오답피하기 |** 오늘날 가족 구성원이 감소하고 있는 이유로는 출산율의 감소, 독신 가족의 증가, 여성의 경제 활동 증가, 결혼에 대한 가치관의 변화 등이 있다.

06 오늘날 가족의 생산의 기능은 줄어들고 소비의 기능이 강화되고 있다. 부모 부양의 기능은 공적인 제도로 이전되고 있으며, 사회의 경제 질서를 유지하는 기능은 생산과 소비의 기능이다. 애정 및 정서의 기능은 가족 구성원 간 애정과 지지를 통해 정서적인 안정감을 제공하는 것으로, 가족의 기능 중 특히 강조되는 기능이다.

08 **| 오답피하기 |** 다양한 가족의 기능 중 일부를 사회에서 담당하게 되면서 점차 가족의 기능이 약화되고 있다.

10 오늘날 결혼은 선택이라는 인식이 확산되고 있다. 또한 자녀의 출산도 선택의 문제라는 인식이 확산되고, 결혼을 집안과 집안의 결합이라는 의미로 강조하던 것은 과거의 결혼 가치관이다. 부양관 또한 자발적으로 부모를 부양하기보다는 정부와 사회가 함께 부양해야 한다는 생각이 늘고 있다.

11 **| 오답피하기 |** 건강한 가정은 가족과 함께 보내는 시간이 많으며, 집안일을 서로 협동하고 함께 결정한다.

12 건강한 가정을 만들기 위해서는 서로 긍정적인 의사소통을 하며, 대화를 통해 자신의 생각이나 느낌을 자유롭게 표현하고, 서로의 개성과 의견을 존중해야 한다.

2 관계의 시작, 가족

개념 꽉꽉 다지기 p. 19

01 가족 관계 **02** (1) ×, (2) ×, (3) ○, (4) ○ **03** 양성평등
04 ② **05** 형제자매 관계

차곡차곡 실력 쌓기 p. 20

01 ④ **02** ② **03** ① **04** ④ **05** ④ **06** ④ **07** ⑤
08 ④ **09** ③ **10** ① **11** ④ **12** ⑤

01 **| 오답피하기 |** 가족 관계는 출생뿐만 아니라 결혼, 입양 등을 통해 형성될 수 있다.

02 양성평등한 가족 관계란 성별과 관계없이 가족 구성원 모두가 역할을 평등하게 분담하고 성별에 따른 차별이 없는 것을 말한다.

04 부부 관계는 각기 다른 환경에서 성장한 남녀가 만나 가정을 이룬 것이므로 성격이나 생활 습관 등에서 다른 점이 있는 것은 당연하다. 서로의 차이를 극복하기 위하여 상대를 배려하고 이해하는 것이 중요하다.

05 **| 오답피하기 |** 형제자매 관계에서는 경쟁과 갈등이 일어날 수 있으며, 출생 순위와 성별 등의 요인에 의해 역할과 태도가 달라지기도 한다. 부모 자녀 관계는 세대 내 관계가 아닌 세대 간 가족관계에 해당한다.

06 부모 자녀 관계에서 의견이 맞지 않을 경우에는 진솔한 대화를 통하여 의견을 조정하는 것이 바람직하다.

08 형제자매 관계에서는 선의의 경쟁을 통해 서로에게 긍정적인 영향을 주며, 아무리 가까운 사이라고 하더라도 예의를 지키는 것이 중요하다.

10 **| 오답피하기 |** 경제적인 보살핌은 부모의 역할이며, 삶의 지혜와 경험은 조부모를 통하여 전승받을 수 있다.

11 **| 오답피하기 |** 부모와 자녀 관계는 의무와 책임이 수반되어 갈등이 생겼을 때 조부모가 중개 역할을 함으로써 긴장 상태를 해소할 수 있다.

3 소통하는 가족, 해소되는 갈등

개념 꽉꽉 다지기 p. 27

01 (1) ×, (2) ○, (3) ○, (4) × **02** ⑤ **03** (1)－ㄹ, (2)－ㄱ, (3)－ㄴ, (4)－ㄷ **04** 비언어적 의사소통 **05** 나－전달법

차곡차곡 실력 쌓기 p. 28

01 가족 간의 갈등 **02** ① **03** ② **04** ④ **05** ㄱ－ㅁ－ㄴ－ㅂ－ㄹ－ㄷ **06** ③ **07** ② **08** ⑤ **09** 적극적 경청 **10** ① **11** ④ **12** ⑤

02 갈등 상황이 발생하면 서로 비난하기보다는 바람직한 의사소통 방법을 사용하여 대화하는 것이 좋다.

03 가족 갈등을 해결하기 위해서는 갈등 상황의 문제에 집중하는 것이 좋고, 과거에 일어났던 일을 들춰내기보다는 현재의 일에 집중해야 한다.

04 가족 갈등을 극복해 냈을 경우에 가족 관계가 더욱 좋아질 수 있으며, 갈등을 드러내는 것이 더 큰 가족 갈등을 예방할 수 있다.

06 이모티콘은 얼굴 표정을 통하여 자신의 생각이나 감정을 나타내는 것으로, 비언어적 의사소통에 해당한다.

07 **| 오답피하기 |** 비언어적 의사소통은 언어가 아닌 다른 표현으로 자신의 생각이나 감정을 전달하는 방법이다. 얼굴 표정이나 옷차림 등은 비언어적 의사소통에 해당한다.

08 송신자는 엄마, 수신자는 딸이다. 엄마는 '너'를 주어로 하는 '너－전달법'을 사용하고 있으며, 딸은 엄마의 물음에 언어를 통하여 답하는 언어적 의사소통을 하고 있다.

10 **| 오답피하기 |** '나－전달법'에서는 자신이 느낀 감정을 포함하여 말해야 하며, 상대 행동의 옳고 그름을 판단하며 들어서는 안 된다.

11 경청을 할 때에는 상대의 말을 끊지 않고 끝까지 잘 들어주는 자세가 필요하다.

12 **| 오답피하기 |** 효과적인 의사소통을 위해서는 상대방의 말에 귀기울이며, 함부로 자신의 입장에서 판단하지 말아야 한다.

4 성폭력 없는 세상 만들기

개념 꽉꽉 다지기 p. 35

01 성폭력 **02** (1) ○, (2) ×, (3) ×, (4) × **03** 성적 의사 결정권 **04** ④ **05** ①

차곡차곡 실력 쌓기 p. 36

01 ① **02** ⑤ **03** ③ **04** ④ **05** 성 인지적 관점 **06** ② **07** ⑤ **08** ① **09** ① **10** ② **11** ③ **12** ①

01 성폭력은 피해자에게 신체적·심리적인 상처를 줄 뿐만 아니라 심각한 후유증을 남길 수 있다.

02 성폭력의 발생 원인에는 잘못된 성 인식, 성 인지 감수성의 차이, 권위주의적인 조직 문화 등이 포함된다.

04 성폭력의 피해자는 여자뿐만 아니라 남자도 포함되며, 성폭력은 누구에게나 일어날 수 있다.

06 **| 오답피하기 |** 성적 의사 결정권 확립을 통하여 성 문제 예방적 차원에서 효과를 기대할 수 있으며, 성에 관련된 무분별한 인터넷 정보에 대해서도 옳고 그름을 판단할 수 있게 된다.

07 성적 의사 결정권 확립을 위해서는 성 상품화가 확산되고 있는 사회적 분위기에 대한 비판적인 시각을 가져야 한다.

08 성폭력 피해자가 되지 않기 위해서는 원하지 않는 성적 접근에 적극적으로 의사를 표현하여야 하며, 상대의 태도가 바뀌지 않을 때에는 큰 소리로 알리거나 주변의 도움을 요청하는 것이 좋다.

09 **| 오답피하기 |** 상대방의 침묵이나 불쾌한 표정 등을 동의로 오해해서는 안 된다.

10 성폭력은 성의 문제가 아닌 폭력의 문제로 인식하는 것이 중요하다.

12 **| 오답피하기 |** 성폭력은 꼭 낯선 사람에 의해서만 일어나는 것이 아니라 평소에 잘 알고 지내던 친숙한 사람에 의해서 일어날 수도 있다.

5 가정폭력 없는 세상 만들기

개념 꽉꽉 다지기 p. 43

01 가정폭력 02 (1) ×, (2) ×, (3) ×, (4) ○ 03 은폐성
04 ④ 05 ②

차곡차곡 실력 쌓기 p. 44

01 ① 02 ④ 03 ③ 04 ① 05 ② 06 반복성 07 순환성
08 중복성 09 ③ 10 가정폭력 처벌법 11 ⑤

01 **| 오답피하기 |** 가정폭력은 부부 싸움이나 가족 간의 갈등과는 엄연히 다른 것이며, 신체적·정신적 또는 재산상의 피해를 가져오는 모든 행위를 말한다.

02 가정폭력의 유형에는 신체적 폭력, 정신적 학대, 성적 폭력, 경제적 위협, 방임 등이 포함된다.

03 **| 오답피하기 |** 민주적인 가족 분위기나 가족 간의 원활한 의사소통은 가족 갈등을 예방할 수 있다.

04 가정폭력 상황에 처해 있거나 다른 사람이 가정폭력 상황에 놓여 있는 것을 목격했을 때에는 가해자를 제지하고, 심각한 폭력이 일어나는 위기 상황이라면 경찰에 바로 신고해야 한다.

05 **| 오답피하기 |** 가정 폭력은 개인 요인, 가정 요인, 사회·문화적 요인이 복합적으로 작용하여 발생할 수 있다.

07 가정폭력이 단순히 가정 내에서의 폭력으로 그치는 것이 아니라, 각종 성폭력, 성매매, 학교 폭력, 청소년 문제, 자살 문제, 노인 문제 등 여러 사회 문제의 원인이 된다. 또한 피해자가 다시 가해자가 되기도 하는데, 이와 같은 현상은 가정 폭력의 특징 중 순환성에 해당한다.

09 가정폭력을 예방하기 위해서는 가정폭력을 개인 또는 한 가족만의 문제라고 생각하는 것이 아니라, 우리 사회의 문제로 인식하는 것이 중요하다.

p. 46

대단원 마무리하기 1회

01 ① 02 ③ 03 ① 04 ④ 05 ④ 06 ⑤ 07 ①
08 ⑤ 09 ④ 10 ④ 11 ③ 12 ① 13 ② 14 ⑤
15 ④ 16 ③ 17 ③ 18 ④ 19 ④ 20 ③ 21 ①
22~24 해설 참조

01 가족은 혈연 및 입양을 통해 이루어질 수 있으며, 사회의 변화에 따라 다양한 형태의 가족이 등장하였다.

02 오늘날 저출산으로 인하여 평균 가족 구성원의 수가 줄어들고 있으며, 가족의 가치관이 변화함에 따라 다양한 형태의 가족이 출현하고 있다. 또한 독신 가족이 증가함에 따라 1세대 가구는 증가하고, 2세대 이상의 가구는 계속하여 감소하고 있다.

03 확대 가족은 과거와 비교하여 점차 감소하고 있는 가족 형태이다.

05 **| 오답피하기 |** 건강 가정을 만들기 위해서는 가족 각자의 개성을 존중하는 자세가 필요하다.

08 형제자매는 교육·학습자로서의 역할을 한다. 성장기에는 운동, 기술, 학업, 학교생활, 진로 선택 등에 모범이 되며, 성인기에는 이성 교제, 직업 선택, 결혼 과정, 자녀 양육, 결혼생활 등에 영향을 미친다.

09 가족 갈등은 부정적인 영향만을 미치는 것이 아니라 긍정적인 영향도 가져온다. 갈등을 드러내어 오해와 불만 등의 부정적인 감정을 감소시킬 수 있으며, 갈등을 해결하는 과정에서 서로의 생각과 감정을 이해할 수 있다. 또한 다양한 갈등 상황에 대처할 수 있는 능력을 키울 수 있다.

12 상대방의 이야기를 경청할 때에는 상대의 말을 끊지 않고 들어 주며, 말하는 내용에 대하여 고개를 끄덕이는 등의 반응을 통해 잘 듣고 있음을 표현하는 것이 좋다.

13 (가)는 언어적 의사소통에 해당하고, (나)는 비언어적 의사소통에 해당한다. 언어적 의사소통에는 편지, 이메일, 대화,

문자 메시지 등이 있으며, 비언어적 의사소통에는 얼굴 표정, 이모티콘 등이 있다.

14 **| 오답피하기 |** 성폭력은 신체적 피해뿐만 아니라 심리적인 상처 및 심각한 후유증을 남길 수 있다. 또한 음란전화, 성희롱 등 언어적·정신적 폭력도 모두 성폭력에 포함된다.

16 성적 의사 결정을 확립하면 청소년기에 발생할 수 있는 성 문제를 예방하고, 합리적인 의사 결정과 자기주장을 할 수 있다. 또한 원하지 않는 성적인 행동이나 표현으로부터 자신을 보호할 수 있다.

17 **| 오답피하기 |** 성폭력은 대낮에 하굣길, 놀이터 등 어디에서나 발생할 수 있다.

18 **| 오답피하기 |** 자녀가 폭력으로 인식한다면 '사랑의 매'도 폭력이 될 수 있다. 또한 무관심과 냉담으로 가족을 대한다거나 위험 상황에 내버려 두는 방임도 가정폭력에 해당된다.

19 사례는 가정 내 피해자이던 철수가 학교에서는 가해자가 되는 순환성을 보여 준다.

22 오늘날 결혼관, 자녀관, 성 역할관, 부양관 등의 다양한 가족 가치관이 변화함에 따라 다양한 형태의 가족이 등장하게 되었다. 핵가족화 및 저출산 현상으로 평균 가족 구성원 수가 줄어들고 1인 가구의 비율이 증가하고 있으며, 1세대 가구는 증가하고 2세대 이상의 가구는 계속 감소하고 있다. 또한 이혼 및 재혼, 국제결혼 등이 증가함에 따라 다양한 가족 형태가 나타나고 있다.

| 채점 기준 |

등급	채점 기준	배점
A	오늘날 다양한 가족 형태가 등장하게 된 이유를 세 가지 모두 서술한 경우	100 %
B	오늘날 다양한 가족 형태가 등장하게 된 이유를 두 가지 서술한 경우	70 %
C	오늘날 다양한 가족 형태가 등장하게 된 이유를 한 가지만 서술한 경우	40 %

23 1단계: 엄마는 지원이가 숙제를 하지 않은 채 TV를 볼 때마다
2단계: 너무 걱정되는 마음이 들고
3단계: 속상한 감정도 생긴단다. 숙제를 다 마치고 TV를 보면 어떻겠니.

| 채점 기준 |

등급	채점 기준	배점
A	'나-전달법'의 단계 중 세 가지 단계를 모두 서술한 경우	100 %
B	'나-전달법'의 단계 중 두 가지 단계를 서술한 경우	70 %
C	'나-전달법'의 단계 중 한 가지 단계만 서술한 경우	40 %

24 • 여유 시간이 있는 사람이 퇴근 후에 식사를 준비한다.
- 휴일에 하는 대청소는 성별에 차별 없이 능력에 따라 역할을 분담하여 함께 한다.
- 육아 및 가사일을 남편이 돕는다는 편견을 버리고, 부모 모두가 자신의 일임을 인식하여 성 역할 고정 관념을 버리고 적극적으로 참여한다.

| 채점 기준 |

등급	채점 기준	배점
A	양성평등한 부부 관계를 위한 구체적인 방법을 세 가지 모두 서술한 경우	100 %
B	양성평등한 부부 관계를 위한 구체적인 방법을 두 가지 서술한 경우	70 %
C	양성평등한 부부 관계를 위한 구체적인 방법을 한 가지만 서술한 경우	40 %

p. 50

대단원 마무리하기 2회

01 ③ **02** ⑤ **03** ③ **04** ⑤ **05** ② **06** ① **07** ⑤ **08** ③ **09** ③ **10** ④ **11** ② **12** ③ **13** 나-전달법 **14** ④ **15** ④ **16** ② **17** ⑤ **18** ⑤ **19~21** 해설 참조

03 **| 오답피하기 |** 자신이 속한 사회의 행동 양식과 규범, 가치관을 습득해 가는 과정을 사회화라고 한다. 가족의 생산과 소비의 기능은 경제 활동과 관련이 있다.

04 오늘날 결혼은 선택이라는 인식이 확산되었고, 이혼이나 재혼도 허용적으로 생각하는 경향을 보인다. 결혼이 집안과 집안의 결합이라는 의미는 과거의 결혼관에 해당된다.

05 **| 오답피하기 |** 노부모 부양은 전적으로 자식이 해야 한다는 과거의 가치관에서 벗어나 자발적으로 자녀가 부모를 부양하기보다는 정부와 사회가 함께 부양해야 한다는 생각이 늘고 있다.

07 건강 가정을 만들기 위해서는 능력에 따라 공평하게 집안일을 분담하고, 다른 가족의 일을 도와야 한다.

08 형제자매 관계는 조정자 역할 및 교육적 역할, 선의의 경쟁자 역할을 한다.

09 건강한 부부 관계는 무조건적인 희생이 바탕이 되기보다는 평등한 관계에 기초하여 가정 내 역할을 공유하고 분담하며 협력하는 것이 중요하다.

11 갈등을 참고 넘어가면 더 큰 갈등을 유발할 수 있으므로 가

족 갈등은 해결하는 것이 좋다. 또한 의견이 다를 경우에는 바람직한 의사소통 방법을 통해 대화하고 민주적으로 해결해야 한다.

14 **| 오답피하기 |** 의사소통은 송신자와 수신자가 모두 있어야 가능하다.

15 동물의 흉내를 내는 것은 비언어적 의사소통에 해당한다. 얼굴 표정은 대표적인 비언어적 의사소통 방법이다.

16 **| 오답피하기 |** 상대의 침묵을 동의한다는 뜻으로 오해해서는 절대 안 된다.

18 가까운 친구가 가정폭력을 호소할 경우 비밀 유지보다는 주변에 도움을 요청하여 가정폭력에서 해방될 수 있도록 도와야 한다.

19 의사소통의 구성 요소는 송신자, 수신자, 정보, 반응이다. 의사소통의 효율성을 높일 수 있는 방법에는 '나-전달법'이나 적극적 경청을 하는 방법, 언어적 표현과 비언어적 표현을 일치시키는 방법 등이 있다.

| 채점 기준 |

등급	채점 기준	배점
A	의사소통의 구성 요소와 의사소통의 효율성을 높일 수 있는 방법을 두 가지 모두 서술한 경우	100%
B	의사소통의 구성 요소와 의사소통의 효율성을 높일 수 있는 방법 중 한 가지만 서술한 경우	50%

20 건강 가정의 특징은 다음과 같다. 첫째, 긍정적인 의사소통을 한다. 둘째, 서로의 개성과 의견을 존중한다. 셋째, 집안일을 서로 협동하고 함께 결정한다. 넷째, 가족과 함께 보내는 시간이 많다. 다섯째, 애정과 감사의 표현을 잘한다. 여섯째, 스트레스나 가족 위기 상황에 대처할 수 있다.

| 채점 기준 |

등급	채점 기준	배점
A	건강 가정의 특징을 세 가지 이상 서술한 경우	100%
B	건강 가정의 특징을 두 가지 서술한 경우	70%
C	건강 가정의 특징을 한 가지만 서술한 경우	40%

21 첫째, 위기 상황일 경우 경찰에 바로 신고한다. 둘째, 가까운 경찰서나 가정폭력 상담 기관의 위치나 연락처를 미리 알아 둔다. 셋째, 가정폭력을 호소하는 가족이나 친구가 있다면 적극적으로 도움을 준다.

| 채점 기준 |

등급	채점 기준	배점
A	가정폭력이 발생했을 때의 대처 방안을 세 가지 모두 서술한 경우	100%
B	가정폭력이 발생했을 때의 대처 방안을 두 가지 서술한 경우	70%
C	가정폭력이 발생했을 때의 대처 방안을 한 가지만 서술한 경우	40%

II 안전한 가정생활

1 균형 잡힌 식사, 가족 건강의 시작

개념 꽉꽉 다지기 p. 61

01 한국인 영양 섭취 기준 **02** (1) ㄱ, (2) ㄹ, (3) ㄴ (4) ㄷ
03 (1) ○, (2) ×, (3) ×, (4) ○ **04** ① **05** 유지·당류

차곡차곡 실력 쌓기 p. 62

01 ③ **02** 충분 섭취량 **03** ③ **04** ② **05** ③ **06** ④ **07** ④
08 우유·유제품류 **09** ④ **10** ㉠ 곡류, ㉡ 채소류 **11** ④
12 식품군별 1일 권장 섭취 횟수를 세 끼 식사와 간식에 배분하기

01 **| 오답피하기 |** 한국인 영양 섭취 기준은 우리나라 사람들의 건강을 바람직한 상태로 유지할 수 있도록 하루에 섭취해야 하는 영양소의 종류와 양을 제시한 것이다. 영양 섭취 기준은 영양소 섭취 부족, 만성 질환이나 영양소 과다 섭취의 예방까지 고려하여 제정하였다. 영양 섭취 기준은 나이와 성별에 따라 필요한 영양소의 종류와 양이 다르며, 과잉 섭취할 때 건강에 위험한 영양소의 경우에 상한 섭취량을 정해 놓았다.

03 **| 오답피하기 |** 청소년기는 성장 급등과 2차 성징으로 인해 성인에 비해 체중(kg)당 단백질, 타이민, 리보플라빈, 칼슘, 철 등의 권장 섭취량이 많으며, 나트륨의 충분 섭취량은 청소년과 성인이 동일하다.

05 **| 오답피하기 |** 곡류는 탄수화물이 주된 영양소이며, 채소류, 과일류는 비타민, 무기질, 식이 섬유가, 우유·유제품류는 칼슘이, 고기·생선·달걀·콩류는 단백질이 주된 영양소이다.

06 **| 오답피하기 |** 채소류에 속하는 식품으로는 양파, 당근, 무, 애호박, 오이, 콩나물, 시금치, 배추, 토마토, 배추김치, 깍두기, 우엉 등의 채소와 미역, 다시마, 김 등의 해조류, 표고버섯, 느타리버섯, 팽이버섯 등의 버섯류가 있다. 대두는 단백질이 주된 영양소로, 고기·생선·달걀·콩류에 속하며, 고구마는 감자류로, 탄수화물이 주된 영양소이며 곡류에 속한다.

07 버터, 설탕은 지방과 탄수화물이 주된 영양소로 유지·당류에 속하며, 그 외 콩기름, 마요네즈 등이 있다. 사과는 과일류에, 고등어는 필수 아미노산이 풍부하여 고기·생선·달걀·콩류에, 아이스크림은 우유·유제품류에, 양파는 채소류에 속한다.

09 식품 구성 자전거는 식품군의 적절한 섭취 비율을 자전거 바퀴의 면적 배분으로 나타낸 것으로, 앞바퀴는 수분 섭취의 중요성을 의미하고, 뒷바퀴는 식품군별로 섭취해야 하는 횟수와 분량이 비례하도록 되어 있다. 과일류는 후식 또는 간식을 통해 주로 섭취하며, 채소류는 나물을 통해 주로 섭취한다.

10 청소년 여자가 2,000kcal를 섭취한다고 할 때, 식품군별 1일 권장 섭취 횟수는 곡류 3회, 고기·생선·달걀·콩류 3.5회, 채소류 7회, 과일류 2회이다.

11 **| 오답피하기 |** 보리밥은 곡류, 콩나물국은 채소류, 고등어구이는 고기·생선·달걀·콩류, 깍두기는 채소류, 사과는 과일류에 속하므로 우유·유제품류가 빠져 있다.

2 건강과 환경을 지키는 식품 선택과 보관

개념 꽉꽉 다지기 p. 69

01 식품 안전 관리 인증 기준(HACCP) **02** (1) ㄹ, (2) ㄴ, (3) ㄱ, (4) ㄷ **03** 식품첨가물 **04** (1) ×, (2) ○, (3) ○, (4) ×

차곡차곡 실력 쌓기 p. 70

01 ④ **02** 식품 이동 거리(푸드 마일리지) **03** ② **04** ④ **05** 유통 기한 **06** ⑤ **07** ⑤ **08** 원재료 **09** ⑤ **10** ④ **11** 건조 보관 **12** ⑤

01 식품 위해 요소는 식품의 원재료를 제조, 가공, 유통하는 각 단계에서 인체의 건강을 해할 우려가 있는 요소를 말하며, 건강한 식생활을 위해서는 식품 위해 요소의 위험이 없는 식품을 선택한다. 식품 위해 요소가 식품에 섞이거나 오염되는 것을 막기 위해서 식품 안전 관리 인증 기준(HACCP)을 제정하였다.

03 **| 오답피하기 |** 화학적 식품 위해 요소에는 자연적 구성 성분에서 발생되는 버섯 독, 복어 독, 곰팡이 독소 등과 식품의 생산 및 가공 중에서 오염되는 농약, 항생제, 중금속, 세제, 살균제 등이 있다. 유리, 금속 등은 물리적 위해 요소에 속한다.

04 그림의 마크는 유기 가공식품 인증 마크이다. 농약과 화학 비료를 사용하지 않고 재배한 농산물에 인증해 주는 유기 농산물 마크와 구별된다.

07 영양 성분표는 가공 식품의 영양 성분 분량과 비율을 정해진 기준에 따라 표시한 것으로, 표시 대상 영양 성분에는 열량, 나트륨, 탄수화물, 당류, 지방, 트랜스 지방, 포화 지방, 콜레스테롤, 단백질 등이 있다.

09 식품에 감칠맛을 주는 역할을 하는 식품첨가물에는 향미 증진제가 있으며, 조미료에 사용된다. 감미료는 식품에 단맛을 내는 것으로, 향미 증진제와는 구별된다.

10 **| 오답피하기 |** 실온 보관을 하는 식품에는 곡류, 양파, 감자, 고구마 등의 뿌리채소류, 통조림 등이 있다. 적절한 온도와 습도가 유지되고, 직사광선이 닿지 않으며, 환기가 잘되는 곳에 보관한다. 고등어와 닭고기는 냉장 보관하며, 장기간 보관할 경우에는 냉동 보관한다.

12 **| 오답피하기 |** 냉장고는 전체 용량의 70 % 정도만 채워야 적정 온도를 유지할 수 있다. 생선의 핏물은 생선을 빨리 상하게 하므로 씻어서 보관한다. 뜨거운 음식은 충분히 식혀 보관하며, 고기를 장기간 보관할 때는 한 번 먹을 양만큼씩 비닐 팩에 넣고 얇게 펴서 냉동한다.

3 건강한 가족 밥상 차리기

개념 꽉꽉 다지기 p. 79

01 조리 계획 **02** (1) ㄷ, (2) ㄹ, (3) ㄱ, (4) ㄴ **03** (1) ○, (2) ○, (3) ×, (4) × **04** ③ **05** 소금

차곡차곡 실력 쌓기 p. 80

01 ⑤ **02** ③ **03** 굽기 **04** ① **05** ② **06** ④ **07** ② **08** ③ **09** ③ **10** ⑤ **11** 레몬즙 **12** ②

02 **| 오답피하기 |** 음식의 재료를 계량할 때 가루로 된 분말은 저울을 활용하여 무게를 측정하나, 계량컵이나 계량스푼을 사용할 수 있다. 1 ts는 5 mL이며, 1 Ts는 15 mL, 1 C은 200 mL이다. 식용유 5 mL는 부피 단위로 계량스푼 1 ts으로

계량하며, 설탕 10 g은 계량스푼 2 ts으로 계량한다. 물 100 mL는 계량컵 $\frac{1}{2}$C으로 계량하며, 버터 50 g은 저울로 측정하거나 계량컵에 꽉 눌러 담아 평평하게 $\frac{1}{4}$C으로 계량한다.

05 위생적으로 조리하기 위해서 도마는 고기용, 생선용, 채소용, 완제품용 도마를 서로 분리하여 사용하는 것이 좋으며, 식재료의 종류에 따라 조리 순서를 정한다. 한 개의 싱크대와 도마를 가지고 여러 가지 식품을 손질할 경우에는 채소를 가장 먼저 손질하고, 육류, 어류, 가금류의 순서대로 조리하는 것이 위생적으로 가장 안전하다.

06 **| 오답피하기 |** 가열 조리 시에는 특히 기름 사용에 주의해야 하는데, 기름을 너무 오래 끓이면 불이 날 수 있고, 기름에 물이나 소금이 들어가면 기름이 튈 수 있으므로 튀김 음식을 조리할 때에는 물과 소금을 튀김 냄비에 가까이 두지 않는다.

07 검은콩밥을 할 때 물의 양은 쌀과 콩 부피의 1.2배, 중량의 1.5배가 적절하다.

08 **| 오답피하기 |** 끓이기는 식품에 물을 더하여 100℃의 온도에서 끓이는 방법으로, 검은콩밥, 된장찌개 등이 있다.

09 **| 오답피하기 |** 시금치나물을 조리할 때 소금을 넣고 데치면 녹색 채소의 엽록소와 만나 클로로필린으로 변하여 선명한 녹색이 된다. 데칠 때 뚜껑을 열어 두면 휘발성 유기산을 휘발시켜 녹황색이 되는 것을 방지할 수 있다.

10 **| 오답피하기 |** 육류에 알칼리성인 베이킹 소다를 첨가하면 pH가 증가해서 고기 색이 검게 되고, 뻣뻣해진다.

4 가족의 요구를 반영한 주거 환경

개념 꽉꽉 다지기 p. 87

01 주거 **02** (1) ㄴ, (2) ㄱ, (3) ㅁ, (4) ㄷ, (5) ㄹ **03** 유니버설 주거 **04** (1) ×, (2) ×, (3) ○, (4) ○

차곡차곡 실력 쌓기 p. 88

01 ⑤ **02** 능률성 **03** ① **04** ③ **05** ⑤ **06** ① **07** ③ **08** 가정 형성기 **09** ④ **10** 코하우징 **11** ① **12** 커뮤니티

03 **| 오답피하기 |** 주택 유형 추이 그래프에서 아파트의 비율이 49.6%로 가장 많이 차지하며, 아파트는 5층 이상의 공동 주택을 말한다. 단독 주택은 일반, 다가구, 병용 주택 등이 있으며, 그래프에서 37.5%를 차지한다. 다세대 주택은 660 m^2 미만인 4층 이하의 공동 주택을 말하며, 그래프에서 6.2%를 차지한다. 연립 주택은 660 m^2를 초과하는 4층 이하의 공동주택으로, 그래프에서 3.4%를 차지한다. 주택 이외의 거처에는 컨테이너, 오피스텔 등이 있으며, 그래프에서 2.2%를 차지하고 있다.

04 주거는 집합 형태에 따라 단독 주택, 공동 주택, 기능에 따라 전용 주택, 병용 주택, 소유에 따라 자가 주택, 임대 주택 등으로 분류할 수 있다.

07 가정 축소기는 가족 구성원의 수가 감소하므로 경제적 형편을 고려하여 주택 관리가 쉽도록 주거 규모를 줄일 필요가 있으며, 신체적 특징을 고려하여 안전하고 편리한 설비가 필요하다. 또한, 의료 시설과 여가 시설을 고려한다.

08 **| 오답피하기 |** 평면도는 원룸의 소형 주택 형태로, 가족 구성원 수가 적은 가정 형성기에 알맞은 주거의 형태이다.

09 **| 오답피하기 |** 유니버설 주거는 어린이, 노인, 장애인, 임산부 등 모든 사람이 능력이나 나이, 신체 조건에 상관없이 평등하고 안전하게 생활할 수 있도록 디자인한 주거 형태를 말한다. 높낮이가 조절되는 책상, 방문 턱을 없애 이동의 편리성을 고려한 것, 완만한 경사의 진입로, 손잡이를 설치한 욕실 내부 등을 예로 들 수 있다.

11 이웃과 더불어 살아가는 주거는 최근 사회적 관심이 증가하고 있으며, 주민들이 마을 공동체로서의 가치관을 공유하고, 지역 사회의 관심을 높이기 위한 다양한 시도를 하고 있다.

5 다 함께 꾸미는 우리 집

개념 꽉꽉 다지기 p. 95

01 조닝(zoning) **02** (1) ㄹ, (2) ㄷ, (3) ㅁ, (4) ㄱ, (5) ㄴ **03** (1) ×, (2) ○, (3) ×, (4) ○ **04** 가구 **05** ①

차곡차곡 실력 쌓기 p. 96

01 동선 **02** ④ **03** ② **04** ⑤ **05** ② **06** ② **07** ③ **08** ② **09** 붙박이식 가구 **10** ④ **11** ① **12** ⑤

02 **| 오답피하기 |** 합리적인 주거 공간 계획을 위해서 동선은 가능한 짧고 단순할수록 좋으며, 부엌은 가사 노동이 이루어지므로 동선을 절약하기 위해 가구를 작업 순서에 따라 배치한다.

03 **| 오답피하기 |** 가사 작업 공간에는 부엌, 세탁실이 있으며, 욕실과 화장실은 청결을 요하는 공간으로 생리위생 공간에 속한다. 침실은 독립적인 공간으로 개인 생활 공간에 속한다.

05 공동생활 공간은 가족이 함께 모여 대화, 오락, 식사 등을 하는 공간으로, 동선을 고려하여 주택의 중심에 배치한다.

06 **| 오답피하기 |** 현대에는 다양한 생활 양식이 존재하기 때문에 새로운 주거 공간에 대한 사람들의 요구가 커지고 있다.

07 리빙 다이닝 룸은 거실과 식사실이 통합되고 부엌이 분리된 형태로, 식사를 하면서 가족과의 화목이 자연스럽게 이루어지나, 조리대와 식탁과의 거리가 멀다는 단점이 있다.

08 **| 오답피하기 |** 부엌의 작업대를 작업 순서대로 배치하는 것은 효율적인 주거 공간 계획을 위한 것이다.

10 **| 오답피하기 |** 휴식용 가구는 신체를 편안히 받쳐 주는 가구로, 소파, 침대, 안락의자 등이 있다. 옷장은 수납용 가구이며, 책상은 작업용 가구이다.

11 **| 오답피하기 |** 가구의 폭과 높이를 다양화하면 공간이 좁아 보이고 불안정적인 느낌을 받게 된다.

12 **| 오답피하기 |** 수납을 효과적으로 하려면 공부방에 있는 책은 서랍보다는 책꽂이를 활용하며, 부엌에서 자주 사용하거나 무거운 것은 아래쪽에 수납한다. 책상에 사용 빈도가 높은 물품은 꺼내기 쉬운 곳에 수납하며, 신발은 신발장에 신발 전용 선반을 활용하면 효율적으로 수납할 수 있다.

p. 98

대단원 마무리하기 1회

01 ④ **02** 식사 구성안 **03** ② **04** ③ **05** ④ **06** ⑤
07 식품 이력 **08** ⑤ **09** ① **10** ⑤ **11** ④ **12** ② **13** ④
14 ③ **15** ⑤ **16** ② **17** ① **18** 셰어 하우스 **19** ②
20 ② **21** ⑤ **22~24** 해설 참조

01 **| 오답피하기 |** 에너지는 kcal 단위를 사용하며, 칼슘은 다량 무기질이며, 철은 미량 무기질로 모두 mg 단위를 사용한다.

03 **| 오답피하기 |** 햄은 단백질이 주된 영양 성분으로 고기·생선·달걀·콩류에, 버터는 지방이 주된 영양 성분으로 유지·당류에, 표고버섯, 당근은 채소류에 속한다.

05 밥은 곡류에 속하며, 된장찌개와 갈치조림은 고기·생선·달걀·콩류에, 배추겉절이는 채소류에, 우유는 우유·유제품류에 속하므로 과일류가 부족한 상태이다. 따라서 과일 샐러드를 보충한다면 균형 잡힌 영양 섭취가 가능하다.

08 **| 오답피하기 |** 영양 성분표는 영양 성분 분량과 1일 영양 성분 기준치에 대한 비율(%)이 표시되어 있는데, 이 식품의 경우에는 2,000kcal를 기준으로 하였다.

09 **| 오답피하기 |** 고구마, 양파는 뿌리채소류로 실온 보관하며, 바나나는 열대 과일로 실온 보관한다. 해동한 식품은 미생물 번식의 위험이 있으므로 다시 냉동하지 않는다.

11 호박전은 호박을 통째썰기하여 부쳐서 만든 전유어의 일종이다.

12 LPG는 공기보다 무거워서 바닥으로 가라앉으므로 침착하게 빗자루 등으로 쓸어 내야 한다. 이때 급하다고 환풍기나 선풍기 등을 사용하면 스위치 조작 시 발생하는 스파크에 의해 점화될 수 있으므로 전기 기구는 절대 조작해서는 안 된다. LNG는 콕과 중간 밸브를 잠가 가스를 차단하고 대형 화재일 경우에는 도시가스 회사에 전화하여 가스의 차단을 요청해야 한다.

13 **| 오답피하기 |** 검은콩밥은 끓이기, 시금치나물은 데치기, 제육볶음은 볶기, 과일 샐러드는 생조리 방법이다.

14 **| 오답피하기 |** 과거의 주거는 자연환경과 외부의 침입으로부터 가족을 보호하기 위한 안전한 공간으로써의 의미가 강조되었다.

15 독신가족·무자녀 가족은 가족 구성원 수가 적으므로 큰 공간이 필요하지 않으며, 관리하기 편하고 생활비가 적게 드는 원룸이나 오피스텔이 적당하다.

19 **| 오답피하기 |** 합리적인 주거 공간 계획을 위해서는 주거 공간의 조닝과 동선을 고려해야 한다. 동선은 짧고 단순하도록 계획하고, 생리위생 공간은 청결과 위생을 위한 공간으로 안쪽에 배치한다. 공동생활 공간은 동선을 고려하여 주택의 중심에 배치하며, 부엌은 작업 순서에 따라 작업대를 배치하는 것이 효율적이다.

20 리빙 다이닝 키친은 거실, 식사실, 부엌이 하나의 공간으로 이루어진 형태이다. 공간을 효율적으로 활용할 수 있으나, 주택 전체가 어수선한 느낌을 갖기 쉽다.

21 **| 오답피하기 |** 쾌적성은 채광, 통풍, 환기, 온도 등이 적절한 것으로, 주거의 조건이다.

22 청소년기는 골격 성장의 45% 정도가 이루어지고, 뼈가 단단해지는 시기이므로 성인에 비해 칼슘의 권장 섭취량이 많다.

| 채점 기준 |

등급	채점 기준	배점
A	골격 성장과 뼈가 단단해지는 것을 모두 서술한 경우	100%
B	골격 성장과 뼈가 단단해지는 것 중 한 가지만 서술한 경우	50%

23 로컬 푸드를 이용한다. 텃밭을 가꾼다. 직거래 장터를 이용한다.

| 채점 기준 |

등급	채점 기준	배점
A	식품 이동 거리를 줄이는 방법을 세 가지 모두 서술한 경우	100%
B	식품 이동 거리를 줄이는 방법을 두 가지 서술한 경우	70%
C	식품 이동 거리를 줄이는 방법을 한 가지만 서술한 경우	40%

24 달걀을 만지고 나면 비누로 손을 깨끗이 씻고, 조리할 때에는 안쪽까지 익혀서 식중독을 예방한다.

| 채점 기준 |

등급	채점 기준	배점
A	달걀을 위생적으로 조리하기 위한 방법을 두 가지 모두 서술한 경우	100%
B	달걀을 위생적으로 조리하기 위한 방법을 한 가지만 서술한 경우	50%

p. 102

대단원 마무리하기 2회

01 ③ 02 ③ 03 ④ 04 ③ 05 ④ 06 ① 07 ②
08 ⑤ 09 ⑤ 10 ⑤ 11 ④ 12 ③ 13 ③ 14 ④
15 ① 16 ① 17 ④ 18 ③ 19 ⑤ 20 ③ 21~23 해설 참조

01 **| 오답피하기 |** 청소년기는 계속해서 성장하는 시기이고, 활동량도 많기 때문에 성인보다 더 많은 에너지, 단백질, 비타민, 무기질 등을 필요로 한다. 청소년기 여자의 경우에는 월경으로 매달 철의 손실이 늘어나기 때문에 남자보다 더 많은 철의 섭취를 요구한다.

02 **| 오답피하기 |** 식품 구성 자전거에서 곡류는 뒷바퀴의 가장 넓은 면적을 차지하고 있는데, 그 이유는 주식을 통해 많이 섭취하며, 에너지를 주로 공급해 주기 때문이다. 매일 3~4회 정도 권장한다. 1일 권장 섭취 횟수가 가장 많은 것은 열량이 낮은 채소류이다.

03 성별로 1일 권장 섭취 횟수가 같은 식품군은 우유·유제품류이다. 이는 청소년뿐만 아니라 성인도 해당된다.

05 **| 오답피하기 |** 친환경 농산물은 합성 농약, 화학 비료 및 항생제, 항균제 등 화학 자재를 사용하지 않았거나 사용을 최소화하여 농업 생태계와 환경을 유지·보전하면서 생산한 농·축산물을 말하므로 푸드 마일리지를 줄이는 방법과는 거리가 멀다.

07 **| 오답피하기 |** 착색제는 식품 본래의 색을 유지하거나 향상시키기 위한 것으로, 사탕, 젤리, 빙과류 등에 사용한다. 산화 방지제는 기름의 산화를 막기 위한 것으로, 식용유, 마요네즈 등에 사용한다. 향미 증진제는 감칠맛을 주는 것으로, 조미료에 사용한다. 감미료는 단맛을 내는 것으로, 과자, 껌, 아이스크림 등에 사용한다.

09 **| 오답피하기 |** 계획하기 과정에서는 음식의 종류, 조리 시간, 작업 순서를 미리 생각하여 각각의 음식이 완성되는 시간이 같도록 조리 계획을 하는 것이 효율적이다.

10 **| 오답피하기 |** 생조리만을 제외하고 모두 가열 조리이다.

11 조리 시 화상을 입었을 경우 상처 부위를 찬물로 10분 정도 냉각시킨 다음, 물집을 터뜨리지 말고 거즈를 덮은 후 병원 치료를 받는다. 화상 부위에 달라붙은 옷은 억지로 떼지 않는다.

12 제육볶음에서 돼지고기 비린내를 제거하기 위해 이용되는 양념 재료에는 생강즙이 있다.

14 **| 오답피하기 |** 우리나라는 전통적으로 좌식 생활 양식이다. 좌식 주거는 바닥에 앉아서 생활하며, 하나의 공간을 여러 가지 용도로 융통성 있게 활용할 수 있다. 반면에 입식에 비해 공간의 구분이 명확하지 않아 각 방의 독립성이 낮은 단점이 있다.

16 재택근무는 집에서 회사 업무를 보는 것으로, 가족의 방해를 받지 않고 작업할 수 있도록 주거 내 사무 공간을 따로 마련하는 것이 좋다.

17 이웃과 더불어 살아가는 주거 생활은 셰어 하우스나 코하우징과 같이 자신의 욕구를 충족시키면서 이웃과 협동 생활을 하는 공동체 주거 생활이며, 주민들이 함께 모여 커뮤니티 활동을 함께하고 있다.

21 식사 구성안에 제시해 놓은 식품군별 1인 1회 분량과 1일 권장 섭취 횟수를 활용한다. 같은 식품군에 속하는 식품이라도 함유된 영양소의 종류와 양이 조금씩 다르므로 다양하게 선택하여 먹는 것이 좋다.

| 채점 기준 |

등급	채점 기준	배점
A	균형 잡힌 식사를 계획하기 위해서 식사 구성안의 활용 방법을 두 가지 모두 서술한 경우	100 %
B	균형 잡힌 식사를 계획하기 위해서 식사 구성안의 활용 방법을 한 가지만 서술한 경우	50 %

22 영양 성분표의 영양 성분 분량과 1일 영양 성분 기준치에 대한 비율(%)을 확인하여 부족한 영양소의 섭취를 늘리고, 과잉 섭취하는 영양소를 줄여 자신에게 적합한 제품을 선택한다.

| 채점 기준 |

등급	채점 기준	배점
A	영양 성분 분량 확인과 1일 영양 성분 기준치에 대한 비율(%) 확인을 모두 서술한 경우	100 %
B	영양 성분 분량 확인과 1일 영양 성분 기준치에 대한 비율(%) 확인 중 한 가지만 서술한 경우	50 %

23 시금치를 데칠 때 냄비의 뚜껑을 열어 휘발성 유기산을 휘발시키면 시금치의 색이 변하지 않고, 영양소의 파괴도 적다.

| 채점 기준 |

등급	채점 기준	배점
A	산, 색의 변화, 영양소의 파괴를 모두 서술한 경우	100 %
B	산, 색의 변화, 영양소의 파괴 중 두 가지를 서술한 경우	70 %
C	산, 색의 변화, 영양소의 파괴 중 한 가지만 서술한 경우	40 %

III 진로와 생애 설계

1 내가 만드는 나의 삶

개념 꽉꽉 다지기 p. 113

01 생애 설계 02 (1) ㅅ, (2) ㅂ, (3) ㄷ, (4) ㄱ, (5) ㄴ, (6) ㅁ, (7) ㄹ 03 (1) ○, (2) ○, (3) × 04 가족 생활 주기 05 ⑤

차곡차곡 실력 쌓기 p. 114

01 ④ 02 ⑤ 03 발달 과업 04 ⑤ 05 ④ 06 가정 형성기 07 ⑤ 08 ③ 09 ② 10 ⑤ 11 ⑤ 12 ①

01 | 오답피하기 | 생애 설계는 개인과 가족이 인생의 목표를 설정하고 이를 실현하기 위해 구체적인 방법을 찾아 나가는 종합적이며 장기적인 계획으로, 전 생애에 걸쳐 지속해서 이루어진다.

02 생애 설계를 하면 자선 단체나 구호 기관 등의 도움 없이 자신이 원하는 만족한 삶을 살 수 있다.

04 청소년기는 만 12 ~ 20 세까지로, 자아 정체감을 형성하고, 신체적·지적 발달을 기반으로 하여 미래를 준비하는 진로 탐색의 발달 과업이 있다.

05 | 오답피하기 | 성 역할 습득하기, 또래 친구와 어울리기는 아동기, 애착 관계 형성하기는 영아기, 기본 생활 습관 형성하기는 유아기의 발달 과업이다.

07 자녀 출산 및 양육기는 첫 자녀 출산 ~ 첫 자녀 초등학교 입학 전까지의 시기로, 부모 역할 습득, 주택 확장 계획, 가사 및 양육 분담의 발달 과업이 있다.

08 자녀 독립기는 첫 자녀 독립 ~ 막내 자녀 독립까지의 시기로, 변화된 부부 관계를 어떻게 재조정할 것인지에 대한 계획이 필요하다.

09 은영이네 집은 가족 생활 주기에서 자녀 교육기로, 자녀 교육비 지출 및 마련을 어떻게 해야 할 것인지에 대한 계획이 필요하다.

10 | 오답피하기 | 자발성은 스스로 계획을 실천해야 한다는 것이고, 적합성은 수준에 맞게 설계해야 한다는 것이다. 융통

성은 상황에 따라 조정해야 한다는 것이며, 종합성은 전체 생활을 반영해야 한다는 것이다.

12 **| 오답피하기 |** 생애 설계의 과정은 개인과 가족의 가치와 욕구에 따라 생애 목표를 설정하고, 하위 영역의 목표를 설정한 다음 구체적 실천 방안을 마련하고, 설계 내용을 검토하고 평가한다. 평가한 내용을 바탕으로 수정하여 생애 설계를 계획한다.

2 진로 탐색과 설계하기

개념 꽉꽉 다지기 p. 121

01 진로 **02** (1) ㄹ, (2) ㄷ, (3) ㄴ, (4) ㄱ **03** (1) ○, (2) ×, (3) ×, (4) ○ **04** 직업관 **05** ①

차곡차곡 실력 쌓기 p. 122

01 진로 설계 **02** ⑤ **03** ① **04** ⑤ **05** 적성 **06** ③ **07** ② **08** 특수 목적 **09** ⑤ **10** 소명 의식 **11** ⑤ **12** ②

02 직업은 경제적 안정을 얻을 수 있게 해 주고, 자아실현을 통해 인생의 가치와 보람을 느낄 수 있게 해 준다. 또한, 사회 활동에 참여하여 원만한 인간관계를 형성할 수 있게 해 준다.

03 진로 설계는 자신이 앞으로 나아갈 길을 합리적으로 선택하고 준비하기 위한 것으로, 자신을 올바르게 이해하는 것으로 시작한다.

04 **| 오답피하기 |** 나를 올바르게 이해하는 것은 진로를 탐색하는 데 매우 중요한 기초가 되며, 그 요소에는 적성, 흥미, 성격, 가치관, 신체적 조건, 가정 및 사회적 환경 등이 있다.

06 **| 오답피하기 |** 상급 학교의 종류와 학과는 진로 탐색의 단계에서 정보를 얻는 방법이다.

08 특수 목적 고등학교에는 과학 고등학교, 외국어·국제 고등학교, 예술·체육 고등학교, 마이스터 고등학교 등이 있다.

09 **| 오답피하기 |** 직업 탐색 단계에서 수집해야 할 직업 정보에는 주된 업무, 업무 변화 추세, 근무 환경, 요구 조건 및 교육 정도, 보수, 전망 등이 있다.

11 바람직한 직업 윤리의 예로는 소명 의식, 봉사 의식, 책임 의식, 전문가 의식 등이 있으며, 금전 만능주의는 특정 직업으로만 치우친 왜곡된 직업관에 속한다.

12 **| 오답피하기 |** 직업관은 개인이나 사회 구성원들이 직업에 대해 갖는 가치관이나 태도를 의미하며, 직업 윤리는 어떤 직업을 수행하는 사람들에게 요구되는 행동 규범이다.

3 저출산·고령사회, 우리가 마주하는 세상

개념 꽉꽉 다지기 p. 129

01 고령화 **02** (1) ○, (2) ○, (3) × **03** ㉠ 합계 출산율, ㉡ 저출산 **04** ① **05** 실버산업

차곡차곡 실력 쌓기 p. 130

01 ② **02** ③ **03** 인구 절벽 현상 **04** ② **05** ② **06** ④ **07** ② **08** ⑤ **09** 가족 친화 문화 **10** ④ **11** ①

01 (가) 고령사회, (나) 초저출산, (다) 고령화, (라) 저출산에 해당한다.

02 출산 및 육아 비용의 증가가 저출산의 원인이 된다.

04 의료 기술의 발달로 인한 평균 수명 증가가 노인 인구를 증가시키는 원인이 되며, 출산율의 감소는 상대적으로 노인 인구 비율의 증가에 영향을 준다.

05 **| 오답피하기 |** 고령화로 인하여 젊은 세대의 사회 비용이 증가한다.

06 저출산 현상은 노인 인구 비율의 증가를 가져온다.

07 저출산·고령화로 인하여 생산 인구가 감소하고, 경제 침체를 가져올 수 있다. 또한 연금을 받는 인구가 늘어남에 따라 사회 비용이 증가한다.

10 국가는 공적 연금을 통하여 안정적이고 기본적인 노후 소득을 보장해야 한다.

11 우리나라는 이미 저출산·고령화로 인한 문제가 심각하며, 이와 같은 현상이 지속될 경우 가족 기능이 약화되고 평균 연령은 높아질 것이다.

4 일과 더불어 행복한 가정

개념 꽉꽉 다지기 p. 139

01 일·가정 양립 **02** (1) ×, (2) ○, (3) ○ **03** ② **04** ③ **05** ③

차곡차곡 실력 쌓기 p. 140

01 ② **02** ⑤ **03** ④ **04** 역할 갈등 **05** ⑤ **06** ⑤ **07** ④ **08** ② **09** ③ **10** 육아 휴직 제도 **11** ⑤ **12** ①

01 일·가정 양립으로 가사 및 돌봄 노동의 부담을 감소시킬 수 있다.

02 오늘날은 성 역할 구분 없이 능력에 따라 역할을 분담하고 있다.

03 맞벌이 부부의 경우, 부부가 함께 경제 활동에 참여하여 소득은 높지만 소득이 늘어나는 만큼 외식, 자녀 교육, 가사 서비스 이용, 편의 제품 사용 등으로 지출 비용이 커진다.

07 **| 오답피하기 |** 맞벌이 부부의 경우 가사 노동 서비스의 이용과 관련한 지출 비용이 증가한다.

08 역할 수행에 책임감을 갖는 것과 가족 구성원 간 효율적인 의사소통을 하는 것은 개인과 가족의 노력에 해당한다.

09 **| 오답피하기 |** 자녀를 적게 출산하는 것은 저출산·고령화에 부정적인 영향을 주는 것으로, 일·가정 양립의 바람직한 해결 방법이 아니다.

12 **| 오답피하기 |** 기업에서는 늦은 회식과 야근 문화를 개선하여 퇴근 후 시간을 즐길 수 있도록 지원해야 한다.

p. 142

대단원 마무리하기 1회

01 ㉠ 개인 생애 주기, ㉡ 가족 생활 주기 **02** ④ **03** ② **04** ① **05** ① **06** 직업 **07** ① **08** ② **09** ④ **10** ② **11** ③ **12** ③ **13** ④ **14** ⑤ **15** ⑤ **16** ③ **17** ④ **18** ④ **19** ③ **20** ② **21~23** 해설 참조

02 **| 오답피하기 |** 중년기는 만 40~60세에 이르는 시기로, 결혼 생활, 직업 생활을 유지하고 갱년기의 위기를 관리해야 하며, 건강 관리의 발달 과업이 있다. 진로 탐색은 청소년기의 발달 과업이다.

03 **| 오답피하기 |** 부모 역할 습득은 자녀 출산 및 양육기의 발달 과업이고, 자녀의 독립 및 결혼 지원은 자녀 독립기의 발달 과업이며, 자녀의 진로 지도는 자녀 교육기의 발달 과업이다.

04 **| 오답피하기 |** 경제적 정년은 지출이 수입보다 많으며, 자녀 출산 및 양육기는 지출보다 수입이 많으며, 퇴직을 한 이후에는 수입보다 지출이 점점 많아진다. 저축이 가능한 시기는 사회 초년기에서 자녀 교육기 초반까지이다.

05 생애 설계의 영역에는 진로 및 직업, 건강, 결혼, 경제 설계 등이 있으며, 진로 및 직업에 대한 설계는 내가 꼭 하고 싶고, 잘할 수 있는 일이 무엇인가에 대한 계획이다.

09 특수 목적 고등학교에는 과학 고등학교, 외국어•국제 고등학교, 예술·체육 고등학교, 마이스터 고등학교 등이 있으며, 대안 특성화 고등학교는 특성화 고등학교에 속한다.

11 출산·육아 비용의 증가로 아이를 키우는 데 부담을 갖게 된다.

12 저출산 현상으로 형제자매 관계를 경험하는 아이들이 줄어들며, 가족 내 전통의 가치나 문화를 전수하기에도 어려움이 생긴다.

14 **| 오답피하기 |** 저출산 극복을 위하여 출산 휴가 및 육아 휴직 제도를 확대해야 한다.

15 저출산·고령화 현상은 가족 기능을 약화시키고, 생산 가능 인구의 감소를 가져온다.

16 일과 가정생활의 조화를 위해서는 성별에 따라 역할을 구분 짓지 말고 능력에 따라 역할을 분담해야 한다.

17 **| 오답피하기 |** 가정일로 인한 스트레스는 기업의 생산성 증가에 부정적인 영향을 미친다.

18 맞벌이 부부의 경우 외식이나 자녀 교육 비용 등의 지출이 증가한다.

20 여가 생활을 대폭 늘리는 것보다 일과 가정생활을 조화롭게 균형을 이루어야 한다.

21 생애 설계를 하면 자신이 원하는 만족한 삶을 살 수 있으며, 미래 생활을 예측하고 준비할 수 있다. 또한, 생활의 변

화에 현명하게 대처할 수 있으며, 자신의 삶에 책임감을 가질 수 있게 된다.

| 채점 기준 |

등급	채점 기준	배점
A	생애 설계의 중요성을 세 가지 이상 서술한 경우	100 %
B	생애 설계의 중요성을 두 가지 서술한 경우	70 %
C	생애 설계의 중요성을 한 가지만 서술한 경우	40 %

22 스스로 관찰한다. 표준화 심리 검사를 한다. 다양한 분야를 직·간접적으로 체험한다. 친구, 부모님 등 주변 사람에게 물어본다.

| 채점 기준 |

등급	채점 기준	배점
A	자신을 이해하는 방법을 세 가지 이상 서술한 경우	100 %
B	자신을 이해하는 방법을 두 가지 서술한 경우	70 %
C	자신을 이해하는 방법을 한 가지만 서술한 경우	40 %

23 저출산의 원인으로는 여성의 경제 활동 참여율 증가, 초혼 연령의 상승, 출산·육아 비용의 증가, 청년층의 고용 불안정, 결혼과 자녀에 대한 가치관의 변화 등이 있다. 고령화의 원인으로는 생활 수준의 향상과 의료 기술의 발달로 인한 평균 수명의 연장 등이 있다.

| 채점 기준 |

등급	채점 기준	배점
A	저출산·고령화의 원인을 네 가지 이상 서술한 경우	100 %
B	저출산·고령화의 원인을 세 가지 서술한 경우	75 %
C	저출산·고령화의 원인을 두 가지 서술한 경우	50 %
D	저출산·고령화의 원인을 한 가지만 서술한 경우	25 %

p. 146

대단원 마무리하기 2회

01 ④ 02 ③ 03 자녀 교육기 04 ④ 05 ③
06 일 07 가치관 08 ① 09 ⑤ 10 직업 윤리 11 ②
12 ② 13 ④ 14 ④ 15 ③ 16 ② 17 ② 18 ⑤
19 ③ 20 ④ 21 ④ 22~24 해설 참조

01 | 오답피하기 | 가족 생활 주기에 따른 생애 설계에서 가족 생활 주기의 각 단계는 가족의 요구와 생활 내용에 따라 많은 차이가 있기 때문에 가족은 우리 가족에게 맞는 가족 생활 설계를 수립하고, 가족 구성원이 서로 협력하여 각 단계의 변화에 대비하고 적응해 나가야 한다.

02 | 오답피하기 | 성년기에는 직업·배우자 선택하기, 유아기에는 기본 생활 습관 형성하기, 아동기에는 학교생활 적응하기, 청소년기에는 자아 정체감 형성하기가 주요한 발달 과업이다.

04 | 오답피하기 | 자녀 양육 방식에 대한 생애 설계는 자녀 출산 및 양육기에 해당되는 내용이다.

05 | 오답피하기 | 양성평등 의식을 갖도록 하기 위한 구체적인 실천 방안에는 서로 배려하고 가사 노동을 분담하기 등이 있다.

09 | 오답피하기 | 진로 설계의 과정은 자신을 먼저 이해하고 직업 정보 및 상급 학교를 탐색한 내용을 바탕으로 진로를 선택하는 것으로 이루어진다.

10 직업 윤리는 어떤 직업을 수행하는 사람들에게 요구되는 행동 규범으로, 바람직한 직업인이 되려면 소명 의식과 봉사 의식, 책임 의식, 전문가 의식 등의 직업 윤리를 가져야 한다.

11 생산 가능 인구가 감소하면서 노인 부양의 부담이 증가하고 있으며, 고령사회로 진입하는 속도가 다른 선진국보다 현저하게 빠르다.

12 | 오답피하기 | 전통적인 가족 가치관이 약화되었고, 결혼 및 자녀 출산에 대한 가치가 바뀌었으며, 집단보다는 개인을 중시하는 가치관으로 변화하였다.

13 근로 형태의 유연화를 통하여 일·가정 양립을 이루면 이것이 출산 장려로 이어질 수 있다.

15 고령자의 경제 활동의 은퇴 시기를 늦춰 주거나 경제 활동에 지속적으로 참여할 수 있도록 해야 한다.

17 성 역할 고정 관념과 장시간 노동 근무 환경은 일과 가정 생활의 병행을 힘들게 하는 요인이다.

18 기업은 야근 및 회식 횟수를 줄여 일과 가정생활이 병행될 수 있도록 하여야 한다.

19 전일제 근무제는 유연 근무 제도에 해당하지 않는다.

21 출산 전후 휴가제란 출산을 전후로 90일의 휴가를 보장하며, 배우자 출산 휴가제란 배우자 출산 시 남성 근로자에게 5일의 휴가를 주는 제도이다.

22 소명 의식과 봉사 의식, 책임 의식, 전문가 의식 등의 직업 윤리를 가져야 한다.

| 채점 기준 |

등급	채점 기준	배점
A	바람직한 직업인이 되기 위한 직업 윤리를 세 가지 이상 서술한 경우	100 %
B	바람직한 직업인이 되기 위한 직업 윤리를 두 가지 서술한 경우	70 %
C	바람직한 직업인이 되기 위한 직업 윤리를 한 가지만 서술한 경우	40 %

23 일·가정 양립이 이루어지면 첫째, 가정생활과 직업 생활이 조화를 이루어 직장에서는 업무 능률이 향상되고 가정생활에서는 활력을 얻을 수 있다. 둘째, 기업의 생산성을 증가시킬 수 있다. 셋째, 국가 경쟁력을 향상시킬 수 있다.

| 채점 기준 |

등급	채점 기준	배점
A	일·가정 양립의 필요성을 세 가지 모두 서술한 경우	100 %
B	일·가정 양립의 필요성을 두 가지 서술한 경우	70 %
C	일·가정 양립의 필요성을 한 가지만 서술한 경우	40 %

24 첫째, 개인 및 가족은 양성평등한 가치관을 바탕으로, 가족 구성원의 능력과 상황에 맞게 역할을 분담한다. 둘째, 기업은 장시간 노동 근무 환경을 개선하여 과도한 장시간 근로를 막고 가족 친화 문화를 형성할 수 있도록 제도적 장치를 마련하여야 한다. 셋째, 국가는 경력 단절 근로자들을 위한 다양한 재취업의 기회를 마련하여 육아를 마치고 직장 생활을 다시 시작할 수 있는 사회적 분위기를 형성한다.

| 채점 기준 |

등급	채점 기준	배점
A	일·가정 양립을 위한 실천 방안을 개인 및 가정, 기업, 사회 및 국가의 측면에서 모두 서술한 경우	100 %
B	일·가정 양립을 위한 실천 방안을 개인 및 가정, 기업, 사회 및 국가의 측면 중 두 가지 측면에서 서술한 경우	70 %
C	일·가정 양립을 위한 실천 방안을 개인 및 가정, 기업, 사회 및 국가의 측면 중 한 가지 측면에서만 서술한 경우	40 %

IV 수송 기술과 에너지

1 빠르고 편리하게, 수송 기술

개념 꽉꽉 다지기 p. 159

01 수송 **02** (1) ×, (2) ○, (3) ○, (4) ○ **03** 증기 기관 **04** ② **05** ③

차곡차곡 실력 쌓기 p. 160

01 ③ **02** ⑤ **03** 재배치 **04** ① **05** ② **06** ③ **07** ④ **08** 증기 기관 **09** ⑤ **10** ① **11** ⑤ **12** ②

02 **| 오답피하기 |** 수송 기술은 다른 기술의 영향을 받지 않고 독자적으로 발전해 온 것이 아니라 건설, 제조, 통신 등 다른 영역의 기술과 밀접한 상호 관련성을 가지고 발전해 왔다.

03 수송 대상은 보관, 짐 싣기, 짐 내리기, 배달, 이동, 관리 등의 과정을 통해 원하는 목적지로 재배치되는 산출이 이루어진다.

05 **| 오답피하기 |** 배달, 보관, 짐 싣기, 짐 내리기, 이동, 관리 등은 과정 단계에 이루어지는 것들이다. 재배치는 수송 기술 시스템의 산출이다.

06 주어진 사진은 전기 자동차이다.
| 오답피하기 | ① 전기 자동차는 전기를 이용하여 모터를 돌려 동력을 얻는다. 증기를 이용하여 동력을 얻는 것은 증기 기관이다. ② 전기 자동차가 지속적으로 개발되고 있지만 긴 충전 시간에 비해 주행 거리가 짧고, 차 값이 비싸며, 전기 자동차 충전소가 제한되어 있어 아직은 주요 수송 수단으로 이용되고 있지 못한 실정이다. ⑤ 내연 기관과 모터를 모두 동력원으로 사용하는 자동차는 하이브리드 자동차이다.

07 전기 자동차는 가솔린, 디젤 등의 화석 연료를 사용하면서 발생하는 환경 문제와 화석 연료 고갈 문제를 해결하기 위해 만들었다.

10 18세기 말 프랑스의 몽골피에(Montgolfier) 형제가 사람이 탑승한 열기구 비행에 최초로 성공하였다. 19세기 말 독일인 릴리엔탈(O. Lilienthal)은 사람이 탈 수 있는 글라이더를 개발하였다. 20세기 초 미국의 라이트(Wright) 형제가 발명한 가솔린 기관의 비행기를 시초로 본격적인 비행기의 개발이

시작되었으며, 이후 제트 기관을 이용한 음속 비행기가 개발되는 등 비약적인 발전을 이루게 되었다.

11 **| 오답피하기 |** ① 제트 기관에 대한 설명이다. ② 공기의 밀도가 낮거나 공기가 없는 공간에서는 연료 연소를 위해 산화제를 포함한 로켓 기관을 이용한다. ③ 우주 왕복선은 공기가 없는 우주 공간으로 쏘아올리기 때문에 로켓 기관을 이용한다. ④ 제트 기관에는 산화제가 없다.

12 **| 오답피하기 |** ① 내연 기관은 외연 기관이 부피가 크고 효율이 낮다는 문제점을 개선하기 위해 만들어졌다. ③ 오늘날 자동차에는 가솔린과 디젤 기관이 주로 이용된다. ④ 외연 기관은 증기 기관 같이 연료를 연소시키는 장소가 기관의 외부에 있는 기관이다. ⑤ 물을 끓여 발생시킨 고온, 고압의 증기를 이용하여 운동 에너지를 얻는다.

2 지켜야 할 약속, 수송 안전

개념 꽉꽉 다지기 p. 167

01 도로 교통 **02** (1) ○, (2) ○, (3) ○ (4) × **03** 정지
04 ① **05** ③

차곡차곡 실력 쌓기 p. 168

01 ⑤ **02** ④ **03** ④ **04** ⑤ **05** 인도에서 자전거를 타고 이동, 자전거 보호 장구 미착용 **06** ① **07** ③ **08** 공주 거리
09 ① **10** ④ **11** ⑤

01 ㉠ 상황에서는 공을 차도로 주우러 가다가 차량과 충돌 사고가 일어날 수 있다. ㉡ 상황에서는 달리던 오토바이가 앞에 정차한 차에서 내린 사람과 부딪히는 사고가 발생할 수 있다. ㉢ 차도에서 정차한 후 차에서 내릴 때 뒤에서 오는 오토바이와 부딪히는 사고가 발생할 수 있다. ㉣ 횡단보도에서는 자전거에서 내려서 좌우를 살핀 후 조심히 건너야 하지만 자전거를 타고 빠르게 지나다가다 다가오는 차를 보지 못하고 충돌하는 사고가 발생할 수 있다. ㉤ 주차장에서 뛰어놀다가 차량과 부딪히거나 차의 사각지대에서 놀다가 움직이는 차와 부딪히는 사고가 발생할 수 있다.

02 **| 오답피하기 |** 자전거를 타고 횡단보도를 건널 때에는 자전거에서 내려서 자전거를 끌고 건너야 한다.

03 **| 오답피하기 |** ① 자전거는 「도로 교통법」의 적용을 받는다. ②에서 좌측 가장자리가 아니라 우측 가장자리로 주행해야 한다. ③ 인도에서는 자전거를 끌고 가야 한다. ⑤에서 자전거로 횡단보도를 건널 때는 자전거에서 타고 건너면 안 되고, 자전거에서 내려서 자전거를 끌고 건너야 한다.

04 **| 오답피하기 |** 자전거를 탈 때는 주변 소리에도 집중해야 하므로 음악을 들으면 안 된다.

06~07 ㉠은 정지 거리, ㉡은 제동 거리, ㉢은 공주 거리이다. 정지 거리는 제동 거리와 공주 거리의 합이므로, 정지 거리가 10 m이고, 제동 거리가 4 m일 때 공주 거리는 6 m이다.

10 교통사고가 발생하면 자동차의 운동 에너지는 사람과 자동차에 치명적인 피해를 줄 수 있다. 이 운동 에너지는 자동차의 속도 제곱에 비례하므로, 차량의 속도가 2 배 빨라지면 충격력은 4 배 커진다. 문제에서 자동차가 20 km/h 달릴 때 자동차의 운동 에너지가 10 [J]이므로, 40 km/h로 속도가 2배 빨라지면 운동 에너지는 4 배가 되므로, 40 km/h로 달리는 자동차의 운동 에너지는 40 [J]이 된다.

11 버스는 예기치 못한 상황에 급정거를 할 수 있으므로 버스에서 서서 갈 때는 손잡이를 잡아야 한다.

3 경주용 전기 자동차 만들기

개념 꽉꽉 다지기 p. 175

01 발광 다이오드 **02** (1) ○, (2) ×, (3) ○, (4) ○ **03** 직렬
04 ① **05** ②

차곡차곡 실력 쌓기 p. 176

01 ③ **02** ③ **03** 수명 **04** ③ **05** ④ **06** ④ **07** ②
08 ① **09** ② **10** ② **11** PMI

01 치수를 나타내는 기호인 Ø는 지름을 의미하며, 단위는 mm이다.

02 치수는 보통 가로×세로×두께로 나타낸다.

04 풀리란 벨트로 동력을 전달할 때 벨트를 걸기 위해 축에

부착하는 바퀴로, 벨트 풀리라고도 한다. 그림은 벨트와 풀리를 이용하여 모형 전기 자동차의 전동축을 회전시키는 방법이다.

08 **| 오답피하기 |** 계획하기 단계는 정보 수집하기 → 아이디어 탐색하기 → 아이디어 선정하기 → 구체적 계획하기 단계로 세분화할 수 있다. ①은 구상도와 부품도대로 경주용 전기 자동차를 제작하는 단계는 실행하기 단계이다. ②는 구체적 계획하기 단계, ③은 정보 수집하기 단계, ④는 아이디어 탐색하기 단계, ⑤는 아이디어 선정하기 단계이다.

09 저항을 직렬연결했을 때 회로 전체의 합성 저항은 전체 저항 값을 모두 더하면 된다. 주어진 회로의 전체 저항 R_t=4[Ω]은 왼쪽 전구의 저항값 2[Ω]과 ㉠ 전구의 저항값을 더한 값이므로 ㉠ 전구의 저항값은 2[Ω]이 된다.

10 주어진 회로는 8[V]짜리 건전지에 두 개의 꼬마전구를 직렬연결한 회로이다. 회로 내에서 저항값이 R[Ω]인 저항에 전압이 V[V]인 전원을 연결한 후 전류 I[A]를 측정하면 전류, 전압, 저항 사이에는 $I[A]=\frac{V[V]}{R[\Omega]}$ 이라는 식이 성립한다. 회로의 전압이 8[V]이고, 회로의 전체 합성 저항이 4[Ω]이므로 회로에 흐르는 전체 전류 I_t는 2[A]이 된다.

4 지구를 살리는 신재생 에너지

개념 꽉꽉 다지기 p. 185

01 신재생 에너지 **02** (1) ○, (2) ×, (3) ×, (4) ○ **03** ①
04 태양 전지 **05** ④

차곡차곡 실력 쌓기 p. 186

01 ③ **02** ①, ② **03** 재생 에너지 **04** ④ **05** ④ **06** ①
07 ② **08** ① **09** ⑤ **10** ③ **11** ① **12** ④ **13** 연료 전지

02 **| 오답피하기 |** 화석 연료에는 석탄, 석유, 천연가스 등이 있다. ③ 수소 연료는 신에너지, ④ 바이오 연료는 재생 에너지, ⑤ 성형 고체 연료는 폐기물을 고체 연료로 제작한 것으로, 재생 에너지 중 폐기물 에너지에 해당된다.

04 **| 오답피하기 |** 재생 에너지는 고갈의 염려가 없고, 환경을 오염시키지 않는 자연친화적인 에너지이지만, 재생 에너지를 얻는 데 많은 시간과 비용이 들기 때문에 석탄, 석유, 천연가스 등의 화석 연료보다 실생활에 이용하기 어렵다.

05 **| 오답피하기 |** ④ 천연가스는 화석 연료이다. 신재생 에너지에는 재생 에너지와 신에너지가 있다.

- 재생 에너지의 종류: 태양광 에너지, 태양열 에너지, 풍력 에너지, 해양 에너지, 지열 에너지, 수력 에너지, 바이오 에너지, 폐기물 에너지 등
- 신에너지의 종류: 수소 에너지, 연료 전지, 석탄 액화·가스화 에너지 등

06 주어진 그림은 태양 전지가 태양광을 받아 전기를 만들어 내는 원리를 나타낸 것이다.

07 ㉠은 전자가 부족하여 생기는 정공에 의해 (+) 극성을 가지는 n형 실리콘(반도체), ㉡은 전자가 남아서 (−) 극성을 가지는 p형 실리콘(반도체)이다.

11 **| 오답피하기 |** 주어진 설명은 수소 에너지에 대한 설명이다. ②는 석탄 액화 및 가스화에 대한 설명이다. ③은 연료 전지에 대한 설명이다. ④ 수소 에너지는 연소할 때 해로운 물질이 배출되지 않고 다시 물로 재순환되는 장점이 있다. ⑤ 수소의 원료가 되는 물은 주변에서 쉽게 구할 수 있으나, 물을 원료로 하여 수소를 추출하는 데 큰 비용이 든다.

5 태양광 디딜방아 만들기

개념 꽉꽉 다지기 p. 193

01 태양 전지 **02** (1) ○, (2) ×, (3) ○ **03** 캠 **04** ③
05 ④

차곡차곡 실력 쌓기 p. 194

01 ⑤ **02** ① **03** ③ **04** ① **05** ① **06** ② **07** ④
08 ① **09** ② **10** ① **11** 부품도

01 치수는 보통 가로×세로×두께로 나타낸다. 치수를 나타내는 기호인 T는 두께를 나타내며, 단위는 mm이다.

02 전동용 기계요소는 동력을 전달하는 기계요소로, 기어, 캠, 벨트와 풀리, 체인과 스프로킷 등이 있다.

05 주어진 그림은 링크이다. 링크는 여러 개의 막대가 연결되어 주동절의 움직임에 따라 종동절이 일정하게 운동하는 동력 전달용 기계요소로, 피스톤과 크랭크를 연결한 내연 기관이나 좌우로 왕복하는 선풍기의 회전 장치 등에 활용된다.
| 오답피하기 | ② 기계의 충격을 흡수하는 기계요소는 완충용 기계요소로, 스프링 등이 있다. ③ 두 개 이상의 부품을 결합할 때 사용하는 기계요소는 결합용 기계요소로, 나사, 볼트, 너트 등이 있다. ④ 기계의 움직이는 속도를 조절할 때 사용하는 기계요소는 제동용 기계요소로, 브레이크 등이 있다. ⑤ 회전체의 중심을 고정하거나 회전체의 축을 받쳐줄 때 사용하는 기계요소는 축용 기계요소로, 축, 베어링 등이 있다.

08 문제 해결 과정은 문제 확인하기 → 계획하기 → 실행하기 → 평가하기의 순서로 이루어진다. 여기서 계획하기 단계는 정보 수집하기 → 아이디어 탐색하기 → 아이디어 선정하기 → 구체적 계획하기 단계로 세분화할 수 있다.

09 실행하기 단계는 최종적으로 선정된 아이디어의 구상도와 부품도를 바탕으로 모형 태양광 디딜방아를 실제 제작하는 단계이다.

p. 196

대단원 마무리하기 1회

01 ③ **02** ③ **03** 되먹임 **04** ① **05** ③ **06** ① **07** ⑤
08 전기 **09** ③ **10** ⑤ **11** ⑤ **12** ② **13** ⑤ **14** ②
15 ② **16** ③ **17** ㉠ 병렬, ㉡ 직렬 **18** ① **19** ③ **20** ②
21~23 해설 참조

02 수송 기술의 특성은 다음과 같다.
- 지원 시설과 인력의 필요: 주유소, 비행장, 항구, 정비소 등과 같은 지원 시설과 이를 관리할 인력이 많이 필요하다.
- 수송 대상의 가치 증대: 수송 대상을 원하는 시간에 목적지까지 빠르고 안전하게 이동시켜 이들의 가치를 높인다.
- 다양한 수송 수단의 이용: 자동차, 기차, 선박, 비행기 등과 같이 다양한 형태의 수송 수단을 사용한다.
- 이동 경로가 필요: 도로, 철도, 항로 등 수송 수단이 이동하기 위한 특별한 이동 경로가 필요하다.

06 **| 오답피하기 |** 수송 기술 시스템의 투입 요소에는 사람이나 물건을 원하는 장소로 이동시키는 수송 수단, 수송 수단의 이동을 위한 경로, 수송 수단을 움직이는 에너지, 수송을 지원하는 여러 가지 시설, 수송이나 관련 시설을 관리하는 인력 등이 있다. 배달은 수송 기술 시스템의 과정 단계에서 이루어진다.

07 하이브리드 자동차는 가솔린 기관, 모터와 같이 다양한 형태의 동력원을 동시에 사용하는 자동차로, 화석 연료를 사용하는 자동차 때문에 발생하는 환경 오염 문제와 에너지 고갈 문제를 해결하기 위해 등장하였다.

09 **| 오답피하기 |** 오늘날에는 증기 기관 이외에 다양한 엔진, 모터 등을 동력원으로 사용한다.

11 원자력 항공 모함이나 원자력 잠수함은 기존의 연료가 아니라 원자로를 구동 기관으로 탑재하여 연료 보급 없이도 장기간 항해하거나 잠수할 수 있도록 하였다.

12 항공 우주 수송 수단을 발달한 순서대로 나열하면 열기구 → 릴리엔탈 글라이더 → 가솔린 비행기 → 로켓 → 인공위성이다.

13 주어진 그림은 기관 안에 압축된 공기를 넣고 연료를 분사한 후 연소시켜 발생하는 고온, 고압의 연소 가스를 뿜어서 추진력을 얻는 제트 기관이다.

16 자전거는 「도로 교통법」에서 '차'로 규정하고 있다. 그러므로 사람이 걸어 다니는 인도에서는 자전거에서 내려서 자전거를 끌고 가야 한다.

17 저항을 병렬연결하면 각 저항에 걸리는 전압은 전체 전압과 같고, 저항을 직렬연결하면 각 저항의 크기에 따라 각 저항에 전압이 분배된다. 꼬마전구를 연결한 전기 회로에서 전원을 직렬연결하면 전압이 높아져 전구의 밝기가 밝아지고, 전원을 병렬연결하면 전압은 같으므로 전구의 밝기는 같다.

21 자전거 운전자의 안전 수칙은 다음과 같다.
- 자전거 보호 장구를 착용한다.
- 자전거를 타기 전에는 항상 브레이크와 핸들 등이 잘 작동하는지 안전 점검을 한다.
- 자전거를 탈 때 음악 감상을 자제한다.
- 야간 운행 시에는 라이트를 반드시 켠다.
- 자전거 관련 교통 법규를 숙지하여 지켜야 한다.

| 채점 기준 |

등급	채점 기준	배점
A	자전거 운전자의 안전 수칙을 세 가지 이상 서술한 경우	100 %
B	자전거 운전자의 안전 수칙을 두 가지 서술한 경우	70 %
C	자전거 운전자의 안전 수칙을 한 가지만 서술한 경우	40 %

22 회로에 흐르는 전류는 전압의 크기에 비례하고, 저항값

에 반비례한다. 이러한 전류와 전압과 저항의 관계는 $I[A]=\frac{V[V]}{R[\Omega]}$와 같은 식으로 표현할 수 있다.

| 채점 기준 |

등급	채점 기준	배점
A	전류, 전압, 저항과의 관계를 모두 서술하고 수식으로 올바르게 표현한 경우	100 %
B	전류, 전압, 저항과의 관계와 수식 중 하나만 올바르게 표현한 경우	50 %

23 발광 다이오드는 전류를 한쪽으로 흐르게 하는 특성이 있으므로, 극성에 유의하여 긴 다리는 +극에, 짧은 다리는 –극에 연결한다.

| 채점 기준 |

등급	채점 기준	배점
A	극성에 유의해야 한다는 사실과 이에 따른 +, –극의 연결 방법을 모두 서술한 경우	100 %
B	극성에 유의해야 한다는 사실과 이에 따른 +, –극의 연결 방법 중 한 가지만 서술한 경우	50 %

p. 200

대단원 마무리하기 2회

01 ② **02** ① **03** 바퀴 **04** ①, ② **05** ⑤ **06** ③ **07** ④ **08** ④ **09** 호버크라프트 **10** ③ **11** ④ **12** ⑤ **13** ① **14** ② **15** ② **16** ④ **17** ㉠ +, ㉡ – **18** ③ **19** ③ **20** ① **21~23** 해설 참조

01 **| 오답피하기 |** ①은 투입 단계, ③은 산출 단계, ④는 수송 기술 시스템, ⑤는 되먹임 단계에 대한 내용이다.

04 주어진 사진은 하이브리드 자동차이다. 하이브리드 자동차는 내연 기관과 모터를 모두 동력원으로 사용한다.

07 **| 오답피하기 |** ① 주어진 그림은 산소를 발생시키는 추진체인 산화제를 이용하여 연료를 연소시켜 강력한 추진력을 얻는 로켓 기관이다. ② 여객기에는 제트 기관을 사용한다. ③ 산화제가 탑재되어 있어 공기 밀도가 적은 곳이나 대기권 밖에서 비행을 할 수 있다. ⑤ 자동차 엔진은 내연 기관으로, 내연 기관은 연료가 폭발하는 폭발력으로 피스톤을 왕복 운동시키고, 피스톤의 왕복 운동을 회전 운동으로 변환시켜 바퀴에 전달하여 동력을 얻는다. 로켓 기관은 연료의 폭발력을 뒤로 분출하여 그 반작용으로 앞으로 나아간다.

10 내연 기관은 흡입 → 압축 → 폭발 → 배기의 과정이 반복되면서 동력을 얻는다.

11 ㄱ은 폭발 단계, ㄴ은 배기 단계, ㄷ은 흡입 단계, ㄹ은 압축 단계이다.

12 **| 오답피하기 |** ㄷ은 피스톤이 아래로 내려가며 분무 상태의 연료가 실린더 내부로 들어오는 흡입 단계이다. ①, ④는 폭발 단계, ②는 배기 단계, ③은 압축 단계에 대한 설명이다.

14 정지 거리는 제동 거리와 공주 거리의 합이므로, 공주 거리가 4 m이고 정지 거리가 6 m이므로 제동 거리는 2 m가 된다.

15 저항을 병렬연결했을 때 회로 전체의 합성 저항 R_t는 $\frac{1}{R_t}=\frac{1}{R_1}+\frac{1}{R_2}$의 식으로 구할 수 있다. 이 공식에 대입하여 합성 저항 R_t의 값을 구하면 $R_t=1[\Omega]$이 된다. 회로 내에서 저항값이 $R[\Omega]$인 저항에 전압이 $V[V]$인 전원을 연결한 후 전류 $I[A]$를 측정하면 전류, 전압, 저항 사이에는 $I[A]=\frac{V[V]}{R[\Omega]}$이라는 식이 성립한다. 회로의 전압이 $4[V]$이고, 회로 전체의 합성 저항이 $1[\Omega]$이므로, 회로에 흐르는 전체 전류 I_t는 $4[A]$이 된다.

16 ①에서 $I_1[A]=\frac{V_1[V]}{R_1[\Omega]}$이다. 저항을 병렬연결하면 전압이 일정하므로 $V_1=4[V]$가 되고, $R_1=2[\Omega]$로 주어져 있으므로 $I_1=2[A]$가 된다. ②에서 I_2를 구하는 방법은 I_1을 구하는 방법과 같다. ③ 저항을 병렬연결하면 각 저항에 걸리는 전압의 크기는 같다. ④ 전원을 직렬연결하면 전압이 높아져 전구의 밝기가 밝아지지만, 전원을 병렬연결하면 전압은 같으므로 전구의 밝기는 같다. ⑤ 전원을 병렬연결하면 전압의 크기는 같다.

18 해양 에너지는 바닷물을 이용하여 전기를 생산해 내는 기술이다. 밀물과 썰물 때의 물의 깊이가 달라지는 현상을 이용한 조력 에너지, 파도가 칠 때의 힘을 이용한 파력 에너지, 바닷물의 흐름을 이용한 조류 에너지, 바닷속과 바다 표면의 온도 차를 이용해 만드는 해수 또는 해양 온도 차 에너지 등이 있다.

20 **| 오답피하기 |** 수소 에너지는 신에너지의 종류이다. 나머지는 재생 에너지의 종류이다.

21 자동차의 안전거리는 급정거 시와 같은 예기치 않은 상황에 앞차와의 충돌을 방지하기 위하여 앞차와 뒤차 사이에 확보하는 적정한 거리를 말한다. 안전거리는 정지 거리 이상을 유지하는 것을 의미하며, 날씨나 도로의 상태에 따라 달라진다.

| 채점 기준 |

등급	채점 기준	배점
A	자동차의 안전거리에 대해 정확하게 서술한 경우	100 %
B	자동차의 안전거리에 대해 이해하고는 있으나 서술이 미흡한 경우	50 %

22 버스에서 지켜야 하는 안전 수칙에는 다음과 같은 것들이 있다.

- 교통 카드나 버스 요금은 미리 준비한 다음 탑승한다.
- 버스가 정거장에 완전히 정차한 후 탑승한다.
- 버스에 탑승하거나 하차할 때에는 휴대 전화 사용을 자제한다.
- 버스가 정차했을 때 좌석 이동을 한다.

| 채점 기준 |

등급	채점 기준	배점
A	버스에서 지켜야 하는 안전 수칙을 네 가지 모두 서술한 경우	100 %
B	버스에서 지켜야 하는 안전 수칙을 세 가지 서술한 경우	75 %
C	버스에서 지켜야 하는 안전 수칙을 두 가지 서술한 경우	50 %
D	버스에서 지켜야 하는 안전 수칙을 한 가지만 서술한 경우	25 %

23 저항의 직렬연결에서 각 저항에 걸리는 전압은 전체 전압보다 낮으므로 전구의 밝기는 어두워진다. 그러나 저항의 병렬연결에서 각 저항에 걸리는 전압은 전체 전압과 같으므로 전구의 밝기는 같다. 전원을 직렬연결하면 전압이 높아져 전구의 밝기가 밝아진다. 그러나 전원을 병렬연결하면 전압은 같으므로 전구의 밝기는 같다.

| 채점 기준 |

등급	채점 기준	배점
A	저항의 직렬연결, 저항의 병렬연결, 전원의 직렬연결, 전원의 병렬연결했을 때의 특징을 네 가지 모두 서술한 경우	100 %
B	저항의 직렬연결, 저항의 병렬연결, 전원의 직렬연결, 전원의 병렬연결했을 때의 특징을 세 가지 서술한 경우	75 %
C	저항의 직렬연결, 저항의 병렬연결, 전원의 직렬연결, 전원의 병렬연결했을 때의 특징을 두 가지 서술한 경우	50 %
D	저항의 직렬연결, 저항의 병렬연결, 전원의 직렬연결, 전원의 병렬연결했을 때의 특징을 한 가지만 서술한 경우	25 %

V 미디어와 정보 통신 기술

1 세상과 소통하는 정보 통신 기술

개념 꽉꽉 다지기 p. 213

01 정보 통신 기술 **02** (1) ×, (2) ○, (3) ○, (4) × **03** 미디어 **04** ③ **05** ①

차곡차곡 실력 쌓기 p. 214

01 ② **02** ③ **03** 상형 문자 **04** ④ **05** ④ **06** ⑤ **07** ③ **08** ④ **09** ② **10** ④ **11** ① **12** 사물 인터넷

02 | 오답피하기 | 정보 통신 기술은 다른 많은 기술과 영향을 주고받으며 발전해 왔다.

04 | 오답피하기 | 주어진 그림은 짧은 발신 전류(•)와 긴 발신 전류(−)를 적절히 조합하여 문장을 만들어 정보를 전달한 모스 부호이다. 모스 부호는 전신기의 통신에 사용됐으며, 전화기는 전신기 이후에 발명되었다.

06 | 오답피하기 | 상정고금예문은 세계 최초의 금속 활자로 인쇄된 책이나, 이규보의 동국이상국집에 1234년 인쇄되었다고 기록만 되어 있고 현존하지 않는다. 직지심체요절은 1377년에 우리나라에서 간행된 현존하는 세계 최초의 금속 활자본으로, 구텐베르크의 성서보다 약 70여 년 먼저 인쇄되었다.

08 | 오답피하기 | 저장 미디어는 정보가 디지털 신호로 변환되어 물리적으로 저장하는 데 사용하는 수단으로, CD, DVD, 플래시 메모리 등이 있다. 라디오는 방송 미디어이다.

9~10 | 오답피하기 | 주어진 설명은 방송 미디어이다. 방송 미디어에는 텔레비전, 라디오, IPTV, DMB 등이 있다.

2 빠르고 정확한 정보 통신 기술의 원리

개념 꽉꽉 다지기 p. 221

01 정보 통신 시스템 **02** (1) ○, (2) ○, (3) ○, (4) × **03** 유선 **04** ② **05** ④

차곡차곡 실력 쌓기 p. 222

01 ② 02 ① 03 중앙 처리 장치 04 ① 05 ② 06 ⑤
07 ① 08 ⑤ 09 아날로그 방식 10 ② 11 ④ 12 ④

02 | 오답피하기 | ㉠은 전달하고자 하는 정보를 입력하는 투입 단계이다. ②는 산출 단계, ③, ④는 과정 단계, ⑤는 되먹임 단계이다.

04 컴퓨터는 하드웨어와 소프트웨어로 구성되어 있다. 하드웨어에는 중앙 처리 장치(CPU), 주기억 장치, 보조 기억 장치, 입력 장치, 출력 장치, 통신 장치 등이 있다. 응용 소프트웨어와 시스템 소프트웨어는 소프트웨어에 해당한다.

05 | 오답피하기 | 드라이버는 소프트웨어 중 시스템 소프트웨어에 해당한다.

06 ㉠은 정보를 수집·가공하여 필요한 형태로 만들어 저장·출력하는 정보 처리 시스템이다.

07 | 오답피하기 | ②는 정보 전송 시스템의 투입, ③은 정보 처리 시스템의 투입, ④는 정보 전송 시스템의 과정, ⑤는 정보 전송 시스템의 산출 단계이다.

08 | 오답피하기 | ①은 정보 처리 시스템의 산출, ②는 정보 전송 시스템의 투입, ③은 정보 처리 시스템의 투입, ④는 정보 처리 시스템의 과정 단계이다.

10 | 오답피하기 | ① 유선 통신에 사용하는 동축 케이블이다. ③ 휴대 전화, 위성 통신 등은 무선 통신이다. ④ 무선 통신에 대한 설명이다. ⑤ 광케이블에 대한 설명이다.

3 통화에서 문화로 가는 이동 통신

개념 꽉꽉 다지기 p. 229

01 이동 통신 02 와이파이 03 (1) ○, (2) ×, (3) ○ 04 ②
05 ②

차곡차곡 실력 쌓기 p. 230

01 ③ 02 ④ 03 ④ 04 NFC 05 ④ 06 ③ 07 ①
08 책임, 정의, 존중, 해악 금지 09 ① 10 ③ 11 ④
12 I-PIN 13 ②

02 이동 통신이 현재 5세대까지 발전해 왔다. 1세대에서 2세대로 넘어가면서 음성과 문자 전송이 가능해졌다.

03 | 오답피하기 | 이동 통신은 현재 시간과 장소의 제약을 받지 않고 다양한 서비스를 이용할 수 있으며, 이동 통신의 수요는 점점 증가하고 있다. 새로운 이동 통신 기술의 등장으로 더욱 편리한 생활이 가능해지고, 다양한 정보를 쉽고 빠르게 주고받을 수 있게 되었다.

07 | 오답피하기 | 인터넷에서 검증되지 않은 정보를 유포하지 않는다. 다른 사람을 비난하는 말과 글을 쓰지 않고, 사람들과 건강하게 소통하도록 노력하며, 다른 사람의 명예를 훼손하는 행동을 하지 않는다.

08 정보 통신 윤리는 정보 사회에서 옳고 그름을 판단하기 위한 기준이 된다.

09 유추하기 쉬운 비밀번호는 개인 정보가 유출될 수 있는 위험이 있다. 비밀번호는 타인이 유추하기 어렵게 설정하고, 주기적으로 변경한다.

10 저작권자의 저작물을 허락 없이 복제하여 이용하거나 블로그나 카페 게시판 등에 올려 공유하는 등의 행위를 저작권 침해라고 한다.

13 | 오답피하기 | 저작권을 보호를 위해 소셜 미디어에 저작권자의 허락없이 음원 파일을 올리는 행위나 불법 사이트에서 무료로 영화 파일을 내려받는 행위, 방송 프로그램 등의 화면을 캡쳐하여 인터넷에 올리는 행위 등을 하지 않는다.

4 내 손으로 만드는 가상 현실 안경

개념 꽉꽉 다지기 p. 237

01 정보 수집 02 (1) ○, (2) ×, (3) ○ 03 자이로 센서 04 ③
05 ④

차곡차곡 실력 쌓기 p. 238

01 ② 02 ⑤ 03 ② 04 ① 05 가상 현실 06 ③ 07 ⑤
08 ④ 09 흥미로운 점 10 ② 11 ① 12 ②

04 **| 오답피하기 |** 정투상법은 정면, 우측면, 평면에서 물체를 보고, 보이는 모양을 도면에 작성한다. 계획 단계에서 정투상법으로 제작도를 나타낸다.

05 가상 현실은 현실과 가상 현실이 구분될 수 없다. 그러나 증강 현실은 현실 위에 가상 현실이 덮어져 보여진다.

07 가상 현실 안경을 만들기 위해서 빛이 새어 들어오지 않는 재료와 구조가 필요하다.

08 아이디어를 창출해 내려면 다양한 확산적 사고가 필요하다. 확산적 사고 기법에는 브레인스토밍, 브레인 라이팅, 육색 사고모기법, 희망 열거법, 결점 열거법 등이 있다.

09 PMI 기법은 아이디어 평가를 위한 수렴적 사고 기법의 하나로, 장점(plus), 단점(minus), 흥미로운 점(interesting)을 찾아 아이디어를 평가한다.

10 **| 오답피하기 |** 자이코스코프는 어떠한 방법으로도 회전이 일어날 수 있도록 만든 장치이다.

p. 240

대단원 마무리하기 1회

01 ② **02** ⑤ **03** 그림 문자 **04** ④ **05** ③ **06** ① **07** ③ **08** IPTV **09** ③ **10** ④ **11** ② **12** ④ **13** ③ **14** ② **15** ② **16** ④ **17** ③ **18** ① **19** ③ **20~22** 해설 참조

04 주어진 그림은 물체의 모양을 본떠 만든 상형 문자이다.

06 모스가 발명한 전기 신호는 모스 부호로, 전신기를 이용해 통신하였다.

07 목판은 제작하고자 하는 목판 한 면에 책 한 면을 조각하므로 목판을 파내다가 중간에 한 글자만 틀려도 처음부터 다시 시작해야 하는 번거로움이 있어 목판 제작을 제작하기가 힘들다.

10 CD, DVD, 플래시 메모리 등은 정보가 디지털 신호로 변환되어 물리적으로 저장하는 데 사용하는 수단인 저장 미디어이다.

12 **| 오답피하기 |** 이동 통신의 구성 요소는 기지국, 제어국, 이동체이다. 기지국은 이동체와 무선으로 접속할 수 있도록 하고, 제어국은 여러 기지국을 연결하고 통제하며, 유선 통신망과의 접속을 담당한다.

13 **| 오답피하기 |** 1세대-음성, 2세대-음성과 문자, 3세대-음성과 데이터, 4세대-데이터와 영상, 5세대는 초고화질 영상 전송이 가능하다.

14 **| 오답피하기 |** 와이파이는 무선 접속 장치가 설치된 곳의 일정 거리 안에서 초고속 인터넷을 할 수 있는 근거리 통신망이다.

16 개인 정보 보호를 위해서는 개인 정보 처리 방침 및 이용 약관을 꼼꼼하게 살피고, 비밀번호는 타인이 유추하기 어려운 번호로 설정하여 주기적으로 변경한다. 회원 가입은 주민 등록 번호 대신 아이핀과 같은 대체 수단을 이용한다. 금융 거래는 공용 컴퓨터에서 이용하지 않는다.

17 **| 오답피하기 |** 저작권이란 생각이나 감정을 표현한 글, 그림, 음악, 소프트웨어 등의 저작물에 대하여 이를 창작한 사람에게 주는 권리이다. 저작권을 보호하기 위해 저작권 침해에 해당하는 행위를 정확히 알고 피해야 한다.

18 문제 해결 과정에서 문제 확인하기 단계에서는 문제 해결 조건을 정확하게 파악해야 한다.

19 **| 오답피하기 |** 가상 현실 안경은 볼록 렌즈를 사용하여 상이 맺히는 위치를 조정하고, 가림막을 이용해 양쪽 영상이 구분되게 하고, 빛이 새어 들어오지 못하게 제작되어야 한다.

20 포털 사이트의 검색 서비스, 음악 감상 애플리케이션이나 사이트에서 제공되는 음악 순위, 자주 방문하는 인터넷 쇼핑몰 사이트에 접속했을 때 그동안 내가 검색한 제품과 가격 등의 각종 정보가 화면에 뜨는 것 등이 모두 빅 데이터를 활용한 것들이다.

| 채점 기준 |

등급	채점 기준	배점
A	빅 데이터가 우리 생활에서 활용되고 있는 사례를 세 가지 모두 서술한 경우	100 %
B	빅 데이터가 우리 생활에서 활용되고 있는 사례를 두 가지 서술한 경우	70 %
C	빅 데이터가 우리 생활에서 활용되고 있는 사례를 한 가지만 서술한 경우	40 %

21 • 인터넷에서 검증되지 않은 정보를 유포하지 않는다.
• 인터넷에서 다른 사람을 따돌리는 행동을 하지 않는다.
• 인터넷에서 다른 사람을 비난하는 말과 글을 쓰지 않는다.

| 채점 기준 |

등급	채점 기준	배점
A	인터넷 사용 시 지켜야 할 규범을 세 가지 모두 서술한 경우	100 %
B	인터넷 사용 시 지켜야 할 규범을 두 가지 서술한 경우	70 %
C	인터넷 사용 시 지켜야 할 규범을 한 가지만 서술한 경우	40 %

22 1단계: 물체의 각 면을 수직 방향에서 바라본 모양을 투상면에 그린다.
2단계: 정면도를 중심으로 투상면을 펼쳐서 평면 위에 나타낸다.
3단계: 정면도, 우측면도, 평면도만 나타내는 제3각법로 표현한다.

| 채점 기준 |

등급	채점 기준	배점
A	정투상도 그리는 방법을 3단계 모두 서술한 경우	100 %
B	정투상도 그리는 방법을 2단계 서술한 경우	70 %
C	정투상도 그리는 방법을 1단계만 서술한 경우	40 %

p. 244

대단원 마무리하기 2회

01 ① **02** ⑤ **03** 디지털 방식 **04** ⑤ **05** ② **06** 클라우드 컴퓨팅 **07** ① **08** ① **09** ⑤ **10** ⑤ **11** ① **12** VoLTE **13** ① **14** ④ **15** ④ **16** ③ **17** ④ **18** 저작권 **19** ① **20** ⑤ **21** 자이로 센서 **22~24** 해설 참조

02 **| 오답피하기 |** ①은 정보 처리 시스템의 산출, ②는 정보 전송 시스템의 투입, ③은 정보 통신 시스템의 되먹임, ④는 정보 처리 시스템의 과정 단계이다.

04 **| 오답피하기 |** ①, ② 유선 통신에 사용하는 광케이블이다. ③ 휴대 전화, 위성 통신 등은 무선 통신이다. ④ 무선 통신에 대한 설명이다.

07 **| 오답피하기 |** 주어진 설명은 양방향 통신 중 전이중 통신에 대한 설명이다. 라디오, 텔레비전은 단방향 통신, 팩시밀리, 휴대용 무전기는 양방향 통신 중 반이중 통신에 해당한다.

08 2세대 통신은 음성뿐만 아니라 문자 정보도 주고받을 수 있었다.

09 4세대 이동 통신은 데이터와 영상을 전송하며, 위치 기반 서비스를 제공한다. 5세대는 초고화질 영상을 전송할 수 있다.

10 **| 오답피하기 |** 5세대 이동 통신은 4세대 이동 통신보다 데이터 전송 속도가 더 빨라진 차세대 이동 통신이다. 홀로그램 영상을 전송할 수 있고, 사물 인터넷이 가능할 것으로 예상된다.

11 NFC는 근거리 무선 통신을 말하며, 두 대 이상의 단말기를 10 cm 이내로 접근시켜 양방향 데이터를 송수신하는 기술이다. 비접촉 근거리 무선 통신이지만 암호화 기술이 적용되어 정보가 외부로 유출되지 않기 때문에 다양한 분야에서 활용할 수 있다. NFC를 활용하면 스마트폰으로 카드 결제를 할 수 있고, 교통 카드로도 사용할 수 있으며 가전제품과 연결하여 사용할 수 있다.

12 VoLTE는 LTE 인터넷망 위에서 음성 통화가 이루어지는 것이다. 목소리를 압축하여 데이터망으로 통화하는 기술로, 뛰어난 음질의 통화가 가능하며, 안정된 통화 연결성을 위해 계속 개발 중에 있다.

13 **| 오답피하기 |** 정보 통신 윤리는 정보 사회에서 옳고 그름을 판단하기 위한 기준이 된다. 정보 통신 윤리의 기본 원칙에는 책임, 정의, 존중, 해악 금지 등이 있다.

14 **| 오답피하기 |** 개인 정보는 이름, 주민 등록 번호, 주소, 학력, 가족 관계 등 개인을 식별할 수 있는 부호, 문자, 음성, 영상 등의 정보를 말한다.

17 공용 컴퓨터에서 금융 거래를 하게 되면 바이러스나 악성 코드가 설치되기 쉬워 해킹을 당하기가 쉽고, 개인 금융 거래 내역이 유출될 수 있다.

19 **| 오답피하기 |** 구전 동요는 별다른 제작자가 없다고 보기 때문에 저작권 보호의 대상이 되지 않는다.

20 **| 오답피하기 |** DIY로 만드는 가상 현실 안경은 영상과 눈의 거리가 너무 가까워서 영상이 제대로 보이지 않는다. 이를 위해 볼록 렌즈를 가상 현실 안경에 부착하면 눈 뒤에 맺히던 상의 위치를 조절하여 편하게 볼 수 있다.

21 개인 정보 처리 방침 및 이용 약관을 꼼꼼하게 살피고, 비밀번호는 타인이 유추하기 어렵게 설정하고 주기적으로 변경하며, 출처가 불명확한 자료는 내려받지 않는다. 또한, 회원 가입은 주민 등록 번호 대신 I-PIN과 같은 대체 수단을 이용한다.

| 채점 기준 |

등급	채점 기준	배점
A	컴퓨터 사용 시 개인 정보를 보호하기 위한 방법을 네 가지 모두 서술한 경우	100 %
B	컴퓨터 사용 시 개인 정보를 보호하기 위한 방법을 세 가지 서술한 경우	75 %
C	컴퓨터 사용 시 개인 정보를 보호하기 위한 방법을 두 가지 서술한 경우	50 %
D	컴퓨터 사용 시 개인 정보를 보호하기 위한 방법을 한 가지만 서술한 경우	25 %

22 소셜 미디어에 저작권자의 허락 없이 음원 파일을 올리지 않는다. 불법 사이트에서 무료로 영화 파일을 내려받지 않는다. 방송 프로그램 등의 화면을 캡처하여 인터넷에 올리지 않는다.

| 채점 기준 |

등급	채점 기준	배점
A	저작권 보호를 위해 지켜야 할 행동을 세 가지 모두 서술한 경우	100 %
B	저작권 보호를 위해 지켜야 할 행동을 두 가지 서술한 경우	70%
C	저작권 보호를 위해 지켜야 할 행동을 한 가지만 서술한 경우	40%

23 체크리스트, 역브레인스토밍, ALU 기법, PMI 기법 등이 있다.

| 채점 기준 |

등급	채점 기준	배점
A	아이디어 평가에 사용할 수 있는 사고 기법을 세 가지 모두 서술한 경우	100 %
B	아이디어 평가에 사용할 수 있는 사고 기법을 두 가지 서술한 경우	70%
D	아이디어 평가에 사용할 수 있는 사고 기법을 한 가만 서술한 경우	40%

VI 생명 기술과 미래 기술

1 삶을 풍요롭게 하는 생명 기술

개념 꽉꽉 다지기 p. 255

01 생명 기술 **02** 되먹임 **03** (1) ○, (2) ×, (3) ○ **04** ③ **05** ①

차곡차곡 실력 쌓기 p. 256

01 ① **02** ② **03** ④ **04** ④ **05** 유전 법칙 **06** ② **07** ⑤ **08** 유전자 지도 **09** ③ **10** 젓갈 **11** ④ **12** ④

01 살아 있는 생물체의 구조와 기능 등 생명 현상을 분석하고, 생명체의 다양한 기능을 활용하여 인간에게 유용한 물질을 만드는 수단이나 방법을 생명 기술이라 한다.

02 **| 오답피하기 |** 생명 기술은 부가 가치가 매우 높고, 우리 생활에 직접 영향을 미치며, 관련 학문 분야가 매우 다양하고, 적용 대상 범위가 넓다는 특징이 있다.

03 **| 오답피하기 |** 벼를 키우는 과정에서 농부, 농기구, 볍씨, 토지, 비료 등을 투입하고, 벼가 발아하며 자라고 수확하는 과정을 거쳐 최종 생산된 쌀을 생활에 이용하는 산출의 과정이 이루어진다.

06 **| 오답피하기 |** 17세기에는 현미경의 개발을 통해 세포의 존재를 알게 되었으며, 1796년에 에드워드 제너가 백신을 개발하였고, 1865년에 멘델이 유전 법칙을 밝혀냈다.

09 멘델은 완두콩 실험을 통해 유전 법칙을 발견했고, 제너는 천연두 치료를 위한 백신을 개발했다. 플레밍은 첫 항생 물질인 페니실린을 발견하였고, 제임스 왓슨과 프렌시스 크릭이 DNA 이중 나선 구조를 규명하였다. 체세포 복제를 통해 세계 최초로 복제 양 돌리가 탄생하였다.

11~12 템페는 콩을 쪄서 어묵 모양으로 굳혀서 발효시킨 후 튀기거나 구워서 먹는 인도네시아 발효 음식이고, 자 초이는 싱싱한 겨자 줄기를 고추장에 버무려 발효시켜 먹는 중국 음식이다. 일본에서는 채소를 소금, 식초 등에 절여 장기간 숙성시킨 스케모노를 먹고, 스웨덴에서는 청어를 발효시켜 만든 수르스트뢰밍을 먹는다.

2 건강한 삶을 유지하는 생명 기술의 원리

개념 꽉꽉 다지기 p. 265

01 유전자 재조합 **02** (1) ○, (2) ○ **03** ④ **04** ③ **05** ⑤

차곡차곡 실력 쌓기 p. 266

01 ⑤ **02** ⑤ **03** ① **04** ① **05** 핵 치환 **06** ③ **07** ①
08 ㉠ 바이오에탄올, ㉡ 바이오디젤 **09** ③ **10** ② **11** ②

01 유전자 재조합을 이용하여 인간에게 필요한 특성이 있는 새로운 생물을 만들 수 있다. 대장균을 이용하여 인슐린을 대량 생산할 수 있다.

03 조직 배양 기술은 한 개의 세포로부터 유전 형질이 같은 개체를 한꺼번에 많이 얻을 수 있어 인간에게 필요한 생물을 대량으로 증식시킬 때 활용된다. 또한, 멸종 위기에 처한 희귀 동식물과 번식력이 약한 동식물을 번식시키거나, 인간의 질병과 염색체 이상을 발견하는 데 활용된다.

04 서로 다른 종자의 세포를 하나로 융합시켜 새로운 생물을 만드는 기술을 세포 융합이라고 한다. 이 기술은 두 생물의 우수한 성질을 모두 갖춘 새로운 생물을 만드는 데 사용된다.

06 핵 치환 기술은 1996년 세계 최초로 포유동물 중 양의 핵 이식에 성공하면서 시작되었다. 이후 소, 개, 돼지 등의 다른 동물을 대상으로 한 연구도 성공하였다.

07 식품 분야에서 생명 기술을 이용해 젖산균, 효모 등 미생물의 발효 작용으로 빵, 된장, 김치 등의 발효 식품을 만들거나, 유전자 조작 기술을 이용하여 일반 쌀에는 부족한 비타민 A의 함량을 높인 황금 쌀을 만들 수 있다.

10 | 오답피하기 | 미래 생명 기술은 의료 분야에서 눈부신 변화가 예상된다. 의료용 나노 로봇의 등장으로 큰 질병을 수술 없이 치료할 수 있고, 각종 바이오센서의 개발로 유비쿼터스 건강 관리가 이루어짐으로써 병원에 가지 않아도 실시간으로 의사의 진료와 처방을 받을 수 있다. 또한 인간 게놈 분석을 통한 맞춤형 유전자 치료가 대중화됨으로써 유전적 결함이나 각종 질병, 장애를 예방하고 치료할 수 있을 것이다.

3 지구를 지속 가능하게 하는 착한 기술

개념 꽉꽉 다지기 p. 273

01 적정 기술 **02** 최소한 **03** (1) ×, (2) ○, (3) ○ **04** ③
05 ④

차곡차곡 실력 쌓기 p. 274

01 ① **02** ⑤ **03** ④ **04** ④ **05** ⑤ **06** 사탕수수 숯 **07** ②
08 ② **09** 지속 가능한 발전 **10** ③ **11** ④

01 대표적인 적정 기술 제품으로 라이프스트로, 큐드럼, 수동식 물 공급 펌프, 교육용 컴퓨터 등이 있다.

03~04 | 오답피하기 | 적정 기술의 조건은 1. 적은 비용이 든다. 2. 가능한 한 현지에서 나는 재료를 사용한다. 3. 현지의 기술과 노동력을 활용하여 일자리를 창출한다. 4. 제품의 크기는 비교적 작고 사용 방법이 간단하다. 5. 특정 분야의 지식이 없어도 이용할 수 있다. 6. 지역 주민 스스로 만들 수 있다. 7. 협동 작업을 이끌어 내며, 지역 사회 발전에 공헌한다. 8. 재생 에너지 자원을 활용한다. 9. 기술을 사용하는 사람들이 해당 기술을 이해할 수 있다. 10. 상황에 맞게 바꿀 수 있다.

05 | 오답피하기 | 항아리 냉장고는 큰 항아리 속에 작은 항아리를 넣어 만든 것으로, 전기 없이 낮은 온도를 유지할 수 있다. 항아리 냉장고에 보관한 농작물은 20일 이상 신선함을 유지한다.

07 | 오답피하기 | 석유가 나지 않는 우리나라의 경우, 겨울철 난방비를 비롯한 에너지 사용 비용이 많으므로 에너지와 관련한 적정 기술이 등장하고 있다. 정부의 지원도 점차 늘어나고 있어 앞으로 개발 도상국에 도움을 줄 수 있는 다양한 기술이 개발될 예정이다.

09 지속 가능한 발전은 사회 발전의 이면에 자원이 고갈되고 환경 오염 문제가 심각해지며, 사회의 불균형을 초래하기도 하는 문제에 대한 국제적인 차원의 대안이다.

11 바이오플라스틱은 기존의 합성 플라스틱과 달리 매립하더라도 땅속에서 분해가 되어 환경을 오염시키지 않는 친환경 소재이다.

4 친환경 벌레 퇴치제 만들기

개념 꽉꽉 다지기 p. 281

01 유용 미생물 **02** (1) ○, (2) ×, (3) × (4) ○ **03** 발효
04 ③ **05** ①

차곡차곡 실력 쌓기 p. 282

01 ⑤ **02** ⑤ **03** ④ **04** ① **05** 유용 미생물 **06** ③
07 항산화 작용 **08** ① **09** ⑤ **10** ③ **11** ④ **12** ㄷ-ㄱ-ㄴ-ㄹ

01 **| 오답피하기 |** 유용 미생물은 강력한 항산화 작용을 하고, 고분자 물질의 분해를 촉진하며 친환경적이다. 초기에는 농업용으로 많이 사용하였으나, 이후에는 환경 정화나 공중 위생, 공업 등으로 사용 분야를 확대하고 있다.

03 쌀뜨물을 이용하여 유용 미생물을 만들어 친환경 벌레 퇴치제를 만들 수 있다.

04 쌀을 씻을 때 나오는 쌀뜨물에 설탕을 섞어 따뜻한 곳에 일정 기간 보관하면 쌀뜨물이 발효하면서 유용 미생물이 생성된다.

06 **| 오답피하기 |** 유용 미생물은 발효 식품 만들기, 벌레 퇴치, 음식 찌꺼기 처리, 실내 공기 정화, 친환경 세제 만들기 등에 활용할 수 있다.

09 문제 해결 과정에서 아이디어를 탐색하기 위해 사용할 수 있는 사고 기법을 확산적 사고 기법이라고 한다. 브레인 라이팅, 브레인스토밍, 결점 열거법, 희망 열거법 등이 해당된다.

10 **| 오답피하기 |** 라벤더 오일은 피부 질환, 화상, 상처 등에 효과적이고, 티트리 오일은 항균 작용과 벌레 물린 데 효과적이다. 시트로넬라는 벌레와 모기의 접근을 막아 준다.

11 벌레 퇴치제를 만드는 과정에서 쌀뜨물을 이용한 발효 과정이 잘 수행되지 않으면 벌레를 퇴치할 수 있는 유용 미생물이 발생되지 않는다.

p. 284

대단원 마무리하기 1회

01 ④ **02** ④ **03** ⑤ **04** ⑤ **05** ② **06** ③ **07** ① **08** ②
09 ① **10** ② **11** ③ **12** ⑤ **13** ② **14** ④ **15** ④ **16** ①
17 ④ **18** ③ **19** ① **20** ② **21** ⑤ **22~24** 해설 참조

03 **| 오답피하기 |** 1990년부터 시작된 인간 게놈 프로젝트를 통해 2001년 인간이 가진 유전자 30억 개를 분석한 인간 유전자 지도가 완성되었다.

04 **| 오답피하기 |** 1796년 영국의 외과 의사 에드워드 제너는 천연두를 치료할 수 있는 백신을 개발했고, 1928년 알렉산더 플레밍은 첫 항생 물질인 페니실린을 발견했다. 1996년 체세포 복제를 통해 세계 최초의 복제 양 돌리가 탄생했고, 1990년부터 시작된 인간 게놈 프로젝트는 2001년 완성되었다.

05 인도의 대표적인 발효 음식에는 라시와 도사가 있고, 중국에는 싱싱한 겨자 줄기를 고추장에 버무려 발효시킨 자 초이가 대표적이다. 우리나라의 대표적인 발효 식품에는 된장, 고추장, 간장, 김치, 젓갈 등이 있다.

06 유전자 재조합 기술을 이용하여 인간에게 필요한 특성이 있는 새로운 생물을 만들 수 있다. 대장균을 이용한 인슐린의 대량 생산이 가능하다.

07 조직 배양은 한 개의 세포로부터 유전 형질이 같은 개체를 한꺼번에 많이 얻을 수 있어 인간에게 필요한 생물을 대량으로 증식시킬 때 활용된다. 또한, 멸종 위기에 처한 희귀 동식물과 번식력이 약한 동식물을 번식시키거나, 인간의 질병과 염색체 이상을 발견하는 데 활용된다.

08 세포에서 원래 생물의 핵을 제거하고 우수한 유전 형질을 지닌 다른 생물의 세포핵을 이식하는 기술을 핵 치환이라고 한다.

09 **| 오답피하기 |** 생명 기술은 우리가 먹는 식품의 영양가를 더 풍부하게 만듦으로써 인간을 더 건강하게 살 수 있도록 해 주고, 화석 연료를 대체할 에너지를 생산하거나 지구의 환경을 정화하는 데도 이용된다.

11 기온이 높은 아프리카 국가에서는 채소나 과일이 쉽게 상하기 때문에 농작물을 팔아 생활하는 농부들은 어려움이 많다. 이를 해결하기 위해 큰 항아리 속에 작은 항아리를 넣어 만든 항아리 냉장고는 전기 없이 낮은 온도를 유지할 수 있다.

12 아이티는 주연료인 숯을 만드는 과정에서 삼림이 황폐해지는 등 환경 피해가 심각하였다. 여러 개발 도상국에서는 사탕수수를 재배하여 소득을 얻는데, 사탕수수를 추출하고 난 후에 남은 찌꺼기를 이용하여 숯을 만든다.

13 **| 오답피하기 |** 석유가 나지 않는 우리나라의 경우, 겨울철 난방비를 비롯한 에너지 사용 비용이 많으므로 에너지와 관련한 적정 기술이 등장하고 있다.

14 적정 기술은 사회 공동체의 정치, 경제, 환경 조건을 고려해 현지에서 지속적인 생산과 소비를 할 수 있게 만든 기술을 말한다.

15 **| 오답피하기 |** 적정 기술은 대규모 사회 기반 시설이 필요하지 않으며, 신재생 에너지원을 활용하거나 화석 연료의 사용을 줄여 준다는 점에서 친환경적이다. 또한 사용자의 필요를 바탕으로 현지 환경에 기반을 두고 개발이 이루어진다.

17 **| 오답피하기 |** 유용 미생물은 발효 식품 만들기, 벌레 퇴치, 음식 찌꺼기 처리, 실내 공기 정화, 친환경 세제 만들기 등에 활용할 수 있다.

18 쌀을 씻을 때 나오는 쌀뜨물에 설탕을 섞어 따뜻한 곳에 일정 기간 보관하면 쌀뜨물이 발효하면서 유용 미생물이 생성된다. 준비물에는 정제수(40 mL), 쌀, 볼, 물(1 L), 에탄올(50 mL), 설탕, 라벤더 오일(10 방울), 티트리 오일(5 방울), 시트로넬라 오일(5 방울), 전자저울, 비커(250 mL), 빈 페트병(1.5 L), 스프레이 용기(50 mL), 약숟가락 등이 필요하다.

22 동식물 복제 과정에서 나타난 기형이나 돌연변이가 생태계에 위협을 줄 수 있다. 유전자 조작 과정에서 예기치 못한 사고로 질병에 걸릴 수 있다. 기술이 상업적 목적으로 사용되어 빈부 격차가 커진다. 복제 인간의 탄생, 의도적으로 유전자가 조작된 생명체의 탄생으로 생명의 존엄성에 혼란이 발생한다.

| 채점 기준 |

등급	채점 기준	배점
A	생명 기술로 인해 발생할 수 있는 문제점을 세 가지 모두 서술한 경우	100 %
B	생명 기술로 인해 발생할 수 있는 문제점을 두 가지 서술한 경우	70 %
C	생명 기술로 인해 발생할 수 있는 문제점을 한 가지만 서술한 경우	40 %

22 1. 적은 비용이 든다. 2. 가능한 한 현지에서 나는 재료를 사용한다. 3. 현지의 기술과 노동력을 활용하여 일자리를 창출한다. 4. 제품의 크기는 비교적 작고 사용 방법이 간단하다. 5. 특정 분야의 지식이 없어도 이용할 수 있다. 6. 지역 주민 스스로 만들 수 있다. 7. 협동 작업을 이끌어 내며, 지역 사회 발전에 공헌한다. 8. 재생 에너지 자원을 활용한다. 9. 기술을 사용하는 사람들이 해당 기술을 이해할 수 있다. 10. 상황에 맞게 바꿀 수 있다.

| 채점 기준 |

등급	채점 기준	배점
A	적정 기술의 조건을 세 가지 이상 서술한 경우	100 %
B	적정 기술의 조건을 두 가지 서술한 경우	70 %
C	적정 기술의 조건을 한 가지만 서술한 경우	40 %

23
- 환경 조성: 미래 세대와 현재 세대가 다 함께 쾌적하게 살 수 있는 깨끗한 환경 조성
- 경제 성장: 자연과 환경을 훼손하지 않고 인류가 지속해서 풍요로운 삶을 누릴 수 있는 경제 개발
- 사회 정의: 모든 인류의 사회적, 경제적, 정치적 불평등 해소와 세계 평화 유지

| 채점 기준 |

등급	채점 기준	배점
A	지속 가능한 발전의 세 가지 영역을 모두 서술한 경우	100 %
B	지속 가능한 발전의 두 가지 영역을 서술한 경우	70 %
C	지속 가능한 발전의 한가지 영역만 서술한 경우	40 %

p. 288

대단원 마무리하기 2회

01 ② **02** ① **03** ④ **04** ⑤ **05** ③ **06** ⑤ **07** ⑤ **08** ② **09** 세포 융합 **10** ③ **11** ① **12** ① **13** ⑤ **14** ④ **15** ② **16** ② **17** 사회 정의 **18** ① **19** ③ **20** ㉠ 아미노산, ㉡ 유기산 **21** ⑤ **22~24** 해설 참조

03 **| 오답피하기 |** 1865년 그레고어 멘델은 완두콩 실험을 통하여 우성 인자와 열성 인자에 의하여 유전이 이루어진다는 것을 밝혀냈다

04 인간이 본격적으로 질병을 치료하고 예방할 수 있게 된 것은 19세기 후반 병원균이 발견되면서부터이다. 근대에는 세포나 미생물에 관한 연구가 활발하게 진행되었으며, 이것이 생명 기술 발달의 기초가 되었다.

06 독일의 발효 식품인 사우어크라우트는 잘게 썬 양배추를 발효시켜 만든 시큼한 맛이 나는 독일식 양배추 절임이다.

07 유전자 재조합 기술을 이용하여 인간에게 필요한 특성이 있는 새로운 생물을 만들 수 있다. 대장균을 이용한 인슐린의 대량 생산이 가능하다.

09 서로 다른 종자의 세포를 하나로 융합시켜 새로운 생물을 만드는 기술을 세포 융합이라고 한다.

10 **| 오답피하기 |** 생명 기술은 다양한 분야에서 활용된다. 식품 분야에서는 발효 작용으로 식품을 만들거나 유전자 조작 기술로 이용한 황금 쌀을 만들 수 있다. 의료 분야에서 새로운 바이러스 치료를 위한 백신 개발에 활용되고, 바이오 장기를 개발하는 데 이용한다. 환경 분야에서는 오염된 토양, 하천 및 지하수, 해수 등을 정화하는 데 이용되고 있다. 에너지 분야에서는 바이오매스 에너지를 다룬다.

11 **| 오답피하기 |** 미래에는 의료용 나노 로봇의 등장으로 큰 질병을 수술 없이 치료할 수 있고, 각종 바이오센서의 개발로 유비쿼터스 건강 관리가 이루어짐으로써 병원에 가지 않아도 실시간으로 의사의 진료와 처방을 받을 수 있다.

13 **| 오답피하기 |** 적정 기술은 대규모 사회 기반 시설이 필요하지 않으며, 신재생 에너지원을 활용하거나 화석 연료의 사용을 줄여 준다는 점에서 친환경적이다. 또한 사용자의 필요를 바탕으로 현지 환경에 기반을 두고 개발이 이루어진다.

14 라이프스트로(LifeStraw)는 오염된 물을 깨끗하게 해주는 휴대용 정수 빨대로, 오염된 물을 먹고 질병에 걸리기 쉬운 심각한 물 부족 국가에서 아주 유용하게 쓰일 수 있다. 제품의 크기가 비교적 작아 휴대하기가 편리하고, 물에 대고 빨대처럼 빨아들이면 된다.

15 **| 오답피하기 |** 개발 도상국은 1인당 소득 수준이 낮고, 농업 부문의 비중이 크고 경제 기반이 정비되지 않았으며, 문맹률 및 실업률이 높다. 이런 나라에서의 적정 기술은 기술 제품을 생산하고 사용하는 과정에서 최소한의 자원을 소비하므로 생태적인 성격을 띤다.

16 우리나라의 경우 에너지 관련한 적정 기술이 등장하고 있다. 예를 들면, 짚과 흙을 이용한 생태 단열이 겨울철 연료비를 줄여 준다. 태양 에너지가 가진 열 에너지를 이용한 태양열 온풍기와 태양열 건조기가 여름철에는 과일이나 작물 건조용으로, 겨울철에는 난방용으로 사용되고 있다.

19 **| 오답피하기 |** 다양한 재료로 유용 미생물을 얻을 수 있고, 이를 이용하여 벌레 퇴치제를 만들 수 있다. 특히, 일상생활에서 쉽게 접할 수 있고, 주식으로 이용하는 쌀, 잡곡, 밀가루 등을 발효시키면 손쉽게 유용 미생물을 얻을 수 있다.

22 유전자 재조합에 의한 인슐린 대량 생산, 세포 융합 기술에 의한 토감 생성, 우수한 동식물 복제, 멸종 위기에 처한 동식물 보존 등

| 채점 기준 |

등급	채점 기준	배점
A	생명 기술의 활용 사례를 세가지 모두 서술한 경우	100 %
B	생명 기술의 활용 사례를 두 가지 서술한 경우	70 %
C	생명 기술의 활용 사례를 한 가지만 서술한 경우	40 %

23 대규모 사회 기반 시설이 필요하지 않다. 신재생 에너지원을 활용하거나 화석 연료의 사용을 줄여 준다. 사용자의 필요를 바탕으로 현지 환경에 기반을 두고 개발이 이루어지므로 실제 이용 가능성이 크다.

| 채점 기준 |

등급	채점 기준	배점
A	적정 기술의 특징을 세 가지 모두 서술한 경우	100 %
B	적정 기술의 특징을 두 가지 서술한 경우	70 %
C	적정 기술의 특징을 한 가지만 서술한 경우	40 %

24 큰 항아리와 작은 항아리 사이에 모래를 채우고, 모래에 물을 부어 넣는다. 과일이나 채소를 넣은 작은 항아리를 물을 적신 천으로 덮는다. 증기가 빠져나가면서 작은 항아리 속은 낮은 온도가 유지된다.

| 채점 기준 |

등급	채점 기준	배점
A	항아리 냉장고의 원리를 이해하고 정확하게 서술한 경우	100 %
B	항아리 냉장고의 원리를 이해하고는 있으나, 정확하게 서술하지 못한 경우	50 %